B.Y.H.

Buch

Heaven – ein kleiner verträumter Ort im Süden von Louisiana, doch unter der trügerischen Idylle brodeln die dunklen Geheimnisse seiner Bewohner heißer als die Hölle...
Schyler Crandall, die Adoptivtochter des mächtigsten Mannes in Heaven, hatte als junges Mädchen mit gebrochenem Herzen die Stadt verlassen. Als attraktive, erfolgreiche Frau, die genau weiß, was sie will, kehrt sie zurück. Schon nach kurzer Zeit hat sie das Gefühl, sie sticht in ein Wespennest: dunkle Affären, hinterhältige Intrigen, bei denen ihre durchtriebene kleine Schwester Tricia offenbar ihre Finger im Spiel hat. Das Imperium ihres Vaters steht kurz vor dem Ruin. Auch Cash, ebenso verführerisch wie undurchschaubar, ist in die Sache verwickelt. Doch kein Mann hat Schyler bisher so um den Verstand gebracht und konnte ihr so gefährlich werden wie er...

Autorin

Bevor sie mit ihrem ersten Roman sofort zur Bestsellerautorin avancierte, arbeitete Sandra Brown als gefragtes Model, Schauspielerin, Geschäftsfrau und Fernsehstar. Alle ihre Romane feierten in den USA spektakuläre Erfolge und erreichten ausnahmslos die ersten Plätze der Bestsellerlisten. Sie wurde mehrfach mit dem *New York Times Award* ausgezeichnet. Sandra Brown lebt mit ihrer Familie in Arlington, Texas.

SANDRA BROWN

Schwelende Feuer

R o m a n

Aus dem Amerikanischen
von Gabriela Prahm

GOLDMANN VERLAG

Sonderausgabe

Dieser Titel ist bereits unter der Nummer 42216
als Goldmann-Taschenbuch erschienen.

Die Originalausgabe erschien
unter dem Titel »Slow Heat in Heaven«
bei Warner Books, New York

Umwelthinweis:
Alle bedruckten Materialien dieses Taschenbuches sind chlorfrei
und umweltschonend.

Der Goldmann Verlag
ist ein Unternehmen der Verlagsgruppe Bertelsmann

Copyright © 1988 by Sandra Brown
Copyright © der deutschsprachigen Ausgabe 1993
by Wilhelm Goldmann Verlag, München
Translated from the English *Slow Heat in Heaven.*
First published in the United States by Warner Books, New York
Umschlaggestaltung: Design Team München
Umschlagillustration: Aus dem Buch »Das magische Auge III« © 1994.
N. E. Thing Enterprises,
erschienen im Verlag arsEdition München und Zug.
Satz: IBV Satz- und Datentechnik GmbH, Berlin
Druck: Elsnerdruck, Berlin
Verlagsnummer: 43003
Lektorat: Erna Tom/AK
Herstellung: Ludwig Weidenbeck
Made in Germany
ISBN 3-442-43003-8

1 3 5 7 9 10 8 6 4 2

1. KAPITEL

Im ersten Moment war sie nicht sicher, ob er wirklich dort stand.

Sie hatte gedöst; den Kopf auf dem Arm, der eingeschlafen war und anfing zu kribbeln. Sie schlug die Augen auf, streckte sich wohlig und schaute zur Seite. Da sah sie ihn. Und mit einem Schlag war das lästige Kribbeln im Arm vergessen.

Zunächst glaubte sie, ihre Augen würden ihr einen Streich spielen; vielleicht lag es auch nur an ihrer Schläfrigkeit und der Trägheit dieses heißen Sommernachmittags. Sie zwinkerte mehrmals. Doch er stand immer noch dort.

Die Umrisse seines Körpers waren so detailliert zu erkennen, als wären sie aus schwarzem Karton mit einer Nagelschere ausgeschnitten. Deutlich zeichnete er sich vor der untergehenden Sonne ab, die in einer wahren Lichtkaskade von Zinnoberrot bis Gold am Horizont versank.

Reglos stand er dort, wie die Kiefern, die aussahen wie majestätische und hoch aufgeschossene Wächter. Kein Windhauch rührte in ihren Zweigen. Schyler selbst lag unter einer Lebenseiche, von deren Ästen Spanisches Moos herabhing, trauriger als sonst wegen der unerbittlichen Hitze.

Die regungslose Gestalt war eindeutig männlich. Ebenso die Pose. O ja, seine Pose war aufreizend und arrogant männlich; das Knie leicht gebeugt, die Hüfte herausgestellt.

Es war ein höchst unbehagliches Gefühl, aus einem Nickerchen zu erwachen und festzustellen, daß keine 20 Meter entfernt jemand stand und einen schweigend und lauernd wie ein Raubtier beobachtete. Und noch beunruhigender war es, daß dieser *jemand* ein selbstsicheres männliches Wesen war, in dessen Augen sie selbst der Eindringling war.

Doch was Schyler am meisten beunruhigte, war die große Hacke, die er auf den Schultern trug. Ein an sich harmloses Bild. Seine Handgelenke lagen über dem Stiel, die Hände baumelten herab. In London hätte ein Mann mit einer Hacke über der Schulter sicher einiges Aufsehen erregt. Im ländlichen Louisiana dagegen war das während des Sommers ein vertrauter Anblick.

Nur, daß es in diesem Teil von Belle Terre nicht mal mehr ein Zwiebelbeet gab. Die Felder hier waren Stoppelfelder, das Gemüse war Meilen entfernt angebaut. Also hatte Schyler allen Grund, beunruhigt zu sein. Die Sonne ging bereits unter, und sie war ein gutes Stück von zu Hause entfernt.

Sie hätte ihn zur Rede stellen und verlangen können, daß er ihr sagte, wer er war und was er hier auf ihrem Grund und Boden zu suchen hatte. Doch sie sagte nichts; vielleicht weil er so aussah, als würde er viel eher als sie selbst hierher nach Belle Terre gehören. Er verschmolz mit der Umgebung, war eins mit ihr. Im Vergleich dazu schien sie völlig fehl am Platz und auffällig.

Sie konnte nicht sagen, wie lange sie einander angestarrt hatten. Zumindest nahm sie an, daß auch er sie anstarrte, denn sie konnte sein Gesicht nicht klar erkennen, und noch weniger ausmachen, was er sich so eindringlich besah. Doch ihr Instinkt sagte ihr, daß er sie beobachtete und zwar schon eine ganz Weile. Diese entnervende Tatsache ließ sie schließlich handeln. Sie setzte sich auf.

Er kam auf sie zu.

Seine Schritte verursachten kaum ein Rascheln im knöchelhohen Gras. Er bewegte sich geräuschlos und geschmeidig, ließ die Hacke von der Schulter gleiten und hielt den langen Stiel mit beiden Händen.

Alle Ratschläge zur Selbstverteidigung, die Schyler jemals gehört hatte, verzogen sich nun feige in den hintersten Winkel ihres Bewußtseins. Sie konnte sich nicht bewegen, brachte keinen Ton heraus. Sie versuchte, nach Luft zu schnappen, um schreien zu können, doch die Luft war so zäh wie Treibsand.

Instinktiv ließ sie sich gegen den massigen Baumstamm sinken und schloß die Augen. Das letzte, was sie sah, war die scharfe Klinge der Hacke, die in der Sonne aufblitzte, während sie in hohem Bogen herabzischte und dumpf aufschlug. Schyler wartete auf den betäubenden Schmerz, der den Tod bringen würde. Doch nichts dergleichen geschah.

»Nickerchen beendet, *pichouette*?«

Zwinkernd öffnete Schyler die Augen, verwundert, daß sie noch am Leben war. »Was?«

»Haben Sie Ihr Nickerchen beendet, Miss Schyler?«

Sie schirmte die Augen gegen die blendende Sonne ab, aber sie konnte sein Gesicht noch immer nicht erkennen. Er kannte ihren Namen. Und er hatte im Cajun-Dialekt gesprochen. Doch davon abgesehen, hatte sie noch immer keinen Schimmer, wer er war.

Das dumpfe Geräusch war von der scharfen Klinge verursacht worden, als sie in das Gras drang. Der Mann stützte sich jetzt auf die Hacke auf, die Hände harmlos über dem stumpfen Ende des Stiels gefaltet. Sein Kinn ruhte auf den Händen. Doch diese gutmütige Geste machte ihn nicht weniger gefährlich.

»Woher kennen Sie mich?« fragte Schyler.

Verschlossene Lippen öffneten sich für einen kurzen Moment. Doch es war kein echtes Lächeln. Dazu war es zu sardonisch.

»Weiß doch jeder in Laurent, daß Miss Schyler Crandall aus London zurück ist.«

»Nur vorübergehend und auch nur, weil mein Vater einen Herzanfall erlitten hat.«

Er zuckte die Achseln; offensichtlich war es ihm egal, woher sie kam und wohin sie ging. Er wandte den Kopf und schaute in die untergehende Sonne. Seine Augen reflektierten das Licht wie die reglosen Wasser der Bayous, wenn die Sonnenstrahlen im rechten Winkel darauf fielen. Um diese Tageszeit sah das Wasser so glatt und undurchdringlich aus wie Metall. Ebenso wie seine Augen.

»Ich beteilige mich nicht am Tratsch der Leute, Miss Schyler. Ich hör' mir an, was sie so erzählen. Und wenn's mich nichts angeht, hör' ich gar nicht hin.«

»Was machen Sie hier?«

Er wandte sich wieder ihr zu. »Ihnen beim Schlafen zusehen.«

»Und vorher?« fragte sie scharf.

»Hab' ich Wurzeln gesammelt.« Er klopfte gegen den kleinen Lederbeutel an seinem Gürtel.

»Wurzeln?« Seine Antwort ergab überhaupt keinen Sinn, und seine arrogante Haltung ärgerte sie. »Was denn für Wurzeln?«

»Ist doch egal. Kennen Sie ohnehin nicht.«

»Sie sind hier auf Privatbesitz. Sie haben nichts auf Belle Terre verloren.«

Insekten summten laut in der folgenden Stille. Seine Augen ließen nicht einen Moment von ihrem Gesicht ab. Als er antwortete, war seine Stimme so sanft und unerreichbar wie die so sehr ersehnte kühle Brise. »O doch, *pichouette*. Ich wohne nämlich auf Belle Terre.«

Schyler schaute zu ihm hoch. »Wer sind Sie?«

»Erinnern Sie sich nicht mehr an mich?«

Eine Ahnung stieg in ihr auf. »Boudreaux?« flüsterte sie. Dann schluckte sie, nicht gerade erleichtert, nun zu wissen, mit wem sie sprach. »Cash Boudreaux?«

»Bien! Haben Sie mich also erkannt.«

»Nein. Nein, habe ich nicht. Die Sonne blendet mich. Und es ist Jahre her, seit ich Sie zuletzt gesehen habe.«

»Und Sie hatten allen Grund, sich nicht an mich zu erinnern.« Er grinste amüsiert, als sie verlegen zur Seite schaute. »Wenn Sie mich nicht erkannt haben, woher wissen Sie dann, wer ich bin?«

»Sie sind der einzige, der auf Belle Terre lebt und kein…«

»Kein Crandall ist.«

Sie duckte sich leicht; es machte sie nervös, allein mit Cash Boudreaux zu sein. Soweit sie zurückdenken konnte, hatte ihr Vater ihr und ihrer Schwester Tricia verboten, auch nur mit ihm zu sprechen.

Seine Mutter war die geheimnisumwitterte Monique Boudreaux, die in einer Hütte am Laurent Bayou lebte, der sich um und durch die bewaldeten Ländereien von Belle Terre wand. Als Junge hatte Cash Zugang zu den Ländereien gehabt, durfte sich aber nie dem Haus nähern. Weil sie in diesem Moment nicht darüber reden wollte, fragte Schyler höflich: »Wie geht es Ihrer Mutter?«

»Sie ist gestorben.«

Seine unverblümte Antwort verblüffte sie. Boudreaux' Gesicht war im aufsteigenden Zwielicht nicht zu erkennen. Aber selbst im hellen Mittagslicht hätte seine Miene nicht verraten, was er dachte. Er war nie redselig gewesen. Dieselbe geheimnisvolle Aura, die seine Mutter umgeben hatte, umgab auch ihn.

»Das wußte ich nicht.«

»Ist schon einige Jahre her.«

Schyler verscheuchte einen Moskito, der auf ihrem Nacken gelandet war. »Das tut mir leid.«

»Sie sollten besser heimgehen. Sonst fressen die Moskitos Sie noch mit Haut und Haaren auf.«

Er reichte ihr die Hand. Sie hielt das für zu gefährlich und scheute sich davor, sie zu berühren, so, wie sie sich gescheut hätte, eine Wasserschlange zu streicheln. Aber andererseits wäre es unsagbar unhöflich gewesen, sich nicht von ihm aufhelfen zu lassen. Bis jetzt war ihr ja noch nichts zugestoßen.

Sie legte ihre Hand in die seine. Seine Handfläche fühlte sich rauh wie Leder an, und als sich seine Finger um ihre Hand schlossen, spürte Schyler die Schwielen. Kaum war sie auf den Beinen, zog sie die Hand weg.

Heftig klopfte sie ihr Kleid aus und sagte, um den peinlichen Moment zu überbrücken: »Das letzte Mal, als ich von Ihnen gehört habe, waren Sie gerade aus Fort Polk entlassen worden und auf dem Weg nach Vietnam.« Er sagte nichts. Sie schaute auf zu ihm. »Sind Sie dort gewesen?«

»*Oui.*«

»Das ist jetzt lange her.«

»Nicht lange genug.«

»Nun, ich… ich bin froh, daß Sie wieder hier sind. Die Gemeinde hat viele Söhne dort drüben verloren.«

Er zuckte die Achseln. »Schätze, ich war wohl ein besserer Kämpfer.« Sein Mund verzog sich zu der Andeutung eines Lächelns. »Aber das habe ich ja schon immer sein müssen.«

Sie hatte nicht vor, darauf zu antworten. Eigentlich suchte sie nach einer Möglichkeit, dieses unbehagliche Gespräch behutsam in eine andere Richtung zu lenken. Doch ehe ihr etwas einfiel, hob Cash Boudreaux eine Hand an ihren Nacken und wischte einen Moskito fort, der sich dort zum Abendessen niedergelassen hatte.

Seine Fingerkuppen waren rauh, doch es war ein seltsam aufregendes Gefühl, als sie über ihren bloßen Hals und ihre Brust strichen. Ernst und neugierig schaute er sie dabei an, und in seinem Blick lag etwas Anzügliches. Er wußte genau, was er tat. Ganz dreist hatte er das Unentschuldbare getan – Cash Boudreaux hatte Schyler Crandall berührt… und ließ es darauf ankommen, daß sie protestierte.

»Die Biester kennen die besten Stellen«, erklärte er.

Schyler tat, als bemerkte sie seinen anzüglichen Blick gar nicht. »Sie sind so unverschämt wie eh und je, was?«

»Ich wollte Sie nicht enttäuschen, indem ich mich ändere.«

»Das wäre mir völlig egal gewesen.«

»War es doch immer.«

Ernstlich eingeschnappt richtete sich Schyler auf. »Ich muß jetzt zurück zum Haus. Es ist Zeit zum Abendessen. War nett, Sie getroffen zu haben, Mr. Boudreaux.«

»Wie geht es ihm?«

»Wem? Meinem Vater?«

Er nickte ergeben. Schylers Schultern entspannten sich etwas. »Ich habe ihn heute noch nicht gesehen. Nach dem Essen werde ich zu ihm fahren. Heute morgen habe ich mit einer der Schwestern im Krankenhaus gesprochen, und sie sagte, er habe eine ruhige Nacht gehabt.« Ihre Gefühle senkten ihre Stimme zu einem heiseren Flüstern. »Im Moment muß man selbst dafür schon dankbar sein.« Und dann sagte sie in ihrem besten Sonntagsgesellschaftston: »Ich werde ihm ausrichten, daß Sie sich nach seinem Befinden erkundigt haben, Mr. Boudreaux.«

Sein Lachen war plötzlich und harsch. Ein Vogel flatterte erschrocken auf und flüchtete in die Spitze der Lebenseiche. »Das halte ich für keine gute Idee. Es sei denn, Sie wollen, daß der alte Herr abkratzt.«

Wenn sie sich nicht irrte, war Cash Boudreaux knapp vierzig und hätte also seine Zunge im Zaum halten können, aber er war anscheinend immer noch so ungehobelt, rüde und unbeherrscht wie in seiner Jugend. Seine Mutter hatte ihn verwildern lassen. Cash Boudreaux war der schlimmste Rabauke gewesen, den Louisiana jemals hervorgebracht hatte.

»Einen schönen Abend noch, Mr. Boudreaux.«

Er verbeugte sich leicht. »Ebenfalls, Miss Schyler.«

Sie antwortete ihm mit einem kühlen Nicken, das mehr ihrer

Schwester ähnlich sah als ihr, und ging in Richtung Haus. Sie war sich bewußt, daß er ihr nachsah. Kaum war sie in sicherer Entfernung und im tiefen Schatten der Bäume, drehte sie sich zu ihm um.

Er stand gegen den Stamm der Lebenseiche gelehnt, den ein halbes Dutzend Männer nicht hätte umspannen können. Sie sah, wie ein Streichholz in der Dunkelheit aufflammte. Boudreaux' nach vorn gebeugtes Gesicht wurde kurz erleuchtet, als er das brennende Streichholz an die Zigarette hielt. Er wedelte das Streichholz aus. Schyler nahm den Geruch von Schwefel wahr.

Boudreaux inhalierte tief. Die Zigarette leuchtete glühend rot auf, wie ein einzelnes Auge, das ihr aus der Tiefe der Hölle zuzwinkerte.

2. KAPITEL

Schyler wollte so schnell wie möglich zum sicheren Haus kommen; sie lief durch den Wald, stolperte über dichtes Gestrüpp. Ein Schwarm Moskitos schwirrte um ihren Kopf, als sie die wakkelige Fußgängerbrücke über den schmalen Bach überquerte, der den Wald von den rings um das Haus angelegten Rasenflächen trennte.

Als sie den smaragdgrünen weichen Rasenteppich erreichte, blieb sie stehen, um kurz zu verschnaufen. Die Abendluft war so schwer wie das Parfüm einer Prostituierten auf der Bourbon Street. Geißblatt säumte das Bachufer. Gardenien blühten in der Nähe, ebenso wie wilde Rosen und Magnolien.

Schyler nahm jeden einzelnen Duft wahr. Alle waren mit einer ganz besonderen Erinnerung aus ihrer Kindheit verbunden. Und auch wenn sie schon lange kein Kind mehr war und seit sechs Jahren keinen Fuß mehr auf Belle Terre gesetzt hatte, so waren sie ihr doch noch immer schmerzlich vertraut.

Kein Garten Englands duftete so wie ihr Zuhause, wie Belle Terre. Selbst wenn sie mit verbundenen Augen hierhergebracht worden wäre, hätte sie es sofort an den Geräuschen und Düften erkannt.

Der abendliche Chor der Frösche und Grillen stimmte sich ein. Die Bässe drangen aus dem sumpfigen Bachgrund, der Sopran aus den mannshohen Büschen. In der Ferne war das traurige Pfeifen eines Güterzuges zu hören.

Schyler lehnte sich an den rauhen Stamm einer Kiefer und schloß die Augen. Sie verschränkte die Arme vor der Brust und wiegte sich selbst, so als fürchtete sie, aus einem Traum zu erwachen, wenn sie die Augen wieder öffnete; als hätte sie Angst, zu erwachen und feststellen zu müssen, daß sie gar nicht auf Belle Terre war, wo der Sommer in voller Blüte stand, sondern im grauen winterlichen London.

Doch als sie die Augen aufschlug, sah sie das Haus. So rein und weiß wie ein Zuckerwürfel stand es gelassen im Herzen der Lichtung und prangte in der Landschaft wie das Herzstück einer Tiara.

Gelbliches, von den Fliegengittern gedämpftes Licht ergoß sich aus den Fenstern auf die hohe Veranda. Sechs Säulen säumten die Vorderfront, drei zu jeder Seite des Eingangs. Sie stützten einen Balkon im zweiten Stock. Es war jedoch kein echter Balkon, sondern diente nur als Fassade. Tricia betonte das regelmäßig und gereizt. Doch Schyler mochte diesen Balkon. Ihrer Meinung nach war diese Attrappe notwendig für die Symmetrie der Architektur.

Die Veranda verlief rings um das Haus. Sie war einst als Schlafraum genutzt worden und auf der Rückseite mit Fliegenfenstern abgeschlossen. Schyler erinnerte sich noch, wie ihre Mutter immer von den guten alten Zeiten gesprochen hatte, wenn bei den Familientreffen all ihre Cousins und Cousinen aus Laurent Parish dort auf Pritschen geschlafen hatten.

Schyler dagegen hatte stets die offene Veranda vorgezogen. Passend zum Haus weiß gestrichene Korbstühle waren so aufgestellt, daß man, egal in welchem man saß, einen besonderen Blick auf die Grünanlagen genießen konnte. Jeder Anblick glich einem Motiv einer Ansichtskarte.

Die Schaukel, die Cotton damals für Tricia und Schyler unter dem Portal hatte anbringen lassen, hing in einer Ecke der Veranda. Zu beiden Seiten der Tür wuchs aus passenden Kübeln

Farnkraut, so bauschig wie ein Dutzend zusammengebundener Staubwedel. Veda war so stolz auf diesen Bostoner Zwillingsfarn gewesen; hatte ihn unermüdlich gepflegt und jeden ausgeschimpft, der zu schnell und zu nahe daran vorbeilief. Sie hatte es als persönliche Kränkung betrachtet, wenn ein geliebter Farnwedel aus Versehen umgeknickt wurde.

Macy lebte nicht mehr. Und Cottons Leben hing an einem seidenen Faden. Das einzige, was unverändert und für die Ewigkeit schien, war das Haus selbst. Belle Terre.

Schyler flüsterte den Namen wie ein Gebet, als sie sich vom Baum abstieß. Einer Laune nachgebend schlüpfte sie aus ihren Sandalen und lief barfuß über das kühle, feuchte Gras, das der automatische Sprenkler am Nachmittag gewässert hatte.

Als sie vom Rasen auf den Kieselweg trat, zuckte sie vor Schmerz zusammen. Doch es war eine willkommene Pein und rief Erinnerungen an die Kindheit in ihr wach. Es war ein alljährliches Ritual gewesen, zu Beginn des Frühlings den Kiesweg barfuß entlangzulaufen. Da sie den ganzen Winter über Strümpfe und Schuhe getragen hatte, waren ihre Füße empfindlich. Wenn es warm genug war und Veda es erlaubt hatte, wurden die Strümpfe und Schuhe abgelegt. Es dauerte immer einige Tage, bis ihre Fußsohlen so abgehärtet waren, daß sie den ganzen Weg bis zur Straße hinunter laufen konnte, ohne zwischendurch stehenbleiben zu müssen.

Der Klang und das Gefühl des Kieswegs waren vertraut. Ebenso wie das Quietschen der Tür, als sie sie öffnete. Gleich hinter ihr fiel sie, wie Schyler es nicht anders kannte, wieder ins Schloß. Belle Terre änderte sich nie. Es war ihr Zuhause.

Aber andererseits auch wieder nicht. Nicht mehr. Nicht, seit Ken und Tricia es zu ihrem Zuhause gemacht hatten.

Die beiden saßen bereits am langen Tisch im Eßzimmer. Ihre Schwester Tricia stellte ihr Glas mit Bourbon und Wasser ab. »Wir haben schon gewartet«, grüßte sie vorwurfsvoll.

»Entschuldigt bitte. Ich bin spazierengegangen und habe die Zeit ganz vergessen.«

»Halb so schlimm, Schyler«, sagte Ken Howell. »Wir haben ja nicht lange gewartet.« Ihr Schwager lächelte ihr von der Vitrine aus zu, wo er sein Glas aus einer kristallenen Karaffe mit Bourbon nachfüllte. »Möchtest du etwas trinken?«

»Einen Gin Tonic, bitte. Mit viel Eis. Es ist heiß draußen.«

»Es ist zum Ersticken.« Verärgert fächerte sich Tricia mit ihrer steifen Serviette Luft zu. »Ich habe Ken gebeten, daß er den Thermostat an der Klimaanlage neu einstellt. Daddy ist ja so knauserig wegen der Stromrechnung. Er läßt uns den ganzen Sommer über vor Hitze vergehen. Solange er nicht hier ist, sollten wir es uns so angenehm wie möglich machen. Aber es dauert ewig, bis es sich in diesem alten Haus abkühlt. Prost.« Sie hielt ihr Glas in Schylers Richtung, als Ken ihr den gewünschten Drink reichte.

»Ist alles in Ordnung?«

Schyler nippte an ihrem Drink, sah Ken aber nicht offen in die Augen, als sie antwortete: »Bestens. Danke.«

»Ken, ehe du dich wieder setzt, sag doch bitte Mrs. Graves, daß Schyler doch noch gekommen ist, und sie nun servieren soll.«

Tricia winkte ihn zur Tür, die das formelle Eßzimmer mit der Küche verband. Er warf ihr einen verächtlichen Blick zu, tat aber wie geheißen. Als Schyler ihre Sandalen neben dem Stuhl abstreifte, sagte Tricia: »Also ehrlich, Schyler, du bist erst ein paar Tage wieder hier und hast schon wieder deine schlechten Manieren, die Mama bis zuletzt fast in den Wahnsinn getrieben haben. Du willst doch nicht etwa barfuß am Tisch sitzen, oder?«

Da Tricia bereits schmollte, daß sie ihretwegen mit dem Abendessen hatte warten müssen, zog Schyler um des lieben Friedens willen ihre Sandalen wieder an. »Ich kann nicht verstehen, warum du nicht gerne barfuß läufst.«

»Und ich kann nicht verstehen, warum du es tust.« Auch wenn Tricias engelsgleiches Lächeln von Michelangelo hätte gemalt sein können, war sie dennoch garstig. »Gut möglich, daß in meinen Adern das aristokratische Blut meiner Vorfahren fließt, woran es dir völlig mangelt.«

»Gut möglich«, entgegnete Schyler ohne Bitterkeit. Sie nippte an ihrem Drink und genoß den eiskalten Gin und die herbe Limone.

»Ist dir das eigentlich gleichgültig?« fragte Tricia.

»Was?«

»Daß du deine Vorfahren nicht kennst. Manchmal legst du Manieren an den Tag wie das letzte Pack. Das kann nur bedeuten, daß deine Leute so jämmerlich waren, wie der Tag lang ist.«

»Wirklich, Tricia, ich *bitte* dich«, unterbrach Ken peinlich berührt. Er war aus der Küche zurückgekehrt und setzte sich gegenüber seiner Frau an den Tisch. »Laß es gut sein. Was macht es denn schon für einen Unterschied?«

»Es macht einen großen Unterschied.«

»Wichtig ist doch, was man aus seinem Leben macht, und nicht, woher man kommt. Stimmt's, Schyler?«

»Ich denke nie über meine leiblichen Eltern nach«, antwortete Schyler. »Na ja, als ich noch klein war, habe ich es hin und wieder getan, wenn man mir weh getan hatte oder wenn mich jemand beschimpft hat oder...«

»Beschimpft?« wiederholte Tricia ungläubig. »Daran kann ich mich überhaupt nicht entsinnen. Wann genau soll das denn jemals passiert sein, Schyler?«

Schyler ignorierte die Bemerkung und fuhr fort. »Ich habe mir selber leid getan und gedacht, wenn meine leiblichen Eltern mich nicht zur Adoption freigegeben hätten, wäre mein Leben schöner gewesen.« Sie lächelte wehmütig. »Was natürlich nicht stimmt.«

»Woher willst du das so genau wissen?« Müßig ließ Tricia mit ihrem manikürten Zeigefinger einen Eiswürfel in ihrem Glas kreisen, dann leckte sie die Fingerspitze ab. »Ich bin sicher, daß *meine* Mutter ein wohlhabendes Mädchen der feinen Gesellschaft war. Ihre fiesen alten Eltern haben sie aus Eifersucht und reiner Boshaftigkeit dazu gezwungen, mich wegzugeben. Mein Vater war bestimmt jemand, der meine Mutter geliebt und leidenschaftlich verehrt hat; aber er hat sie nicht heiraten können, weil sein giftiges Weib sich nicht scheiden lassen wollte.«

»Du hast zu viele Kitschfilme gesehen«, lästerte Ken mit einem amüsierten Lächeln in Schylers Richtung. Schyler nickte.

Tricia kniff die Augen zusammen. »Mach dich nicht über mich lustig, Ken.«

»Wenn du derart überzeugt bist, daß deine leiblichen Eltern so wundervoll waren, warum hast du dann nie den Versuch unternommen, herauszufinden, wer sie sind?« fragte er sie. »Wenn ich mich recht erinnere, hat Cotton dich sogar dazu ermuntert.«

Tricia strich die Serviette auf ihrem Schoß glatt. »Weil ich ihr Leben nicht durcheinanderbringen und ihnen die Verlegenheit ersparen wollte.«

»Vielleicht wolltest du dir nur ersparen rauszufinden, daß sie gar nicht so wunderbar sind.« Ken nahm einen letzten Schluck aus seinem Glas und stellte es mit der Lässigkeit eines Spielers ab, der sein Trumpf-As auf den Tisch legt.

»Selbst wenn sie nicht reich waren«, schnappte Tricia, »dann weiß ich aber genau, daß sie nicht so ärmlich waren wie Schylers Eltern.« Zuckersüß lächelnd langte sie über den Tisch nach Schylers Hand. »Ich hoffe, ich habe deine Gefühle nicht verletzt, Schyler.«

»Nein, hast du nicht. Woher ich komme, war mir schon immer egal. Ich bin nicht so wie du. Ich bin froh, daß ich durch die Adoption eine Crandall geworden bin.«

»Du bist sogar so grauenhaft dankbar gewesen, daß du Cotton Crandalls ein und alles geworden bist, hab' ich recht?«

Mrs. Graves' Eintreten führte dazu, daß Schyler Tricias schneidende Bemerkung nicht beachtete. Die Haushälterin war, wie Schyler fand, die traurigste Person auf der ganzen Welt. Bis jetzt hatte sie diese hagere Frau nicht ein einziges Mal lächeln sehen. Sie war das genaue Gegenteil von Veda.

Als die wortkarge Haushälterin um den Tisch ging und aus einer Terrine Suppe servierte, verspürte Schyler plötzliche Sehnsucht nach Veda. Ihr strahlendes Gesicht, so schwarz wie Kaffee, war Teil ihrer Erinnerung, so weit sie zurückdenken konnte. Vedas üppiger Busen war so weich gewesen wie ein Gänsedaunenkissen, so beschützend wie eine Burg und so aufmunternd wie ein Gang in die Kapelle. Sie duftete immer nach Stärke und Zitrone, nach Vanille und Lavendelkissen.

Schyler hatte sich darauf gefreut, bei ihrer Rückkehr von Vedas bärenstarken Armen an der Tür begrüßt zu werden. Um so bitterer war ihre Enttäuschung gewesen, als sie erfahren hatte, daß Veda durch Mrs. Graves ersetzt worden war, deren flache Brust so hart und kalt und wenig einladend wirkte wie ein Grabstein aus Granit.

Die Suppe war dünn und seelenlos wie die Frau, die sie zubereitet und serviert hatte und dann durch die Tür wieder in der Küche verschwunden war. Nach einer Kostprobe von der eisgekühlten Suppe griff Schyler zum Salzstreuer.

Tricia sprang sofort für die Köchin in die Bresche. »Ich hatte Mrs. Graves angewiesen, beim Kochen kein Salz mehr zu verwenden, als Daddys Blutdruck so sehr angestiegen war. Wir haben uns inzwischen daran gewöhnt.«

Schyler gab noch mehr Salz in ihre Suppe. »Ich aber nicht.« Erneut probierte sie, fand die Suppe aber gänzlich ungenießbar. Sie legte den Löffel auf den Unterteller und schob alles beiseite. »Ich erinnere mich noch zu gut an Vedas Vichyssois. Die war so dick und köstlich, daß der Löffel drin steckenblieb.«

Sich bewußt zurückhaltend betupfte sich Tricia die Lippen mit der Serviette und faltete diese dann wieder sorgfältig auf ihrem Schoß aus. »Hab' ich doch gewußt, daß du mir das ankreidest.«

»So habe ich das nicht gemeint —«

»Sie war alt, Schyler. Du hast sie einige Jahre nicht gesehen, also hast du kein Recht, meine Entscheidung zu kritisieren. Veda war am Schluß schluderig und tatterig, hab' ich recht, Ken?« Es war nur eine rhetorische Frage, und er hatte keine Gelegenheit, seine Meinung kundzutun. »Ich hatte keine andere Wahl, als sie zu entlassen. Wir konnten sie doch nicht weiterhin bezahlen, wo ihre Arbeit nicht mehr tat. Es hat mir schrecklich leid getan«, sagte Tricia und preßte eine Hand auf ihre volle Brust. »Ich habe sie doch auch geliebt, wie du weißt.«

»Ich weiß«, sagte Schyler. »Ich wollte dich auch nicht kritisieren. Es ist nur so, daß sie mir fehlt. Sie hat eben immer zu Belle Terre gehört.« Da sie zu der Zeit in Übersee gelebt hatte, konnte sie Tricias Entscheidung nicht rückgängig machen. Aber eine schludrige und tatterige Veda… das konnte sie sich einfach nicht vorstellen.

Tricia gab sich zwar alle Mühe zu betonen, ihre ehemalige

Haushälterin auch gemocht zu haben, aber Schyler fragte sich unweigerlich, ob sie Veda aus reiner Boshaftigkeit vor die Tür gesetzt hatte. Bei zahllosen Anlässen war ihre Schwester alles andere als liebevoll zu Veda gewesen. Einmal hatte Tricia Veda so beleidigend getadelt, daß Cotton der Geduldsfaden gerissen war. Es hatte einen fürchterlichen Streit gegeben. Tricia mußte zur Strafe den ganzen Tag auf ihrem Zimmer bleiben und durfte nicht zur Party gehen, auf die sie sich schon wochenlang gefreut hatte. Und da Tricia es fertigbrachte, ihren Groll bis in alle Ewigkeit mit sich herumzutragen, war Schyler sicher, daß es einen viel ernsteren Grund für Vedas Entlassung gegeben hatte als den genannten.

Kein Salz und Pfeffer konnte das Huhn, das der kalten Suppe folgte, schmackhaft für Schyler machen. Sie versuchte es sogar mit Tabascosauce, die in Cotton Crandalls Haus immer auf den Tisch gehörte. Aber auch die rote Pfeffersoße half nicht.

Dennoch kritisierte sie Mrs. Graves' Kochkünste nicht. Sie hatte keinen sonderlichen Appetit mehr verspürt, seit sie durch Kens Anruf in London von Cottons Herzinfarkt erfahren hatte.

»Wie geht es ihm?« hatte sie zaghaft gefragt.

»Schlecht, Schyler. Auf dem Weg ins Krankenhaus hat sein Herz vollständig ausgesetzt. Die Notärzte haben ihn künstlich wiederbeleben müssen. Ich will dir nichts vormachen. Es steht auf der Kippe.«

Dann hatte er Schyler gedrängt, so schnell wie möglich heimzukommen. Aber dazu hätte man sie nicht extra auffordern müssen. Als sie zu Hause eintraf, lag ihr Vater ohne Bewußtsein auf der Intensivstation des St. John's Hospital, wo er auch die nächste Zeit bleiben sollte. Sein Zustand war zwar unverändert, aber nach wie vor kritisch.

Das Schlimmste für Schyler war, daß sie nicht sicher war, ob er überhaupt wußte, daß sie nach Hause gekommen war, um ihn zu sehen. Obwohl er während einer ihrer kurzen Besuche in seinem Zimmer die Augen geöffnet und sie angesehen hatte, war seine Miene reglos geblieben. Er hatte die Augen geschlossen ohne ein Zeichen, ob er Schyler erkannt hatte. Sein leerer Blick, der geradewegs durch sie hindurchzugehen schien, brach ihr fast das Herz. Sie fürchtete, Cotton könnte sterben, ehe sie Gelegenheit hatte, mit ihm zu sprechen.

»Schyler?«

Verdutzt schaute sie zu Ken, der sie angesprochen hatte. »Oh, entschuldigt bitte. Ja, Mrs. Graves, Sie können meinen Teller auch abräumen«, sagte sie zu der Frau, die vorwurfsvoll auf den buchstäblich unberührten Teller starrte. Sie nahm ihn weg und ersetzte ihn durch einen Teller mit überbackenem Brombeerkuchen, der vielversprechend aussah. Hoffentlich war die Zuckerdose nicht zusammen mit dem Salzstreuer abgeräumt worden.

»Hast du immer noch vor, nach dem Essen zum Krankenhaus zu fahren, Schyler?«

»Ja. Willst du mitkommen?«

»Heute abend nicht«, sagte Tricia. »Ich bin müde.«

»Aber ja. Den ganzen Tag Bridge zu spielen ist wirklich anstrengend.«

Kens Lästerei wurde ohne viel Federlesens ignoriert. »Daddy hat eine Karte mit Genesungswünschen von der Sonntagsschulgemeinde bekommen. Wir wurden gebeten, sie ihm zu geben. Der Dekan meinte, es sei eine Schande, daß Cotton in einem katholischen Krankenhaus liegen müsse.«

Schyler schmunzelte über den religiösen Snobismus des Dekans, auch wenn er typisch für die Gegend war. Macy war katholisch gewesen und hatte ihre Töchter entsprechend erzogen. Cotton aber war Baptist. »In Heaven gibt es kein Baptistenkrankenhaus. Uns bleibt gar keine andere Wahl.«

»In der Stadt machen sich alle Sorgen um Cotton.« Kens Hüftumfang hatte beträchtlich zugenommen, seit Schyler ihn das letzte Mal gesehen hatte, aber das hielt ihn nicht davon ab, sich reichlich Sahne auf seinen Kuchen zu tun. »Ich kann keine zwei Schritte machen, ohne daß mich ein Dutzend Leute auf dem Bürgersteig anhalten und sich nach Cotton erkundigen.«

»Natürlich machen sich alle Sorgen«, sagte Tricia. »Weil er so ziemlich der bedeutendste Mann in der Stadt ist.«

»Heute nachmittag hat sich auch bei mir jemand nach Daddys Befinden erkundigt«, fügte Schyler hinzu.

»Ja? Wer denn?« wollte Tricia wissen.

Ken und sie ließen von ihrem Kuchen ab und schauten erwartungsvoll zu Schyler.

»Cash Boudreaux.«

3. KAPITEL

»So, so. Cash Boudreaux.« Genüßlich leckte Tricia ihren Löffel ab. »War sein Hosenstall zu?«

»Tricia!«

»Ach komm, Ken, denkst du etwa, anständige Frauen wie ich wüßten nicht, wer er ist?« Sie klimperte ihrem Ehemann flirtend zu. »Jeder in der Stadt weiß von Cashs Weibergeschichten. Als er mit diesem Wallace-Mädchen Schluß gemacht hat, hat sie am Samstagvormittag die ganze Kundschaft im Schönheitssalon mit ihrer armseligen kleinen Affäre unterhalten.« Tricia senkte geheimnisvoll die Stimme. »Und ich will sagen... im Detail. Uns war das schrecklich peinlich, aber wir haben jedes Wort fasziniert aufgesogen. Wenn er auch nur halb so gut ist, wie sie behauptet hat, na ja...« schloß Tricia mit einem schlüpfrigen Zwinkern.

»Ich habe schon begriffen, daß Mr. Boudreaux der Sexprotz der Stadt ist«, sagte Schyler.

»Er bumst alles, was einen Rock trägt.«

»Da täuschst du dich aber, Liebling«, widersprach Tricia ihrem Mann. »Soweit ich gehört habe, ist er sehr wählerisch. Und warum auch nicht? Er kann es sich leisten. Es gibt Frauen, die sich ihm praktisch zu Füßen und an den Hals werfen.«

»Du liebe Güte, der Don Juan von Louisiana.« Ken widmete sich wieder seinem Kuchen, um das Thema ruhen zu lassen.

Doch Tricia war noch nicht fertig. »Nun sei mal bloß nicht eingeschnappt. Du bist ja nur neidisch.«

»*Neidisch?* Ich soll neidisch sein auf einen nichtsnutzigen Bastard, der keinen Pfennig in der Tasche hat?«

»Liebling, wenn es darum geht, was einer in seinen Jeans hat, dann reden die Frauen bestimmt nicht von Geld. Und das, was er

20

in seinen Jeans hat, macht ihn kostbarer als pures Gold.« Tricia bedachte ihren Mann mit einem katzenhaften Lächeln. »Aber du mußt dir keine Sorgen machen. Der rauhe Typ hat mich noch nie sonderlich angemacht. Obgleich ich zugeben muß, daß Cash äußerst faszinierend ist.« Sie wandte sich an Schyler: »Wo bist du ihm denn begegnet?«

»Hier bei uns.«

»Hier?« Kens Löffel hing auf halbem Weg zwischen Kuchen und Mund. »Auf Belle Terre?«

»Er sagte, er hätte Wurzeln gesammelt.«

»Für sein Zaubergebräu.«

Schyler starrte fragend zu Tricia hinüber. »Zaubergebräu?«

»Er macht da weiter, wo Monique aufgehört hat.« Schyler schaute noch immer verwirrt ihre Schwester an. »Nun sag bloß, du hast nicht gewußt, daß Monique Boudreaux eine Hexe war?«

»Natürlich habe ich die Gerüchte mitgekriegt. Aber das ist doch absolut albern gewesen.«

»Eben nicht! Warum hat Daddy wohl sonst solchen Abschaum all die Jahre auf Belle Terre wohnen lassen? Er hatte Angst, sie würde ihn verhexen, wenn er sie davonjagt.«

»Du übertreibst mal wieder, Tricia«, sagte Ken. »In Wahrheit, Schyler, war Monique das, was man eine *traiteur* nennt, eine Heilerin. Sie hat Menschen geheilt, so hat man es sich jedenfalls erzählt. Bis zu ihrem Tode konnte man bei ihr allerlei Arzneien bekommen.«

»Heiler sind für gewöhnlich Linkshänder und meistens Frauen, aber die Menschen hier glauben anscheinend, daß Cash die magischen Kräfte seiner Ma geerbt hat.«

»Sie hatte keine magischen Kräfte, Tricia.« Ken klang gereizt.

»Hör zu.« Aufgebracht schlug Tricia auf die Tischkante. »Ich weiß ganz sicher, daß Monique Boudreaux eine Hexe war.«

»Bösartiger Tratsch.«

Tricia starrte ihren Mann an. »Ich weiß es aus erster Hand. Sie hat mich einmal mit ihren großen, dunklen bösen Augen angesehen, und am Nachmittag habe ich meine Periode bekommen. Zwei Wochen zu früh und mit den schlimmsten Krämpfen, die ich jemals hatte.«

21

»Wenn Monique tatsächlich magische Kräfte besessen hat, dann hat sie sie dazu benutzt, die Menschen gesund zu machen und nicht krank«, widersprach Ken. »Ihre Arzneien sind uralt und stammen von den Akadiern. Alles völlig harmlos, genau wie sie selbst.«

»Wohl kaum. Die Akadier haben sich auch noch Voodoopraktiken zunutze gemacht, und herausgekommen ist schwarze Magie.«

Ken runzelte die Stirn. »Monique Boudreaux hatte nichts mit Voodoo zu tun. Und sie war nicht böse. Nur anders. Und sehr hübsch. Genau deshalb nämlich wollen die meisten Frauen in der Stadt, und auch du, glauben, daß sie eine Hexe war.«

»Wer kennt sie denn – du oder ich? Du warst doch noch gar nicht lange hier, als sie starb.«

»Ich hab's eben so gehört.«

»Tja, da hast du aber was Falsches gehört. Außerdem war sie schon alt, und all ihre frühere Schönheit war verblichen.«

»Das ist ein weiblicher Standpunkt. Ich sage dir – sie war noch immer eine attraktive Frau.«

»Und was ist mit Cash?« Schyler mischte sich ein, weil sie sah, daß sich zwischen den beiden ein ernsthafter Streit anbahnte. Es hatte nicht lange gedauert, bis sie nach ihrer Rückkehr aus London erkannt hatte, daß die Howells nicht gerade eine Bilderbuchehe führten. Aber sie gab sich alle Mühe, keine Schadenfreude zu empfinden.

»Wovon lebt Cash?« Schyler sah, daß ihre Frage die beiden überraschte. Sie starrten sie eine Weile an, ehe Ken antwortete.

»Er arbeitet für uns, für die Crandall Holzfabrik.«

Schyler brauchte etwas Zeit, um das zu verdauen. Cash Boudreaux stand also auf der Gehaltsliste ihrer Familie. Respektvoll hatte er sich vorhin aber nicht gerade verhalten. Seine Art und sein Auftreten hatten kaum dem eines Angestellten entsprochen, der vor seinem Brötchengeber stand. »Und was macht er da?«

»Er ist Holzfäller. Schlicht und einfach.« Ken hatte seinen Kuchen vertilgt, wischte sich den Mund ab und legte seine Serviette beiseite.

»Ganz so einfach ist es nun auch wieder nicht, Schyler«, widersprach Tricia. »Er arbeitet an der Säge, er hilft beim Verladen, er fährt den Schlepper. Er wählt die Bäume zum Fällen aus. Eigentlich macht er alles.«

»Eine Schande, nicht wahr?« meinte Ken. »Daß ein Mann in seinem Alter und so clever, wie er anscheinend ist, keine größeren Ambitionen hat…«

»Lebt er noch immer in dieser Hütte am Bayou?«

»Aber ja. Es ist so: Er läßt uns in Ruhe, wir lassen ihn in Ruhe. Cotton hatte mit ihm zu tun, bei der Arbeit, aber sonst gehen wir uns völlig aus dem Weg. Kann mir gar nicht vorstellen, daß er heute in der Nähe des Hauses gewesen sein soll. Er und Cotton hatten Streit, als Monique starb. Cotton wollte, daß Cash auszieht. Aber irgendwie hat er sich dann von ihm breitschlagen lassen. Cottons Vertrauensseligkeit ist wirklich bewundernswert.«

»Und nicht ganz uneigennützig«, sagte Tricia. »Er braucht Cash.«

»Möglich, aber es gefällt ihm gar nicht. Ich denke, er macht da einen Fehler. Ich an seiner Stelle würde Cash Boudreaux nicht über den Weg trauen.« Ken lehnte sich auf den Tisch und sah Schyler mit ernstem Blick an. »Er hat dich doch nicht etwa beleidigt, oder?«

»Nein, nein. Wir haben uns nur kurz unterhalten.« Und berührt. Und in die Augen gesehen. Beides war ebenso ungebührend wie sinnlich gewesen. Schyler konnte nicht sagen, was sie am meisten verwirrt hatte – seine Neugier oder seine Feindseligkeit. »Ich war neugierig, mehr nicht. Ich hab' ja schon seit Jahren nichts mehr von ihm gehört. Ich habe gar nicht damit gerechnet, daß er überhaupt noch hier ist.«

»Also, wenn er jemals unverschämt werden sollte, sagst du mir Bescheid, ja?«

»Und was willst du dann tun? Ihn verprügeln?« Tricias Lachen ließ die kristallenen Tränen des Leuchters über ihren Köpfen klirren. »Manche Leute meinen, daß Cash ein bißchen zu lange im Dschungel von Vietnam gewesen sei und daß er bei den Marines geblieben sei, weil er das Kämpfen und Töten so sehr liebt. Als er zurückkam, war er noch bösartiger als vorher, und er war schon schlimmer als die Sünde selbst. Ich glaube kaum, daß du ihm Angst einjagen kannst, Liebling.«

Schyler konnte die schwelende Feindseligkeit zwischen Ehemann und Ehefrau wieder aufsteigen spüren. »Ich bin sicher, daß ich Mr. Boudreaux nicht mehr sehen werde.« Sie schob ihren Stuhl zurück. »Und jetzt entschuldigt mich bitte. Ich möchte mich noch ein bißchen frisch machen, ehe ich ins Krankenhaus fahre.«

Sie schlief wieder in dem Zimmer, das sie auch als Kind schon gehabt hatte. Drei hohe rechteckige Fenster gingen zum rückwärtigen Teil des Anwesens hinaus, wo das Gewächshaus stand, das eine Zeitlang ein Räucherhaus gewesen war und nun als Werkzeugschuppen diente; dann die Scheune, in der mehrere Pferde untergebracht waren, und die freistehende Garage. Hinter den Nebengebäuden, die, passend zum Haupthaus, weiß gestrichen waren, lagen die Wälder, und dahinter der Bayou.

Schyler schloß die Zimmertür und lehnte sich mit dem Rükken dagegen. Sie hielt inne, um den Raum auf sich wirken zu lassen, den sie so sehr vermißt hatte. Der Holzboden war ausgelegt mit kleinen Teppichen, die ausgeblichen und ausgetreten waren und einen Höchstpreis erzielen würden, sollten sie jemals verkauft werden, was aber natürlich niemals der Fall sein würde. Schyler würde sich niemals von etwas trennen, das nach oder zu Belle Terre gehörte.

Sämtliche Möbel im Zimmer waren aus Eichenholz; das Alter hatte sie mit einer goldenen Patina versehen, die den Stücken den schweren und maskulinen Eindruck nahmen. Die Wände waren safrangelb gestrichen, alle Holzteile weiß. Die Bettdecke, die Kissen auf den Sesseln und die Vorhänge – alles war weiß. Sie hatte darauf bestanden, als das Zimmer zuletzt renoviert worden war. Alles im Zimmer sollte der schlichten Schönheit des Raumes entsprechen.

Der einzige moderne Touch war das Bücherregal. Darin standen noch immer die Erinnerungsstücke aus ihrer Kindheit und Teenagerzeit. Sie hatte sich schon oft vorgenommen, alles einmal auszusortieren und die Jahrbücher, die ausgetrockneten Bänder und vergilbten Partyeinladungen wegzuschmeißen.

Doch die Nostalgie hatte stets über ihren Pragmatismus gesiegt. Und dennoch beschloß sie, vor ihrer Abreise nach London dieses Zimmer von Grund auf sauberzumachen und sich endgültig von all dem Krimskrams zu trennen.

Das kleine angrenzende Bad war noch so wie früher. Es hatte noch immer ein weißes Porzellanwaschbecken und eine Badewanne mit Klauenfüßen. Sie wusch sich das Gesicht und die Hände im Becken, frischte vor dem eingerahmten Spiegel ihr Make-up auf und bürstete sich das Haar. Als sie die dunkelblonden Locken aus ihrem Nacken hob, bemerkte sie den rosa Hubbel an ihrem Hals. Ein Moskitobiß.

Die Biester kennen die besten Stellen, hatte Cash gesagt.

Ungeduldig legte sie die Bürste beiseite, nahm ihre Geldbörse und die Wagenschlüssel vom Schreibtisch im Schlafzimmer und ging nach unten. Tricia telefonierte gerade angeregt im Salon. Neben dem formellen Salon lag hinter Holzschiebetüren der Privatsalon. Die Türen standen ständig offen und machten die beiden aneinandergrenzenden Räume zu einem einzigen großen, doch jeder der beiden Salons hatte noch immer die traditionelle Bezeichnung.

Die Adoptivschwestern winkten einander zum Abschied zu. Schyler durchquerte die weitläufige Eingangshalle und ging hinaus auf die Veranda. Sie war gerade auf der zweiten Treppenstufe, als Ken sie ansprach. Er stemmte sich aus dem Schaukelstuhl und gesellte sich zu ihr auf die Treppe. Bei ihr untergehakt, begleitete er sie zum Wagen, der an der Auffahrt geparkt war, einem Halbkreis vor dem Haus, der dann nach hinten zur Garage weiterlief.

»Ich fahre dich zum Krankenhaus«, bot Ken an.

»Nein, danke. Du und Tricia, ihr seid doch heute morgen schon dort gewesen. Jetzt bin ich dran.«

»Aber es macht mir nichts aus.«

»Ich weiß. Aber es ist wirklich nicht nötig.«

Er drehte sie zu sich. »Ich hab' dir das auch nicht angeboten, weil ich annehme, daß du einen Chauffeur brauchst. Aber seit du wieder hier bist, haben wir nicht mal eine Sekunde nur für uns gehabt.«

Es gefiel Schyler nicht, in welche Richtung sich das Gespräch entwickelte, und Kens selbstbewußter Ton gefiel ihr noch weniger. Höflich, aber bestimmt machte sie ihren Arm frei. »Das stimmt, Ken, das hatten wir nicht. Und ich finde, das ist auch besser so, meinst du nicht auch?«

»Besser für wen?«

»Für uns alle.«

»Für *mich* nicht.«

»Ken, bitte.« Schyler wollte an ihm vorbei, aber er hielt sie fest. Wieder sah er sie an und strich ihr über die Wange.

»Schyler, Schyler, ich habe dich so schrecklich vermißt. Meine Güte, kannst du dir eigentlich vorstellen, was es für mich bedeutet, dich wiederzusehen?«

»Nein. Wie ist es denn?« Ihre Stimme klang so barsch, wie ihr Blick vorwurfsvoll war.

Ken runzelte verärgert die Stirn und zog die Hand zurück. »Ich kann ja verstehen, wie du dich gefühlt haben mußt, als wir herausfanden, daß Tricia schwanger ist.«

Schyler lachte bitter. »Nein, das kannst du nicht. Nicht, solange du nicht auf dieselbe Weise betrogen worden bist oder dir der Boden unter den Füßen weggezogen worden ist. Nein, du kannst wirklich nicht wissen, welch ein Gefühl das für mich war.« Sie benetzte die Lippen und schüttelte den Kopf, als wollte sie den Anflug einer unüberwindlichen Depression abwehren. »Ich muß jetzt los.«

Wieder versuchte sie an ihm vorbeizugehen, und wieder stellte er sich ihr in den Weg. »Schyler, laß uns darüber reden.«

»Nein.«

»Du bist nach London verschwunden, ohne mir auch nur die geringste Chance zu geben, es dir zu erklären.«

»Was hätte es denn da zu erklären gegeben? Wir wollten gerade unsere Verlobung bekanntgeben, als Tricia uns zuvorkam und verkündete, daß sie ein Kind von dir erwartet. Von dir, Ken«, wiederholte sie und betonte jedes einzelne Wort.

Er biß sich auf die Unterlippe, die einzige Andeutung eines schlechten Gewissens. »Wir beide hatten uns gestritten, weißt du noch?«

»Ein Streit, na gut. Ein dummer Streit unter Liebenden. Ich weiß ja schon gar nicht mehr, worum es dabei überhaupt ging. Aber dich muß es ja wirklich getroffen haben. Du hast keine Zeit vergeudet, mit meiner Schwester ins Bett zu hüpfen.«

»Ich wußte doch nicht, daß sie schwanger werden würde.«

Schyler war sprachlos. Konnte Ken tatsächlich derart begriffsstutzig sein? Sechs Jahre waren eine lange Zeit. Sie hatte sich verändert. Ken offensichtlich auch. Und dennoch war es doch einfach unmöglich, daß er nicht begriff, worum es ging.

»Ken, nicht ihre Schwangerschaft allein war das Entscheidende. Was mich mindestens genauso sehr verletzt hat, war, daß es überhaupt dazu gekommen ist, daß sie ein Kind von dir erwartet hat.«

Er kam einen Schritt näher und ergriff ihre Schultern. »Schyler, du gibst dem Falschen die Schuld. Tricia hat es wirklich darauf angelegt. Mein Gott, ich bin auch nur ein Mann. Ich war niedergeschlagen. Zuerst habe ich gedacht, sie will mich nur trösten, weißt du, mir ihr Mitgefühl zeigen, aber dann —«

»Verschon mich damit.«

»Aber du mußt mir zuhören.« Er schüttelte sie leicht. »Ich will, daß du mich verstehst. Sie, na ja, sie fing dann an, mit mir zu flirten, hat mir Komplimente gemacht. Und eines führte zum anderen. Sie hat mich geküßt. Und das nächste, was ich weiß, ist, daß wir im Bett lagen. Es ist nur einmal passiert.« Schyler schaute ihn ungläubig an. »Okay, vielleicht ein paarmal, aber es hat mir nie etwas bedeutet. Ich habe sie gebumst, ja, aber geliebt habe ich nur dich.« Er faßte sie fest bei den Schultern. »Und das tue ich noch immer.«

Wütend stieß Schyler seine Hände fort. »Wie kannst du es wagen, mir das zu sagen? Damit beleidigst du uns beide. Du bist der Ehemann meiner Schwester.«

»Aber wir sind nicht glücklich.«

»Bitter für dich. *Ich* bin's.«

»Mit diesem Mark, für den du arbeitest?«

»Ja. Ja, mit *diesem* Mark. Mark Houghton war sehr, sehr gut zu mir. Ich liebe ihn, und er liebt mich.«

»Nicht so, wie wir uns geliebt haben.«

Sie lachte kurz auf. »Nicht so, wie wir einander geliebt haben. Mark und mich verbindet eine Liebe, die du nie verstehen würdest. Aber egal, wie meine Beziehung zu Mark ist, es spielt keine Rolle. Du bist mit Tricia verheiratet, und ob eure Ehe nun glücklich ist oder nicht, ist mir völlig egal.«

»Das nehme ich dir nicht ab.«

Blitzartig zog er sie an sich und küßte sie. Heftig. Sie fuhr zusammen und gab ein kleines würgendes Geräusch von sich, als seine Zunge in ihren Mund drang. Doch er ließ nicht von ihr ab.

Für einen Moment erlaubte sie es, weil sie wissen wollte, wie sie darauf reagierte. Und sie stellte reichlich überrascht fest, daß Kens Kuß nichts weiter als Abscheu in ihr hervorrief. Sie stemmte die Fäuste gegen seine Brust und stieß ihn weg. Rasch und ohne ein Wort stieg sie in ihren gemieteten Cougar und ließ den Motor an. Sie trat das Gaspedal durch und schoß davon, daß der Kies hochspritzte.

4. KAPITEL

Hinter einem Baum versteckt beobachtete Cash, wie Schyler davonfuhr und Ken ihr wehmütig nachschaute. Er wartete, bis Howell widerwillig die Treppe hinauf und ins Haus gegangen war, ehe er in die dunkleren Schatten des Waldes tauchte und sich in Richtung Bayou aufmachte.

»Daher weht also der Wind«, sagte er zu sich.

In Heaven wußte jeder über jeden Bescheid. Der Skandal um die Crandall-Schwestern vor sechs Jahren hatte eine Menge Wirbel verursacht. Noch Monate nach Schylers unfreiwilliger Abreise nach London hatte das Städtchen vor Klatsch und Tratsch gebrummt; die wildesten Spekulationen waren angestellt worden, wann sie wohl wieder zurückkehren würde. Manche meinten, nach wenigen Wochen. Andere meinten, sie würde ein oder zwei Monate schmollen. Doch niemand wettete darauf, daß es Jahre dauern würde, ehe sie zurückkehrte, und das auch nur, weil das Leben ihres Vaters in Gefahr war.

Doch nun war Schyler Crandall zurück auf Belle Terre und augenscheinlich zurück in den Armen ihres alten Liebhabers. Wenn dieser Kuß etwas besagte, dann, daß es ihr egal war, ob Howell mit ihrer Schwester verheiratet war. Vielleicht war ihr endgültig klargeworden, daß sie ihn zuerst gehabt hatte, und betrachtete das nun nur als fair.

Allerdings konnte Cash nicht verstehen, weshalb beide Frauen auf Ken Howell scharf waren. Er mußte wohl mehr draufhaben, als ihm anzusehen war. Howell war als regelmäßiger Kunde in den einschlägigen Etablissements und Bordellen in der Gegend bekannt, aber das war nichts Besonderes. Doch darüber hinaus war er kein Schürzenjäger oder Weiberheld.

Was immer es auch war, das die Crandall-Schwestern so attraktiv an Ken Howell fanden, für Cash blieb es ein Rätsel. Seiner Meinung nach war Howell einfach nur ein frömmlerischer Hurensohn, dazu erzogen, auf jeden herabzuschauen, der nicht seiner gesellschaftlichen Herkunft entsprach. Schon bemerkenswert, wie er es geschafft hatte zu vergessen, daß ihm seine Eltern, die bei einem Flugzeugabsturz ums Leben gekommen waren, mehr Schulden als sonst etwas hinterlassen hatten.

Vielleicht war er auch einfach nur der Meinung, daß für ihn so etwas wie Moral nicht galt, und betrachtete es als völlig selbstverständlich, seine Geliebte auf der Veranda zu küssen, während seine Frau im Haus saß.

Tief in Gedanken versunken, aber zielsicher, bahnte sich Cash seinen Weg durch das Unterholz. Schon als Kind hatte er diesen außergewöhnlichen Orientierungssinn gehabt, eine natürliche Begabung, die später beim Militär nur verfeinert und perfektioniert worden war. Und die ihm nun von Nutzen war, sein Ziel zu erreichen, denn er war in Gedanken ganz bei Schyler Crandall.

Was eine Frau wie sie an einem aufgeblasenen Feigling wie Howell fand, konnte er sich beim besten Willen nicht vorstellen. Natürlich war Schyler nicht unbedingt das, was man gemeinhin unter ›üppig‹ verstand. Cash war sicher, daß er ihre schmale Taille leicht würde umfassen können, was er nur allzu gerne ausprobiert hätte. Dennoch waren ihre Hüften sinnlich geschwungen, und die Rundungen ihrer vollen und festen Brüste unter ihrer Bluse waren ihm auch nicht entgangen.

Bei diesem Gedanken mußte Cash schmunzeln. Er schaute doch bei jeder Frau zuerst auf den Busen, oder? Und als der Experte, der er nun einmal in diesen Dingen war, konnte er beurteilen, mit welch bemerkenswerten Gaben Schyler Crandall ausgestattet war.

Und sie verstand es, ihr Äußeres zu ihrem Vorteil einzusetzen. Es war gar nicht so sehr ihre Figur, die ihr diese aufregende Weiblichkeit verlieh, sondern ihre ganze Art. Die Grazie, mit der sie sich bewegte. Die unbeabsichtigt femininen Gesten ihrer zarten Hände, an denen sie keine Ringe trug. Die langen Beine und die schmalen Füße. Die ausdrucksvollen Blicke ihrer hellbraunen Augen. Und vor allem ihr herrlich honigblondes Haar.

Sie war durch und durch eine Frau. Cash fragte sich, ob sie sich dessen bewußt war. Wahrscheinlich nicht. Er dafür um so mehr.

Wütend, daß er über sie nachdachte, stieg er in das Boot, das er am Ufer des Bayou befestigt hatte. Er nahm das lange Ruder und stieß sich damit ab. So lautlos, wie er sich damals im nächtlichen Dschungel bewegt hatte, glitt das Kanu wie ein Messer durch das reglose, bräunliche Wasser des Laurent Bayou.

Da er einige Jahre älter war als Schyler – wie viele genau, wußte er nicht mit letzter Sicherheit, da Monique sich nie groß um Geburtstage oder Ähnliches geschert hatte und nie sagen konnte, wie alt ihr Sohn wirklich war –, hatte er sie aufwachsen sehen, von einem hübschen kleinen Mädchen mit flachsblonden Zöpfen zu der Frau, die sie jetzt war.

Cotton, der stolze Papa, hatte sie damals immer in seinem neuesten Cadillac mitgenommen, und sie hatte stets ein Band im Haar getragen, das zu ihrem teuren Kleidchen paßte. Cotton hatte sie mit einem stolzen Blick bedacht, wenn sie seine Freunde mit ihrer frühreifen Art unterhielt.

Aber sie war nicht die ganze Zeit so gewesen. Hin und wieder war das kleine Püppchen aus ihrer Puppenstube ausgerückt. Und Cash hatte sie oft von seinem Versteck aus sehen können, wie sie auf einem von Cottons Pferden geritten war, ohne Sattel und mit nackten Beinen, mit fliegendem Haar, die Wangen rot, das Gesicht verschwitzt.

Er fragte sich, ob sie auch jetzt noch ritt. Und wenn, tat sie es dann noch immer so draufgängerisch wie damals, als ihr niemand – außer ihm – dabei zusah?

Dieses Bild erregte ihn, und sein Geschlecht drückte sich gegen seinen Reißverschluß. Er wischte sich mit dem Hemdsärmel den Schweiß von der Stirn und verfluchte die brütende Hitze, die ihm normalerweise gar nichts ausmachte.

Aber nun war Schyler Crandall nach Hause gekommen. Und auf einmal war alles anders.

Schyler stöhnte unter der drückenden Hitze, als sie aus dem Auto stieg und das kurze Stück bis zur kühlen Eingangshalle des zweistöckigen Krankenhauses ging. Als sie durch die breite Tür trat, klebte ihr die Kleidung am Leib. Vielleicht hätte sie doch noch duschen und sich umziehen sollen, ehe sie losgefahren war.

Während sie auf den Fahrstuhl wartete, betrachtete sie verstohlen ihr Bild in der verspiegelten Wand und fand, daß sie zwar nicht unbedingt umwerfend, aber ganz passabel aussah. Ein Grashalm hing noch am Saum ihres Baumwollrocks, und ihre kurzärmelige Bluse war zerknittert, aber in diesem Teil des Landes trug jeder Baumwolle im Sommer. Und am späten Nachmittag sah jeder schlapp aus. Es war gar nicht zu ändern; die Hitze und die Luftfeuchtigkeit forderten eben ihren Tribut, also wurde allgemein darüber hinweggesehen.

Aus dem Spiegel blickte ihr eine Frau entgegen, die ihrem 30. Geburtstag bedenklich nahe war. Weniger die Reife, die ihrem Gesicht anzusehen war, machte ihr etwas aus, als vielmehr der Umstand, daß sie nichts Besonderes vorzuweisen hatte mit ihren fast 30 Jahren. Keine nennenswerte Karriere. Keinen Ehemann. Keine Kinder. Kein eigenes Heim.

Ihre Erfolge waren gleich null. Sie hatte nichts wirklich erreichen können, weil die Erinnerungen an die Vergangenheit sie zu sehr im Griff gehabt hatten. Nun war sie nach Hause zurückgekehrt, und es war ihr sehnlichster Wunsch, die störenden Erinnerungen ein für allemal zu zerstören. Und sie hatte gehofft, daß sie sich über ihre Gefühle für Ken Howell endlich klarwerden würde.

Doch sein Kuß hatte sie nur noch mehr verwirrt. Sie liebte ihn nicht mehr, jedenfalls nicht mit derselben Intensität wie einst. Das wußte sie ganz sicher; was sie aber nicht wußte, war der Grund dafür. Weshalb sie kein Herzklopfen mehr hatte, wenn er sie ansah, weshalb sie nicht zerflossen war, als er sie geküßt hatte.

Sechs Jahre lang war Ken Howell in ihrer Erinnerung stets der geblieben, der er gewesen war, als sie ihm auf dem Gelände von Tulane begegnet war – ein beeindruckender Student, der Star des Basketballteams. Er stammte aus einer wohlhabenden Familie der vornehmen Gesellschaft New Orleans'. Als angehendem Wirtschaftswissenschaftler stand ihm eine glänzende Zukunft bevor. Und er hatte Schyler Crandall auserkoren, die strahlende Schönheit aus Laurent.

Zwei Jahre lang verbrachten sie jede freie Minute miteinander. Als beide ihren Abschluß gemacht hatten, schien die Hochzeit nur der nächste logische Schritt. Doch nach einer albernen Auseinandersetzung gingen sie mehrere Monate nicht mehr miteinander aus.

Schyler hatte diese Trennung nie als endgültig angesehen, sondern als ganz wohltuend für ihre Beziehung. Nun hatten sie beide Zeit und Gelegenheit, mit anderen auszugehen und sich wirklich darüber klar zu werden, was eine Ehe zwischen ihnen bedeuten würde.

Als Ken schließlich als erster nachgab und Schyler anrief, wollte er sich unbedingt mit ihr treffen. Ihre Versöhnung war zärtlich und leidenschaftlich zugleich gewesen. Er drängte darauf, baldmöglichst zu heiraten; Schyler stimmte zu. Sie vereinbarten einen Termin für ihre Hochzeit und luden beide Familien zu einer Feier auf Belle Terre ein.

Doch Tricia stahl Schyler die Show.

Sie trug Blau an diesem Tag, ein Farbton, der exakt zur Farbe ihrer Augen paßte. Schyler hatte ihr noch Komplimente wegen ihres Aussehens gemacht. An diesem Tag hätte sie die ganze Welt umarmen können. Jeder und alles war einfach wunderbar.

Inmitten des freudigen Trubels hatte sich Tricia dann an Kens Seite geschmiegt und seine Hand ergriffen. »Darf ich bitte um eure Aufmerksamkeit bitten?« Als Gelächter und Gespräche schließlich verstummt waren, schenkte Tricia zuerst Ken ein Lächeln, ehe sie sagte: »Liebling, ich weiß, ich hätte es dir vielleicht lieber unter vier Augen sagen sollen, aber dann erschien es mir so passend, es dir jetzt zu sagen, wo doch all die Menschen, die wir am meisten lieben, mit uns zusammen sind.« Dann hatte sie tief Luft geholt und mit einem strahlenden Lächeln verkündet: »Ich bekomme ein Kind von dir.«

Kens Gesichtsausdruck nach zu urteilen, war er ebenso verblüfft wie alle anderen. Er wirkte geschockt und verlegen, aber er stritt seine Verantwortung nicht ab, nicht einmal als Schyler sich ungläubig an ihn wandte und ihn bat, genau das zu tun.

Etwas anderes als eine Hochzeit kam gar nicht in Frage. Innerhalb weniger Tage und ohne großes Aufsehen wurden Ken und Tricia standesamtlich getraut. Acht Wochen später erlitt Tricia eine Fehlgeburt.

Zu diesem Zeitpunkt war Schyler schon in Europa. Als die Nachricht von der Fehlgeburt sie erreichte, empfand sie nichts. Ihr Herz war so leer gewesen wie Tricias Unterleib. Der Verrat hatte jegliches Gefühl abgetötet.

Als Schyler im zweiten Stock aus dem Fahrstuhl stieg, beherrschte nur ein Gedanke sie: Sollte Cotton diesen Ort nicht lebend wieder verlassen, dann würde er zumindest in dem Wissen sterben, daß sein Leben einen Sinn gehabt hatte. Etwas, was sie bis jetzt von sich nicht behaupten konnte.

Ehe sie also wieder nach England zurückkehrte, mußte sie sich endgültig über ihre Gefühle für Tricia und Ken und über das hinterhältige Spiel der beiden klarwerden. Solange ihr Verstand und ihr Herz nicht endgültig die Tür hinter der Vergangenheit schlossen, glich sie einer Maschine im Leerlauf.

»Guten Abend«, begrüßte sie die Krankenschwester, der sie auf dem Korridor begegnete. »Wie geht es meinem Vater?«

»Hallo, Miss Crandall. Unverändert. Der Doktor möchte wissen, ob Sie kurz Zeit für ihn hätten. Er würde Sie gern sprechen.«

»Er kann mich vor dem Zimmer meines Vaters antreffen.«

»Ich werd's ihm ausrichten.«

Die Schwester machte sich auf, den Doktor zu suchen. Schyler ging weiter den Korridor hinunter bis zum letzten Zimmer der Intensivstation. Durch ein schmales Fenster sah sie Cotton auf dem Bett liegen, angeschlossen an Geräte, die piepsend und blinkend seine entmutigenden Lebenssignale wiedergaben.

Schyler tat es unendlich weh, den Mann, den sie verehrte, so zu sehen. Wäre Cotton bei Bewußtsein gewesen, er hätte es gehaßt, so hilflos zu sein. Er war nie abhängig gewesen. Nun übernahm klinische Gerätschaft seine wichtigsten Körperfunktionen. Es war kaum zu fassen, daß ein so robuster Mann tatsächlich so dalag, regungslos, bleich, wie tot.

Schyler preßte die Handfläche gegen das kühle Glas und flüsterte: »Daddy, was ist nur los? Sag, was mit dir ist.«

Ihre Entfremdung hatte ihren Anfang genommen an jenem Tag, als die Götter beschlossen hatten, daß Schyler Crandall genug Glück gehabt hatte, und ihr an einem einzigen Nachmittag genügend Unglück für ein ganzes Leben bescherten.

Nachdem die verwirrten Gäste gegangen waren und Ken und Tricia sich zurückgezogen hatten, um die notwendigen Formalitäten der Hochzeit zu besprechen, war Schyler zu Cotton gegangen; und sie hatte erwartet, daß er sie liebevoll in die Arme nehmen und sie trösten würde.

Doch statt dessen hatte er sich in einen Fremden verwandelt. Er schaute ihr nicht einmal in die Augen. Barsch schob er sie beiseite, als sie sich verzweifelt an seine breite Brust warf. Kühl und abweisend behandelte er sie. Dabei war sie doch bis zu diesem Tag sein ganzer Stolz gewesen. Und als Schyler an diesem unseligen Nachmittag vorschlug, für eine Weile ins Ausland zu gehen, hatte Cotton dieser Idee sofort zugestimmt. Er war nicht wütend gewesen, hatte nicht geschimpft oder ihr Vorwürfe gemacht. Sie wünschte, er hätte es getan. Das wäre ihr vertraut gewesen. Mit seinem aufbrausenden Temperament konnte sie umgehen.

Aber er hatte sie voller Gleichgültigkeit behandelt. Das hatte Schyler am meisten geschmerzt. Cotton war nur Menschen gegenüber gleichgültig, die ihm absolut nichts bedeuteten. Schyler konnte nicht verstehen, warum ihr Vater nicht mehr seine zärtliche Zuneigung zeigte, die sie so sehr brauchte.

Also hatte sie Belle Terre verlassen und war nach London gegangen. Und mit jedem Jahr war die Kluft zwischen Cotton und ihr tiefer geworden. Außer einem Brief alle paar Monate und einigen kühlen Telefonaten an Feier- und Geburtstagen hatten sie keinen Kontakt gehabt.

Ihm schien das nichts auszumachen. Es war, als hätte er sie endgültig aus seinem Leben verbannt. Schyler aber wollte nicht, daß er starb und seinen Groll, dessen Grund niemand kannte, mit sich nahm. Ihre größte Furcht war, daß sie niemals erfahren würde, was ihn gegen sie aufgebracht hatte; was sie, seine Prinzessin, zur Verstoßenen gemacht hatte.

»Ich werde doch wohl nicht noch eine Patientin bekommen, oder?«

Die Stimme des Arztes riß sie aus ihren Gedanken. Sie hob den Kopf und wischte sich die Tränen von den Wangen. »Hallo, Dr. Collins.« Sie lächelte unsicher. »Mir geht's gut. Nur ein bißchen müde.« Er schaute sie skeptisch an, sagte aber nichts, wofür ihm Schyler dankbar war. »Irgendwelche Veränderungen?«

Jeffrey Collins war ein junger Mann, der sich für das Krankenhaus in einer kleinen Gemeinde entschieden hatte, um der Konkurrenz in einer Großstadt zu entgehen. So wie er dastand und das Krankenblatt von Cotton Crandall studierte, erinnerte er Schyler an einen Jungen, der vor der Klasse stand und bemüht war, eine möglichst gute Inhaltsangabe eines Buches zu geben.

»Nichts von Bedeutung.«

»Ist das gut oder schlecht?«

»Kommt darauf an, wie man es sieht. Auf eine Veränderung zum Schlechteren können wir gut verzichten.«

»Natürlich.«

»Was der Patient braucht, ist eine Bypass-Operation. Dreifach, vielleicht sogar vierfach. Die Röntgenaufnahmen zeigen das ganz deutlich.« Er ließ den Metalldeckel der Akte zuschnappen. »Aber dafür ist er noch nicht kräftig genug. Wir werden warten und seine Abwehrkräfte weiter aufbauen müssen. Und lassen Sie uns hoffen, daß er nicht noch einen weiteren Anfall erleidet, ehe wir operieren können.«

»Wir?«

»Der Kardiologe des Hauses, der Chefchirurg und ich.«

Sie schaute zur Seite und versuchte, die richtigen Worte zu finden. »Dr. Collins, auch auf die Gefahr hin, daß es sich jetzt so anhört, als wüßte ich nicht zu schätzen, was Sie bis jetzt alles getan haben, und als würde ich an Ihren Fähigkeiten zweifeln, aber —«

»Sie fragen sich, ob ich überhaupt weiß, was ich hier tue?«

Sie schmunzelte hilflos. »Ja. Wissen Sie, was Sie tun?«

»Ich mache Ihnen keinen Vorwurf, daß Sie sich das fragen. Das hier ist ein kleines Krankenhaus. Doch die Finanziers, die es ermöglichten, haben keine Kosten gescheut. Die technische Ausrüstung ist auf dem allerneuesten Stand. Die Belegschaft ist gut bezahlt. Wir sind keine Ärzte und Chirurgen, die anderswo keine Stelle kriegen würden. Wir wollen eben für unsere Familien die Umgebung einer kleinen Stadt.«

»Es tut mir leid. Ich wollte damit nicht andeuten, daß Sie inkompetent oder nicht ausreichend qualifiziert sind.«

Er hob die Hand und zeigte ihr damit, daß er sich nicht beleidigt fühlte. »Wenn der Zeitpunkt für eine Operation gekommen ist, und Sie dann wünschen, daß Mr. Crandall in eine andere Klinik verlegt wird, treffe ich selbstverständlich gern die nötigen Vorkehrungen und arrangiere alles für einen sicheren Transport. Allerdings würde ich zum jetzigen Zeitpunkt davon abraten.«

»Ich danke Ihnen, Doktor. Ich weiß Ihre Offenheit zu schätzen. Ich hoffe, Sie nehmen mir meine nicht übel.«

»Aber keinesfalls.«

»Und ich glaube nicht, daß es nötig sein wird, ihn zu verlegen.«

»Das freut mich zu hören.«

Sie lächelten einander zu. »Darf ich jetzt zu ihm?«

»Aber nur zwei Minuten. Übrigens, ich empfehle, daß Sie regelmäßig essen und sich mehr schonen. Sie sehen selber nicht allzu gesund aus. Einen schönen Abend noch.«

Mit forschem und selbstbewußtem Schritt ging er den Korridor hinunter, ein Bild, das seine anfängerhafte Erscheinung Lügen strafte. Schyler nahm das als Anlaß, ihre Skepsis aufzugeben, betrat das Zimmer und nickte der Krankenschwester, die die lebensrettenden Geräte im Auge behielt, zur Begrüßung zu. Trotz der grellen Beleuchtung ging von dem Zimmer eine friedhofsdüstere Atmosphäre aus.

Auf Zehenspitzen trat Schyler ans Bett. Cotton lag mit geschlossenen Augen da. In seinem Mund steckte ein Schlauch, der mit Klebeband an seinen Lippen befestigt war. Kleinere Schläuche steckten in seinen Nasenlöchern. Die Schläuche und Katheter der verschiedenen Geräte verschwanden unter dem Laken, mit dem er zugedeckt war. Sie konnte nur ahnen, welche unangenehmen Funktionen sie erfüllten.

Das einzig Vertraute an ihm war sein schlohweißer Schopf. Schyler stiegen die Tränen in die Augen, als sie die Hand nach ihm ausstreckte und mit den Fingern durch sein Haar strich. »Ich liebe dich, Daddy.« Er rührte sich nicht. »Vergib mir, was auch immer ich getan haben mag.« Sie nutzte die ganzen zwei Minuten aus, ehe sie ihm einen Kuß auf die Stirn gab und dann lautlos aus dem Zimmer ging.

Erst als sie die Tür hinter sich geschlossen hatte, öffnete Cotton Crandall die Augen.

5. KAPITEL

Tricia und Ken stritten sich heftig, als Schyler die Treppe zur Veranda heraufkam. Durch die Fenster im Salon konnte sie die beiden sehen; wie Kampfhähne standen sie sich gegenüber. Ihre Stimmen drangen nur gedämpft nach draußen, daher konnte Schyler nicht verstehen, worum es bei ihrem Streit ging. Aber das war auch gar nicht nötig. Ihre Gesten und Blicke sprachen Bände.

Schyler trat aus dem Lichtkegel, der durch das Fenster fiel, und ging die Treppe wieder hinunter. Sie wollte die beiden nicht stören, wollte aber auch nicht von ihnen gesehen werden, für den Fall, daß sie sich ihretwegen in den Haaren hatten.

Gewiß hatte Tricia nicht gesehen, wie Ken sie geküßt hatte, ehe sie zum Krankenhaus gefahren war. Tricia wäre nicht stumm in ihrem Versteck geblieben; sie hätte nicht gewartet, bis Schyler weg war, um sich dann ihren Mann vorzuknöpfen. Nein, sie wäre sofort aus dem Haus gestürzt und hätte sie beide zur Rede gestellt.

Da Schyler noch immer sehr mitgenommen von ihrem Besuch im Krankenhaus war, ließ sie ihre Handtasche und die Schlüssel auf der Ablage im Wagen liegen und ging über den Rasen zum Wald hinüber.

Ein Spaziergang würde ihr sicher gut tun; vielleicht könnte sie dann heute nacht etwas Schlaf finden. Seit ihrer Ankunft war sie zwar ständig müde, aber nachts lag sie wach und zermarterte sich mit ihren Grübeleien wegen Cotton, Tricia und Ken das Hirn. Am schlimmsten war es, wenn sie daran dachte, daß die beiden im Zimmer am anderen Ende des Korridors miteinander schliefen. Sie haßte sich selbst dafür, daß ihr das noch immer etwas ausmachte. Aber sie konnte nichts daran ändern.

Und weil es so war, verwunderte es sie, daß Kens Kuß nicht mehr in ihr bewirkt hatte, als es der Fall gewesen war. Während der vergangenen sechs Jahre hatte sie sich selbst weisgemacht, noch immer in ihn verliebt zu sein. Der erste Kuß nach so langer Zeit und nach einer derart schmerzlichen Trennung hätte sie doch mit Leidenschaft erfüllen müssen, auch wenn sie den Mann ihrer Schwester küßte. Aber dann hatte sie letztlich nichts als eine vage Trauer verspürt, ein Gefühl des Verlustes. Selbst jetzt konnte sie es sich nicht erklären.

Sie folgte dem schmalen Pfad, der einige hundert Meter parallel zur Straße verlief, ehe er nach links abbog und sich sanft abfallend durch den Wald schlängelte, bis hinunter zu den fruchtbaren Ufern des Bayou. Hier, auf dem höher gelegenen Terrain, bestand der Wald hauptsächlich aus Kiefern, während unten am morastigen Ufersaum des Bayou in der Mehrzahl Zypressen und Weiden und Pyramidenpappeln wuchsen.

Schyler beherrschte die Namen all dieser Bäume so sicher wie das ABC. Ihre Lehrstunden bei Cotton hatte sie nie vergessen. Sie war noch immer vertraut mit Anblick und Geruch des Waldes, sie konnte ihn buchstäblich fühlen. Und selbst die Geräusche waren ihr noch vertraut.

Bis auf eines.

Alles ging so blitzschnell, daß ihr nicht einmal Zeit blieb, sich zu wundern, als der bösartig knurrende Hund ihr urplötzlich den Weg versperrte.

Das Tier sah aus, als wäre es direkt der Hölle entsprungen, als es vor ihr auftauchte und nur wenige Meter entfernt stehen blieb – ein massiger, gedrungener Leib, die Brust schwer mit Muskeln bepackt, die Schnauze kantig und stumpf zulaufend; der spitze, gebogene Schwanz wedelte aggressiv und feindselig. Das kurze Fell hatte eine scheußliche Musterung aus schwarzen und braunen Flecken. Die Augen funkelten böse. Das knurrende Maul sabberte. Breitbeinig wie ein Seemann an Deck eines großen Schiffes stand der Hund da. Er war häßlich, extrem häßlich, das abscheulichste Wesen, das Schyler je gesehen hatte.

Ganz instinktiv hielt sie die Luft an. Ihr Herz hämmerte so sehr, daß es schmerzte. Als sie die Hand auf die Brust legte, machte das Tier einen Satz nach vorne und bellte dreimal scharf.

Schyler blieb wie angewurzelt stehen, um den Hund nicht durch eine unbedachte Bewegung zu reizen. »Ruhig, mein Junge, ganz ruhig.« Das war natürlich albern, denn dieser Hund war kein liebes Haustier. Nichts an ihm war freundlich, er war ein Killer. Sein Knurren wurde zu einem leisen Vibrieren in der Kehle, aber Schyler war nicht so dumm, anzunehmen, der Hund sei nun besänftigt.

Um Hilfe zu rufen wäre vergebliche Mühe gewesen. Dazu war sie zu weit vom Haus entfernt. Außerdem hätte das nur dazu geführt, daß der Hund sie angriff. Aber sie konnten auch nicht ewig weiter so dastehen. Sie versuchte, einen halben Schritt zurückzuweichen. Der Hund schien die Bewegung nicht zu bemerken, also wagte sie einen weiteren Schritt. Und noch einen.

Als sich die Entfernung zwischen ihnen um mehrere Meter vergrößert hatte, beschloß Schyler, sich umzudrehen und so schnell wie möglich den Pfad zum Haus zurückzugehen. Laufen kam nicht in Frage, weil er ihr dann nur nachrennen würde. Aber sie wollte auch keine unnötige Zeit verlieren.

Schließlich riskierte sie es und drehte sich um. Im selben Moment bellte der Hund erneut scharf – es kam so plötzlich und war so eindringlich und laut, daß sie strauchelte und hinfiel. Der Hund stürzte auf sie zu. Schyler rollte sich auf den Rücken, schirmte mit dem Unterarm ihr Gesicht ab und schlug mit dem freien Arm nach dem Tier.

Es war wie ein gräßlicher Alptraum, als sie ihn tatsächlich berührte, seinen sabbrigen Atem und seine scharfen Zähne heiß auf ihrem Arm spürte. Entweder war es der Speichel des Tieres oder ihr eigenes Blut, was so klebrig von ihrem Handgelenk herabtropfte. Sie brach sich fast den Arm, so heftig schlug sie auf den breiten Schädel des Hundes ein. Mehrere Sekunden lang fühlte sich alles nur noch taub an.

Sie zweifelte nicht einen Moment daran, daß der Hund sie in Stücke reißen würde, wenn es ihr nicht gelang, ihn aufzuhalten. Der bloße Überlebensinstinkt ließ sie handeln; sie langte hinter sich und griff nach dem erstbesten, was ihr in die Finger kam – es war der Ast einer Kiefer, fast so dick wie ihr Handgelenk. Als der Hund zu seiner nächsten Attacke ansetzte, schlug sie ihm den Ast, so hart es ging, zwischen die Augen. Aber das schien ihm gar nichts auszumachen. Im Gegenteil, er wurde nur noch wütender.

Ungestüm holte Schyler mit dem Ast aus, traf den Hund aber nicht richtig; mühsam kam sie auf die Beine und fing an zu laufen. Als sie durch das Unterholz hetzte, war ihr der Hund buchstäblich auf den Fersen und schnappte nach ihren Knöcheln. Ein ums andere Mal entging sie ihm nur um Haaresbreite.

Plötzlich tauchten aus dem Nichts zwei grelle Lichter auf und zerrissen die Dunkelheit des Waldes. Sie erfaßten Schyler wie Suchscheinwerfer, die ihr Ziel gefunden hatten, und blendeten sie. Nebel und Staub tanzten im doppelten Lichtstrahl. In einem Reflex bedeckte Schyler die Augen mit den Armen.

Da ertönte ein schriller Pfiff. Sie spürte, wie der Hund sofort darauf reagierte. Er hörte auf zu knurren und zu bellen und blieb wie angewurzelt stehen. Ein weiterer Pfiff, und er rührte sich, lief an ihr vorbei, streifte mit seinem verschwitzten Körper ihre nackten Beine und hätte sie fast umgerissen. Dann sprang er ins Unterholz und auf die beiden Lichter zu.

In diesem Moment stellte Schyler fest, daß sie bei ihrer heillosen Flucht fast die Straße erreicht hatte. Die Lichter gehörten zu einem Fahrzeug, das scharf eingeschlagen zur Böschung hin stand, damit die Scheinwerfer in den Wald gerichtet waren. Es handelte sich um einen Lieferwagen hinter dieser gleißenden Wolke aus blendendem Licht und aufgewirbeltem Staub.

Unwirkliche und unheimliche Geräusche drangen vom Wagen zu ihr herüber. Der Motor dröhnte und klopfte. Und von der Ladefläche ertönte Hundegekläffe. Die Tiere waren wild, sie wollten raus und rüttelten an ihren Metallkäfigen. Wie viele Hunde es waren, das konnte Schyler nicht ausmachen, aber es klang, als wären es die reinsten Höllenhunde.

Sie drehte sich um und flüchtete; sicher würde jeden Moment die ganze blutrünstige Meute auf sie losgelassen werden. Doch dann wagte sie einen Blick über die Schulter. Der Wagen setzte mit aufheulendem Motor zurück. Dann war er wieder auf der Straße und rumpelte davon. Der Wald versank in Dunkelheit.

Doch das Bellen war noch immer zu hören, also lief Schyler weiter, wie blind hetzte sie durch das Dickicht; alles war ihr nun völlig fremd. Das Spanische Moos, das ihre Wangen streifte, erschreckte sie. Wurzeln und Reben waren Fallstricke, die sich um ihre Fußgelenke schlangen und versuchten, sie in einen Alptraum zu zerren. Vergeblich verscheuchte sie den Nebel, der nach ihr zu greifen schien.

Plötzlich stieß sie mit etwas zusammen, prallte gegen einen harten Körper – und schrie auf. Sie wehrte sich, kämpfte und kratzte, als sie hochgehoben wurde, bis ihre Füße den Boden nicht mehr berührten. Sie strampelte und versuchte zu treten.

»Aufhören! Was, zum Teufel, ist denn in Sie gefahren?«

Trotz des Schreckens erkannte Schyler, daß dieses Phantom in ihrem Alptraum eine menschliche Stimme besaß. Es fühlte sich auch menschlich an. Sie warf den Kopf in den Nacken und wagte einen Blick. War es der Leibhaftige persönlich…?

Cash Boudreaux war es, der sie neugierig musterte. Mehrere Sekunden verstrichen, dann hob er Schyler auf seine Arme. Sie protestierte nicht. Dazu war sie zu erleichtert und froh, der Schrecken war noch zu frisch.

Ihr keuchender Atem strich über seinen Hals. Ihre Finger

krallten sich in sein Hemd. Sie schüttelte sich vor Ekel bei der Erinnerung an die sabbernde, knurrende Schnauze des Hundes. Doch als der Schrecken verflog, kam die Verlegenheit.

Sie atmete tief ein und sagte dann etwas unsicher: »Sie können mich jetzt wieder runterlassen, Mr. Boudreaux. Es geht wieder.« Er reagierte nicht, sondern ging stur weiter Richtung Bayou. »Haben Sie mich verstanden?«

»*Oui.*«

»Dann setzen Sie mich doch ab. Es ist sehr nett, aber –«

»Ich bin nicht nett. Es ist nur bequemer, Sie zu tragen, als Sie hinter mir herzuziehen.«

»Das sage ich doch. Ich schaffe es allein.«

»Sie können sich doch gar nicht auf den Beinen halten. Sie zittern ja viel zu sehr.«

Er hatte recht. Sie zitterte am ganzen Leib. Also gab sie nach, wenigstens vorläufig, und ließ sich weiter von ihm tragen. »Sie gehen in die falsche Richtung. Zum Haus müssen wir dort entlang.«

»Ich weiß, wo es zum Haus geht.« Eine Spur Sarkasmus schwang in seiner Stimme mit. »Ich hab nur gedacht, Sie wären von dort geflüchtet.«

»Weshalb hätte ich das denn tun sollen?«

»Das müssen *Sie* mir sagen.«

»Nur zu Ihrer Information: ich bin angegriffen worden… von einem… einem Hund.« Die Stimme brach. Ihre Tränen waren ihr peinlich, aber sie konnte es nicht ändern.

Boudreaux blieb stehen. »Von einem Hund? Ein Hund hat Sie angefallen?« Sie nickte. »Ich hab' das Bellen gehört«, sagte er. »Hat er Sie gebissen?«

»Ich glaube ja. Ich bin mir nicht sicher. Ich bin weggelaufen.«

»Du lieber Himmel.«

Cash setzte seinen Weg fort, nun aber etwas schneller. Der Chor der Frösche wurde lauter. Schyler sah die Weiden, deren lange Äste sich über das reglose, morastige Wasser beugten wie reuige Sünder. Dies hier war ein kleiner Nebenarm des größeren und breiteren Laurent Bayou; ein schmaler See, dessen Wasser nur träge floß und fast so aussah, als würde es stillstehen.

42

Jetzt sah sie ein Kanu, das halb am Ufer, halb im Wasser lag. Geschickt setzte Cash seinen Fuß hinein, beugte sich dann vor und setzte Schyler in dem schmalen Boot ab. Er holte eine Schachtel Streichhölzer aus der Brusttasche seines Hemdes, entfachte ein Streichholz und ließ eine Kerosinlaterne aufflammen. Im gelben Licht funkelten seine Augen so bösartig wie die der Wildkatzen, die in den Sümpfen lebten. Er blies das Streichholz aus und drehte die Laterne heller.

»Was haben Sie hier gemacht?« fragte Schyler.

»Hab' die Netze eingeholt.« Er nickte zu einer Fischreuse, die noch halb im gelblichen Wasser hing. Mehrere Dutzend roter Sumpfkrebse zappelten darin.

»Sie scheinen ja eine echte Vorliebe zu haben, sich dort rumzutreiben, wo Sie nicht hingehören.«

Er machte keine Anstalten, sich zu verteidigen. »Hier, nehmen Sie einen Schluck.«

Eine Flasche mit Bourbon lag auf dem Boden des Bootes. Cash hob sie auf, schraubte den Verschluß auf und reichte ihr die Flasche. Schyler rührte sich nicht. »Nun nehmen Sie schon«, forderte er sie ungeduldig auf. »Es ist kein Gift und kein Selbstgebrannter. Ich hab ihn heute nachmittag ganz normal im Laden gekauft.«

»Nein, lieber nicht.«

Er beugte sich vor: Sein Gesicht sah teuflisch aus im Licht der Laterne. »Wie ein Gespenst sahen Sie aus, als Sie mich über den Haufen gerannt haben. Ich hab' hier zwar keine Kristallgläser und auch keine silbernen Eiskübel wie auf Belle Terre, und ich bin sicher, daß Sie nettere Cocktails gewohnt sind, aber das wird Ihnen ordentlich einheizen, und dann werden Sie auch nicht mehr so zittern. Und jetzt trinken Sie endlich, Herrgott noch mal.«

Es gefiel Schyler gar nicht, was er sich ihr gegenüber herausnahm, dennoch führte sie die angebotene Flasche an die Lippen. Cotton hatte ihr gezeigt, wie man trank, so wie er ihr alles andere auch gezeigt hatte. Doch er hatte sie gelehrt, wie eine Lady zu trinken, auf eine Weise, daß selbst Macy es gutgeheißen hatte. Der große Schluck, den sie von Cashs Bourbon nahm, brannte ihr im Hals und explodierte dann mit der Wucht einer sterbenden Sonne in ihrem Magen.

Sie hustete keuchend und wenig damenhaft, wischte sich den Mund mit dem Handrücken ab und gab Cash die Flasche zurück. Er nahm sie ihr ab, schmunzelte amüsiert und nahm dann ebenfalls einen Schluck. »Noch einen?«

»Nein danke.«

Er gönnte sich noch einen Schluck, ehe er die Flasche wieder verschloß und verstaute. Dann stieg auch er ins Boot und hockte sich vor Schyler hin. »Hat der Hund Sie nur am Arm erwischt oder noch woanders?«

Schyler schnappte nach Luft, als er ihr Handgelenk ergriff und ihren Arm näher ins Licht der Laterne zog. Seine Berührung verursachte ein Kribbeln; doch was sie am meisten erschreckte, waren die blutenden, häßlichen Schrammen. »Das habe ich gar nicht bemerkt. Mein Gott.«

Cashs Finger waren warm, stark und zärtlich, als er Schylers Wunden vorsichtig untersuchte. »Wie hat der Hund denn ausgesehen?«

»Der Hund?« Schyler erschauderte. »Gräßlich. Widerlich. Wie ein Boxer. So was wie eine Bulldogge.«

»Dann muß es einer von Jiggers Doggen gewesen sein.« Cash sah ihr direkt in die Augen. »Da haben Sie aber noch mal Glück gehabt, daß es Sie nicht schlimmer erwischt hat. Was haben Sie denn bloß gemacht?«

»Nichts!« rief sie. »Ich bin einfach nur spazierengegangen, in unserem Wald, und plötzlich war das Monster da.«

»Sie haben ihn nicht provoziert?«

Der anklingende Zweifel in seinem Ton machte sie wütend. Sie zog den Arm weg und sprang auf. »Ich fahre jetzt ins Krankenhaus. Vielen Dank für —«

Cash schoß hoch und stellte sich breitbeinig vor sie hin. Mit der gespreizten Hand gab er ihr einen leichten Stoß. »Setzen Sie sich wieder hin.«

6. KAPITEL

Sie landete recht unsanft auf der harten Sitzbank, die quer über das Boot gespannt war. Ungläubig schaute sie zu ihm hoch. »Ich werde mich um Sie kümmern«, sagte Cash.

Schyler war es nicht gewohnt, grob behandelt zu werden. Und schon gar nicht, daß jemand einfach über ihren Kopf hinweg entschied. Angesichts des Umstandes, daß sie auf Augenhöhe mit dem Reißverschluß seiner engsitzenden Jeans war, sagte sie so gefaßt wie möglich: »Ich möchte Ihnen danken, Mr. Boudreaux, für das, was Sie für mich getan haben, aber ich denke, es wäre besser, wenn ein richtiger Arzt sich das mal ansieht.«

»Manche Leute halten mich für so was.« Er kniete sich wieder vor sie hin. »Außerdem werde ich Sie auf keinen Fall zum Krankenhaus bringen, und aus eigener Kraft werden Sie es unmöglich schaffen.« Er schaute ihr wieder in die Augen und fuhr dann fast lästernd fort: »Natürlich können Sie sich immer noch von Ihrem Schwager hinfahren lassen.« Er widmete sich den blutenden Schrammen. »Aber dazu müssen Sie erst einmal nach Belle Terre zurück, und ich glaube kaum, daß Sie das packen.«

»Ich brauche eine Spritze gegen Tollwut.« Aber als sie diese plötzliche Erkenntnis laut aussprach, mußte sie mit echtem Unbehagen an die schmerzhaften Spritzen denken.

Cash schüttelte nur den Kopf; er langte um sie herum und griff nach einem Lederbeutel am hinteren Ende des Bootes. Das Licht ließ goldene Strähnen in seinem langen, welligen Haar aufleuchten.

»Von Jiggers Hunden hat keiner die Tollwut. Dazu sind sie zu wertvoll.«

Ängstlich und neugierig zugleich sah sie zu, wie er mehrere braune kleine Flaschen aus dem Beutel hervorholte. Auf keiner war ein Etikett. »Meinen Sie Jigger Flynn?«

»*Oui.*«

»Ist er immer noch in der Gegend?«

Cash lachte schnaufend. »Wenn der jemals verschwindet, sind alle Huren in der Gegend ihren Job los.«

Der Name Jigger Flynn rief Ängste aus der Kindheit wach. Flynn war ein bekannter Zuhälter und Schnapsbrenner, was ihm auch seinen Spitznamen eingebracht hatte. »Meine Mutter hat immer zu meiner Schwester gesagt, daß Jigger Flynn kleine Mädchen entführt, wenn sie nicht artig sind«, sagte Schyler.

»Da lag sie gar nicht so falsch.«

»Und wir haben das auch geglaubt. Wenn wir an seinem Haus vorbeigefahren sind, haben wir immer voller Angst hingeschaut.«

»Das steht immer noch da.«

»Den Gauner hätte man schon vor Jahren hinter Gitter stecken sollen.«

Cash schmunzelte und hüstelte leicht. »Keine Chance. Seine besten Kunden arbeiten im Büro des Sheriffs…«

Schyler nickte zaghaft; sie wußte, daß er wahrscheinlich recht hatte. Aber sein leises Lachen hatte sie irritiert und ärgerlich gemacht. Sie entzog ihm ihren Arm. »Was ist das?«

Er hatte ein Stück Watte mit einer klaren Flüssigkeit aus einem der braunen Fläschchen getränkt. Er hielt ihr den Wattebausch unter die Nase. Der durchdringende Geruch war unverkennbar. »Ganz gewöhnlicher Alkohol zum Einreiben. Und es wird höllisch brennen. Schreien Sie, wenn Ihnen danach ist.«

Noch ehe sie sich innerlich darauf einstellen konnte, tupfte er den Alkohol auf ihre Wunden. Sie spürte die Welle des Schmerzes aufsteigen, war aber fest entschlossen, nicht zu schreien. Doch als der Schmerz sie mit voller Wucht traf, konnte sie das Keuchen nicht unterdrücken, das durch ihre zusammengepreßten Lippen entkam.

Ihre Selbstbeherrschung schien ihn zu amüsieren. Er schmunzelte, als er die blutgetränkte Watte beiseite legte. »Das hier wird dafür sorgen, daß das stechende Gefühl aufhört.« Flink entkorkte er eine zweite Flasche und tupfte etwas von dem Inhalt mit den Fingern auf ihre Wunde. Es sah nicht mehr ganz so schlimm aus, nun, da das Blut abgewischt war. Cash rieb noch eine Salbe auf die Schrammen und verband dann ihren Arm vom Handgelenk bis zum Ellenbogen. »Halten Sie ihn die nächsten paar Tage trocken und sauber.«

»Was haben Sie da draufgetan?« Erstaunlicherweise hatte der Schmerz vollständig nachgelassen.

»Eine der selbstgemachten Salben meiner Mutter.« Sie schaute ihn erstaunt an, er grinste sardonisch. »Sind Fledermausohren drin und gemahlene Milz vom Warzenschwein.« Seine Augen funkelten im Licht der Laterne. »Schwarze Magie«, flüsterte er.

»Das mit Ihrer Mutter und der Schwarzen Magie habe ich nie geglaubt.«

Sein Grinsen wurde zu einem harten Lächeln voller Bitterkeit. »Da sind Sie aber eine echte Ausnahme. Hat der Hund Sie noch irgendwo erwischt?«

Schyler benetzte sich nervös die Lippen. »Er hat nach meinen Fußgelenken geschnappt, aber —«

Sie hatte keine Chance, den Satz zu beenden: Cash zog prompt ihren Rock hoch und schlug den Saum über ihre Knie. Mit einer Hand umfaßte er ihre Wade und hielt den Fuß ans Licht.

»Die Kratzer sind halb so schlimm. Ich werd' sie säubern, aber ein Verband wird da nicht nötig sein.« Er untersuchte auch den anderen Knöchel, entdeckte aber nur eine ganz leichte Schramme; wieder tränkte er einen Wattebausch mit Alkohol.

Schyler sah ihm zu, wie er mit der linken Hand die Kratzer und Schrammen an ihren Fußgelenken abtupfte. Sie versuchte, sich zu erinnern, wie Ken diese Cajuns genannt hatte, die heilen konnten. Sie versuchte an etwas anderes zu denken, an irgend etwas, nur nicht an die Intimität dieser Situation – ihr Fuß auf Cash Boudreaux' Oberschenkel und sein Gesicht dicht über ihrem Schoß.

»Sie haben vorhin gemeint, ich hätte noch Glück gehabt, so glimpflich davongekommen zu sein«, sagte sie. »Hat dieser Hund denn schon andere angefallen?«

»Ein Kind. Vor ein paar Monaten.«

»Ein Kind? Der Hund hat ein Kind angefallen?«

»Ich weiß nicht, ob es dieser eine besondere Hund war. Jigger hat mehrere Doggen, die so gezüchtet sind, daß sie bösartiger sind als Wachhunde.«

»Wie ist das mit dem Kind passiert?«

»Es heißt, das Kind hat den Hund provoziert.«

»Wer sagt das?«

Er zuckte gleichgültig die Achseln. »Jeder. Schauen Sie, ich kenne die genauen Einzelheiten nicht, weil es mich nichts angeht.«

»Nur Tratsch, der Sie nicht interessiert.«

»Stimmt.«

»Und was ist mit dem Kind?«

»Der Junge ist okay, glaub' ich. Er ist ins Krankenhaus gebracht worden, und seitdem hab' ich nichts mehr davon gehört.«

»Er mußte ins Krankenhaus? Und niemand hat etwas unternommen?«

»Wegen was?«

»Wegen der Hunde. Jigger mußte keine Strafe oder Schmerzensgeld zahlen?«

»Es war nicht Jiggers Schuld. Der Kleine war eben zum falschen Zeitpunkt am falschen Ort.«

»Jigger war schuld daran, daß der Hund frei rumlief.«

»Schätze, da haben Sie recht. Diese Hunde sind Mistköter. Er richtet sie so ab. Sie müssen so bösartig sein, für die Kämpfe in der Grube.«

»In der Grube?«

Er schaute sie höhnisch an und lachte trocken und hustend. »Haben Sie etwa noch nie von den Hundekämpfen gehört?«

»Natürlich habe ich davon gehört. Aber die sind verboten.«

»Vor dem Gerichtsgebäude auf den Bürgersteig zu spucken ist auch verboten, aber das hält die Leute nicht davon ab, es zu tun.«

Er war fertig mit der Behandlung der Wunden an ihren Fußgelenken und packte seine Utensilien, darunter auch Moniques selbstgemachte schmerzstillende Salbe, wieder ein. Schyler schob den Rock wieder über die Knie, was Cash nicht entging.

Sein anzügliches Grinsen ignorierend sagte sie: »Sie meinen, diese Hundekämpfe finden hier in der Gegend statt?«

»Seit Jahren schon.«

»Und Jigger Flynn züchtet dafür Hunde?«

48

»*Oui.*«

»Also, dem muß doch jemand ein Ende machen.«

Cash schüttelte den Kopf, offensichtlich amüsiert über diesen Vorschlag. »Das würde Jigger aber gar nicht schmecken. Seine Doggen bringen ihm ein hübsches Sümmchen ein. Sie sind nur selten unter den Verlierern.«

»Sobald ich wieder auf Belle Terre bin, werde ich den Sheriff benachrichtigen.«

»Das würde ich an Ihrer Stelle besser sein lassen.«

»Aber der Hund hätte mich umbringen können!«

Mit einer plötzlichen Bewegung legte Cash seine Hand auf ihren Nacken und zog ihr Gesicht näher zu sich. »Sie sind noch nicht lange zurück, Miss Schyler. Ich werde Ihnen die Mühe ersparen, es selber herauszufinden.« Er hielt inne und schaute ihr tief in die Augen. »Nichts in Laurent hat sich groß geändert seit Ihrer Abreise damals. Vielleicht haben Sie inzwischen das erste ungeschriebene Gesetz vergessen: Wenn dir etwas nicht paßt, dann schau in die andere Richtung. Erspart einem 'ne Menge Ärger. Kapiert?«

Weil sie sich so sehr auf das Gefühl seiner Finger auf ihrer Haut konzentrierte, brauchte sie einen Moment, um seine Warnung zu verstehen. »Ich hab's kapiert, aber das ändert nichts an meinem Entschluß. Wenn ich nur dran denke, was mir hätte zustoßen können, wenn Flynn nicht aufgetaucht wäre und den Hund zum Wagen zurückgepfiffen hätte…«

»Sie wären in Stücke gerissen worden, und das wär' doch wirklich jammerschade gewesen, nicht wahr? Weil Sie nämlich verdammt hübsch aussehen.«

Sein Daumen fuhr langsam über ihren Nacken. Als er den runden Hubbel berührte, stockte er kurz und rieb dann noch mehrmals darüber. »Da hat Sie ein Moskito erwischt, was?«

Schyler spürte, wie ihr die Kontrolle über die Situation entglitt. Cashs tiefer Blick in ihre Augen war erregend, rief aber auch Unbehagen in ihr hervor. Sein ernstes Gesicht und seine Stimme mit dem anzüglichen Unterton gefielen ihr sehr. Insgeheim hatte sie schon seinen schlanken Körper und seine breite Brust bewundert. Seine Oberschenkel waren muskulös, und die

Ausbuchtung unterhalb seines Gürtels bewies, daß sein Ruf als Sexprotz wohl nicht unbegründet war. Aber sie war Schyler Crandall und wußte es besser, als auf Cash Boudreauxs zweifelhaften und verrufenen Charme hereinzufallen.

»Bitte lassen Sie mich jetzt gehen.«

Er streichelte weiter ihren Hals. »Nicht, bevor ich was auf den Moskitobiß getan habe.«

»Das wird nicht nötig sein.«

Dennoch rührte sie sich nicht, als er die Hand von ihrem Hals löste, wieder in seiner Tasche kramte und ein schmales Fläschchen hervorholte. Er entkorkte es. Der Duft der öligen Substanz war Schyler vertraut und erinnerte sie an Ferien im Sommercamp.

»Sie sind mir ja ein hübscher Hexendoktor, Mr. Boudreaux.«

Schyler wußte selber nicht, warum sie seine Hand nicht abwehrte, als die sich wieder ihrem Nacken näherte; warum sie regungslos sitzenblieb und zuließ, daß er mit dem Zeigefinger die Substanz auf den kleinen roten Moskitobiß rieb. Sie konnte nicht sagen, weshalb sie es zuließ, daß er, nachdem er das getan hatte, ihren Nacken und ihren Hals nach weiteren Bissen untersuchte und, als er einen unter ihrem Kragen entdeckte, den oberen Knopf ihrer Bluse öffnete. Mit einer Hand faßte er hinein und rieb auch diesen Hubbel sorgfältig mit der Lotion ein.

Seine Hand blieb unter dem Kragen, als er fragte: »Noch mehr?«

Es war eine höchst anzügliche Frage. »Nein.«

»Sicher?«

»Ganz sicher.«

Seine leicht zusammengekniffenen Augen blitzten auf und verrieten seine Belustigung, als er die Hand unter der Bluse hervorzog und das Fläschchen wieder in der Tasche verstaute. Er stand auf, stieg aus dem Boot und reichte ihr die Hand, um ihr beim Aussteigen behilflich zu sein. Doch diesmal schlug Schyler seine angebotene Hilfe aus und versuchte allein aufzustehen. Aber im selben Moment schwankte sie, und es war nur seiner blitzschnellen Reaktion zu verdanken, daß sie nicht umfiel. Wieder hob er sie auf seine Arme.

»Lassen Sie mich gefälligst runter. Ich bin okay.«

»Sie sind beschwipst.«

Das war sie. Eigentlich unmöglich nach nur einem Schluck. »Sie haben mich angelogen. Was Sie mir da zu trinken gegeben haben, war überhaupt kein normaler Whiskey.« Er murmelte nur etwas, das alles oder nichts bedeuten konnte.

Der fast volle Mond war über den Bäumen aufgestiegen und ließ den Wald nun heller erscheinen als zuvor. Cash kam zügig voran; offensichtlich kannte er sich hier bestens aus.

Schyler gab sich alle Mühe, den Kopf erhoben zu halten. Doch das schreckliche Erlebnis mit dem Hund, nicht zu reden vom starken Whiskey, hatte sie teilnahmslos und wie betäubt gemacht. Sie gab auf: Ihre Wange fiel an seine Brust, ihr Körper wurde schlaff. Sie schmiegte sich an Cash. Die Augen wurden immer schwerer und fielen ihr zu. Als Cash schließlich stehenblieb, hielt sie die Augen noch einen Moment geschlossen, ehe sie sich umschaute. Sie standen im Schatten der Gartenlaube.

Sein Gesicht beugte sich dicht über ihres. »Schaffen Sie das letzte Stück allein?«

Schyler schaute hoch. Belle Terre lag da wie eine schimmernde Perle auf grünem Samt – und unendlich weit entfernt. Die Aussicht, diese Strecke aus eigener Kraft zu schaffen, war wenig berauschend, aber sie sagte tapfer: »Wird schon gehen.«

Cash ließ sie herunter.

»Ich würd' Sie ja gern bis zum Haus tragen, aber Ihr Daddy würde es eher zulassen, daß jemand in den Brunnen pinkelt, als daß Cash Boudreaux' Schatten auf Belle Terre fällt.«

»Sie sind sehr nett gewesen. Vielen Dank, daß Sie —«

Es verschlug ihr den Atem, als Cash sie bei den Hüften packte und gegen die vergitterte Wand drückte. Seine Finger schlossen sich fest um ihre schmale Taille. Sein heißer Atem strich über ihr Gesicht. Verwirrt sah sie ihn an.

»Ich bin niemals nett zu einer Frau. Nehmen Sie sich in acht, *pichouette*. Wenn ich zubeiße, bin ich gefährlicher als Jigger Flynns Hund.«

»*Das* nennst du Liebe machen?«

Cash rollte sich von der Frau, die neben ihm im Bett lag, weg. Ihr Körper glänzte schweißnaß und trug die roten Male des groben Liebesspiels. Cash langte nach den Zigaretten auf dem Nachttisch, zündete sich eine an und inhalierte tief.

»Ich hab's nie so genannt.« Er stieg aus dem Bett, zog das Kondom ab und warf es in den Mülleimer. Er war noch immer erregt, sein Körper war noch immer angespannt, noch immer hungrig.

Rhoda Gilbreath setzte sich auf und bedeckte ihre Brüste mit dem Bettlaken. Diese albern spröde Geste verfehlte ihre Wirkung bei Cash. Er stand am Fenster, nackt und mit dem Rücken zu ihr, rauchte schweigsam und starrte nur hinaus auf den Parkplatz und das sich bewegende knallig pinkfarbene Neonschild des Pelican Motels.

»Sei nicht eingeschnappt«, schnurrte sie beschwichtigend. »Ich mag's ja manchmal hart und schnell. Ich hab' mich nicht beschweren wollen.«

Sein zerzauster Schopf mit den goldenen Strähnen fuhr herum. Gereizt warf Cash ihr einen Blick über die Schulter zu. »Hast auch keinen Grund, dich zu beschweren, Rhoda. Dreimal hab' ich's dir besorgt.«

Von einem Moment zum andern wandelte sich ihr Gesichtsausdruck von verführerisch zu wütend. »Erst schmollst du, dann wirst du gemein. Dabei hättest du eigentlich Grund, dankbar zu sein.«

»Was willst du? Trinkgeld?«

Sie funkelte ihn an. »War nicht einfach für mich, alles stehen und liegen zu lassen und heute abend herzukommen. Ich hab's nur gemacht, weil du dich am Telefon angehört hast, als wär's ein Notfall.«

»War's auch«, murmelte er und dachte daran, in welcher Verfassung er gewesen war, nachdem er Schyler bei Belle Terre abgesetzt hatte. Die Zigarette zwischen seinen grüblerischen Lippen, ging er vom Fenster weg, langte nach seinen Jeans und stieg hinein.

Die Frau, die sich ans Kopfende gelehnt hatte, setzte sich auf. »Was hast du vor?«

»Wonach sieht's denn aus?«

»Du haust ab?«

»Stimmt.«

»Jetzt?«

»Stimmt auch.«

»Aber das geht nicht. Wir sind doch gerade erst gekommen.«

»Nun schnapp nicht ein, Rhoda. Du bist hergekommen, weil du gebumst werden wolltest. Das willst du doch immer.«

»Du etwa nicht?«

»Doch. Aber ich geb's wenigstens zu. Bei dir hört sich das immer so an, als wär's ein Akt der Barmherzigkeit. Das wissen wir doch beide besser.«

Sie unternahm einen weiteren Versuch und versuchte es mit Verführung. Sie hob das Knie, schwang es langsam und verlockend hin und her. »Ich hab Dale gesagt, daß ich eine kranke Freundin besuche und voraussichtlich erst morgen früh zurück sein werde.« Sie ließ das Laken fallen. »Wir haben die ganze Nacht.«

Gleichgültig stieg Cash in seine lehmverkrusteten Cowboystiefel und zog sich das Hemd über, ließ jedoch die Knöpfe offen. »*Du* hast die ganze Nacht. Ich werde jetzt abhauen.«

»Du Mistkerl.«

»Das Zimmer ist bezahlt. Kabelfernsehen ist auch da. Eis ist im Kühlschrank. Hast also alles, was du brauchst. Genieß es.« Er warf ihr den Zimmerschlüssel aufs Bett.

»Du Bastard.«

»Stimmt genau. Wird dir jeder bestätigen.« Zynisch schmunzelnd salutierte er mit einer spöttischen Geste, ehe er die Tür des Motelzimmers hinter sich zuknallte.

7. KAPITEL

Sie lachten über Schyler.

Das Frühstück wurde auf dem überdachten Teil der hinteren Veranda serviert. Als Schyler von ihrem abstrus klingenden Erlebnis berichtete, ließ Tricia den Löffel fallen, mit dem sie in einer Grapefruit gestochert hatte. Und Ken stellte geräuschvoll die Kaffeetasse ab. Einen Moment lang starrten sie beide Schyler verdutzt an, dann brachen sie im selben Moment in schallendes Gelächter aus.

Erst vor wenigen Minuten war Schyler auf der Veranda erschienen, bereits fertig für den Tag zurechtgemacht. Es war erst halb neun, aber schon morgens betrug die Luftfeuchtigkeit 90 Prozent. Ihr Haar kräuselte sich zu kleinen Ringellöckchen im Nacken. In den wenigen Tagen seit ihrer Rückkehr hatte ihr die Sonne des Südens hellblonde, schimmernde Strähnen ins Haar gefärbt. Der Verband an ihrem Arm war natürlich sofort allen aufgefallen.

»Du lieber Himmel! Was ist mit deinem Arm, Schyler?« hatte Tricia gefragt.

Schyler nahm die silberne Kanne vom Servierwagen und schenkte sich eine Tasse Kaffee ein. Mrs. Graves gestelztes Angebot eines warmen Frühstücks lehnte sie ab, erst dann antwortete sie auf Tricias Frage. »Ich bin gestern abend im Wald von einer Dogge angefallen worden.«

Tricia sah sie mit großen Augen an. »Du machst Witze!«

»Ich wünschte, es wäre so.«

»Das sind bösartige Hunde.«

»So genau kenne ich die Rasse nicht, aber diese eine war es ganz bestimmt. Ich habe Todesängste ausgestanden. Er hätte mich glatt umbringen können.«

»Der Hund war in unserem Wald?« fragte Ken. »Auf Belle Terre?«

»Ja. Nur ein paar hundert Meter vom Haus entfernt.« Schyler schilderte ihnen den Vorfall, erwähnte aber Cash Boudreaux mit keinem Wort.

»Du hättest die Bisse von jemandem untersuchen lassen sollen«, sagte Ken besorgt.

»Ist auch geschehen. Ich hab' sie gestern abend noch behandeln lassen.« Sie antwortete absichtlich vage und hoffte, daß keiner von beiden nach Details fragte. Um genau das zu vermeiden, fügte sie hinzu: »Ich beabsichtige, diesen Flynn deswegen zu belangen.«

Darauf reagierten die beiden erst mit Erstaunen und dann mit schallendem Gelächter. »Schyler, du kannst Jigger Flynn nicht die Polizei auf den Hals hetzen.« Ken schmunzelte ihr bevormundend zu.

»Warum denn nicht? Es muß doch ein Gesetz geben, gegen das er mit der Haltung dieser Hunde verstößt.«

»So was gibt es nicht. Die Leute haben seit hundert Jahren und noch länger ihre Doggen und die Hundekämpfe. Und Jigger läßt seine nicht frei herumlaufen.«

»Einer hat das aber gestern abend doch getan.«

»Dann ist er wahrscheinlich durch ein Versehen aus seinem Käfig entkommen.«

»Ein gefährliches Versehen. Und nicht das erste. Ich habe gehört, daß vor gar nicht langer Zeit ein Kind angefallen wurde.«

»Der Junge ist mit dem Rad an Jiggers Haus vorbeigefahren.«

»Und das rechtfertigt den Umstand, daß er übel zugerichtet wurde?«

»Den Sheriff zu rufen, wird dir gar nichts nützen. Oh, er wird vielleicht zu Jigger rausfahren, aber das Ganze wird dann höchstwahrscheinlich damit enden, daß die beiden einen zusammen trinken und Witzchen reißen.«

Schyler war von beiden gleichermaßen entsetzt. »Ihr erwartet allen Ernstes von mir, die Sache auf sich beruhen zu lassen und so zu tun, als sei nichts geschehen?«

»Das wäre wahrscheinlich das Beste, ja.« Ken stand auf, gab Tricia einen flüchtigen Kuß auf die Wange und Schyler einen leichten Klaps auf die Schulter. »Ich bin um zehn auf eine Runde Golf eingeladen. Bye-bye, Mädels.«

Schyler sah ihm mit einer Mischung aus Bestürzung und Groll nach. Seine herablassende Haltung machte sie wütend und nur noch entschlossener, den Besitzer des Tieres nicht ungeschoren davonkommen zu lassen. Nur einmal in ihrem Leben hatte sie nachgegeben und alles wehrlos über sich ergehen lassen – als Tricia ihre Schwangerschaft verkündet hatte. Einmal und nie wieder. Sie hatte gelernt, daß es sich nicht auszahlte, die Märtyrerin zu spielen. In den meisten Fällen brachte es einem nur Verachtung ein, aber keinen Respekt.

»Ich kann einfach nicht glauben, daß Ken will, daß ich die Sache einfach vergesse. Er hat sich doch früher immer für die Schwächeren eingesetzt.«

»Auf dem College, Schyler, ja. Jetzt ist er erwachsen.«

»Und du rätst mir, auch erwachsen zu werden.«

»Ja. Wir sind hier nicht auf der Uni. Hier geht es nicht darum, einen Krieg zu beenden oder einen anzufangen, oder um Erleichterungen für Gastarbeiter und Chancengleichheit in der Bildung schwarzer Kinder.« Tricia legte eine Hälfte ihres Brötchens auf den Teller und leckte sich die Butter und den tropfenden Honig von den Fingern. »Du bist noch nicht einmal eine Woche hier. Also bescher uns bitte keinen Ärger.«

»Ich habe nicht damit angefangen. Ich hätte gar nicht gewußt, daß es diese verdammten Hunde überhaupt gibt, wenn mich nicht einer davon auf unserem eigenen Grund und Boden angegriffen hätte.«

Tricia seufzte tief. »Du kannst einfach keine Ruhe geben, was? Immer mußt du deine Nase in Dinge stecken, die dich nichts angehen. Cotton hatte dich in deinem Aktivisten-Kram immer unterstützt, aber Mama und mich hast du damit schier zur Verzweiflung getrieben. Es war uns wirklich peinlich. Und es war so... so unkultiviert.« Sie beugte sich zur Betonung vor. »Dies ist mein Zuhause, Schyler. Wage es nicht, irgend etwas zu tun, was mich in Verlegenheit bringt. Ich möchte mit hoch erhobenem Kopf durch die Stadt gehen können.«

Schyler rückte ihren Stuhl nach hinten und warf ihre unbenutzte Serviette auf ihren leeren Teller. »Wenn ich die Behörden nicht dazu bringen kann, etwas gegen diesen üblen Schwarzbrenner und seine gemeingefährlichen Hunde zu unternehmen, dann werde ich es eben selber tun. Und es ist mir scheißegal, ob dich das in Verlegenheit bringt oder nicht, Tricia.«

»Er hat Anzeichen der Besserung gezeigt in den letzten zwölf Stunden«, sagte Dr. Collins, als Schyler im Krankenhaus eintraf. »Ich bin optimistisch, aber mit Vorbehalt. Wenn sich sein Zustand weiter stabilisiert, dürften wir nächste Woche operieren können.«

»Das ist wunderbar.«

»Ich sagte: optimistisch *unter Vorbehalt*. Er ist noch immer ein sehr kranker Herzpatient.«

»Ich verstehe.« Der Arzt lächelte Schyler mitfühlend zu. Wenn ein geliebter Mensch dem Tode so nahe war wie Cotton Crandall, dann griffen die Verwandten nach jedem Strohhalm. »Darf ich zu ihm?«

»Dieselben Regeln wie bisher. Zwei Minuten höchstens pro Stunde. Aber sie möchten vielleicht eine Weile hierbleiben. Er war den ganzen Morgen über halb bei Bewußtsein.«

Schyler ging zum Münztelefon, rief Tricia an und teilte ihr die freudige Neuigkeit mit, ohne weiter auf ihren Streit am Frühstückstisch einzugehen. Dann durfte sie für zwei Minuten zu ihrem Vater. Sie war enttäuscht, daß er nicht aufwachte und auch anderweitig nicht zu bemerken schien, daß sie neben seinem Bett saß, aber die Auskunft des Arztes hatte ihr Mut gemacht. Sogar das aufmunternde Lächeln der Schwester wirkte aufrichtiger.

Tricia und Ken trafen am frühen Nachmittag ein. Zu dritt warteten sie stundenlang im Wartezimmer und gingen abwechselnd jede Stunde zu ihrem Vater ins Zimmer. Schließlich wurde es ihnen langweilig. Ken fragte: »Schyler, warum kommst du nicht mit uns nach Hause?«

»Ihr beiden könnt doch schon vorfahren. Ich werde zum Abendessen da sein. Ich möchte noch einmal zu ihm.«

»In Ordnung.« Ken führte seine Frau zum Fahrstuhl. Sie winkten Schyler, ehe sich die Türen schlossen, zu. Weil sie es nicht länger aushielt, ständig nur auf die ewig gleichen vier Wände zu starren, wanderte Schyler über den blankpolierten Korridor und entschloß sich, Mark anzurufen.

Er hatte sich großzügig erwiesen, sie gehen zu lassen, ohne zu wissen, wie lange sie fortbleiben würde. Er hatte nicht einmal gefragt. Er hatte ihr beim Packen geholfen, hatte sie nach Heathrow gefahren, sie zum Abschied geküßt und ihr gesagt, sie solle anrufen, wenn sie etwas bräuchte. Er hatte sich um sie ebenso große Sorgen gemacht wie sie um Cotton, den er nie persönlich kennengelernt, von dem er aber schon viel gehört hatte.

Schyler beschloß, noch solange mit dem Anruf zu warten, bis die Prognose bezüglich Cottons Zustand sicherer war. Es hatte keinen Sinn, Mark anzurufen, solange es keine definitiveren Neuigkeiten gab, außer der, daß sie ihn schrecklich vermißte. Den vertrauten Klang seines nasalen Bostoner Akzents zu hören, das allein würde ihr schon Trost geben.

»Miss Crandall?«

Sie fuhr herum. »Ja?« Die Krankenschwester lächelte. »Daddy?«

»Er ist wach. Kommen Sie.«

Schyler folgte der Schwester eilig den Korridor hinunter und in das Krankenzimmer. Cotton sah nicht viel besser aus als am Abend zuvor, obgleich Schyler fand, daß seine Züge nicht ganz so wächsern waren und seine Lippen nicht mehr gar so bläulich. Auf die Schläuche achtend nahm sie seine Hand und drückte sie.

»Hallo, Daddy. Ich bin's, Schyler. Ich bin schon seit einigen Tagen wieder hier. Wie geht es dir? Wir haben uns alle solche Sorgen gemacht. Aber der Doktor meint, daß du wieder gesund wirst.«

Die Furchen in seinem Gesicht waren noch tiefer, die Haut unter seinem störrischen, breiten Kinn noch schlaffer. Sein Haaransatz war zurückgewichen. Doch es waren seine Augen, die sie fesselten. Sie hatten sich am meisten von allem verändert, seit sie ihn das letzte Mal gesehen hatte. Und diese Veränderung machte ihr das Herz schwer. Die Augen hatten noch immer dasselbe lebendige Blau, aber es war kein Glanz mehr in ihnen, keine Verschmitztheit, kein Leben.

Der Zustand seines Herzens war nicht der Grund für diese Leblosigkeit. Schyler wußte, daß sie es war, die den Glanz in diesen Augen ausgelöscht hatte. Was sie jedoch nicht wußte, war, was sie getan hatte, daß dies geschehen war.

»Du bist zurückgekommen.« Seine Stimme war so dünn und zerbrechlich wie uraltes Papier. Es lag kein Hauch von Wärme darin.

»Ja, Daddy, ich bin zurück. Ich bin wieder auf Belle Terre. Und ich bleibe solange, wie du mich brauchst.«

Er schaute sie lange an. Dann schlossen sich die adrigen Lider über seinen verachtenden blauen Augen, und er wandte den Kopf zur Seite.

Die Krankenschwester trat ans Bett. »Er ist wieder eingeschlafen, Miss Crandall. Wir stören ihn jetzt besser nicht länger.«

Widerwillig ließ Schyler die Hand ihres Vaters los und trat vom Bett zurück. Sie beobachtete, wie die Schwester die Infusion einstellte. Mit einem Gefühl der Leere und Einsamkeit verließ sie das Zimmer und das Krankenhaus.

Schyler liebte ihren Vater über alles. Und umgekehrt war es einst ebenso gewesen. Nun aber nicht mehr. Seit sechs Jahren genau. Was war geschehen? Sie war es doch gewesen, der man wehgetan hatte. Weshalb hatte er sich gegen sie gewendet? Warum nur?

Die aufgestaute Hitze im Auto war unerträglich. Die Lüftung brachte selbst auf der höchsten Stufe keine Kühlung, weshalb Schyler das Seitenfenster herunterließ. Der Fahrtwind spielte mit ihrem Haar. Sie nahm die geschlungene Straße, die ihr so vertraut war wie ihr eigener Anblick im Spiegel. Ihr Herz begann vor freudiger Erwartung zu klopfen, als sie über die Laurent Bayou Brücke fuhr. Die Straße endete als Sackgasse vor der Crandall Holzfabrik.

Es war Samstagnachmittag. Das Gelände lag verlassen da. Keine Menschenseele arbeitete auf dem Hof oder auf den Verladeplattformen entlang der Gleise. Die Sattelschlepper waren neben der gewaltigen Halle abgestellt, die Sattelauflieger waren zusammengefahren und lagen Huckepack auf den Zugmaschinen. Die Luft wurde nicht erfüllt vom Getöse der Holzfäller und ihren ›Timber!‹-Rufen aus den umliegenden Wäldern. Kein Maschinenlärm, kein Klackern von Metallrädern auf den Schienen. Bis auf einige wenige zwitschernde Vögel lag alles reglos und ruhig vor ihr.

Sie ließ die Wagentür offen und ging auf das kleine Gebäude zu, in dem das Büro untergebracht war. Der Schlüssel an ihrem Bund paßte noch immer ins Schloß. Es war also in den vergangenen sechs Jahren nicht ausgetauscht worden. Die Tür schwang auf, und Schyler trat ein.

Drinnen war es zum Ersticken heiß. Sie ließ die Tür offenstehen. Die Sonne des Spätnachmittags warf ihren Schatten über den stumpfen, zernarbten Boden und über Cottons Schreibtisch. Unmengen von Unterlagen und ungeöffneten Briefen türmten sich dort auf. So war es immer gewesen. Ständig schob er die Büroarbeit Monate vor sich her. Schyler hatte sich früher immer in den Ferien daran gesetzt.

Sie ging zum Schreibtisch, nahm das Telefon ab und wählte die Nummer, die ihr auf alle Zeit ins Gedächtnis gebrannt war.

»Belle Terre.«

»Hallo, Mrs. Graves, hier spricht Schyler. Ich werde noch eine Weile fort sein. Bitte warten Sie nicht mit dem Abendessen auf mich.«

Die Haushälterin schien gar nicht neugierig zu sein und hatte auch nichts weiter zu sagen; der Anruf war innerhalb weniger Sekunden erledigt. Schyler legte wieder auf und schaute sich um. Die Fenster hinaus zur Bahnstrecke mußten dringend geputzt werden. Es gab keine Vorhänge, keine Jalousien. Cotton hatte immer auf einen ungehinderten Ausblick bestanden. Er wollte immer alles im Auge haben.

Schyler fuhr mit der Fingerspitze über das staubige Fensterbrett. Sie würde umgehend veranlassen, daß jemand herkäme, um gründlich sauberzumachen. Sie ging zum Schreibtisch zurück, stellte sich hinter den Stuhl und legte die Hände auf die hohe gepolsterte Lehne.

Cottons Stuhl.

Über all die Jahre war das braune Leder handschuhweich und geschmeidig geworden. Sie schloß die Augen. Heiße, salzige Tränen stiegen hinter ihren Lidern auf, während sie an die Zeit dachte, als sie auf Cottons Schoß gesessen hatte, in diesem Stuhl, und geduldig zugehört hatte, wie er ihr alles über die unterschiedlichen Sorten Holz erklärt hatte und zu welcher Holzfabrik oder zu welcher Papierfabrik das Holz gebracht wurde.

Er hatte seine helle Freude gehabt an seiner gelehrigen Schülerin. Tricia hatte diesen Ort gehaßt. Für sie war er schmutzig und laut, und sie hatte schon geschmollt, wenn sie auch nur in die Nähe kam. Macy hatte sich nicht um das Geschäft gekümmert, auch wenn es ursprünglich ihrer Familie gehört hatte. Cotton hatte dreist den Namen geändert. Kaum war der alte Mr. Laurent unter der Erde, hatte sich Cotton zum alleinigen Besitzer und Leiter erhoben.

Macy hatte sich nicht groß um irgend etwas geschert, nicht um das Geschäft ihrer Familie, nicht um ihren Mann, nicht mal um ihre beiden Töchter, die sie aus schierer Verzweiflung adoptiert hatte, als sie erfuhr, daß sie unfruchtbar war und Cotton nicht den ersehnten Nachwuchs schenken konnte.

Macy hatte dafür gesorgt, daß ihre beiden Töchter besser gekleidet waren als jedes andere Mädchen in der Gegend. Sie waren auf eine angesehene Privatschule gegangen. Die Feste, die ihnen zu Ehren gegeben wurden, waren verschwenderischer als alle, an die sich die Alteingesessenen erinnern konnten. Macy hatte es ihnen materiell an nichts fehlen lassen, aber sie hatte ihre Gefühle vernachlässigt. Wäre da nicht Cotton gewesen, Schyler hätte nie elterliche Liebe erfahren.

Aber nun liebte er sie nicht mehr.

Sie öffnete die Augen und wischte sich die Tränen ab. Da bemerkte sie plötzlich den langen Schatten, der auf den vollgepackten, unordentlichen Schreibtisch fiel. Ihr Kopf fuhr hoch, ihr leichtes Keuchen wirkte unnatürlich laut in dieser vollkommenen Stille. Als sie den Mann erkannte, der träge am Türfosten lehnte, runzelte sie die Stirn.

8. KAPITEL

»Ich wäre Ihnen sehr verbunden, wenn Sie endlich aufhören würden, mir nachzuspionieren. Das macht mich noch wahnsinnig.«

»Weshalb weinen Sie?«

»Wegen Cotton.«

Cashs Körper spannte sich an. Die Brauen über seinen rätselhaften Augen zogen sich zusammen. »Ist er gestorben?«

Schyler schüttelte den Kopf. »Nein. Er hat das Bewußtsein wiedererlangt. Ich habe mit ihm gesprochen.«

»Dann verstehe ich nicht…«

»Das müssen Sie auch nicht«, belehrte sie ihn barsch. »Hören Sie auf, sich in meine Angelegenheiten zu mischen.«

»In Ordnung. Und wenn Sie das nächste Mal von einem Hund gebissen werden, kann Ihnen meinetwegen der Arm abfaulen.«

Schyler preßte den Handballen an die Schläfe, da bahnten sich schlimme Kopfschmerzen an. »Es tut mir leid. Ich hätte Ihnen lieber danken sollen.«

»Wie sieht's aus?« Er nickte zu ihrem bandagierten Arm.

»Okay, schätze ich. Es hat gar nicht mehr weggetan.«

»Kommen Sie her.« Sie starrte ihn nur an. Er hob eine Augenbraue und wiederholte sanft: »Kommen Sie her.«

Sie zögerte noch einen Moment, bevor sie um den Schreibtisch und auf die offene Tür zuging, wo er noch immer mit der Schulter gegen den Türrahmen gelehnt stand. Sie hielt ihm ihren verletzten Arm hin, mit etwa ebenso viel Begeisterung, als würde sie ihn in einen Hochofen stecken.

Ihre Aversion, von ihm berührt zu werden, ließ ihn höhnisch schmunzeln, als er den am Abend zuvor angelegten Verband löste. Erstaunt stellte Schyler fest, daß die Wunden kaum noch zu sehen waren und daß es keinerlei Anzeichen einer Infektion gab. Er berührte den Arm leicht mit den Fingerspitzen. Es schmerzte nicht.

»Lassen Sie den Verband noch über Nacht drauf.« Er legte den Verband wieder an. »Morgen früh können Sie ihn abnehmen und den Arm vorsichtig waschen. Dann sollte er endgültig okay sein.« Sie schaute fragend zu ihm auf. »Der Trick ist die getrocknete Milz vom Warzenschwein.«

Sie zog den Arm weg. »Sie sind Linkshänder.«

Sein Grinsen wurde breiter. »Sie glauben an die Überlieferung, was? Daß alle *traiteurs* Linkshänder sind.« Ohne die Andeutung von Rechtfertigung oder Zögern rückte er den breiten Seemannskragen ihres Kleides zur Seite und fuhr mit dem Finger über die zarte Haut, wo er am Abend zuvor den Moskitostich entdeckt hatte. »Was machen die Moskitobisse?«

Schyler stieß seine Hand fort. »Sind bestens. War Monique auch Linkshänderin?«

62

»*Oui*. Und sie war auch eine Frau. In diesem Punkt weiche ich von der Tradition ab.« Er senkte die Stimme. »Weil ich ein Mann bin. Und wenn Sie diesbezüglich Zweifel haben sollten, Miss Schyler, würde ich es Ihnen nur zu gern beweisen.«

Sie schaute zu ihm auf und entgegnete trocken: »Das wird nicht nötig sein.«

»Hab ich auch nicht angenommen.«

Er ist einfach unerträglich eingebildet, dachte Schyler im stillen, als sie sah, wie sich seine Lippen zu seinem lässigen, arroganten Lächeln formten. Und was nun? Sollte sie etwa zu Boden sinken, nur weil der große, böse Cash Boudreaux, der Mann, den die Väter reifer Töchter fürchteten wie sonst niemanden, seinen fragwürdigen Charme bei ihr ausprobierte? Sie war ein bißchen zu alt, um aufgeregt zu sein oder in Ohnmacht zu fallen angesichts eines solchen unverhohlenen, männlichen Gehabes.

Von Cashs Männlichkeit mußte niemand sie überzeugen. Sie war deutlich zu sehen in seinem Gesicht, seinen breiten Schultern, dem salzigen Geruch, den er in der Hitze des Nachmittags verströmte. Eine Schweißperle lief ihm vom Haaransatz über die Stirn, weiter an der Schläfe entlang und verschwand in seinen buschigen Augenbrauen.

Sein Gang, sämtliche seiner Bewegungen waren männlich. Schyler musterte seine Hände, als sie nach der Schachtel Zigaretten in der Brusttasche seines Hemdes griffen und eine aus der Packung nahmen. Er bot auch ihr eine Zigarette an, aber sie lehnte wortlos ab. Seine Lippen schlossen sich um den Filter. Er ließ die Packung wieder in der Tasche verschwinden und zog eine Schachtel Streichhölzer hervor. Er entzündete ein Zündholz am Türrahmen und hielt die Hand um die Flamme, während er sich die Zigarette anzündete.

Schyler mußte an das Gefühl seiner Hände auf ihrer Taille denken. Er hatte sie gegen die Wand des Gartenhäuschens gedrückt, wenngleich ohne jede Gewalt. Die einzigen blauen Flekken, die ihr Körper an diesem Morgen aufgewiesen hatte, waren Resultate ihres Kampfes mit der Dogge. Es war ein unbehagliches Gefühl zu wissen, daß Cash Boudreaux derart überwältigend sein konnte, ohne sie zu verletzen.

Als er an seiner Zigarette zog und sie durch den aufsteigenden Rauch ansah, senkte sie den Blick. Er trug ein Tuch um seinen kräftigen, gebräunten Hals. Seine Brust lief in eine schmale Taille und schlanke Hüften zu. Der weiche, ausgewaschene Stoff seiner Jeans bedeckte sein Geschlecht so intim wie die Hand einer Geliebten.

Schyler wußte, daß er sie mit den Augen verschlang, ebenso wie ihr klar war, daß darin etwas Sexuelles lag. Denn wenn an den Gerüchten über Cash Boudreaux etwas dran war, dann war alles, was er seit seinem 13. Lebensjahr getan hatte, sexuell ausgerichtet.

Geschmeichelt fühlte sie sich nicht, aber sie hatte auch keine Angst. Wenn er vorgehabt hätte, ihr etwas anzutun, dann hätte er in den letzten 24 Stunden mehr als eine Gelegenheit dazu gehabt. Nein, vor allem war sie beleidigt. Offensichtlich warf er sie einfach in einen Topf mit der Sorte Frau, die sich von seiner Aufmerksamkeit geschmeichelt fühlte.

Doch wenn sie wirklich ehrlich war, mußte sie zugeben, daß die Vorstellung eines sexuellen Erlebnisses mit Cash Boudreaux durchaus einen gewissen Reiz hatte. Er war verrufen und gefährlich, unangenehm und arrogant. Er behandelte Frauen grob und ohne Respekt, er benahm sich schlichtweg abscheulich. Aber vielleicht war es genau das, was seine Anziehungskraft ausmachte.

Auch wenn sie beide praktisch am selben Ort aufgewachsen waren, so trennten sie doch Welten. Sie hatten nichts gemein, abgesehen von diesen sexuellen Unterströmungen, die unsichtbar, aber ebenso real waren wie die flimmernden Hitzewellen, die über dem Boden schwebten. Sie war eine Frau. Und Cash Boudreaux unzweifelhaft ein Mann.

Schyler hob den Kopf und sah Cash direkt an, als könnte sie so die unterschwelligen Funken auslöschen. »Sind Sie mir hierher gefolgt?«

»Nein. Reiner Zufall. Wollte einfach nur mal nach dem Rechten sehen.«

»Nach dem Rechten sehen? Ich bin sicher, daß sich Ken während Daddys Krankheit um alles kümmert.«

»Ken? Der kann sich doch nicht einmal selbst den Hintern wischen.«

»Mr. Boudreaux —«

»Und damit es niemand mitkriegt, hat er den Laden hier dichtgemacht.«

Ihr Protest erstarb ihr auf der Zunge. »*Was?* Was meinen Sie mit ›Laden dichtgemacht‹?«

»Er hat allen, die hier arbeiten, gesagt, daß sie bis auf weiteres entlassen sind. Den selbständigen Fällern hat er gesagt, sie sollten sich nach anderen Abnehmern für ihr Holz umsehen. Er sagte, das Crandall Holzwerk sei vorübergehend geschlossen. Dann hat er die Türen verrammelt und ist gegangen. Meinen Sie nicht auch, das läuft auf ›den Laden dichtgemacht‹ hinaus?«

Schyler taumelte einen Schritt zurück. Voller Entsetzen schaute sie sich im Büro um, und da wurde ihr klar, weshalb es so verlassen aussah. Es trug die leere Traurigkeit eines Hauses, in dem lange Zeit niemand gewohnt hatte. »Warum sollte Ken so etwas tun?«

»Hab' ich Ihnen doch gerade gesagt.«

»Ich meine es ernst.«

»Ich auch.« Cash schnippte die Zigarette zur Tür hinaus. Sie segelte in einem rotglühenden Bogen und erlosch im Staub des verlassenen Innenhofs. »Am Tag, nachdem Cotton ins Krankenhaus gebracht wurde, hat Ihr Schwager jeden hier ausbezahlt und ist wieder verduftet.«

»Weiß Cotton davon?«

»Das bezweifle ich.«

»Ich auch.« Sie kaute auf der Innenseite ihrer Wange und versuchte, sich vorzustellen, was Ken wohl zu diesem Schritt veranlaßt hatte. Cotton hatte früher schon wirtschaftliche Flauten überstehen müssen, aber er hatte nie Angestellte auf die Straße gesetzt. »Da müssen ja jetzt jede Menge Männer ohne Arbeit sein.«

»Da haben Sie verdammt recht.«

Schyler fuhr sich durchs Haar. »Ich bin mir sicher, daß Ken seine Gründe hatte. Sie liegen vielleicht nur nicht für jedermann auf der Hand.«

»Na, dann werd ich Ihnen mal sagen, was auf der Hand liegt, Miss Schyler.«

Er stieß sich vom Türrahmen ab und trat in den Raum. »Etwa die Hälfte der Familien in der Gemeinde haben bald keine Lebensmittel mehr. Und es sieht nicht danach aus, als sollten sie sobald wieder genug Geld haben, um welche zu kaufen. Während sich Ihr Schwager im Country Club am Swimmingpool aalt und ein Glas Lynchburg nach dem anderen schlürft, haben die Kinder hier nichts zu essen, kein Frühstück, kein Mittagessen und kein Abendbrot.«

Ken verließ jeden Morgen das Haus und kehrte nachmittags zurück. Schyler hatte angenommen, daß er während dieser Zeit bei der Arbeit war. Der Gedanke, daß er von dem lebte, was Cotton im Laufe seines Lebens erarbeitet hatte, fuchste sie sehr. Aber vielleicht war es nicht fair, wenn sie voreilige Schlüsse zog. Schließlich hatte auch Ken nach der Hochzeit mit Tricia einige Jahre an Arbeit in das Holzwerk gesteckt. Als seine Eltern damals umkamen, hatte er den gesamten Besitz in New Orleans verkauft, sämtliche Verbindungen dort abgebrochen und war nach Heaven gezogen. Es mußte also einen logischen Grund für die Stillegung des Werkes geben.

»Na, ist Ihnen noch keine gute Ausrede für ihn eingefallen?«

»Ich werde nicht zulassen, daß Sie meinen Schwager in den Dreck ziehen, Mr. Boudreaux«, fuhr sie ihn an.

Er pfiff leise. »Man höre und staune, wie sie den Kerl in Schutz nimmt. Das nenne ich echte familiäre Loyalität.«

Schyler riß sich zusammen. »Ich versichere Ihnen, daß ich mich unverzüglich darum kümmern werde. Ich weiß, daß es nicht in Cottons Sinn ist, wenn die Familien Hunger leiden müssen, deren Lebensunterhalt von ihm abhängt.«

»Stimmt, das würde er nicht wollen.«

»Ich verspreche Ihnen, daß etwas unternommen wird.«

»Gut.«

Sie bedachte Cash mit einem langen strengen Blick. Er ärgerte sie höllisch. Er taugte nichts, war ein Nichtsnutz, der anscheinend keine Skrupel hatte. Kurz: er war genau der Mann, den sie gut gebrauchen konnte.

»Ich schätze, Sie stehen jetzt auch ohne Lohn und Brot da.«

»Ihr Schwager mag mich eben nicht. Ich war einer der ersten, die gehen mußten.«

»Dann gehe ich wohl recht in der Annahme, daß auch bei Ihnen das Geld langsam knapp wird und Sie gut etwas gebrauchen könnten.« Er zuckte nur die Achseln. Sie reckte sich. »Ich hätte da einen Job für Sie.«

»Haben Sie?«

»Ja, habe ich. Ich zahle gut.«

»Wie gut?«

»Sagen Sie, wieviel.«

»Tja, das hängt davon ab, worum es bei dem Job geht.« Seine Stimme triefte vor anzüglicher Doppeldeutigkeit. »Was soll ich denn für Sie tun?«

»Ich will, daß Sie den Hund beseitigen, der mich gestern abend angefallen hat.«

Ohne auch nur mit der Wimper zu zucken, hielt er ihrem Blick stand, während die Sekunden verstrichen. Seine Augen, das erkannte Schyler jetzt, waren hellbraun, mit einer Spur Gelb und Grau. Sie waren wie die Augen einer Katze, räuberische Katzenaugen.

»Ich soll ihn umbringen?«

»Das bedeutet ›beseitigen‹ wohl.«

»Sie wollen, daß ich eine von Jigger Flynns Doggen töte?«

Sie hob das Kinn und antwortete mit fester Stimme: »Ja.«

Er hakte beide Daumen in seinen Ledergürtel und beugte sich vor, bis sie mit dem Gesicht fast auf einer Höhe waren. »Sagen Sie, haben Sie den Verstand verloren?«

»Nein.«

»Na, dann müssen Sie annehmen, daß ich nicht ganz bei Trost bin.«

»Ich will, daß dieses Tier umgebracht wird, ehe es einen Menschen umbringt.«

»Die Sache gestern abend war doch nur ein verrückter Zufall. Jigger läßt seine Hunde sonst nie frei rumlaufen.«

»Das hat Ken auch gesagt. Aber —«

»Ach!?« Er hob die Hände, um ihr zuvorzukommen, und

schaute sie aus zusammengekniffenen Augen an. »Sie haben diese Idee also schon bei Ihrem Schwager angetestet?«

»Eigentlich nicht.«

»Sie haben ihn gefragt, ob er es tut. Und er hat sich schon beim Gedanken daran in die Hosen geschissen, also kommen Sie jetzt zu mir. Ist es so?«

»Nein!« Sie holte verzweifelt Luft. »Ich habe Tricia und Ken davon erzählt, daß der Hund mich angefallen hat. Sie haben den Verband bemerkt.«

»Haben Sie ihnen auch gesagt, woher Sie den haben?«

»Nein.«

»Hätte ich mir auch nicht denken können«, sagte er schleppend.

Ihn ignorierend fuhr sie eilig fort: »Ich bestehe darauf, daß wegen dieser Hunde etwas unternommen wird. Ken war der Ansicht, ich solle die Sache vergessen.«

»Tja, da muß ich diesem Hurensohn ausnahmsweise mal recht geben. Vergessen Sie die Sache.«

»Das kann ich nicht.«

»Sollten Sie aber besser. Halten Sie sich bloß fern von Jigger Flynn. Der ist schlimmer als die Hölle selbst.«

»So wie Sie.«

Plötzliches Schweigen. Wieder starrte Cash Schyler lange und eindringlich an. Sie benetzte sich die Lippen und zwang sich dazu, etwas zu sagen. »Was ich damit meine, ist, daß Sie in einem gewissen Ruf stehen... Nun ja, Sie sind im Krieg gewesen und zwar länger als notwendig. Was ich sagen will: Sie müssen doch gut mit Waffen umgehen können.«

»Verdammt gut«, murmelte er.

»Ich weiß nicht, wen ich sonst fragen soll. Ich kenne sonst niemanden, der... getötet... hat...«

»Sie meinen, Sie kennen niemanden sonst, der arm genug ist für Ihren schmutzigen Job.«

»Das habe ich nicht gesagt.«

»Aber so haben Sie es gemeint.«

»Hören Sie, Mr. Boudreaux, Sie haben den Großteil Ihres Lebens darauf verwendet, sich das Image eines gewalttätigen, unbeherrschten Menschen aufzubauen. Egal worum es geht. Sie sind so leicht reizbar wie eine Kobra. Also kreiden Sie es nicht mir an, wenn ich auf Ihren üblen Ruf eingehe. Ich weiß, daß Sie schon oft gegen das Gesetz verstoßen haben.«

»Zu oft, um es zu zählen.«

»Und warum schlägt Ihnen nun das Gewissen, wenn es darum geht, eine öffentliche Bedrohung zu beseitigen, einen Killerhund?«

»Es geht nicht um mein Gewissen, sondern um den gesunden Menschenverstand. Ich habe nämlich genug davon, um mich nicht mit Jigger Flynn anzulegen.«

»Weil Sie Angst vor ihm haben«, schrie sie ihn an.

»Weil mich die ganze Sache nichts angeht«, schoß er zurück.

Schyler sah ein, daß diese Brüllerei zu nichts führte. Sie unternahm einen neuen Versuch. Habgier war immer Motivation genug. »Ich zahle Ihnen hundert Dollar.« Seine Miene blieb reglos und unbeeindruckt. »Zweihundert.«

»Vergessen Sie's, Miss Schyler. Ich will Ihr verdammtes Geld nicht.«

»Was dann?«

Sein lüsternes Lächeln war Antwort genug. Und die Summe konnte nicht in Dollar oder Cent gemessen werden. »Können Sie Gedanken lesen?«

Wütend schob Schyler ihn beiseite und stürmte zur Tür. »Sie Mistkerl. Ich hätte Sie gar nicht erst fragen sollen.«

Seine Finger schlossen sich um ihren Oberarm und zogen sie hart an ihn. »Sie sind ein ganz schöner Hitzkopf, was?« Seine Augen musterten gierig ihr Gesicht. »Sie sind genauso scharf drauf, Liebe zu machen, wie Sie es sind, einen Krieg anzuzetteln?«

»Mit Ihnen nie!«

»Man soll nie nie sagen.«

»Lassen Sie mich los.«

»Kommen Sie mit.«

»Mitkommen? Mit Ihnen? Wohin?«

»Ich werde Ihnen zeigen, weshalb niemand, der noch halbwegs bei Verstand ist, einen von Jiggers Hunden töten würde.«

»Mit Ihnen gehe ich nirgendwohin.«

»Wieso nicht? Wovor haben Sie denn Angst?«

9. KAPITEL

»Wohin fahren wir?«

Cash saß hinter dem Steuer seines blaßblauen Lieferwagens. Schyler wußte noch immer nicht, was sie dazu gebracht hatte, seiner Aufforderung zu folgen. Vielleicht, weil sie sich herausgefordert fühlte. Noch ehe sie die möglichen Folgen erwogen hatte, hatte sie das Büro verschlossen, ihren Wagen auf dem Werksgelände stehenlassen und war in Cashs zerbeultes Auto gestiegen.

Auf ihre Frage hin schaute er auf die Armbanduhr an seinem rechten Arm. »Es ist noch früh. Hungrig?«

»Ich dachte, das hier hätte was mit Jigger Flynn zu tun.«

»Hat es auch. Nur Geduld. Das ist auch so eine Marotte von Leuten wie Ihnen. Ständig habt ihr es eilig.«

»Wen meinen Sie damit?«

»Reiche Leute, Miss Schyler.«

Sie ignorierte diese Anspielung auf ihren Standesunterschied, aber die Anrede, die er mit solch übertriebener Häufigkeit benutzte, ärgerte sie allmählich. »Warum lassen Sie das ›Miss‹ nicht einfach sein und sagen nur Schyler?«

Lässig steuerte er durch eine Haarnadelkurve, ehe er ihr sein verschmitztes Lächeln zuwandte. »Weil ich weiß, wie sehr es Sie ärgert.«

»Und daran haben Sie Spaß? Leute zu ärgern?«

»Wie kommt's eigentlich, daß es nicht geschrieben wird, wie es ausgesprochen wird?« fragte er und überging ihre Frage. »Warum nicht S-k-y-l-e-r?«

»Das dürfen Sie nicht mich fragen. Meine Eltern haben diesen Namen so auf meiner Geburtsurkunde eintragen lassen.«

»Als Sie adoptiert wurden?«

Es überraschte sie nicht, daß er es wußte. Jedem in der Gemeinde war es bekannt. Und dennoch verteidigte sie sich automatisch. »Ich war erst drei Tage alt.«

»Das ist nicht dasselbe, was?«

»Als *was*?«

»Als das leibliche Kind zu sein.«

Ob absichtlich oder nicht – Cash rieb Salz in alte Wunden. »Für mich ist es dasselbe.«

Er schüttelte den Kopf. »Nein, ist es nicht.« Ehe Schyler ihm widersprechen konnte, bog er von der Straße ab und blieb abrupt stehen. »Da wären wir.«

Schyler hatte gar nicht mitgekriegt, wohin sie gefahren waren: doch als sie das alte Haus erkannte, schnappte sie nach Luft. Es war schon seit jeher so heruntergekommen, ein schäbiger Bau aus grauem, verwittertem Kiefernholz, ohne einen Pinselstrich Farbe, passend zum trostlosen Gesamtbild des Ortes.

Die ramponierten Fliegengitter bogen sich zu den teilweise zersplitterten Lattenrosten vor den Fenstern. Gardinen wehten verloren im Wind. Auch sie zerschlissen und schmuddelig, so jämmerlich wie das letzte hübsche Kleid einer alternden Hure.

Eine ganze Sammlung von Radkappen war außen an die Wände genagelt worden, einst chromglänzend, nun verrostet. Müll und Abfall verunstalteten den Hof. Überall lagen Werkzeug und sonstige Utensilien achtlos verstreut im Staub herum. Ein ausgeschlachtetes Auto diente als Nest für mehrere dürre Hühner. Ein leerer Kühlschrank auf der durchhängenden Veranda erfüllte keinen anderen Zweck mehr, als einer großen Rebe Halt zu bieten, die inmitten dieses Unrats verzweifelt um ihr Leben kämpfte. Hinter dem Haus befand sich ein Hundezwinger aus rostigem Maschendraht. Es waren keine Hunde darin. Dieser Ort sah geisterhaft verlassen aus.

»Da haben wir uns einen günstigen Zeitpunkt für unseren Besuch ausgesucht. Jigger ist nicht zu Hause.«

Schyler rieb sich die Arme, als würde sie frösteln. »Früher hatte ich immer Angst, hier vorbeizufahren.«

»Das kann ich Ihnen nicht verdenken. Jigger ist bekannt dafür, daß er aus reiner Boshaftigkeit von der Veranda aus auf vorbeifahrende Autos schießt.«

»Aber wie kann er mit solchen Sachen ungestraft durchkommen?« rief Schyler aufgebracht. »Ich kann mir nicht denken, daß das Sprichwort von der blinden Justiz so wörtlich gemeint ist. Warum ist er denn nie belangt worden?«

»Ganz einfach: Die Menschen hier haben Angst vor ihm.«

»Ich nicht.«

»Na, das sollten Sie aber.« Cash legte den ersten Gang ein und fuhr dann über den holprigen Kiesweg in Richtung Stadt. »Sie haben meine Frage noch nicht beantwortet. Haben Sie Hunger?«

Schyler war heilfroh, als sie Jiggers Grundstück verließen; es hatte ihr angst gemacht. »Hab noch gar nicht drüber nachgedacht. Aber ich schätze, ein wenig Hunger habe ich schon.«

»Dann lade ich Sie zum Abendessen ein. In ein Restaurant, wo Sie noch nie gewesen sind.«

»Ach?«

»Ins Red Broussard's.«

»Ist der Fußboden dort noch immer übersät mit Erdnußschalen?« fragte sie mit einem verschmitzten Grinsen.

Er schaute sie verblüfft an. »Sagen Sie nicht, daß Sie —«

»Oh, doch. Mein Daddy hat mich oft mit ins Broussard's genommen.«

Cash war das Grinsen vergangen. »Hab ich ganz vergessen, daß Cotton das Essen dort mag.«

»Ja, und wie. Und ich mag's auch.«

»Ich habe Sie nie im Broussard's gesehen.«

»Wir sind für gewöhnlich vor Sonnenuntergang dort gewesen.«

»Aber da geht es doch erst nach Sonnenuntergang richtig los.«

Sie lachte. »Deshalb hat mich Daddy ja auch immer nur vorher mit dorthin genommen.«

Die Akkordeonmusik war laut, eintönig und rauh. Mit ihrem Ungestüm schien sie die Schindelwände dieses Restaurants fast umzublasen. Cash summte die Melodie mit, als er um den Wagen herumkam, um die Beifahrertür für Schyler aufzuhalten.

»Samstagabend«, meinte er. »Die stimmen sich auf ein *faisdodo* ein. Trinken, tanzen, feiern«, sagte er wie zur Erklärung.

Schyler wirkte leicht eingeschnappt. »Ich weiß, was das ist.«

»Sie sind vertraut mit Cajun-Sitten?«

»Belle Terre ist kein Elfenbeinturm, wissen Sie?«

»Nein, weiß ich nicht.« Mit dieser versteckten Bemerkung legte er ihr eine Hand auf den Rücken und schob sie sanft zum Eingang.

»Ich hoffe, ich bin passend gekleidet.« Sie fühlte sich ein wenig unbehaglich.

»Nicht ganz.« Als sie ihm einen raschen, besorgten Blick zuwarf, fügte er hinzu: »Gut möglich, daß man Sie bittet, die Schuhe auszuziehen.«

Das rechteckige Gebäude stand auf Pfählen. Die Schritte der Tänzer trommelten auf dem Bretterboden und hallten im Hohlraum darunter wider. Red Broussard, ein breitrückiger, dickwanstiger, bärtiger Kerl mit dem Charme des Weihnachtsmannes und einer gehörigen Knoblauchfahne, begrüßte sie höchstpersönlich: er brüllte ihnen ein donnerndes »Willkommen« entgegen und schloß sie so innig in die Arme, daß die Rippen schmerzten. Dann drückte er ihnen eine Flasche eisgekühltes Bier in die Hand und bugsierte sie zu einem Tisch in einer Nische des Raumes, wobei er Tänzer, die ihm im Wege standen, freundlich, aber bestimmt zur Seite schob.

Schyler bahnte sich reichlich befangen ihren Weg durch die Menge, doch niemand blieb stehen oder nahm, wie von ihr befürchtet, besondere Notiz von ihr. Und es war anscheinend auch nicht besonders bemerkenswert, daß sie in Begleitung von Cash Boudreaux war. Aber dies war auch nicht ihre gewohnte Umgebung. Wenn sie ihn mit in den Country Club genommen hätte, dann hätte das einiges Aufsehen verursacht. Es war einfacher, gesellschaftlich eine Stufe herabzusteigen, als hinaufzuklettern.

Als sie ihren Tisch erreicht hatten, rückte Red den Stuhl für Schyler zurecht. Die oberen Zweidrittel der Wände des Gebäudes waren offen, aber mit Fliegengittern versehen; die scharnierten Außenwände waren hochgeklappt und mit groben Kanthölzern befestigt. Nur im Falle eines Sturms oder an kalten Wintertagen wurden sie heruntergelassen. Insekten, angezogen vom Licht, schlugen wie verrückt gegen die Fliegengitter.

»Wie wär's mit einer guten Boudin-Wurst, *mon cher*?« fragte

Red mit einem glückseligen Grinsen, das seine nikotinbraunen Zähne zwischen seinem pelzigen roten Bart freigab.

Schyler schaute lächelnd zu ihm hoch. »Nein danke.« Sie hatte nicht einen Bissen von dieser Wurst mehr runtergekriegt, seit ein Cajun eine Fuhre Holz gegen ein Mastschwein getauscht und darauf bestanden hatte, daß Cotton beim Schlachten dabei war. Schyler hatte unbedingt mitkommen wollen, und trotz Macys heftigem Protest hatte Cotton sie mitgenommen. Sie bereute es bis heute. »Languste, bitte.«

Red warf den feuerroten Schädel in den Nacken und lachte laut auf. Dann deutete er mit seinem fleischigen Finger auf sie und lästerte: »Hab ich damals mit eignen Augen gesehn, wie Sie die Languste verputzt ham, wissen Se noch? Mehr als Ihr Papa, *oui*.«

»Bring uns eine Platte, Red.«

Red verpaßte Cash einen herzlichen, kräftigen Klaps auf die Schulter und humpelte dann zu den blubbernden Bottichen, in denen der Tagesfang Langusten in kochendem Wasser brodelte, mit Gewürzen, die einem die Tränen in die Augen trieben und die Nase laufen ließen. Über die Musik hinweg rief Red seinen Gästen zu, ja ordentlich zuzulangen.

Cash langte nach der Schale mit Erdnüssen mitten auf dem Tisch, zerknackte die Schale, warf sich die Nüsse direkt in den Mund und spülte sie mit einem Schluck Bier herunter. Er nahm große Schlucke. Seine Augen, die im Kerzenlicht des roten gläsernen Kerzenhalters funkelten, forderten Schyler auf, es im gleichzutun. Sie akzeptierte die stumme Aufforderung und warf die Erdnußschalen auf den Boden, wie Cash und alle anderen Gäste es auch taten. Sie verlangte kein Glas für ihr Bier, sondern trank aus der Flasche.

Er sagte: »Ich hab gedacht, Sie würden nicht gern herkommen.«

»Weil Sie gedacht haben, ich wäre zu hochnäsig und würde auf die Leute hier herabschauen?«

»So was in der Art.« Er nahm einen Schluck Bier und musterte sie. »Jetzt wollen Sie mir unbedingt das Gegenteil beweisen, hm?«

»Nein. Ich mag das Essen hier wirklich sehr gern.«

Mehr Zeit für ein Gespräch blieb ihnen nicht, denn Red schickte eine Kellnerin mit der Platte Langusten an ihren Tisch. Sie schob die Kerze und die Schale mit den Erdnüssen zur Seite und stellte die Platte mitten auf dem Tisch ab. Ehe sie wieder verschwand, warf sie Cash einen verführerischen Blick zu.

Schyler sah ihr nach. »Eine von Ihren?« Sie zerlegte die Languste. Sie wußte noch immer, wie man es machte; sie brach den Schwanz des Tieres ab, grub beide Daumen in den Saum des Panzers und brach ihn entzwei, dann holte sie mit den Fingern das saftige, weiße Fleisch hervor.

Cash tat es ihr nach. »Wenn sie's will, ja.« Er warf die Überreste des krustigen Panzers auf die Metallplatte und nahm sich eine neue Languste.

Schyler tupfte sich den Mund mit einer Papierserviette ab. »Ist das so leicht für Sie? Kriegen Sie wirklich jede Frau, die Sie haben wollen?«

»Interessiert?«

»Neugierig.«

»Neugierig zu erfahren, was mich so anziehend macht?«

»Nein, neugierig zu erfahren, was Sie anziehend finden.«

»Neugierde.«

Mit verräterischer Miene aß Schyler noch eine Languste, nahm einen Schluck von ihrem Bier und wischte sich den Mund ab, ehe sie wieder zu Cash hochsah.

Er nahm zunächst einen tiefen Schluck aus der Flasche. Dann, als er die Flasche wieder auf den Tisch stellte, fanden seine Augen ihre und hielten sie fest. Sie schienen zu sagen: »Komm, und hol's dir.«

Schyler verspürte ein Gefühl in ihrem Bauch, das nichts mit dem würzigen einheimischen Essen und dem Bier zu tun hatte. Cash Boudreaux war in mancherlei Hinsicht gefährlich. Sein Reiz war unbestreitbar; er war sexuell anziehend. Obendrein smart und verschlagen, wie man es in der Gosse lernt, und er kannte sich aus in der Kunst des Ärgermachens. Aber auch in der ernsten verbalen Kriegführung war er keine Niete.

»Sie können mich nicht ausstehen, hab' ich recht?«

Er beantwortete ihre intuitive Frage aufrichtig. »Nein. Schätze, das kann ich tatsächlich nicht. Aber nehmen Sie's nicht persönlich.«

»Ich werd's mir merken«, sagte sie trocken. »Warum mögen Sie mich nicht?«

»Es liegt weniger an Ihnen, sondern vielmehr an dem, was Sie repräsentieren.«

»Und das wäre?«

»Sie gehören dazu.«

Eine derart knappe Antwort hatte sie nicht erwartet. »Das ist nicht sonderlich viel.«

»Für jemanden, der außen vor steht, schon.«

Sein Vorurteil erschien ihr unfair. »Aber das ist doch nicht meine Schuld gewesen.«

»Ach, nein?«

»Nein. Ich habe Sie ja nicht mal gekannt.«

Sein Blick wurde vorwurfsvoll. »Das ändert nichts daran, daß Sie gar nicht versucht haben, mich kennenzulernen.«

»Das wollen Sie mir vorwerfen? Wo Sie doch nie besonders freundlich waren?«

Ihr Temperamentsausbruch schien ihn zu amüsieren. »Sie haben recht, *pichouette*. Ich schätze, das war ich wirklich nicht.«

Sie nutzte die Gelegenheit, um das Gespräch in eine andere Richtung zu lenken. »Sie haben mich schon einmal so genannt. Was bedeutet es?«

»*Pichouette?*« Er zögerte und taxierte ihr Gesicht. »Es bedeutet ›kleines Mädchen‹.«

»Das bin ich wohl kaum.«

Er drehte den Hals seiner Bierflasche zwischen den Fingern und starrte Schyler über den von Kerzen erleuchteten Tisch an. »Ich erinnere mich noch an Sie, als Sie ein kleines Mädchen waren. Sie hatten langes blondes Haar und lange dünne Beine.«

Schyler reagierte ganz spontan und lächelte. »Woher wissen Sie das?«

»Ich hab Sie oft beobachtet, wenn Sie auf dem Rasen vor dem Haus gespielt haben.«

Sie hütete sich davor zu fragen, warum er nicht gekommen

war und mit ihr gespielt hatte. Er wäre sofort von ihren Eltern weggescheucht worden, wenn sie nicht sogar aus Angst ins Haus gelaufen wäre. Weder Cotton noch Macy oder Veda hätten es ihr erlaubt, mit Monique Boudreaux' Jungen zu spielen. Nicht nur, weil er einige Jahre älter war, sondern vor allem, weil sich für ein junges Mädchen der Umgang mit ihm auf keinen Fall schickte. Sein Ruf als Raufbold und Unruhestifter war absolut begründet und weithin bekannt.

»An eine Ihrer Geburtstagspartys erinnere ich mich noch ganz besonders«, sagte Cash. »Ich glaube, es war der Tag, an dem Sie vier wurden. Es müssen 50 Kinder auf dieser Party gewesen sein. Cotton hat alle auf einem Pony reiten lassen. Und ein Clown hat Zaubertricks vorgeführt.«

»Wie kommt es, daß Sie sich daran noch erinnern?«

»Weil ich nicht eingeladen war. Aber ich war da. Ich hab das alles aus meinem Versteck im Wald beobachtet. Ich wünschte mir nichts sehnlicher, als diese Zaubertricks aus der Nähe zu sehen.«

Seine Ablehnung ihr gegenüber war, wie sie fand, verständlich. Gewiß, er hatte da einen Komplex, aber das war gerechtfertigt. Ob nun offen oder nicht – er war gemieden worden. Zwar war sie selber nicht direkt dafür verantwortlich gewesen, doch sie wußte intuitiv, in welcher Weise es sie nun betraf. »Sie werden Jigger Flynns Hunde nicht für mich umbringen, stimmt's?«

»Stimmt. Ich werd's nicht tun.«

Sie zerknüllte die Serviette. »Ich schätze, es war nicht fair von mir, Sie zu bitten, diesen schmutzigen Job, wie Sie es genannt haben, für mich zu übernehmen.«

»Genau, schätze, das war es wohl nicht.«

»Ich habe Sie nicht beleidigen wollen.«

Er zuckte nur die Achseln und nickte zur Platte zwischen ihnen.

»Essen Sie auf.«

»Ich bin fertig.«

Red schimpfte mit ihnen, weil sie nicht genug gegessen hatten, und lud sie ein, bald wiederzukommen. Als sie die wackeligen Stufen des Restaurants hinunterstiegen, dankte Schyler

Cash dafür, sie hierher gebracht zu haben. »Seit meiner Rückkehr aus London habe ich nicht mehr so gut gegessen. Unsere neue Haushälterin, die von meiner Schwester eingestellt worden ist, kann mich überhaupt nicht leiden. Aber das beruht auf Gegenseitigkeit. Allein ihr Anblick schlägt mir schon auf den Magen, ganz zu schweigen von dem Essen, das sie uns zumutet.«

»Wie robust ist Ihr Magen denn?«

Der ernste Ton seiner Frage ließ Schyler aufhorchen. »Wieso?«

»Weil er jetzt gleich auf eine echte Probe gestellt wird.«

10. KAPITEL

»Und ich hab angenommen, ich würde mich hier in der Gegend auskennen...« Schyler stemmte sich gegen das Armaturenbrett, während der Lieferwagen über die Straße holperte. »Aber hier bin ich wirklich noch nie gewesen. Wo fahren wir denn bloß hin?«

»An einen Ort, an dem Sie noch nie gewesen sind.« Cash warf ihr einen Blick aus den Augenwinkeln zu. »Und diesmal bin ich mir absolut sicher.«

Es war eine stickige, ruhige Nacht. Weit weg von den Lichtern der Stadt waren die Sterne sichtbar, ein funkelnder Baldachin breitete sich über ihnen aus. Nach sechs Jahren Leben in der Großstadt hatte Schyler vergessen, wie dunkel es auf dem Land werden konnte, wenn die Sonne untergegangen war. Außer den Scheinwerfern des Fahrzeuges war nichts um sie herum als pechschwarze Nacht.

Aber dann erblickte sie am Ende des ansteigenden Weges das Gebäude. Sie schaute fragend zu Cash, doch der schwieg. Um zu dem Gebäude zu gelangen, mußten sie eine schmale Brücke überqueren, und Schyler hoffte inständig, das wackelige Ding möge halten, bis sie wohlbehalten am anderen Ufer waren. So schwierig es auch war, hierherzukommen, es schien ein beliebter Ort zu sein.

Das Gebäude selbst bestand aus Wellblech, sah aus wie eine

Scheune und mochte einst auch zu diesem Zweck gedient haben. Anscheinend war es eine Art Treffpunkt, denn es standen Dutzende Autos davor.

Cash stellte seinen Lieferwagen neben einem nagelneuen Mercedes ab, der in dieser entlegenen ländlichen Gegend völlig fehl am Platze wirkte. Wieder sah Schyler zu Cash. Aber der schmunzelte nur süffisant.

Ihr war nicht ganz wohl in ihrer Haut, als sie ausstieg; Cash kam um den Wagen herum, und sie gingen gemeinsam zum Eingang. Über der wenig einladenden Tür baumelte eine nackte Glühbirne. Nirgendwo ein Schild, nichts deutete darauf hin, was im Innern dieses Gebäudes vor sich ging.

Am liebsten hätte Schyler auf der Stelle kehrtgemacht. Doch sie wollte Cash nicht den Triumph gönnen zu sehen, wie sie kniff oder Furcht zeigte; also kämpfte sie tapfer gegen ihren Widerwillen an, während er ihr die Wellblechtür aufhielt.

Drinnen war es unerträglich heiß, so stickig und feucht wie in einer Sauna. Und dunkel. So dunkel, daß Schyler beinahe über den Tisch gefallen wäre, der nur wenige Schritte von der Tür aufgestellt war. Doch Cash legte ihr gerade noch rechtzeitig beide Hände auf die Hüften und hielt sie fest.

»Grüß dich, Cash.«

Ein Ekel von Kerl hockte auf einem Klappstuhl hinter dem Tisch und glotzte Schyler mit lüsternem Grinsen von oben bis unten an. »Wer ist denn die neue Braut?«

»Zweimal bitte.«

Er legte Cashs Zehndollarschein in die Geldkassette, die bereits vor Geld überquoll. »Kann man sich immer drauf verlassen, daß du Frischfleisch auftreibst. Und ob, jawohl.«

»Wie würd's dir gefallen, wenn du morgen früh deine Eier zum Frühstück frißt?« Cashs knallharter Ton wischte dem Kerl das Grinsen aus dem Gesicht.

»War doch nur Spaß, Cash.«

»Laß es.«

»Okay, klar, Cash. Hier sind eure Tickets.« Der Mann langte vorsichtig an Schyler vorbei und reichte Cash zwei Eintrittskarten, die er von einer Rolle abgerissen hatte.

Plötzlich ertönte hinter der Wand im Rücken des Mannes ein vielstimmiger Aufschrei. Schyler fuhr zusammen, weil er so unerwartet kam. Wieder legte Cash ihr eine Hand auf die Hüfte, genau unterhalb der Taille. Der Kartenverkäufer schaute über die Schulter zu der Wand hinter ihm.

»Da kommt ihr ja genau richtig zum nächsten Kampf. Wenn ihr euch beeilt, hat die Lady noch Zeit, 'ne Wette zu plazieren, ehe es losgeht. Macht dann mehr Spaß, ihr wißt schon.«

»Danke. Wir denken drüber nach.« Cash schob Schyler zum Ende der Trennwand; als sie sich sträubte, schob er sie noch etwas nachdrücklicher.

Sie verzog ärgerlich ihr Gesicht und zischte: »Was ist hier los?«

In London war sie in Soho gewesen, hatte sich die Bühnenshows der dortigen Pornoshops angesehen – aber aus freien Stücken. Und zudem war sie in Begleitung mehrerer guter Bekannter dort hingegangen. Es war harmlos gewesen. Sie hatte gewußt, worauf sie sich einließ, als sie den Eintritt bezahlte.

Das hier war etwas ganz anderes. Zwar war sie im Südwesten von Louisiana aufgewachsen, doch von einem Ort wie diesem hatte sie weder gehört, noch war sie je hier gewesen. Sie fürchtete sich vor dem, was sie hinter dieser Trennwand erwartete, und sie fürchtete sich vor dem Mann, der sie hierher gebracht hatte. Seine harte, höhnische Miene trug nicht gerade dazu bei, sie zu beruhigen.

»Es ist ein Hundekampf.«

Sie wirkte geschockt. »Bulldoggen?«

»*Oui.*«

»Warum haben Sie mich hierher gebracht?«

»Um Ihnen zu zeigen, worauf Sie sich einlassen, wenn Sie weiterhin vorhaben, sich mit Jigger anzulegen.«

Genausogut hätte er sie einen Dummkopf nennen können. Schyler ärgerte sich darüber, besonders weil es von Cash Boudreaux kam, einem Mann mit einer zwielichtigen Vergangenheit. »Ich habe Ihnen gesagt, daß ich keine Angst vor ihm habe, und das meine ich absolut ernst.« Sie kehrte Cash den Rücken zu und ging als erste um die Trennwand herum.

Schon von außen hatte das Gebäude groß ausgesehen. Dennoch staunte Schyler, wie groß es tatsächlich war. Ringsum verliefen primitive Zuschauertribünen mit jeweils zehn bis zwölf Sitzreihen. Wie viele es genau waren, ließ sich schwer ausmachen bei der Dunkelheit; nur in der Mitte war ein hell erleuchteter Fleck, eine Art Arena, die von gewaltigen Deckenscheinwerfern angestrahlt wurden. Es war eine große rechteckige Senke mit weichem Lehmboden, eingerahmt von halbhohen Brettern, die blutgetränkt waren.

In dieser Art Grube standen jeweils in der linken und rechten Ecke die Besitzer und Trainer der Hunde, die ihre Tiere für den Kampf vorbereiteten. Auch wenn es schon Jahre her war – Schyler erkannte Jigger Flynn sofort wieder.

Cash stellte sich dicht hinter sie. »Wollen Sie eine Wette auf Ihren Favoriten plazieren?«

»Gehen Sie zum Teufel.«

Er lachte nur und schob sie zum nächsten freien Tribünenplatz. Am Ende der vierten Reihe war genug Platz für sie beide. Die Zuschauer um sie herum waren abgelenkt von dem, was in der Grube passierte, als Schyler auf die Tribüne stieg und sich setzte. Als sie erkannte, daß außer ihr nur sehr wenige Frauen hier waren, strich sie verlegen und hochmütig zugleich das Kleid über die Knie; das hätte auch Macy nicht anders getan.

»Das nützt nichts«, sagte ihr Cash ins Ohr. »Sie fallen hier sowieso auf wie ein bunter Vogel. Wenn Sie Ihre Knie bedecken, starren sie Ihnen auf die Titten.«

Ihr Kopf schoß herum, daß ihr das Haar über die Wangen peitschte. »Halten Sie gefälligst den Mund.«

Seine Augen funkelten drohend in der Dunkelheit. »Seien Sie bloß vorsichtig, wie Sie mit mir reden, *ma chère*«, sagte er seidig. »Wenn die Jungs hier heißlaufen« – er nickte zu der Menge – »dann bin ich der einzige, der Sie vor einer Massenvergewaltigung retten kann.«

Mühsam riß sie sich zusammen, weil sie nicht wollte, daß er sah, wie ängstlich sie war. Sie wandte ihre Aufmerksamkeit wieder dem Geschehen in der Arena zu. Ein Schaudern überlief sie, als sie den knurrenden Hund dort unten erkannte.

Aber noch häßlicher und bösartiger als die beiden Hunde, die sich in der Grube gegenüberstanden, sah Jigger Flynn aus. Schyler musterte ihn mit angsterfüllter Faszination; sie sah, wie er das Maul seines Hundes mit beiden Händen packte, während er breitbeinig über dem Tier stand, und ihn anhob, bis nur noch die Hinterbeine den Boden berührten.

Flynns schütteres graues Haar war mit Pomade zurückgekämmt. Seine kleinen, dunklen Augen, die tief in den Augenhöhlen lagen und von aufgedunsenem Fleisch umgeben waren, sahen aus wie Rosinen in Brotteig. Seine Nase war fleischig, seine Lippen dünn und hart. Schyler bezweifelte, daß sie je ein Lächeln zustande brachten. Sein Kinn versank in einem wabbligen Doppelkinn. Insgesamt war er gedrungen, nicht sonderlich groß, mit feistem Nacken und einem Bierbauch, der ihm über den Gürtel quoll. Seine ausgebeulten, weiten Hosen rutschten ihm ständig über die Hüften, ein gutes Stück über sein flaches Hinterteil. Er hatte dürre O-Beine und komische kleine Füße.

Niemand konnte sagen, wie groß sein Vermögen – ausschließlich durch illegale Unternehmungen angehäuft – wirklich war, aber es wurde gemeinhin vermutet, daß er einer der wohlhabendsten Männer der Gemeinde sein mußte. Nur war ihm das ganz sicher nicht anzusehen. Seine Kleidung hätte auch aus der Kleiderkammer einer Wohltätigkeitsorganisation stammen können, so alt und schäbig war sie. Er stank nach Boshaftigkeit.

»Was macht er mit dem Hund?«

Cash, der Schyler aufmerksam beobachtet hatte, schaute zur Arena. Jigger hielt seinen Hund so, daß er den anderen direkt ansah. Er schüttelte das Tier leicht, während er weiterhin seine breite Schnauze zwischen den Händen hielt. Der andere Trainer tat mit seinem Hund dasselbe. Die Hinterbeine des Hundes scharrten mit ihren scharfen Krallen und schleuderten dabei kleine Klumpen des weichen Untergrunds in der Grube hoch.

»Das nennt man ›Scharren‹. Die Trainer machen sie absichtlich wild, wecken ihren angeborenen Killerinstinkt und machen sie so heiß, daß sie übereinander herfallen. Der Kampf ist vorbei, wenn ein Hund den anderen getötet hat oder wenn sich einer von beiden weigert, zu scharren und zu kämpfen.«

»Sie meinen —«

»Sie versuchen, dem anderen die Kehle durchzubeißen.«

Das einzige, was Schyler dazu brachte, weiter auf ihrem Platz sitzen zu bleiben, war ihre starrköpfige Entschlossenheit, nicht das Gesicht vor Cash zu verlieren. Ein Mann, von dem sie annahm, daß er der Ringrichter war, gab ein Zeichen, bat um Ruhe und verkündete laut die Regeln. Augenscheinlich war dies reine Routine, ein allgemein bekanntes Ritual, das hier niemanden außer Schyler interessierte. Die Zuschauer rutschten unruhig auf ihren Plätzen hin und her, sie wollten, daß es endlich losging.

Schyler sprang auf, als die beiden Tiere losgelassen wurden und aufeinander losgingen. Sie war auf Gewalt gefaßt gewesen, aber nicht darauf, mit welcher Brutalität die Hunde einander angriffen. Sie waren kräftig und zäh. Wieder und wieder gingen sie aufeinander los, doch ihr Durchhaltevermögen schien nicht nachzulassen.

Als das erste Blut floß, wandte Schyler den Blick ab und preßte das Gesicht an Cashs Schulter. Ihr war schlecht; aber vor allem, weil sie erschrocken erkannte, welches Glück sie gehabt hatte, daß sie bei der Attacke des Hundes nur solch harmlose Wunden davongetragen hatte.

Erschüttert hob sie den Kopf und sah, wie sich Jiggers Hund in der Schulter des anderen verbiß. Der wiederum verbiß sich in dessen Rücken. So verharrten sie.

»Jetzt verschnaufen sie«, erklärte Cash. »Man wird ihnen eine Minute Zeit geben, aber wird nicht lange dauern. Sehen Sie?«

Beide Trainer betraten die Arena. Jeder hatte einen kantigen Stock bei sich, den er seinem Hund ins Maul steckte und mit dem er Kiefer auseinanderbrachte. »Die Pause ist vorbei.«

Die Hunde wurden getrennt, und das Scharren begann erneut. »Greifen die Hunde eigentlich auch ihre Trainer an?« fragte Schyler. Sie war wie gebannt von dem bösen Funkeln in Flynns Augen, als er seinen Hund wild machte.

»Ja, das ist schon vorgekommen.«

»Kein Wunder. Schließlich nehmen sie in Kauf, daß ihre Hunde beim Kampf umkommen.«

Cash beobachtete weiter Schyler, selbst als die Hunde den

nächsten Angriff starteten. Je größer die Gewalt in der Arena, desto gewaltiger schwoll das Getöse auf den Tribünen an. Es war Samstagabend, die Halle war vollbesetzt. Männer und Hunde schwitzten mächtig. Die anderen Hunde, denen der Kampf erst noch bevorstand, spürten die Spannung. Sie witterten das Blut und wollten es schmecken. Sie bellten wie von Sinnen in ihren Käfigen.

Das plötzliche Aufstöhnen der Menge lenkte Cashs Aufmerksamkeit wieder auf die Arena. Diesmal floß mehr Blut. Jiggers Hund hatte dem anderen Haut und Fleischfetzen aus der Schulter gerissen. Nach dem ersten Schreck ging Jubel durch die Menge. Für gewöhnlich waren Jiggers Hunde die Sieger. So manches hart verdiente Monatsgehalt war auf diesen Kampf gesetzt worden, und so mancher, der gewettet hatte, wähnte sich kurz vor einem stattlichen Gewinn.

Auch Jiggers Hund roch den Sieg. Mit neuer Angriffslust stürzte er sich auf seinen Gegner. Er grub seine Zähne in die Schulter des anderen und riß einen Fetzen Fleisch heraus, wobei auch die Halsader verletzt wurde. Blut spritzte aus der Wunde und klatschte an die Holzwände.

Schyler hielt sich die Hand vor den Mund und wandte wieder den Blick ab. Wie im Reflex legte Cash ihr seine linke Hand um den Hinterkopf und preßte ihr Gesicht an seine Schulter; mit dem rechten Arm umschlang er ihre Hüfte und zog sie enger an sich. Er warf einen Blick über die Schulter und fluchte, als er sah, daß sich die Menge seit ihrer Ankunft verdoppelt hatte. Zwischen ihnen und dem Ausgang war ein wimmelndes brüllendes Meer von Männern, die die Hälse reckten, um das Ende des Kampfes zu sehen.

Schyler bekam kaum noch Luft, aber das war ihr nur recht; denn die Luft in dieser Halle, in der es keine Lüftung und keine Ventilatoren gab, und deren Wände immer näher zu kommen schienen, war stickig und unerträglich heiß; ein übler Gestank, den sie bei jedem Atemzug schmeckte – beißender, fauliger Qualm unzähliger Zigarren vermischte sich mit Schweiß von Menschen und Hunden, Schweiß, Rauch, Blut.

Ihre Finger krallten sich in Cashs Hemd. »Bitte.«

Ihr heiseres Flehen ging durch ihn durch wie ein rostiger Nagel. Es berührte einen wunden Punkt in ihm, den er seit seiner Zeit in Vietnam, wo er täglich hatte mitansehen müssen, wie Menschen starben, tot geglaubt hatte.

»Halten Sie durch. Ich bringe Sie hier raus.«

All ihren Stolz vergessend, klammerte sich Schyler an ihn und lauschte seinem Herzschlag in der Hoffnung, er möge das Brüllen der blutrünstigen Menge übertönen. Eine vergebliche Hoffnung, denn als der tödlich verwundete Hund zu Boden sank, schwoll das Getöse zu einem ohrenbetäubenden Crescendo an.

»Okay, das reicht. Schauen Sie genau hin, Schyler, damit Sie wissen, was Sie erwartet.«

Cash hob ihr Kinn mit einem Finger hoch. Unten in der Arena führte Jigger unter dem Beifall des Publikums seinen Hund an der Leine herum. Das Fell des Tieres war schweißnaß und blutverschmiert. Schyler wurde von Flynns strahlendem Grinsen noch übler als von dem vielen Blut.

Sie war aschfahl, als sie Cash das Gesicht zuwandte. Er flüsterte ihr zu: »Dieses Tier ist kein Schoßhündchen. Es ist wie eine Maschine, darauf abgerichtet, zu töten. Wenn Sie einem seiner Hunde auch nur ein Haar krümmen, wird Jigger Sie umbringen.«

Er wartete einen Moment, um sicherzugehen, daß sie ihn genau verstanden hatte, dann stieg er von der Tribüne und breitete die Arme aus. Sie stemmte sich auf seinen Schultern ab und ließ sich von ihm herunterheben. Dann kämpfte sich Cash, die Schulter voran und Schyler mit seinem Körper abschirmend, zum Ausgang, der nur noch eine schmale Gasse zwischen Leibern war: pausenlos strömten Männer herein oder drängelten sich hinaus, während sie ihren Gewinn zählten oder beklagten, wieviel sie verloren hatten, sich gegenseitig beglückwünschten oder bedauerten.

Und plötzlich hörte Schyler, wie jemand aus dieser drängelnden, wimmelnden Menschenmasse heraus rief: »Schyler! Was, zum Teufel, machst du denn hier?«

11. KAPITEL

Sie blieb stehen, drehte sich in die Richtung, aus der die vertraute Stimme gekommen war, während die Menge um sie herum weiter drängelte und schubste. Ken Howell! Es war ihr Schwager, der sie mit offenem Mund ungläubig anstarrte, die Augen blutunterlaufen und glasig vom Alkohol; er schaute zu Cash, dann wieder zu Schyler. »Antworte gefälligst! Was, zum Teufel, hast du hier zu suchen?«

»Das könnte ich dich genausogut fragen«, entgegnete sie.

»Kommen Sie, Howell, helfen Sie mir, sie hier rauszuschaffen, ja? Wir halten den Verkehr auf.«

Ken bedachte Cash mit einem abfälligen Blick, dann ergriff er umständlich Schylers Hand und fing an, Menschen beiseite zu schieben, während sie sich den Weg zum Ausgang bahnten. Auch draußen drängten sich Männer, tranken, lachten und scherzten, diskutierten über die Kämpfe, die gerade stattgefunden hatten und jene, die noch bevorstanden. Ken dirigierte Schyler zu einer Ecke des Gebäudes und fort von der Menge, ehe er sich umdrehte und seine Frage wiederholte.

»Was machst du hier? Vor allem mit ihm?« Er hob sein Kinn verächtlich in Cashs Richtung.

»Schrei mich nicht an, Ken. Du bist nicht mein Aufpasser. Ich bin weder dir noch sonst jemandem Rechenschaft schuldig.«

Er hörte ihr gar nicht zu. »Hast du ihn gebeten, dich hierher zu bringen?«

Sie stockte. »Äh... nein... nicht direkt, aber –«

Er fuhr zu Cash herum und schnauzte: »Scher dich bloß weg, kapiert? Du gottverdammter Cajun-Bastard, ich werde dich –«

Aber Ken kam nicht dazu, seine Drohung auszusprechen. Mit einer blitzschnellen, geschmeidigen Bewegung griff Cash hinter seinen Rücken und zog ein Messer; im selben Moment stieß er Ken mit solcher Wucht gegen die Wand, daß dem die Luft wegblieb und das Wellblech erbebte. Die geringste Bewegung, sogar nur ein Schlucken, und die blitzende Klinge hätte Ken den Hals am Adamsapfel aufgeschlitzt.

Verdutzt und erschrocken taumelte Schyler einen Schritt zurück. Cashs Nasenflügel blähten sich bei jedem Atemzug. Kens glasige, gerötete Augen weiteten sich. Schweiß rann ihm über das Gesicht.

»Du verdammter Hurensohn, sieh zu, daß du hier wegkommst, ehe ich dich in Stücke schneide.« Cashs Ton war so scharf wie eine Rasierklinge. Er setzte das Messer wieder ab und ließ Ken frei. Der rieb sich den Hals, als wollte er sich vergewissern, daß er ihm nicht doch aufgeschlitzt worden war. Feige sank er gegen die Wellblechwand.

»Mach, daß du hier wegkommst«, wiederholte Cash. Sein Blick sprang zu Schyler. Das kalte Funkeln in seinen Augen ließ ihr das Blut in den Adern gefrieren. »Und nimm sie mit.«

Cash kehrte ihnen den Rücken zu, nicht im mindestens besorgt, daß ihn jemand von hinten angreifen könnte. Schyler sah ihm nach, als er zum geparkten Wagen ging.

»Wo hast du dein Auto stehen, Ken?«

Er zeigte zittrig in die ungefähre Richtung. Sie packte ihn am Arm und zog ihn von der Wand weg. Zusammen gingen sie zu seinem Sportwagen. Dort angekommen, bat sie ihn um die Wagenschlüssel.

»Ich fahre«, murmelte er.

»Du bist betrunken. Ich werde fahren.« Angesichts seiner störrischen Weigerung riß ihr der Geduldsfaden. »Gib mir endlich die verdammten Autoschlüssel.«

Mürrisch ließ er sie in ihre ausgestreckte Hand fallen. Sie setzte sich hinter das Steuer. Kaum hatte Ken die Beifahrertür geschlossen, jagte Schyler davon. Nicht einmal auf der wackeligen Brücke ging sie vom Gas, sondern donnerte mit vollem Tempo darüber hinweg.

Sie war wütend – wütend auf Ken, weil er sich wie ein kompletter Idiot aufgeführt hatte; wütend auf Cash Boudreaux, weil er ihr diesen Schlamassel eingebrockt hatte; und wütend auf sich selbst, weil sie sich von ihm wie ein braves Lämmchen zur Schlachtbank hatte führen lassen.

»Was hast du mit dem Kerl gemacht?«

»Mein Gott, Ken, überleg doch mal, wo wir gerade waren! Da

werden Tiere aufeinandergehetzt, damit sie sich gegenseitig umbringen, nur damit Menschen ihren Spaß daran haben. Da sind illegale Wetten gelaufen und wer weiß, was noch alles. Und du fragst mich, was ich mit Boudreaux gemacht habe?«

Bei den letzten Worten überschlug sich ihre Stimme fast. Sie holte tief Luft, um sich wieder zu beruhigen. »Boudreaux wollte mir etwas beweisen. Ich habe ihn engagieren wollen, den Hund umzubringen, der mich angefallen hat. Ich schätze, er wollte mir zeigen, wie kostbar diese Hunde für Jigger Flynn sind.«

»Verdammt.« Ken raufte sich die Haare. »Ich hab dir doch gesagt, du sollst das vergessen. Einen von Jiggers Hunden umbringen? Da kannst du ihn ja gleich zum Duell rausfordern.«

»Reg dich ab. Cash hat mein Angebot ausgeschlagen.«

»Gott sei Dank. Er hat recht. Vergiß es, Schyler.«

Sie wechselte das Thema. »Was hast *du* da eigentlich gemacht?«

Ken rutschte unbehaglich auf dem edlen Ledersitz und schaute zur Seite. »Ist schließlich Samstagabend. Hab ich's mir nicht verdient, hin und wieder mal auszuspannen?«

»Hast du gewettet?«

»Was dagegen?«

»Nein. Aber da gibt es doch andere und bessere Gelegenheiten. Die Pferderennbahn in Lafayette oder eine private Partie Poker.«

»Fang du nicht auch noch an.« Er versank in seinem Sitz und sah aus wie ein bockiger kleiner Junge. »Tricia hat mir schon die Ohren vollgejammert, weil ich nicht mit ihr zu diesem verdammten Tanzabend im Country Club gegangen bin. Also geh du mir jetzt nicht auch noch auf die Nerven, klar?«

Schyler ließ es damit bewenden. Es ging sie nichts an, was Ken in seiner Freizeit trieb. Wichtiger war, ihn zu fragen, warum er das Holzwerk stillgelegt hatte, aber dies war nicht der richtige Zeitpunkt und nicht der passende Ort, um dieses heikle Thema anzusprechen. Er war eingeschnappt und fühlte sich zweifellos demoralisiert, nachdem Cash ihn so böse vorgeführt hatte.

»Hat er dich verletzt?« fragte sie leise.

Er fuhr herum. »Zum Teufel, nein! Aber du hältst dich von

jetzt an gefälligst von ihm fern. Siehst du denn nicht, was für ein Typ er ist? Er ist das pure Gift, so bösartig wie diese Kampfhunde. Man kann ihm nicht über den Weg trauen. Ich weiß nicht, worauf er aus ist und warum er plötzlich um dich herumschwarwenzelt, aber er führt ganz sicher was im Schilde. Und was immer das sein mag – er verspricht sich was davon.« Wie zur Betonung deutete er mit dem Zeigefinger auf Schyler. »Und das kannst du mir glauben.«

»Ich allein entscheide, mit wem ich mich abgebe und mit wem nicht, Ken«, entgegnete sie eisig. »Ich habe dir gesagt, weshalb Cash mit mir dort war.«

»Hat er dir auch gesagt, wieviel Geld er gewonnen hat?«

Schyler bremste abrupt und drehte sich zu ihrem Schwager um. »Was?«

Ken grinste hämisch. »Hab ich's mir doch gedacht, daß er das nicht erwähnt hat. Wird ein hübsches Sümmchen gewesen sein.«

»Woher willst du das wissen?«

»Boudreaux wettet immer auf Jiggers Hunde, also hat er heute abend prächtig abgesahnt. Ich weiß ja nicht, was er dir erzählt hat, aber er hatte ein ganz persönliches Interesse an diesem Kampf.«

»Kein Wunder, daß er mein Angebot ausgeschlagen hat.«

»Richtig. Oder meinst du etwa, er würde einen Hund umlegen, der ihm einen Batzen Geld einbringt?« Als er Schylers Enttäuschung sah, berührte er mitfühlend ihre Schulter. »Hör zu, Schyler, Boudreaux denkt immer zuerst an seinen eigenen Arsch. Verlaß dich drauf. Er hat die Überlebensinstinkte eines Tieres aus dem Dschungel. Du kannst diesem hinterhältigen Bastard einfach nicht trauen.«

Sie schob Kens Hand weg und fuhr weiter. Ken langte über den Sitz und legte seine Hand auf ihren Oberschenkel, kniff sie zärtlich, aber wenig brüderlich.

»Du bist erst seit kurzem wieder zu Hause. Es hat schon seinen Grund, warum es hier in der Gegend eine tiefe Kluft zwischen den gesellschaftlichen Schichten gibt, Schyler. Und besser, man rührt nicht daran, geschweige denn, diese Grenzen zu übertreten.« Er tätschelte ihren Schenkel. »Vergiß nie, wohin du gehörst. Wirst schon sehen, im Handumdrehen ist alles wieder wie früher für dich. Halte dich fern von diesem Abschaum. Und leg dich nicht mit Leuten wie Jigger Flynn an. Damit brockst du dir nur Ärger ein.«

Mehr noch als das, was Ken ihr gerade über Cash erzählt hatte, ärgerte sich Schyler über seinen herablassenden, bevormundenden Ton. Aber sie ging nicht weiter darauf ein; es wäre nur verschwendete Energie gewesen. Statt dessen machte seine Art sie nur noch entschlossener.

Wenn sie also niemanden finden konnte, der sich für ihre Zwecke einspannen ließ, dann mußte sie es eben selber in die Hand nehmen.

12. KAPITEL

Ihr war klar, daß ihr nicht viel Zeit bleiben würde, wenn die Hunde erst einmal anfingen zu bellen. Flynn würde aus dem Haus kommen, um nachzusehen, was den Radau auf dem Hof verursacht hatte. Sie mußte es geschickt anstellen – nahe genug an den Käfig kommen, um die Waffe wirkungsvoll einzusetzen, aber gleichzeitig ausreichend Abstand zum Haus halten, damit die Hunde sie nicht wittern konnten. Wenn sie erreicht hätte, weshalb sie hergekommen war, würde sie bereitwillig dafür geradestehen, aber vorher durfte Flynn sie auf keinen Fall entdecken.

Ganz allein herzukommen war sicherlich nicht besonders klug. Schyler war sich der Risiken bewußt und nahm sie in Kauf. Aber sie zitterte, wenn sie an die Boshaftigkeit dachte, die Jigger Flynn verkörperte.

Sie hatte gestern abend noch ihr Auto vom Fabrikgelände geholt; nun stand es auf Belle Terre. Das Stück zu Flynns Haus war sie zu Fuß durch den Wald gelaufen, in eine alte Jeans und ein dunkles T-Shirt gekleidet. Eigentlich hatte sie zusätzlich noch ihr blondes Haar unter einer Kappe verstecken wollen, aber das war ihr dann doch übertrieben vorgekommen.

Am späten Nachmittag, als Ken und Tricia beide nicht zu Hause waren und Mrs. Graves draußen die Veranda fegte, war Schyler in Cottons Arbeitszimmer gegangen und hatte ein Gewehr aus dem Waffenschrank genommen. Sie hatte die doppelläufige Flinte einer flüchtigen Inspektion unterzogen, konnte aber sicher sein, daß das Gewehr gereinigt, eingefettet und in tadellosem Zustand war. Cotton hatte seine Jagdgewehre stets bestens gepflegt und ständig einsatzbereit gehalten. Schyler verabscheute Schußwaffen, haßte ihre kalte und unpersönliche Oberfläche aus Metall und Holz. Doch sie hatte ihre Abneigung überwunden und sich ganz auf das konzentriert, was sie meinte tun zu müssen.

Da das gemeinsame Mittagessen sehr reichlich ausgefallen war, gab es zum Abendbrot nur kaltes Huhn und Obstsalat. Ken und Tricia, die noch immer schmollte, weil Ken mit ihr am Abend zuvor nicht zum Tanz gegangen war, hatten sich während des Essens in einer Tour gestritten.

»Ich hab mir ganz allein den Spielfilm im Fernsehen ansehen müssen«, beklagte sich Tricia sarkastisch. »Während du dich wer weiß wo rumgetrieben hast.«

Schyler und Kens Blicke trafen sich über den Tisch hinweg. Schweigend kamen sie überein, Tricia gegenüber nicht zu erwähnen, wo er gewesen war. »Ich hab' dir doch gesagt, daß ich bei Freunden war«, sagte er.

Da sie beide mit dem eigenen Wagen nach Belle Terre zurückgekommen waren, wußte Tricia nicht, daß Ken und ihre Schwester zusammengewesen waren. Schyler fühlte sich unwohl, ihrer Schwester das zu verheimlichen, doch sie hielt es für das Beste, wenn Tricia nichts von den Ereignissen des gestrigen Abends erfuhr.

Kaum war das Abendessen beendet, entschuldigte sich Schyler und ging hinauf in ihr Zimmer und zog sich um; dann schlich sie sich über die Hintertreppe aus dem Haus. Sie wollte um jeden Preis vermeiden, erklären zu müssen, wohin sie ging, zumal mit einem Gewehr unter dem Arm. Außerdem – wenn sie noch länger darüber nachdächte, würde ihr vielleicht der Mut verlorengehen.

Nun stand sie mit schweißnassen Händen und klopfendem Herzen auf der anderen Straßenseite und mehrere hundert Meter von Jiggers Haus entfernt hinter einem Johannisbeerbusch.

Allein die Erinnerung daran, wie bösartig der Hund sie völlig grundlos angefallen hatte, und die Möglichkeit, daß ein weiteres wehrloses Kind Opfer eines solchen Angriffs werden könnte, drängte sie näher zu Flynns Haus. Seine Hunde waren keine gewöhnlichen Haustiere. Sie waren lebensgefährlich, abgerichtet um anzugreifen und zu töten.

Flynns Lieferwagen stand auf dem Hof. Eine räudige Katze lag zusammengerollt auf dem Verdeck. Draußen vor dem Haus brannten keine Lampen, doch durch die Fenster fiel genügend Licht, um den Hof zu beleuchten und lange unheimliche Schatten zu werfen. Als sie näherschlich, konnte sie drinnen ein Radio oder einen Fernseher plärren hören. Hin und wieder bewegte sich ein Schatten am Fenster. Die schäbigen Vorhänge wehten in der lauen Brise. Schyler nahm den Geruch von gekochtem Schweinefleisch wahr. Sie verließ sich darauf, daß dieser durchdringende Geruch die Hunde davon abhielt, ihre Witterung aufzunehmen.

Von der gegenüberliegenden Seite der Straße aus schlug sie einen weiten Bogen um das Haus, da sie vorhatte, sich von der Rückseite her zu nähern. Sie hatte ihre Wahl der Waffe nicht willkürlich getroffen. Eine Pistole kam nicht in Frage. Damit wäre sie gezwungen gewesen, zu nahe heranzugehen. Ein Gewehr hätte bedeutet, mit höchster Präzision zu schießen, aber da es Jahre her war, seit sie zum letzten Mal geschossen hatte, war ihre Treffsicherheit fraglich. Die doppelläufige Schrotflinte aber garantierte, daß sie die Hunde im Käfig auf jeden Fall treffen würde. Selbst wenn die Schüsse die Tiere nicht töteten, so würden sie zumindest schwer verletzt werden.

Geduckt beobachtete Schyler weitere fünf Minuten das Haus. Sie konnte erkennen, wie sich drinnen etwas bewegte. Die Hunde liefen unruhig in ihrem Zwinger auf und ab, aber nicht ein einziges Bellen war zu hören. Schyler holte tief Luft und trat hinter den Büschen hervor. Sie würde gut zu sehen sein, wenn sie die Straße überquerte. Doch es gelang ihr, unentdeckt zur

Rückseite eines verfallenen Schuppens zu kommen; sie drückte sich gegen die Wand und schnappte nach Luft.

Einer der Hunde knurrte. Immer unruhiger liefen die Tiere umher. Schyler spürte ihre zunehmende Nervosität. Sie konnten sie nicht wittern, doch sie schienen zu ahnen, daß sie hier war. Sie spürten die drohende Gefahr. Zwei Patronen steckten in den Läufen der Flinte, zwei weitere hatte sie in ihrem Patronengürtel. Mit angehaltenem Atem spannte sie beide Abzüge. Das leise metallische Klicken verursachte ein weiteres Knurren aus dem Hundekäfig.

Jetzt oder nie.

Sie trat hinter dem Schuppen hervor und zielte in den Zwinger, der etwa zwanzig Meter entfernt war. Ihr Finger war so schweißnaß, daß er beim ersten Versuch abzudrücken vom Abzug rutschte, doch schließlich feuerte sie die Schüsse ab.

Sie hatte vergessen, wie ohrenbetäubend der Krach war. Der Schuß explodierte in der Stille und hallte wider wie ein Kanonenschlag. Sie hatte auch nicht daran gedacht, sich auf den Rückstoß einzustellen, und wurde schmerzvoll daran erinnert, als sich der Kolben mit voller Wucht gegen ihre Schulter rammte und ihr fast den Atem nahm.

Nur ganz am Rande war sie sich des Aufruhrs um sie herum bewußt, dem wahnsinnigen Winseln und Jaulen aus dem Käfig, dem lauten Fluchen und Schreien aus dem Haus. Sie ignorierte beides und konzentrierte sich einzig und allein auf ihren zweiten Schuß. Kaum hatte sie das Gewehr abgefeuert, öffnete sie es und die Läufe klappten nach vorn. Sie ließ die beiden leeren Patronenhülsen herausspringen und lud nach. Jetzt zahlte es sich aus, daß sie es am Nachmittag geübt hatte. In weniger als acht Sekunden war das Gewehr geladen und schußbereit. Sie feuerte den dritten Schuß ab und den vierten, als Jigger Flynn aus der Hintertür seines Hauses gestürzt kam.

Er war wie von Sinnen, sein Gesicht eine verzerrte Maske, sein spärliches Haar stand ihm wild vom Kopf ab. Er war barfuß und trug nur ein schmuddeliges T-Shirt über seinen ausgebeulten Hosen. Doch alles andere als lustig war die Pistole, mit der er herumfuchtelte. Er stieß wüste Flüche aus.

Schyler blieb wie erstarrt vor Schreck stehen. Daß er eine Waffe hatte, darauf war sie nicht vorbereitet gewesen. Sie hatte damit gerechnet, daß er wütend, sogar außer sich sein würde, aber sie hatte gedacht, ihn wieder zur Vernunft bringen zu können, wenn sich der erste Schock gelegt hätte. Aber mit einem Wahnsinnigen, der eine Pistole schwang, konnte man nicht vernünftig reden. So wie dieser Mann fluchte, als wünschte er die ganze Welt zum Teufel, sah er aus, als würde er nie wieder zur Vernunft kommen.

Bislang hatte er sie noch nicht bemerkt. Seine erste Sorge galt seinen Hunden. Da keines der Tiere durch Löcher, die die Schüsse in den Zwinger gerissen hatten, gekommen und sie angegriffen hatte, nahm Schyler an, daß sie erheblichen Schaden angerichtet hatte. Einige der Tiere waren noch am Leben. Ihr jämmerliches Jaulen und Winseln würden ihr noch Jahre in den Ohren klingen.

»Meine Hunde... Welcher gottverdammte Bastard... ich bring' ihn um.« Flynn wirbelte herum und feuerte ziellos in die Nacht, um den Mistkerl zu erwischen, der soeben sein lukratives Nebengeschäft vernichtet hatte. »Ich bring' ihn um... in der Hölle soll er schmoren. Du Scheißkerl, du wirst dir wünschen, tot zu sein, wenn ich dich in die Finger kriege. Ich bringe dich um.«

Schyler sah über Flynns Schulter hinweg eine Bewegung am Fenster. »Was ist denn los?« rief eine weibliche Stimme.

Schyler stöhnte auf, als sie die Frau erkannte.

»Halt's Maul, schwarze Schlampe! Ruf den Sheriff! Irgendein Schwanzlutscher hat meine Hunde erschossen!« Der Vorhang fiel wieder zu. Flynn ballerte erneut wild durch die Gegend und fluchte. Diesmal schlug die Kugel in die Wand des Schuppens. Schyler hörte, wie dicht neben ihrem Kopf das Holz splitterte. Ihr einziger Gedanke galt der Flucht.

Im nächsten Moment konnte sie ein Keuchen vernehmen und wußte, daß Flynn ihre Bewegung gesehen hatte. Er lief ihr über den Hof nach und fluchte über das viele Zeugs, das im Weg herumlag.

Jeglicher Gedanke an ein Gespräch war ausgelöscht. Schyler

lief um ihr Leben. Ihre einzige Chance, unversehrt davonzukommen, war, über die Straße in den dichten Wald zu flüchten. Sie sprang in den flachen Graben und kletterte auf der anderen Seite wieder heraus. Der Kies knirschte unter ihren Sohlen, als sie die Straße erreichte. Sie hoffte inständig, daß sie sich auf dem steinigen Weg nicht die Knöchel verstauchte, was aber reichlich albern war. Wieso machte sie sich Sorgen wegen einer Verstauchung, wo sie doch jeden Moment erschossen werden konnte? Jigger Flynn war ihr dicht auf den Fersen und schoß fluchend auf sie.

Schyler war mitten auf der Straße gelandet, als urplötzlich ein Fahrzeug um die Kurve geschleudert kam und sie fast erwischt hätte. Im letzten Moment wich der Wagen aus und kam in einer Wolke aus aufspritzendem Kies und aufgewirbelter Staubwolke zum Stehen. Die Beifahrertür schwang auf.

»Schnell, einsteigen!« rief Cash ihr zu. Schyler warf das Gewehr auf die Ladefläche des Wagens, klammerte sich an die offene Wagentür und schwang sich auf den Sitz. Eine Kugel streifte die Tür. »Kopf runter!«

»Bleib stehen, du verfluchter Mörder!« schrie Flynn. Er feuerte mehrere Schüsse ab, war aber zu wahnsinnig vor Wut, um genau zu zielen. Und als er dazu in der Lage war, war der Wagen hinter einer Staubwand verschwunden.

Schyler saß vornübergebeugt, den Kopf zwischen den Knien, die Arme über dem Kopf, auf dem Beifahrersitz. Sie zitterte selbst dann noch, als sie wußte, daß sie längst außer Reichweite waren und Flynns hysterisches Fluchen nicht mehr hörten.

Cash steuerte den klapprigen Lieferwagen, als würde er mit einem Porsche über eine Rennstrecke jagen, nahm die engen Kurven in mörderischem Tempo, und all das ohne Licht, um eine Verfolgung unmöglich zu machen. Aber er kannte jede Kurve, jede Biegung und hatte keinerlei Probleme, den richtigen Weg zu finden.

»Alles okay?« Sein Blick verließ einen Moment die Straße, lange genug, um seiner Beifahrerin einen Blick zuzuwerfen.

»Mir ist schlecht.«

»Schlecht? Was, zum Teufel, soll denn das heißen?«

Schyler hob den Kopf. »Das heißt, daß ich mich gleich übergeben werde.«

Der Wagen kam mit quietschenden Reifen zum Stehen. Cash langte über Schyler hinweg und stieß die Beifahrertür auf. Sie sprang hinaus und würgte in die staubigen Büsche am Straßenrand.

Die Hände auf den Knien stand sie vornübergebeugt, während sie von Würgekrämpfen geschüttelt wurde, bis ihr Magen völlig leer war. Ihre Ohren klingelten. Der Schweiß brach ihr aus. Sie zitterte am ganzen Leib und wartete darauf, daß sich der Schrecken legte. Schließlich öffnete sie die Augen. Eine Flasche Whiskey tauchte vor ihr auf.

Sie nahm die Flasche und führte sie zu ihren kreidebleichen Lippen. Der Alkohol brannte wie Feuer in ihrem Mund; sie gurgelte und spuckte ihn wieder aus. Oder versuchte es zumindest. Das meiste lief ihr übers Kinn.

»Scheiße.« Cash löste sein Halstuch und reichte es ihr. Sie wischte sich damit das Kinn und die Augen ab. Da waren Tränen, aber sie weinte nicht. »Also, spucken können Sie jedenfalls nicht. Dafür aber verdammt gut schießen. Da waren vier Löcher im Zwinger, größer als Waschtröge. Überall Fell und Blut…«

»Bitte, nicht reden«, bat sie schwach. Ihr Magen revoltierte wieder.

»Müssen Sie noch mal kotzen?« Sie schüttelte den Kopf. »Wenn doch, dann sagen Sie Bescheid. Ich hab keine Lust, daß Sie mir ins Auto spucken.«

Sie schaute auf das frische Einschußloch in der Wagentür, dann blickte sie abschätzig zu ihm. »Bringen Sie mich zurück.«

»Nach Belle Terre?«

»Zu Flynns Haus.«

Er starrte sie fassungslos an. »Haben Sie den Verstand jetzt völlig verloren, Lady?«

»Bringen Sie mich zurück, Cash.«

»Nie im Leben. Ich hab's satt, Sie ständig zu retten.«

»Ich habe Sie nicht darum gebeten!«

»Sie wären jetzt aber mausetot, wenn ich es nicht getan hätte«, schrie er zurück.

»Ich muß zurück. Ich muß ihm Geld anbieten für —«

»Vergessen Sie's!« Seine Stimmte durchschnitt die schwüle Luft so präzise wie es seine Hände taten. »Sie wollen doch nicht im Ernst, daß Jigger rausfindet, wer seinen Hunden das angetan hat.«

»Aber ich kann doch nicht einfach —«

Er packte sie bei den Schultern. »Hören Sie, was meinen Sie, warum ich ohne Licht gekommen bin? Weil Sie sonst im hellen Scheinwerferlicht gestanden hätten. Ich hoffe nur, daß er meinen Wagen nicht erkannt hat.«

»Ich habe gehört, wie er gesagt hat, daß er den Sheriff rufen wird. Wenn der da ist, kann ich alles erklären. Ganz best-«

Cash schüttelte sie heftig, und sie verstummte. »Schyler, Sie haben ja noch immer keine Ahnung, mit was für einem Typen Sie sich da eingelassen haben. Er geht nicht vor Gericht. Er wird Ihnen an die Kehle gehen, wie seine Hunde. Ich habe Ihnen den Rat gegeben, es sein zu lassen, aber jetzt ist es doch passiert. Halten Sie sich fern von ihm und erzählen Sie keiner Menschenseele, was Sie getan haben.«

»Ich muß zurück«, wiederholte sie unter Tränen.

»Scheiße«, fluchte er. »Haben Sie mir denn überhaupt nicht zugehört?«

»Ich habe Gayla gesehen. Am Fenster.«

»Gayla Frances?«

»Ja, Vedas Tochter. Sie kennen sie? Sie war in Flynns Haus.«

»Stimmt.« Cash ließ sie los und trat zurück. Schyler stützte sich unsicher an der Wagentür ab und schaute zu ihm. »Gayla lebt schon seit ein paar Jahren mit Jigger zusammen.«

Die Erde drehte sich wie wild, die Wälder wirbelten im Kreis. »Gayla? Mit Jigger Flynn? Das ist unmöglich.«

»Steigen Sie ein.«

Ohne Mitleid stieß er Schyler in den Wagen und knallte die Tür zu. Er kam herum und rutschte hinter das Steuerrad. Da er den Motor hatte laufen lassen, waren sie schon innerhalb weniger Sekunden wieder unterwegs. Sie fuhren über Straßen, die so eng waren, daß manchmal Äste gegen den Wagen schlugen und einen Tunnel um sie herum bildeten. Schyler erinnerte ihn nicht daran, die Scheinwerfer einzuschalten; er schien genau zu wissen, was er tat. Es war eine Erleichterung für sie, eine Weile lang die Entscheidungen einem anderen zu überlassen.

Erschöpft hielt sie den Kopf an das offene Seitenfenster und ließ sich vom Fahrtwind das Gesicht kühlen. »Erzählen Sie mir von Gayla. Wie kommt es, daß sie mit diesem Mistkerl zusammenlebt.«

»Wenn wir zu Hause sind. Bei *mir*.«

»Lieber nicht.«

»Tja, ich wäre heute abend auch *lieber nicht* zu Flynn gefahren, um Sie zu retten.«

»Sie haben –?«

»Hinter der Kurve im Wagen gewartet.«

»Sie wußten, daß ich es tun würde?«

»Ich hab mir gedacht, daß Sie etwas unternehmen würden.«

»Selbst nachdem Sie mich davor gewarnt haben?«

Er warf ihr einen trockenen Blick zu. »*Weil* ich Sie davor gewarnt habe.«

Nach einer Weile sagte sie: »Schätze, jetzt schulde ich Ihnen ein weiteres Dankeschön.«

»*Oui*. Schätze, genauso ist es.«

13. KAPITEL

Cash hielt an und stellte den Motor ab. Die Handbremse ächzte, als er sie anzog. Er wandte sich zu Schyler. Sie schauten sich in die Augen, lange und angespannt.

»Was kriege ich denn dafür, daß ich Ihnen schon wieder das Leben gerettet habe?« fragte er sanft. »Sie haben da schon eine ganz hübsche Rechnung offen.«

Schyler hielt seinem Blick eisern stand, auch wenn sie innerlich bebte. Ihr Mund war ausgedörrt, und das kam nicht von ihrer Übelkeit.

Die Sekunden verstrichen, dann verzogen sich seine Lippen zu dem für ihn typischen zynischen Lächeln. »Entspannen Sie sich. Heute abend werde ich nicht kassieren.«

»Wie nett.«

»Das nicht. Wir haben nur nicht genug Zeit dafür.« Er stieß die Tür auf. »Wir gehen den Rest zu Fuß, Miss Schyler.«

Er hatte absichtlich die Straßen zurück nach Belle Terre gemieden, daher hatten sie sich seinem Haus von der Rückseite her genähert. Cash nahm sie bei der Hand und führte sie den überwachsenen Hang entlang zum Bayou und dem kleinen, unter Bäumen gelegenen Haus am Ufer. Es war aus Zypressenholz gebaut und wahrscheinlich ebenso alt wie das Haupthaus des Anwesens. Wie Red Broussards Cafe stand es auf stabilen Holzpfeilern. Das Blechdach ragte über eine zurückgezogene, mit Pfosten gesäumte Veranda. Die Fensterläden waren offen und gaben Fenster mit Fliegengittern frei. Eine Außentreppe am hinteren Ende der Veranda führte hinauf zum oberen Stock.

Cash geleitete Schyler die hölzernen Stufen hinauf, über die Veranda und durch eine Tür in den Hauptraum. An einem Ende befanden sich ein Kamin und eine kleine Küche. Das Zimmer diente sowohl als Wohnzimmer wie auch als Eßzimmer. Es war hübscher, als Schyler erwartet hatte, aber es trug eindeutig den Stempel von Cashs Herkunft.

Auf der Galerie stand ein Doppelbett aus Metall, ein Schreibtisch und ein kleines Tischchen mit einem tragbaren Fernseher und einem Kartenspiel darauf. In einem Regal waren verschiedene Bestseller in Taschenbuchausgabe und aktuelle Ausgaben diverser Zeitschriften untergebracht. Abgesehen von der Ordnung überraschte sie vor allem, daß er las. Sie nahm an, daß er die meiste Zeit auf der Galerie verbrachte, wenn er zu Hause war. Von hier aus bot sich ein schöner Ausblick über den Bayou.

»Und was ist oben?« fragte sie.

»Das ehemalige Schlafzimmer meiner Mutter.«

Einige der Möbel waren augenscheinlich handgearbeitet, es waren wahre Meisterstücke. Aber auch der moderne Touch fehlte nicht, denn sie sah Fernseher, Mikrowelle und Ventilator, der im Wohnzimmer von der Decke hing. Cash langte nach einer Kordel. Ein Ruck, und der Ventilator setzte sich in Gang.

»Einen Drink?« Er ging hinüber zur Küche, teilte den Kattunvorhang und nahm eine Flasche Whiskey aus dem Regal.

»Gern. Mit etwas Wasser.«

»Eis?«

Sie schüttelte den Kopf. Er kam mit der Flasche zurück und reichte Schyler das Glas. »Setzen Sie sich doch.« Er deutete auf einen Sessel, der mit einem normalen, typisch amerikanischen Stoff gepolstert war, ein Sessel, wie er in jedem Möbelgeschäft des Landes angeboten wurde. Er wirkte auf absurde Weise fehl am Platz in diesem interessanten Haus am Bayou, doch Schyler setzte sich hinein, dankbar für die Vertrautheit. Nichts war bis jetzt normal verlaufen an diesem Abend. Ihre Zähne klapperten an das Glas, als sie einen Schluck nahm. »Danke.«

Er ließ sich in den Sessel gegenüber fallen und nippte an seinem Drink; die Flasche hatte er auf den Tisch in der Mitte gestellt.

»Wo haben Sie eigentlich so gut schießen gelernt?«

»Cotton hat's mir beigebracht.«

Er wollte einen weiteren Schluck nehmen, hielt aber mitten in der Bewegung kurz inne; erst dann trank er und sagte: »Hat er aber gut hingekriegt.«

»Ich bin nicht stolz auf das, was ich heute abend getan habe.«

»Ihr Daddy wär's.«

»Vielleicht«, gab sie zerknirscht zu. Sie ließ den Finger über den Rand des Glases kreisen. »Wir waren da uneins, wegen des Schießens. Jedes Jahr im Herbst wollte er, daß ich ihn auf die Jagd begleite, aber ich habe es nicht über mich gebracht, auf etwas anderes als leblose Zielscheiben zu schießen. Er war damals sehr enttäuscht von mir.« Sie nahm noch einen hastigen Schluck, stellte das leere Glas auf den Tisch und stand auf.

»Noch einen Drink?«

»Nein, danke.«

Sie machte eine kleine Erkundungsrunde um ihren Sessel und fuhr mit dem Finger über den abgewetzten Bezug. »Heute abend, das war etwas ganz anderes. Ich mußte es tun. Aber ich möchte keine Komplimente dafür bekommen.«

Ruhelos lief sie im Zimmer auf und ab, und zum Fenster bei der Küchenspüle. Auf dem Sims wuchsen Kräuter. Offensichtlich wurden sie sorgfältig gepflegt. Fragend schaute sie über die

Schulter zu Cash. Der zuckte nur die Achseln und goß sich noch einen Whiskey ein. »Meine Mutter hat immer irgendwelche Sachen auf dem Fensterbrett wachsen lassen.«

»Sie benutzen die Kräuter für Ihre Mittel?«

Sie stellte die Frage neckend, aber seine Antwort war ganz ernst. »Einige davon, ja.«

Neben dem alten Kühlschrank, der lärmend brummte, hing ein Korkbrett an der Wand. Mehrere alte Fotos waren daran befestigt. Schyler beugte sich vor, um sie besser erkennen zu können. Da war eine Aufnahme von einer Frau mit einem Kind, einem kleineren Jungen mit wildem, welligem Haar und erwachsenen, ernsten Augen.

»Sie und Ihre Mutter?«

»*Oui.*«.

Schwarzes, lockiges Haar umrahmte das schmale Gesicht der Frau, das von einer breiten Stirn in ein spitzes Kinn zulief. Ihre großen, exotisch funkelnden Augen verliehen ihr einen geheimnisvollen Ausdruck. Ihre Lippen waren herzförmig, voll und üppig, verlockend und sexy.

Schyler konnte sich noch gut an Monique erinnern, hatte sie aber nie so jung gesehen. Und wenn, dann auch nur aus der Ferne. Sie war gefesselt von dem Foto. »Ihre Mutter war sehr hübsch.«

»Danke.«

»Wie alt waren Sie da?«

»Zehn vielleicht. Ich weiß es nicht mehr.«

»Und bei welcher Gelegenheit wurde das Foto aufgenommen?«

»Weiß ich auch nicht mehr.«

Schyler betrachtete die übrigen Fotos. Mehrere waren Schnappschüsse von Marines in Kampfausrüstung, Hundemarken baumelten um ihren Nacken, sie grinsten und alberten herum. Einer hatte Kampfstellung angenommen und hielt sein Gewehr wie einen Baseballschläger. Ein anderer streckte den Mittelfinger in die Kamera. Sie erkannte Cash auf einigen der Fotos.

»Vietnam?«

101

»*Oui.*«

»Sie scheinen viel Spaß gehabt zu haben.«

Er hüstelte. »Yeah, wir hatten da drüben wirklich einen *Höllen*spaß.«

»So habe ich es nicht gemeint.«

»Den Jungen mit dem Bart hat es am Tag, nachdem das Foto gemacht wurde, erwischt. Die Sanis haben sich nicht mal die Mühe gemacht, ihn zusammenzuflicken; sie haben ihm nur die Eingeweide wieder eingesteckt, ehe der Hubschrauber kam, um ihn rauszuschaffen.« Er deutete quer durch den Raum auf ein anderes Bild. »Was dem Jungen mit dem albernen Hut zugestoßen ist, kann ich nicht genau sagen. Wir waren auf Patrouille und haben ihn schreien hören. Da haben wir zugesehen, daß wir mit heiler Haut davonkamen.«

Verblüfft über seine scheinbar gleichgültige Haltung fragte sie: »Wie können Sie so über Ihre verstorbenen Freunde reden?«

»Ich habe keine Freunde.«

Schyler zuckte zusammen, als hätte er ihr eine Ohrfeige verpaßt. »Warum tun Sie das?«

»Was?«

»Sich ständig revanchieren. Sie reagieren mit Herzlosigkeit auf Anteilnahme.«

»Reine Angewohnheit, schätze ich.«

»Bringen Sie mich nach Hause.«

»Sie mögen mein trautes Heim nicht?«

»Ich mag *Sie* nicht.«

»Das tun die meisten aus Ihrer Schicht nicht.«

»Ich komme aus keiner *Schicht*. Ich bin ich. Und der Grund, warum die Leute Sie nicht mögen, ist, daß Sie ein abfälliger, sarkastischer Mistkerl sind. Wo ist das Telefon? Wenn Sie mich nicht zurück nach Belle Terre fahren, dann werde ich jemanden bitten, mich abzuholen.«

»Ich habe kein Telefon.«

»Sie haben kein Telefon?«

Er schmunzelte über die Fassungslosigkeit, die in ihrer Frage mitschwang. »Da muß ich wenigstens nicht mit Leuten reden, mit denen ich gar nicht reden will.«

»Aber wie machen Sie das ohne Telefon?«

»Wenn ich eins brauche, gehe ich ins Büro auf dem Gelände und telefoniere von dort aus.«

»Die Tür ist doch aber immer verschlossen.«

»Da gibt es Wege...«

Schyler war entsetzt. »Sie knacken das Schloß? Sie brechen bei uns ein?« Sein Grinsen war so gut wie ein Geständnis. »Sie sind nicht nur total unsympathisch, Sie sind auch noch ein Einbrecher und Dieb.«

»Bis jetzt scheint das noch nie jemandem was ausgemacht zu haben.«

»Weiß denn jemand davon?«

»Cotton weiß es.«

Schyler war überrascht. »Cotton läßt es zu, daß Sie Einrichtungen auf Belle Terre benutzen? Als Gegenleistung für was?«

»Das geht nur ihn und mich was an.« Abrupt stellte er sein Glas auf den Tisch und setzte sich auf, die Ellbogen auf den Knien. »Sie haben doch nicht irgendwas Verrücktes wegen Gayla Frances vor, oder?«

»Zumindest werde ich mit ihr reden.«

»Tun Sie's nicht. Sie wird über Ihre Einmischung nicht gerade erfreut sein.«

»Ich werde mich aber einmischen, verdammt noch mal. Ich will aus ihrem eigenen Munde hören, weshalb sie mit diesem Kerl zusammenlebt. Ich kann nicht verstehen, wie Veda so etwas zulassen kann.«

Cash bedachte sie mit einem merkwürdigen Blick. »Veda? Die ist tot.«

Das verschlug Schyler den Atem. Ihre Knie wurden weich, und sie fiel wieder in den Sessel. Mit leerem Blick starrte sie Cash an. »Da müssen Sie sich irren.«

»Nein.«

»Veda ist gestorben?« Er nickte. Sie senkte den Blick und versuchte, sich eine Welt ohne Veda vorzustellen. Solide, verläßlich, die liebevolle Veda, die sie gepflegt hatte, ob es nun Koliken waren, aufgeschlagene Knie oder ein gebrochenes Herz. »Wann?«

»Vor einigen Jahren schon. Nicht lange, nachdem Sie abgereist sind. Hat Ihre Schwester Ihnen nichts gesagt?«

Ein taubes Gefühl, kalt wie der Tod, überkam sie. Schyler schüttelte den Kopf. »Nein, hat sie nicht. Sie hat mir nur gesagt, sie habe Veda entlassen müssen.«

Cash murmelte ein unflätiges Wort. »Sie hat sie entlassen, na, meinetwegen. Jedenfalls ging es von da an bergab mit Veda. Kurz darauf wurde sie krank. Ich persönlich denke, daß es daran lag, daß diese Hexe, die Sie Schwester nennen, sie von Belle Terre verscheucht hat.«

Er setzte sich gegen die Kissen auf seinem Sessel. »Veda war zu alt für einen anderen Job. Dann wurde sie zu krank, um überhaupt noch arbeiten zu können. Gayla mußte das College abbrechen und heimkommen, um sich um sie zu kümmern. Jobs waren Mangelware. Gayla nahm, was sie finden konnte. Sie kellnerte in einem Puff. Und da hat Jigger ein Auge auf sie geworfen. Ihm hat gefallen, was er sah, und er nahm sie unter seine Fittiche. Und er besorgte ihr eine Arbeit, die ihr wesentlich mehr einbrachte.«

Schyler starrte ihn ungläubig an. »Sie lügen.«

»Warum sollte ich? Sie können fragen, wen Sie wollen. Es ist die Wahrheit. Gayla schaffte dann in der billigsten Spelunke in der Stadt an.«

»Das würde sie nie tun.«

»Sie *hat,* ich sag's Ihnen.«

Schyler wehrte sich vehement dagegen. »Aber sie ist so hübsch, so intelligent und nett.«

»Schätze, deshalb ist sie auch bald so begehrt gewesen.« Schyler biß sich auf die Unterlippe und versuchte, die Tränen zu unterdrücken. »Unter Jiggers anderen Mädchen stach sie wie ein funkelnagelneuer Penny hervor. Deshalb hat er sie auch in sein eigenes Bett geholt. Nun gibt er sie nur noch hin und wieder her, und das auch nur zu einem ganz besonderen Preis.« Schyler ließ den Kopf sinken.

Ohne Erbarmen fuhr Cash fort. »Veda starb hauptsächlich aus Gram und Scham. Tricia Howell hat es damals überall rumposaunt, daß Veda alt sei und unfähig und daß sie beinahe Belle

Terre niedergebrannt hätte, weil sie vergessen hatte, das Bügeleisen auszustellen. Und dazu noch die Sache mit Gayla. Veda ertrug es nicht, was aus ihrer Tochter geworden war.«

Das war ganz und gar unmöglich. Schyler kannte Gayla von Kindesbeinen an. Zusammen hatten sie geweint, als Mr. Frances bei einer Explosion in der Ölraffinerie, in der er arbeitete, ums Leben kam. Damals hatte Cotton Veda das Angebot gemacht, sie möge doch nach Belle Terre ziehen. Schyler hatte miterlebt, wie Gayla zu einem netten Teenager heranwuchs. Sie war doch gerade aufs College gegangen, als sie – Schyler – nach England abreiste.

»Und was wurde aus Jimmy Don?« fragte sie.

Jimmy Don Davison war seit dem Kindergarten Gaylas große Liebe gewesen. Der Star des Footballteams der Highschool. ›Der Heide aus Heaven‹, so hatten sie ihn genannt. Er war ein so hervorragender Sportler, daß ihn ein Trainer der Uni unter Vertrag genommen und ihm ein volles, vierjähriges Stipendium besorgt hatte. Ein gutaussehender, intelligenter junger Mann, bei allen Studenten, ganz gleich welcher Hautfarbe, gleichermaßen beliebt. Aber alle wußten, daß er und Gayla Frances ein Herz und eine Seele waren.

»Der brummt seine Zeit ab.«

»Seine Zeit? Sie meinen im Gefängnis?« keuchte Schyler. »Was hat er verbrochen?«

»Er ging noch immer zur Schule, als das alles passiert ist. Als er hörte, daß Gayla zu Jigger gezogen war, betrank er sich, drehte durch und nahm eine Bar auseinander und fast jeden, der sich gerade darin aufhielt. Hat fast einen Kerl umgebracht, der sich damit brüstete, Gayla gebumst zu haben. Jimmy Don kam vor Gericht und wurde verurteilt. Jetzt brummt er seine Strafe ab. Drei Jahre, glaube ich.«

Schyler schlug die Hände vors Gesicht. Das war zuviel auf einmal. Veda. Gayla. Jimmy Don. Ihr aller Leben war ruiniert. Und daran war, wenn auch indirekt, Tricia schuld. Selbst Schyler fühlte sich in gewisser Weise mitschuldig.

Sie hob den Kopf und schaute den Mann an, der sich im Sessel ihr gegenüber räkelte. Er schien eine perverse Freude daran zu haben, sie zu quälen. »Sie genießen es richtig, mir das alles zu erzählen, nicht wahr?«

Er nickte. »Jetzt wissen Sie wenigstens, mit was für Menschen Sie in diesem riesigen schönen Haus leben. Ihre Schwester ist ein bösartiges Luder. Und ihr schwanzloser Ehemann ist ein Witz. Cotton... zum Teufel, ich weiß nicht, was mit ihm los ist. Er hat tatenlos zugesehen, wie Tricia nach Belieben mit den Leuten umgesprungen ist.«

Schyler bebte innerlich. Wenn sie sich selbst die Fehler in ihrer Familie eingestand, dann hieß das noch lange nicht, daß sich ein Außenstehender, besonders jemand wie Cash Boudreaux, das Recht herausnehmen durfte, ihre Familie zu beleidigen.

»Was die Menschen auf Belle Terre tun, geht Sie nichts an. Ich werde nicht zulassen, daß Sie schlecht über meine Familie reden.« Sie stand auf und schaute auf ihn herab, ihre Miene herrisch und hochmütig.

Das brachte sein Temperament zum Überkochen. Er packte sie unsanft bei den Schultern. »Verdammt, ich sage, was mir gefällt.«

»Aber nicht über meine Familie.«

Er fuhr ihr mit den Fingern durchs Haar und kam ganz nahe mit seinem Gesicht an ihres. »Meinetwegen. Dann werd ich Ihnen mal sagen, was ich von *Ihnen* halte.«

»Das interessiert mich nicht.«

Seine Lippen strichen leicht über ihre. »Ich glaube doch.«

»Lassen Sie das.«

Lächelnd berührte er ein zweites Mal ihre Lippen mit seinen. »Ich finde, Sie sind so ziemlich die interessanteste Frau, der ich seit langer Zeit begegnet bin, Miss Schyler.«

»Lassen Sie mich gehen.« Sie versuchte, seinen Lippen auszuweichen, aber das war nicht so einfach. Sanft wie ein Blütenblatt berührten sie ihr Gesicht. Sie versuchte, ihn wegzustoßen, aber vergeblich.

»Eine Frau, die sich mit Jigger Flynn anlegt, meine Güte, das ist eine, die ich unbedingt näher kennenlernen muß.« Er stemmte die Hüften vor, so daß der Reißverschluß an seiner Jeans andeutungsweise zwischen ihre Schenkel stieß.

»Sie sind widerlich.«

Sein Lachen war tief und dreckig. »Fragen Sie rum, Miss Schyler. Die meisten Frauen denken da ganz anders. Und ich glaube, Sie sind mächtig scharf drauf, es selber rauszufinden.«

Schyler versuchte, sich zu befreien, doch Cash hielt weiter ihren Kopf fest. Dann hob er ihr Gesicht hoch und küßte sie. Ein erschrockener, halb erstickter Protest kam von ihren Lippen, als er seine Zunge in ihren Mund schob. Das lässige, aber fordernde Eindringen seiner Zunge schockierte sie. Sie taumelte und klammerte sich an seine Schultern.

Nach einem langen Kuß hob Cash den Kopf. »Wie ich's mir gedacht habe«, sagte er heiser. »Sie geben sich zwar wie eine vornehme Lady, aber insgeheim warten Sie nur darauf, daß jemand Sie zum Brennen bringt, zum Explodieren.« Seine Hände wanderten von ihrem Kopf über ihre Schultern und Arme zu ihrer Taille, die er umklammerte. Er zog sie ganz dicht an sich. »Fühlen Sie das? Ich habe das Streichholz, um ihre Lunte zu zünden.« Sie schlug ihm hart ins Gesicht. Seine Augen verengten sich drohend. »Was ist los? Sind Sie's nicht gewohnt, daß –«

»Dreck, Mr. Boudreaux. Nein, ich bin nicht an Dreck gewohnt.«

»Und Ihr Schwager? Sagte der denn nicht manchmal dreckige Sachen im Bett?« Schyler erbleichte vor Entrüstung. Cash kicherte und sagte: »Wie schafft Howell das eigentlich, euch beide zu bedienen?«

»Halten Sie den Mund!«

»Die Leute in der Stadt wundern sich schon, wissen Sie? Latscht er zwischen den Schlafzimmern hin und her, oder schlafen Sie alle drei in einem großen Bett?«

Schyler stieß ihn so fest gegen die Brust, daß er gezwungen war, sie loszulassen. Sie stürmte aus der Tür und die Treppe hinunter. Er folgte ihr dicht auf den Fersen. Er erwischte sie am Handgelenk und hielt sie fest. »Nicht nötig, wegzurennen. Ich will Howells Reste gar nicht haben. Los, steigen Sie ein. Ich fahre Sie nach Hause.«

»Mit Ihnen fahre ich nirgendwohin.«

»Haben Sie Angst, mit mir gesehen zu werden?«

»Ja. Ich befürchte, die Leute könnten denken, daß Ihre Lügen und Ihre verkommenen Mätzchen auf mich abfärben.«

»Lügen und verkommene Mätzchen?«

»Sie haben gestern abend auf Jiggers Hund gewettet.«

»Streite ich ja gar nicht ab.«

»Und warum haben Sie mir nicht erzählt, daß Sie Wetten abschließen auf diese Kämpfe, als ich Sie fragte, ob Sie den Hund für mich töten?«

»Weil Sie das nichts angeht.«

»Sie haben mich manipuliert«, schrie sie. »Bringen mich da hin, drängen mich, um meinetwillen nichts gegen ihn zu unternehmen. Aber die ganze Zeit haben Sie nur Ihre eigenen Interessen geschützt.«

»Das eine hatte nichts mit dem anderen zu tun.«

»Lügner, Sie haben eine Menge Geld gewonnen.«

»Und ob.«

Sie schüttelte sich vor Wut über sein ruhiges Eingeständnis. »Sie sind genauso skrupellos, wie die Leute sagen.«

Sie verachtete diesen Mann zutiefst. Sie hatte versucht, ihn wie einen Ebenbürtigen zu behandeln, aber das ließ er gar nicht zu. Ken hatte völlig recht in dieser Sache. Die Kluft zwischen den gesellschaftlichen Schichten war so tief eingegraben wie die Jahresringe in einer Eiche. Und Cash Boudreaux hatte sie auf sein Level heruntergezogen, und sie fühlte sich beschmutzt.

»Und jetzt steigen Sie endlich ein«, sagte er.

»Den Teufel werde ich tun.«

»Und was haben Sie vor?«

»Nach Hause laufen.«

Cash folgte ihr. »Seien Sie doch nicht albern. Sie können doch nicht den ganzen Weg bis nach Belle Terre zu Fuß laufen mitten in der Nacht.«

»Wollen wir wetten?«

Er zog Schyler herum. »Sie sind sauer, weil ich Dinge gesagt habe, die Sie bereits selber wissen, aber nicht hören wollen. Die Leute halten mich für Abschaum. Na prima. Ich gebe einen Scheißdreck auf die Meinung anderer Leute. Ich werde zur Hölle fahren für einige Sachen, die ich gemacht habe, aber ich habe nie eine alte schwarze Frau vor die Tür gesetzt, deren Lebensunterhalt von mir abhängt, so, wie Ihre Schwester es getan hat. Und ich würde auch nicht tatenlos zusehen, wie es dieses schwanzlose Wunder Howell getan hat. Und ich würde mich nicht blind und taub stellen wie Cotton.«

Schyler funkelte ihn böse an. Trotz der Dunkelheit konnte sie erkennen, daß er sie angrinste. Sein Kuß war unverfroren erotisch gewesen, aber er hatte dennoch nichts mit Sex zu tun gehabt. Er hatte diesen Kuß dazu benutzt, sie zu beleidigen, sie zu bestrafen für das, was sie war, und für das, was sie nicht war und niemals sein würde.

»Halten Sie sich bloß fern von Belle Terre und den Menschen dort. Vor allem – kommen Sie *mir* ja nicht mehr nahe. Sonst knalle ich Sie über den Haufen wie einen Einbrecher.«

Mit dieser Bemerkung nahm sie das Gewehr von der Ladefläche seines Lieferwagens und machte sich auf den Heimweg.

14. KAPITEL

Gayla saß auf dem Korbstuhl in der Ecke. Jigger erwartete von ihr, daß sie sich zwar sehen ließ, aber ansonsten den Mund hielt, vor allem, wenn er Besuch hatte – es sei denn, er benutzte sie, um seinem Besuch eine Freude zu machen. Heute abend war der Sheriff zu Besuch. Gayla wußte aus eigener Erfahrung, daß der Sheriff ein Schwein war, wenn auch ein wählerisches, was seine sexuellen Vorlieben betraf. Aber er war noch im Dienst, was Gayla von ihm befreite.

»Hast du dir in letzter Zeit Feinde gemacht, Jigger?«

Sheriff Pat Patout schaute sehnsüchtig auf das Glas Whiskey, das Jigger trank, aber er hatte das Angebot eines Drinks ausgeschlagen. Bei der letzten Wahl hatte er seinen Herausforderer nur knapp schlagen können. Und er schwitzte bereits jetzt, wenn er an die nächste Wahl dachte. Deshalb verhielt er sich in letzter Zeit so pflichtbewußt wie möglich.

»Ich hab' auf der ganzen Welt keinen Feind, Sheriff«, sagte Jigger. »Das weißt du doch.«

Patout wischte sich mit dem Handrücken über den Mund und rutschte unruhig auf seinem Stuhl herum. »Ich nehm' vielleicht doch einen kleinen Schluck.« Er nickte zur Flasche. »Ist eine gottverdammt heiße Nacht; wird man ja mächtig durstig.« Jigger schenkte ihm einen kräftigen Drink ein. Er stürzte ihn auf einmal hinunter. Fast im selben Moment trat ihm der Schweiß auf die Stirn. »Du hast vielleicht keine Feinde, Jigger«, japste er, »aber du hast verdammt noch mal irgendwen angepißt. Muß ich mir bloß die Hundekäfige angucken…«

»Diese Bastarde«, murmelte Jigger.

»Du meinst, es waren mehrere?«

»Einer hat geschossen, der andere ist gefahren.«

»Hast du den Wagen erkannt?«

Jigger schüttelte den glänzenden, fettigen Schädel. »Zu dunkel, zu schnell.«

»Hast *du* was gesehen?«

Gayla zuckte zusammen, als ihr klar wurde, daß Patout diese Frage an sie gerichtet hatte. Sie steckte ihre bloßen Füße unter den Stuhl und preßte die Zehen auf den zerkratzten, fleckigen Linoleumboden. Ihre Hände waren zu kaffeebraunen Fäusten geballt. Sie streckte die Arme aus und preßte die Handgelenke zwischen die Oberschenkel, als wollte sie Beweise verstecken. Doch sie zog ihre Hände wieder hervor, als sie bemerkte, daß diese Pose ihre Brüste noch mehr zur Geltung brachte. Der geile Bock mit dem Sheriffstern am Hemd verschlang sie geradezu mit seinen Glubschaugen.

Als Antwort auf seine Frage schüttelte sie stumm den Kopf. Selbst wenn sie sie folterten, würde sie ihnen niemals den Namen verraten, nach dem sie suchten. Dieser Name lautete Schyler Crandall. Schyler war es gewesen, die auf Jiggers Hof mit einer Schrotflinte in den Hundezwinger geschossen hatte.

Das machte zwar überhaupt keinen Sinn, aber es war die reine Wahrheit. Sie würde Schyler immer und überall erkennen. Sie betete nur zum Himmel, daß Schyler sie nicht ebenfalls gesehen hatte. Sie wußte, daß Schylers Rückkehr nichts mit ihr zu tun hatte, aber irgendwie war es gut zu wissen, daß ihre einstige Freundin zurückgekehrt war.

110

»Ich hab nix gesehn, Sheriff«, nuschelte Gayla, absichtlich unbeholfen.

Jigger fuhr sie über die Schulter an. »Wo hast'n deine Manier'n, Mädel? Mach dem Sheriff was zu essen.«

»Nein danke, Jigger. Ich hab schon im Café was gegessen.«

»Mach ihm was zu essen.« Jiggers Augen stachen wie Nadeln, und sein Blick nagelte Gayla an die schmuddelige Tapete mit Kohlrosenmuster.

»Er will doch gar nix.«

»Ich hab gesagt, du sollst ihm was zu essen machen«, röhrte Jigger und schlug mit der Faust auf den Tisch.

Gayla stand auf und schlurfte über den dreckigen Boden. Sie nahm einen Teller vom Regal über dem alten Gasherd und fischte ein gräuliches, schmieriges Schweinskotelett aus der Pfanne, legte es auf den Teller und schaufelte noch eine Kelle voll Gemüse dazu. Dann brach sie einen Kanten von dem übriggebliebenen trockenen Brot ab und stopfte ihn in das Gemüse, trug das unappetitliche Mahl zum Tisch und stellte es lieblos vor dem Sheriff auf den Tisch.

»Danke.« Patout lächelte ihr unsicher zu.

Jigger schlang ihr den Arm um die Hüfte und zog sie an sich. Seine Schulter drückte gegen ihren Bauch. Er tätschelte ihr Hinterteil und ließ die Hand dann dort, streichelte sie und drückte das feste Fleisch unter dem abgetragenen Kleid.

»Sie ist ein gutes Mädchen. Meistens jedenfalls. Und wenn nicht, dann...« Er versetzte ihr einen Klaps, hart genug, daß es brannte. Doch Gayla verzog keine Miene.

Eine Fliege schwirrte um den Teller des Sheriffs, während er gierig zulangte, nachdem er sich reichlich Tabasco über das Gemüse geschüttet hatte. Er tunkte das Brot in die grüne Pampe, bis es triefte, dann stopfte er es sich in sein breites Maul. Während Jigger sie weiter betatschte, konzentrierte sich Gayla auf die Fliege. Sie sah, wie sie sich auf dem eingedellten Metallkopf des Salzstreuers niederließ. Ihre Mama wäre eher gestorben, als daß sie auf Belle Terre eine Fliege in die Küche gelassen hätte.

Aber das wäre ihrer Mama auch bei manch anderem so gegangen...

Jigger steckte ihr seine schwielige Hand unter das Kleid und ließ sie hinauf bis zu ihren Schenkeln wandern. Sie reagierte aus einem Reflex heraus, ließ sich ihren Ekel aber nicht anmerken.

»Wie viele von deinen Hunden hat's erwischt?«

»Zwei. Einen habe ich selber erschießen müssen, so schlimm hat der gewinselt. Sein Gehirn ist rausgequollen. Ein anderer wird nie wieder kämpfen können. Ist so gut wie hinüber.« Er lachte dreckig. »Aber das trächtige Weibchen hat nicht einen Kratzer abgekriegt. Und wenn die ihre Welpen kriegt, dann hab' ich den besten Wurf an Kampfhunden weit und breit.«

Der Sheriff schlang weiter. Gelegentlich grunzte er, um Jigger wissen zu lassen, daß er ihm zuhörte. »Ich werde tun, was mir möglich ist, aber es gibt nicht viele Hinweise.«

»Du findest den Bastard, der meine Hunde umgelegt hat, und Gayla und ich werden dir ein kleines Geschenk machen, werden wir, was, Gayla?«

Patout hörte kurz auf zu schlingen und schaute hoch zu ihr. Seine Lippen und sein Kinn glänzten vor Schweinefett. Sie starrte auf ihn herunter und fragte sich, ob ihre Augen verrieten, wie sehr sie alle Männer verachtete.

Der Sheriff schluckte heftig und schob den leeren Teller von sich. Er stand auf, versuchte, seine Hose über seinen Wanst zu ziehen, und langte nach seinem Strohhut. »Dann werd' ich mich besser mal auf die Socken machen. Werd' mich mal umschauen nach einem Lieferwagen mit einem Einschußloch.«

»Das hat doch fast jeder Karren hier in der Gegend.« Jigger begleitete den Sheriff zur Hintertür, wobei er Gayla lässig zur Seite schob. »Da wirste dir schon was Besseres einfallen lassen müssen, das sag ich dir.«

»Du mußt mir nicht sagen, wie ich meinen Job zu erledigen habe, Jigger.«

Jiggers böse Augen wurden noch böser. »Dann werd ich dir eben was andres sagen: die Kerle, die das getan haben, die sollten beten, daß du sie findest, ehe ich sie mir schnappe.«

Die Männer tauschten einen Blick aus, der besagte, daß sie einander verstanden hatten. Patout setzte seinen Hut auf, warf Gayla einen letzten geifernden Blick zu und ging dann aus der

Tür. Mit einem Knarren und einem Krachen fiel die alte Holztür hinter ihm ins Schloß. »Sieh zu, daß du die Hunde morgen früh unter die Erde kriegst. Die stinken ja schon bei der Hitze«, rief er noch über die Schulter.

»Komm doch raus und begrab sie selber, du Fettarsch«, murmelte Jigger leise vor sich hin, während er dem Sheriff noch einmal winkte.

Jigger wollte, daß die Tiere stanken. Er wollte, daß sie zum Himmel stanken. Er wollte, daß es jeder in der Gemeinde roch, damit jeder wußte, was geschehen war; und die, die es getan hatten, würden wissen, daß er hinter ihnen her war, um sich zu rächen. Er würde sie erwischen, und dann Gnade ihnen Gott. Ein Exempel würde er an ihnen statuieren. Niemand legte sich mit Jigger Flynn an und kam ungeschoren davon. Und dann würde er dafür sorgen, daß aus diesem Wurf Welpen die gemeinsten Hurensöhne im Staate Louisiana und darüber hinaus würden. Der Gedanke an das Ansehen, das es ihm einbringen würde, ganz zu schweigen vom Geld, war erregend.

Er wandte sich zu Gayla, die an der Spüle stand und den Teller des Sheriffs abkratzte. »Zeit ins Bett zu gehen.«

Gewöhnlich hätte sie jetzt alles stehen und liegen lassen und wäre ihm ins Schlafzimmer gefolgt. Je früher sie nachgab, desto eher wäre es ausgestanden. Doch sie mußte an Schyler denken, die sich aus Gründen, die sie nicht kannte, mit Jigger angelegt hatte. Schylers Mut übertrug sich nun auf sie.

»Ich... kann heute nicht, Jigger. Ich habe meine Tage.«

Blitzschnell kam er auf sie zu und schlug ihr mit dem Handrücken über den Mund. Ihre Lippe platzte auf und blutete. »Du verlogene Hure. Deine Tage hast du letzte Woche gehabt. Denkst du, du kannst mich verarschen? Denkst du, ich hätte das vergessen?« Er trat sie mit voller Wucht in den Hintern, daß sie mit dem Gesicht gegen die Wand schlug.

»Hör auf, Jigger. Ich lüg' dich nicht an.« Er packte sie bei ihrem kurzen, lockigen Schopf. Sie hielt ihr Haar kurz, weil sie gelernt hatte, daß er ihr weh tun konnte, wenn sie es lang trug. Trotzdem war sein Griff jetzt hart genug, daß ihr die Tränen in die Augen traten.

»Ich hab' gesagt, Zeit ins Bett zu gehen. Und zwar *jetzt*.«

Mit erhobenen Händen tastete sie an der Wand entlang, geleitet von den zerrenden, ziehenden Fingern in ihrem Haar. Sie stürzte durch die Tür ins Wohnzimmer. Er verpaßte ihr mit voller Wucht einen Stoß in den Nacken. Sie taumelte ins Schlafzimmer.

Fügsam stand sie jetzt neben dem Bett und knöpfte ihr Kleid auf. Sie zog es über die Schultern und ließ es zu Boden gleiten. Nackt kroch sie auf das Bett und legte sich auf den Rücken, in der Hoffnung, daß es alles war, was er heute nacht vorhatte.

Er zog sich aus. Die Federung des Bettes wippte, als er auf sie stieg. Knurrend wie ein Hund drang er trocken in sie ein. Sie bog vor Schmerz den Rücken durch und krallte sich in das grobe Laken unter ihr. Aber sie gab keinen Ton von sich. Er mochte es, wenn sie schrie, wenn er ihr weh tat. Sie weigerte sich, ihm diese Befriedigung zu geben. Nach der ersten Reaktion auf sein brutales Eindringen lag sie völlig reglos da.

Dieses grobe Ficken hatte nichts gemein mit dem Akt der Liebe, den sie und Jimmy Don gekannt hatten, als sie kaum fünfzehn gewesen war. Sie waren so jung gewesen damals, und so verliebt. Sie konnten die Augen und Hände nicht voneinander lassen. Küssen und Petting waren nicht genug gewesen. Sie waren dem drängenden Diktat ihrer Körper gefolgt. Und – es war ein wunderbares Gefühl gewesen.

Nach diesem ersten Mal hatten sie sich regelmäßig geliebt. Nie hatte sie sich hinterher schmutzig gefühlt. Bei Jigger kam sie sich jedesmal so ekelig wie ein Spucknapf vor. Bei Jimmy dagegen rein, geliebt und geschätzt. Es hatte ihr nie das Gefühl gegeben, so beschmutzt oder dreckig zu sein, daß sie nie wieder sauber werden würde, oder so abscheulich, daß sie am liebsten tot gewesen wäre.

Daran gedacht hatte sie mehrmals. Sich umzubringen, dieser Gedanke war ihr vertraut, seit sie mit Jigger zusammenlebte. Das einzige, was sie davon abhielt, ihrem Leben ein Ende zu setzen, war die Hoffnung, die leise Hoffnung, daß sie eines Tages Jimmy Don wiedersehen und er ihr verzeihen würde.

Sie hatte mit dem Gedanken gespielt, Jigger umzubringen.

Wenn er wieder einmal sinnlos besoffen war, hatte sie phantasiert, ihm mit einem Fleischmesser die Kehle durchzuschneiden und ihrem Elend ein Ende zu machen. Was immer auch hinterher mit ihr geschehen mochte, es konnte nicht schlimmer sein als das, was sie tagtäglich erleiden mußte.

Doch Veda hatte sie zu einer guten Kirchgängerin erzogen; zweimal die Woche, Sonntags und Mittwochs, ging sie in die abendlichen Gebetsstunden. Sie war durchdrungen von den Geboten Gottes und hatte Angst davor, die Ewigkeit in der Hölle schmoren zu müssen.

Gott würde ihr vergeben, daß sie Jimmy Don liebte und ›es getan‹ hatte, ehe sie verheiratet waren. Gott verstand, daß sie im Herzen mit Jimmy Don vermählt war. Und sie nahm an, daß Gott ihr vergeben würde, daß sie es zuließ, daß Männer ihren Körper für ihre Lust benutzten. Mamas Arztrechnungen und Medikamente hatten so viel Geld gekostet. Schwarze Mädchen, ganz egal wie klug sie waren, bekamen nur sehr selten einen Job im Büro, bei der Bank oder in einem Laden. Und in wirtschaftlich schlechten Zeiten bekamen sie überhaupt keine Jobs. Sie war zu hübsch, ihr Aussehen zu sinnlich, um eine Stelle als Putzfrau zu kriegen. Keine Hausfrau, die halbwegs bei Trost war, wollte sie in der Nähe ihres Ehemannes oder Sohnes haben. Und so hatte sie getan, was sie hatte tun müssen. Gott konnte in ihr Herz schauen, und er würde sie verstehen.

Doch es mochte selbst die Grenzen seines Verständnisses und seines Vergebens überschreiten, wenn sie Jigger Flynn kaltblütig umbrächte. Also hatte sie es nicht getan. Sie hatte ertragen, was immer er mit ihr tat, hoffend, daß sie eines natürlichen Todes starb und aus diesem Leben schied, ohne ihre Chancen zu verderben, das nächste im Himmel mit Papa und Mama und vielleicht mit Jimmy Don zu verbringen.

Heute nacht dauerte es länger als sonst. Jiggers fauliger Atem schlug gegen ihren Hals. Er schwitzte wie ein Schwein. Der Schweiß tropfte von seinem Körper auf ihre Brüste.

Sie hielt es nicht mehr aus.

Gayla hob ihre langen Beine und kreuzte sie über seinem Rükken. Sie zog ihn zu sich herab und gab ein langes, leidenschaftli-

115

ches Stöhnen von sich, eine tragische Parodie der Seufzer, die sie einst an Jimmy Dons muskulöser, harter, sanfter Brust ausgestoßen hatte.

Ihre gespielte Lust wirkte. Jigger Flynn kam, warf seinen häßlichen flachen Kopf zurück und schrie wie ein Esel. Er brach auf ihr zusammen, ehe er sich dann zur Seite wälzte, daß die Matratze wackelte. Er lag auf dem Rücken, so bleich und plump und schleimig wie eine Nacktschnecke.

Gayla wandte ihm den Rücken zu und kauerte sich schützend zusammen. Ganz ruhig blieb sie liegen, dankbar, daß es vorbei war und daß sie heute abend nicht mehr hatte erleiden müssen als einen Riß in der Lippe und einen Tritt in den Hintern.

Doch sie weinte nicht. Erst als Jigger neben ihr anfing zu schnarchen, weinte sie leise. Und während sie leise ihre Gebete murmelte, liefen ihr Tränen voller Reue, bitter und ohne Hoffnung, lautlos über die seidigen Wangen.

15. KAPITEL

»Es hat jemand für Sie angerufen, als Sie fort waren«, richtete Mrs. Graves Schyler aus. »Ich habe die Nachricht auf Mr. Crandalls Schreibtisch im Arbeitszimmer gelegt.«

»Danke.«

Schylers Schritte hallten in der weiten Eingangshalle wider, als sie zum hinteren Teil des Hauses ging, wo hinter der geschwungenen Treppe ein kleiner rechteckiger Raum lag.

Das getäfelte Zimmer wurde von einem massiven Schreibtisch beherrscht. Schyler legte ihre Handtasche und die Autoschlüssel auf den sich auftürmenden Berg ungeöffneter Post und setzte sich in den Lederstuhl. Er ähnelte dem im anderen Büro, aber nicht annähernd so viele kostbare Erinnerungen waren mit diesem hier verbunden. Diesen Stuhl hatte Cotton nicht so oft benutzt.

Macy hatte nicht gewollt, daß die Mädchen mit Gesprächen über Holz und die verschiedenen Absatzmärkte vollgestopft wurden. Sie hatte gewettert, wenn sie Schyler in diesem Arbeitszimmer fand, zusammen mit Cotton, der ihr von seinen Geschäften erzählte, also hatte er seine Lehrstunden ins andere Büro verlegt, um den Frieden im Haus zu wahren.

Schylers Gedanken waren nur bei ihrem Vater. Noch immer war sein Zustand unverändert. Vor kaum einer Stunde hatte ihr der Kardiologe gesagt, daß sie darüber froh sein könne.

»Es ist wie ein Unentschieden«, hatte er gesagt. »Sein Zustand gibt keinen Anlaß zur Freude, aber wir können froh sein, daß er sich nicht verschlimmert.«

»Und Sie können noch immer nicht sagen, wann Sie die Operation durchführen können?«

»Nein. Aber je mehr Zeit wir ihm geben, weiter zu Kräften zu kommen, desto besser. In diesem Fall ist jeder Tag, um den wir es verschieben, von Vorteil.«

Nach einem kurzen Besuch bei Cotton war sie wieder heimgefahren. Sie war entmutigt. Sie vermißte Mark. Die Hitze machte ihr zu schaffen. Sie sehnte sich nach gutem Essen und hatte genug von Kens und Tricias ständigen Streitereien. Sie wünschte sich sehnlichst, wieder einmal richtig ausschlafen zu können.

Als sie die Telefonnummer wählte, die Mrs. Graves für sie notiert hatte, gestand sie sich zwei der hauptsächlichen Gründe ein, weshalb sie nicht sonderlich gut geschlafen hatte. Der eine war Gayla Frances. Der andere Cash Boudreaux.

»Delta National Bank.«

Schyler stellte fest, daß sie jemanden in der Leitung hatte. »Oh, pardon?«

»Delta National Bank. Was kann ich für Sie tun?«

Sie hatte nicht damit gerechnet, daß der Anruf geschäftlicher Natur war. Auf der Notiz hatte lediglich ein Name gestanden. Und den verlangte sie jetzt. »Mr. Dale Gilbreath, bitte«, sagte sie und ließ es ein wenig wie eine Frage klingen.

»Da ist leider besetzt. Möchten Sie warten?«

»Ja, bitte.«

Während sie wartete, streifte sie die Schuhe ab und rieb ihre tauben Zehen am Teppich. Morgen würde sie wieder Sandalen anziehen. Bei dieser Hitze waren Strumpfhose und hochhackige Schuhe reiner Masochismus.

Wer, zum Teufel, mochte dieser Dale Gilbreath sein? Der Name sagte ihr nichts. Sie versuchte sich zu erinnern, aber erfolglos, also ließ sie es dabei bewenden und wandte sich dringenderen Dingen zu.

Sie mußten etwas wegen Gayla unternehmen. Aber was? Die Geschichte, die Cash ihr erzählt hatte, klang zu haarsträubend für eine Lüge. Wahrscheinlich hatte er recht damit, daß Gayla ihre Einmischung nicht begrüßen würde. Trotzdem mußte da etwas geschehen. Gayla konnte nicht weiterhin mit diesem Kerl leben. Die Art, wie er sie beleidigt hatte, war Anzeichen dafür, wie schrecklich ihr Leben mit ihm sein mußte. Schyler konnte nicht tatenlos zusehen. Das Problem war, etwas zu unternehmen, was Gayla akzeptieren würde. Im Moment fiel ihr noch nichts ein, also mußte sie es verschieben.

Cash Boudreaux, Himmel, was sollte sie da nur tun? Natürlich konnte sie diese Frage mit einem einfachen »nichts« beantworten. Nichts? Er hatte ebenso wie sie die ganzen Jahre auf Belle Terre gelebt, und sie hatte kaum mitbekommen, daß es ihn überhaupt gab. Woran lag es, daß es ihr jetzt etwas ausmachte? Weil er sie geküßt hatte. Na und? Am besten sofort vergessen.

»Ich kann Sie jetzt zu Mr. Gilbreath durchstellen.«

Schyler fuhr zusammen. »Oh. Ja, danke.«

»Gilbreath.«

»Mr. Gilbreath? Hier spricht Schyler Crandall. Sie haben bei mir angerufen.«

Der Ton änderte sich drastisch. Augenblicklich wandelte er sich von barsch zu schmeichlerisch. »Ja, Miss Crandall, schön, daß Sie zurückrufen. Ist mir ein wirkliches Vergnügen, mit Ihnen zu sprechen.«

»Kennen wir uns?«

Er lachte über ihre Direktheit. »Nun, ich denke, da bin ich Ihnen gegenüber im Vorteil. Ich habe soviel über Sie gehört, daß ich das Gefühl habe, Sie bereits zu kennen.«

»Sie arbeiten bei der Bank?«

»Ich bin der Direktor.«

»Glückwunsch.«

Entweder war ihm ihr Sarkasmus entgangen oder er zog es

vor, ihn zu ignorieren. »Cotton und ich haben geschäftlich sehr viel und eng miteinander zu tun gehabt. Er hat mir erzählt, daß Sie in London leben.«

»Das stimmt.«

»Wie geht es ihm?«

Sie teilte ihm den neuesten Stand mit. »Im Moment können wir nur abwarten.«

In seiner Stimme schwang Anteilnahme mit. »Nun, es hätte auch schlimmer ausgehen können.«

»Ja, viel schlimmer.« Die Unterhaltung geriet ins Stocken. Schyler wollte das Telefonat möglichst schnell beenden und ein Aspirin gegen ihre bohrenden Kopfschmerzen nehmen. »Vielen Dank, daß Sie angerufen haben, Mr. Gilbreath. Ich bin sicher, Cotton wird es zu schätzen wissen, daß Sie sich nach ihm erkundigt haben.«

»Deswegen habe ich eigentlich nicht angerufen, Miss Crandall.«

Sie spürte, wie sich sein Ton plötzlich ein weiteres Mal änderte. Er klang jetzt nicht mehr übertrieben höflich. »Oh?«

»Es wäre gut, wenn wir uns mal persönlich unterhalten könnten. Über Bankgeschäfte.«

»Wir? Sie wissen doch sicher, daß mein Schwager —«

»— die finanziellen Angelegenheiten des Holzwerks regelt? Gewiß. Aber da in der betreffenden Angelegenheit Belle Terre direkt betroffen sein könnte, dachte ich mir, ich sollte mich an Sie wenden. Als Gefallen, gewissermaßen.«

Mehr als nur die Kopfschmerzen ließen Schyler die Stirn zu einer tiefen Furche runzeln. »Um was geht es bei dieser ... Angelegenheit?«

»Es geht um einen Kredit, der noch offen ist. Aber schauen Sie, wir sollten das wirklich lieber unter vier Augen besprechen.«

Sie konnte ihn nicht ausstehen. Instinktiv wußte sie das. Sein Respekt war geheuchelt. Am liebsten hätte sie ihm gesagt, wohin er sich scheren sollte. Nun, nicht ganz. Noch lieber wäre sie endlich ihre Kleidung losgewesen, hätte sich unter die Dusche gestellt, und sich dann auf den kühlen Laken ihres Bettes ausgestreckt, um so bis zum Abendessen vielleicht ein kleines Nickerchen zu machen, um die Kopfschmerzen zu vertreiben. Doch jeglicher Gedanke an Ausspannen war nun unmöglich. »Ich mache mich gleich auf den Weg.«

»Aber heute nachmittag ist es unmög-«

»Dann machen Sie es möglich.«

Eine Stunde später betrat Schyler das mit rosa Kunstmarmor ausgestattete Foyer der Delta National Bank. Das Gebäude stand dort, wo früher die alte Bank gestanden hatte. Es war eine Schande, daß sich dort, wo früher die Sodafontäne gewesen war, nun ein Tresorraum befand, daß Kreditanträge ausgegeben wurden anstatt Lemon Coke und dreifacher Club Sandwiches. Wie schön war doch die Halle der alten Bank gewesen mit ihrer dunklen Holztäfelung und der dazu passenden Einrichtung. Man hatte das Geld fast riechen können.

Dagegen war diese grelle moderne Halle ihrer Meinung nach absolut grauenhaft. So steril wie ein Operationssaal. Sie besaß weder Charakter noch Persönlichkeit. Inseln von Chromstühlen mit steifen mauvefarbenen Kissen schwammen auf einem meergrünen Teppichboden. Cotton hatte oft gesagt, daß ein Stuhl nichts tauge, wenn das Holz nicht ein bißchen knarrte, wenn man sich mit dem Hintern draufsetzte. Schyler war derselben Meinung.

Sie wurde von einer ihr fremden lächelnden Empfangsdame zu einem dieser Stühle geleitet. Nachdem sie sich gesetzt hatte, schaute sie sich um und erkannte einige vertraute Gesichter. Sie lächelten ihr durch die Scheiben ihrer gläsernen Büros zu. Jedes der vertrauten Gesichter machte ihr neuen Mut. Die Worte ›Belle Terre‹ und ›ausstehender Kredit‹ schwirrten ihr durch den Kopf wie Bussarde, die auf hilflose Beute warteten.

»Miss Crandall, wenn Sie mir bitte folgen wollen.«

Sie wurde durch die Halle geführt und in eines der gläsernen Büros; dieses gehörte Mr. Dale Gilbreath, dem Direktor der Delta National Bank. Er lächelte salbungsvoll, als sie einander die Hand gaben.

»Miss Crandall, da haben Sie aber Glück gehabt, daß ich Sie noch einschieben konnte. Setzen Sie sich, bitte. Kaffee?«

»Nein, danke.«

Er nickte der Empfangsdame zu, und sie zog sich zurück. Dann nahm er in seinem Drehstuhl hinter dem Schreibtisch Platz und verschränkte die Hände über dem Bauch. »Ich fühle mich geehrt, Sie endlich persönlich kennenzulernen.«

Sie hatte nicht vor, zu lügen und »gleichfalls« zu sagen. Sie antwortete nur mit einem kühlen Danke. Ihre Intuition hatte nicht getrogen. Sie verachtete ihn auf den ersten Blick. Er würde ihr schlechte Nachrichten bringen und Ärger bescheren.

Er taxierte sie einen Moment länger als nötig. Es war schon fast beleidigend. »Nun, wie finden Sie unser neues Gebäude?«

»Beeindruckend.« Es hatte einen gewissen Eindruck auf sie gemacht, nun gut. Aber sie hatte keine Lust, es näher zu erläutern.

»Das ist es, nicht wahr? Wir sind sehr stolz darauf. Es ist an der Zeit, daß das Zentrum von Heaven ein neues Gesicht bekommt, meinen Sie nicht auch?«

»Ich bin da ein bißchen altmodisch.«

»Soll heißen?«

Der Mann wußte nicht, wann es genug war. »Soll heißen, daß ich das Zentrum so mochte, wie es war.«

Sein Lächeln erlosch, und die Lehne seines Drehstuhls schnellte nach vorn. »Eine solche Einstellung überrascht mich bei einer modernen Frau, wie Sie es sind.«

»Ich stehe zu meiner altmodischen Ader.«

»Nun, Altertümer haben immer was an sich, aber ich finde, es gibt Platz für Erneuerung.«

Schyler begriff sehr gut, wann sie geködert werden sollte. Anstatt sich auf eine Diskussion über Geschmack mit einem Mann einzulassen, den sie nicht kannte und dessen Meinung völlig uninteressant für sie war, schlug sie seine subtile Einladung sich zu kabbeln aus, indem sie einen nichtexistenten Fussel von ihrem Saum zupfte.

Gilbreath setzte seine Brille auf und schlug einen Ordner auf, der vor ihm auf dem Schreibtisch lag. »Ich bedaure, daß ich Sie anrufen mußte, Miss Crandall.« Er schaute einschüchternd über den Rand seiner Brille. Schyler erwiderte seinen Blick über den

121

polierten Schreibtisch hinweg und zuckte nicht einmal mit der Wimper, bis er den Blick senkte und sich dem Inhalt des Ordners widmete. »Aber es obliegt meiner Verantwortung, die Interessen der Bank zu wahren, so unangenehm dies auch manchmal sein mag.«

»Warum kommen Sie nicht zur Sache?«

»Nun gut«, sagte er barsch. »Ich frage mich, ob Cottons unvorhergesehene Erkrankung sich irgendwie negativ auf die Rückzahlung des von mir eingeräumten Kredits auswirkt.«

Um Zeit zu gewinnen, schlug Schyler die Beine übereinander. Sie versuchte, Haltung zu bewahren, obgleich immer, wenn ein Schatten auf Belle Terre fiel, sie ein unangenehmes Gefühl in der Magengrube verspürte. »Ich weiß nichts von diesem Kredit. Wie lauten denn die Bedingungen?«

Er lehnte sich wieder auf seinem Stuhl zurück. »Vor einem Jahr hat Cotton ein Darlehen über 300 000 Dollar aufgenommen. Wir haben es ihm bei vierteljährlichen Zinszahlungen eingeräumt. Bislang ist jede Zahlung pünktlich erfolgt.«

»Dann verstehe ich das Problem nicht.«

Er stützte sich mit den Unterarmen auf den Schreibtisch und sah Schyler mit der Ernsthaftigkeit eines Bestattungsunternehmers an. »Das mögliche Problem, und ich betone *mögliche,* liegt in der Rückzahlung des Darlehens, zuzüglich der letzten Zinsrate. Beides wird nämlich am 15. des kommenden Monats fällig.«

»Ich bin sicher, daß sich mein Vater dessen bewußt ist und das Geld bereitgelegt hat. Ich kann die Zahlung anweisen, wenn es das ist, was Sie wollen.«

Sein sympathisches Lächeln schaffte es nicht, ihren nervösen Magen zu beruhigen. »Ich wünschte, es wäre so einfach.« Er machte eine hilflose Geste. »Cottons persönliches Konto deckt aber leider die Darlehenssumme nicht ab. Nicht einmal die Zinsen.«

»Ich verstehe.«

»Und das Konto des Crandall Holzwerks leider auch nicht.«

»Die Bank wird da wohl kaum ein Risiko haben. Ich gehe doch davon aus, daß der Kredit abgesichert wurde.«

»In der Tat.« Schyler hielt den Atem an, aber sie wußte, was nun kam. »Er hat Belle Terre als Sicherheit übereignet.«

Sie sah Sterne, als hätte sie einen Schlag auf den Kopf erhalten. »In welchem Umfang?«

»Das Haus und den größten Teil der Ländereien.«

»Das ist doch lächerlich! Das Haus allein ist ja schon mehr wert als 300 000. Mein Vater hätte sich niemals auf solche Konditionen eingelassen.«

Wieder machte Gilbreath diese hilflose kleine Geste, ein Heben seiner blassen Hände und ein Schulterzucken. »Als er das Darlehen beantragte, blieb ihm keine andere Wahl. Er litt an einem ernsten Bargeldproblem. Das waren nun mal die besten Konditionen, die wir ihm anbieten konnten. Ihm blieb gar nichts anderes übrig. Und mir ebensowenig.«

»Wucher!«

Er wirkte gekränkt. »Bitte, Miss Crandall. Ich möchte dieses Gespräch unter allen Umständen freundschaftlich halten.«

»Wir sind keine Freunde. Und ich bezweifle ernsthaft, daß wir das je werden.« Sie stand auf. »Ich kann Ihnen versichern, daß dieses Darlehen pünktlich zurückgezahlt wird.«

Er erhob sich ebenfalls und runzelte die Stirn. »Ich mache Ihnen keinen Vorwurf, daß Sie jetzt wütend sind. Sie haben schon genug am Hals. Aber Sie können mir auch nicht vorwerfen, daß ich mir wegen Cottons Krankheit und der Schließung seiner Fabrik Sorgen mache. Niemand kann sagen, wie lange das noch dauern wird.«

»Es gibt keinen Grund, die Pferde scheu zu machen.« Sie wünschte nur, es wäre so gewesen. »Sie werden Ihr Geld pünktlich erhalten.«

Sein Lächeln war so unecht wie das Gemälde hinter ihm an der Wand. Schyler ließ sich von beidem nicht täuschen. »Es wäre wirklich eine Tragödie, wenn wir gezwungen wären, das Darlehen zu kündigen und zu vollstrecken.«

»Niemals.« Ihr Lächeln war kaum aufrichtiger als das seine. »Und das können Sie meinetwegen in eine dieser albernen unechten rosa Säulen in Ihrer billigen Halle eingravieren lassen. Einen schönen Tag noch, Mr. Gilbreath.«

16. KAPITEL

Was Dale Gilbreath Schyler eröffnet hatte, war die bittere Wahrheit. Den Rest des Nachmittags hatte sie in Cottons Arbeitszimmer auf Belle Terre damit zugebracht, die Auszüge sämtlicher Bankkonten durchzusehen. Es stimmte: sie verfügten tatsächlich über keinerlei finanzielle Reserven mehr; die erforderlichen 300 000 Dollar kamen nicht einmal annähernd zusammen.

Schyler starrte auf die alarmierend niedrige Summe, die ihre Berechnungen auf dem Taschenrechner ergeben hatte, als Ken das Zimmer betrat. »Auf der Veranda werden jetzt die Drinks vor dem Abendessen serviert.«

Während der ersten paar Tage nach dem Hundekampf war Ken eingeschnappt und schlecht gelaunt gewesen. Seit kurzem aber hatte er eine Kehrtwendung gemacht und gab sich wieder so heiter wie früher. Diese Heiterkeit hing nun wie ein Mühlstein an ihr.

»Ken, ich muß mit dir reden.« Sie ließ den Füller auf den Schreibtisch fallen und faltete die Hände. »Warum hast du das Werk geschlossen, als Daddy den Herzinfarkt hatte?«

Ken verging das breite Grinsen, aber es gelang ihm, gefaßt zu bleiben. »Woher weißt du das?«

»Ist doch egal, woher ich es weiß, oder? Früher oder später hätte ich es ohnehin erfahren. Warum, Ken?«

»Wieso willst du das wissen?«

Sie seufzte resigniert. »Mr. Gilbreath von der Delta National Bank hat mich angerufen.«

»Dieses Arschloch. Er hat kein Recht —«

»Doch, das *hat* er, Ken. Wir schulden seiner Bank eine große Summe Geld. Und *ich* habe das Recht zu erfahren, was, zum Teufel, hier vor sich geht. Ich erwarte eine Erklärung von dir.«

»Gut, aber dann habe ich ein Recht zu erfahren, was du in letzter Zeit angestellt hast.« Für einen kurzen beklemmenden Augenblick fürchtete sie, Ken könnte von ihrem Besuch in Cashs Haus am Bayou erfahren haben; womöglich wußte er sogar von dem Kuß. Es war beinahe eine Erleichterung, als er sagte: »Die tollste Neuigkeit in der Stadt ist nämlich, daß irgendwer in Jigger Flynns Hundezwinger geballert und drei seiner Köter umgelegt hat. Jigger schäumt vor Wut und sucht jetzt denjenigen, der das getan hat.« Seine Augen verengten sich. »Du weißt nicht zufällig etwas darüber, oder?«

»Wann ist das denn passiert?« fragte sie ausweichend.

»Sonntagnacht.«

»Da bin ich früh zu Bett gegangen, weißt du doch.«

Er setzte sich auf die Kante des Schreibtisches und taxierte ihr Gesicht. »Klar, weiß ich.« Er nahm einen Briefbeschwerer in die Hand und spielte damit herum. »Laut Jigger kam ein Lieferwagen angerast und hat den Typen, der die Hunde erschossen hat, aufgeladen. Er sagt, er habe mit seiner Pistole auf den Wagen geschossen und ihn auf der Beifahrerseite getroffen.« Er kreuzte die Arme über seinem Oberschenkel und beugte sich vor, während er flüsterte: »Und jetzt rate mal, wessen Karre ein ganz frisches Einschußloch hat.«

»Wessen denn?«

»Cash Boudreaux'.«

»Und, hat sich Mr. Boudreaux zu diesen Anschuldigungen geäußert?«

»Ja, hat er. Er sagt, auf ihn sei geschossen worden, als er sich aus dem Schlafzimmer eines verheirateten Mannes verdrückt hat, oder genauer: als der Ehemann ihn im Schlafzimmer mit seiner Frau erwischt hat.«

»Das kann ihm wohl niemand streitig machen.«

Ken grinste. »Daß es so gewesen sein könnte, wohl nicht. Aber weißt du, was ich denke?« Dickköpfig und ruhig wartete sie ab. Ken senkte die Stimme noch weiter. »Ich denke, daß du die Hunde erledigt hast, und Cash Boudreaux hat dir dabei geholfen. Und jetzt frage ich mich, auf welche Weise du ihn dafür bezahlt hast, denn dieser Cajun tut nichts umsonst.«

Wie der Blitz schoß Schyler von ihrem Stuhl hoch und kam um den Schreibtisch herum; sie fühlte sich ertappt. »Du willst nur ablenken.«

Ken packte sie am Handgelenk. Sein Gesicht war häßlich verzerrt. »Ich hab' dir gesagt, du sollst dich von ihm fernhalten, Schyler.«

Sie machte ihre Hand wieder frei. »Und ich habe dir gesagt, daß ich keinen Aufpasser brauche. Aber anscheinend kannst du das nicht lassen, sonst wäre die Firma meines Vaters nicht am Rande des Ruins.«

»Das ist auch meine Sache.«

»Und warum hast du das Werk geschlossen?«

»Du liebe Güte, weshalb schreit ihr euch denn so an?« Tricia betrat das Zimmer. »Bitte, nehmt euch doch etwas zusammen.« Sie schloß die Tür hinter sich. »Mrs. Graves mag reichlich maulfaul sein, wenn sie hier ist, aber sie muß ja nicht unbedingt Sachen mitkriegen, die sie dann hinterher herausposaunen kann. Also, was ist los?«

»Nichts, worüber du dir Sorgen machen solltest«, schnappte Ken.

»Doch, sie sollte sich Sorgen machen«, widersprach Schyler. »Sie lebt hier, sie sollte wissen, daß Belle Terre in Gefahr ist.« Tricia schaute von einem zum anderen. »Wovon redet ihr?« Sie nippte an ihrem Drink, während Schyler ihnen kurz das Gespräch mit Gilbreath wiedergab.

Ken spuckte den Namen des Direktors aus. »Hätte ich mir doch denken können, daß er dich völlig durcheinanderbringt. Dieser verdammte Wucherer und Halsabschneider! Er sieht immer nur, was unter dem Strich steht. Wahrscheinlich ist er auch noch schwul.«

»Das ist mir völlig egal«, sagte Schyler aufgebracht. »Mit wem er ins Bett geht, ändert nichts an den Tatsachen. Wir haben einen Kredit, der fällig wird, und ich weiß absolut nicht, wie wir das Geld aufbringen sollen.«

»Ich werd' mich schon drum kümmern«, grummelte Ken.

»Wie denn, Ken, wie?« Schyler ging wieder um den Schreibtisch herum und setzte sich. Sie blätterte durch die Kontoauszüge, die sie gerade nachgeprüft hatte, hob resignierend die Hände und sagte: »Wir sind pleite.«

»Pleite!« lachte Tricia ungläubig. »Das ist unmöglich.«

»Daddy hat Belle Terre als Sicherheit für einen Kredit über

300 000 Dollar eingesetzt. Ich kann mir einfach nicht vorstellen, daß er das getan haben soll, aber er hat es getan.«

»Weil er verzweifelt war«, sagte Ken. »Ich fand's damals auch alles andere als klug, aber er wollte nicht auf meinen Rat hören. Hat er ja nie getan.«

Sofort ergriff Schyler für Cotton Partei. »Ich bin sicher, daß er getan hat, was er für notwendig hielt. Er konnte nicht vorhersehen, daß er einen Herzinfarkt erleidet, oder daß du in dem Moment, als es passierte, die Pforten des Werkes schließt.«

»Du schmierst mir das aber auch in einer Tour aufs Brot. Okay, du hast es geschafft, mich wütend zu machen, wenn du das damit bezwecken wolltest.«

»Darum geht es nicht. Wir können uns nicht den Luxus erlauben, aufeinander wütend zu sein. Ich will eine Erklärung haben.«

Ken kaute auf der Innenseite seiner Wange. Er schob die Hände in die Hosentaschen und zuckte verteidigend die Achseln. »Es waren simple wirtschaftliche Gründe. Es hat uns mehr Geld gekostet, als es eingebracht hat. Es kamen keine Aufträge mehr, aber Cotton hat weiterhin dieselben Löhne gezahlt. Und den selbständigen Fällern hat er sogar noch Sonderprämien gezahlt.«

»Er wollte eben nicht bei ihnen sparen.«

»Und wahrscheinlich ist das Werk genau deshalb so in die Miesen gerutscht«, entgegnete Ken hitzig. »Ich hielt es für besser, dichtzumachen und nicht noch weiterhin gutes Geld schlechtem hinterherzuwerfen.«

Seine Erklärung klang nicht sonderlich triftig, aber Schyler war nicht in der Lage, es Ken abzustreiten. Cotton war immer ein gewiefter Unternehmer gewesen. Es sah ihm gar nicht ähnlich, die Dinge so sehr außer Kontrolle geraten zu lassen, es sei denn, er wurde langsam senil, was aber eine absolut absurde Möglichkeit war. In jedem Fall war das Problem schwerwiegend und drängend. Es zu lösen hatte Vorrang; die Suche nach den Ursachen mußte warten.

»Wie sollen wir den Kredit zurückbezahlen? Wir haben bis zum 15. des kommenden Monats Zeit, das Geld aufzutreiben.«

Tricia ließ sich auf einen Stuhl fallen und begutachtete nonchalant ihre Fingernägel. Ken ging zu einem der Fenster und klimperte nervös mit dem Kleingeld in seiner Hosentasche. »Du hättest mir ruhig einen mitbringen können«, sagte er zu seiner Frau und nickte in Richtung ihres Drinks.

»Wenn du anfängst, dich wie ein aufmerksamer Ehemann zu benehmen, werde ich eine aufmerksame Ehefrau sein.«

Wenn sie sich jetzt wieder in die Haare kriegten, würde Schyler losschreien. Doch sie wurde verschont. Ken wandte sich zu ihr um. »Du und Tricia, ihr habt doch noch das Geld von eurer Mutter.«

»Vergiß es«, sagte Tricia. »Ich setze doch nicht mein Erbe aufs Spiel, um die Schulden der Firma auszulösen oder Belle Terre zu retten. Eher verkaufe ich das Haus.«

»Daran darfst du nicht mal denken!« Schyler hätte sie am liebsten geschlagen. Tricia hatte nie so an dem Besitz gehangen, wie Schyler das tat. Ihre jetzige Haltung bewies, wie egal er ihr war.

Aber in einem hatte Tricia recht. Auch Schyler konnte die Erbschaft ihrer Mutter nicht dazu verwenden, den Kredit zurückzuzahlen. Wenn Cotton starb, würde sie das Geld brauchen, um Belle Terre in Zukunft aufrechtzuerhalten.

»Was ist mit diesem Burschen in London?«

Schyler schaute zu Ken. »Mark? Was soll mit ihm sein?«

»Er ist doch reich, oder nicht?«

»Ich kann Mark unmöglich um das Geld bitten.«

»Warum nicht? Du schläfst doch mit ihm, oder?«

Diese Beleidigung ignorierend schüttelte Schyler hartnäckig den Kopf. »Kommt nicht in Frage. Ich kann und werde Mark nicht um das Geld bitten.«

»Und was schlägst du dann vor?«

Sie überging seinen herablassenden Ton. »Ich schlage vor, wir öffnen das Werk wieder und erwirtschaften das Geld für die Rückzahlung.«

»Bitte?«

»Du hast mich schon verstanden, Ken.«

»Das kannst du nicht machen.«

Tricia kicherte. »Das sieht ihr ähnlich, Liebling. Sie ist doch ganz versessen drauf, jeden Tag zu diesem dreckigen, alten Gelände rauszufahren. Mama hat sie da früher immer wegholen müssen.«

»Ich verbiete es dir«, rief Ken wütend.

Vor wenigen Minuten noch hatte Schyler keinen Ausweg aus diesem Dilemma finden können. Doch nun sah sie die Lösung deutlich vor sich. Die Entscheidung war gefallen; sie hatte ein gutes Gefühl dabei. Sie wollte es für ihren Vater und um ihres eigenen Seelenfriedens willen tun.

»Du kannst mir gar nichts verbieten, Ken«, sagte sie entschlossen. »Morgen will ich die Geschäftsberichte der letzten Jahre haben, und zwar ins Büro auf dem Gelände. Alles. Verträge, Lohn- und Honorarabrechnungen, Steuerbescheide, Ausgabenbelege, alles.«

»Cotton wird davon erfahren«, knurrte Ken.

Schyler deutete mit dem Finger auf ihn. »Da hast du verdammt recht, das wird er. Ich will wissen, warum die Crandall Holzfabrik solche Verluste macht, daß wir kurz vor dem Ruin stehen, und das in gerade mal sechs Jahren.«

»Ich schätze, du denkst, daß es meine Schuld ist. Du denkst, der Niedergang der Firma hat angefangen an dem Tag, als ich dazugekommen bin.«

»Bitte, Ken, sei nicht kindisch«, sagte sie müde. »Ich habe niemandem einen Vorwurf gemacht.«

»Hat sich aber so angehört«, sagte Tricia mit ungewohnter Parteinahme für ihren Mann.

»Die Geschäfte laufen eben nicht gut«, sagte Ken. »Du hast ja keine Ahnung, wie die wirtschaftliche Situation hier in der Gegend zur Zeit aussieht, Schyler. Es ist nicht mehr so wie früher. Die Dinge haben sich geändert.«

»Dann werden wir uns eben auch ändern müssen.«

»Wir haben es jetzt mit den Großen zu tun. Weyerhauser, Georgia Pacific und anderen großen Konzernen.«

»Es gibt immer noch eine Marktnische für kleine Unternehmen wie das unsere. Versuch nicht, mir das Gegenteil weismachen zu wollen.«

Ken fuhr sich frustriert mit den Fingern durchs Haar. »Hast

du eigentlich eine Vorstellung, wie kompliziert es ist, eine Firma wie diese zu leiten?«

»Ich bin sicher, daß ich es herausfinden werde.«

»Du läßt mich wie einen verdammten Idioten dastehen! Solange Cotton außer Gefecht ist, habe ich die Verantwortung für das Werk!« schrie er.

»Nicht mehr«, erwiderte Schyler kühl und stand auf. »Wenn du in dieser Familie die Hosen anhaben willst, dann hättest du sie an dem Tag anziehen müssen, als Daddy ins Krankenhaus kam.«

Sie verließ das Zimmer. Ken sah ihr kochend nach, dann wandte er sich seiner Frau zu, die noch immer teilnahmslos auf ihrem Stuhl saß und an ihrem Drink nippte. Sie reagierte nur mit einem verächtlichen Achselzucken und leerte ihr Glas.

17. KAPITEL

»Schyler?«

»Hmm?«

»Was machst du hier draußen?«

»Nachdenken.«

Zögernd setzte sich Ken neben sie auf die Schaukel. Es war elf Uhr abends. Tricia war drinnen im Haus und sah sich im Fernsehen die Johnny Carson Show an.

»Schätze, ich muß mich bei dir entschuldigen«, sagte Ken und starrte über die Veranda auf den dunklen Rasen.

Schylers Brust hob und senkte sich, als sie tief Luft holte. »Ich will nicht, daß du dich entschuldigst, Ken. Ich will, daß du mir hilfst.« Sie schaute ihn an. »Ich muß das tun. Bitte, steh mir dabei nicht im Weg. Hilf mir.«

Er nahm ihre Hand. »Das werde ich. Du weißt, daß ich das tun werde. Ich bin vorhin ausgerastet, mehr nicht. Kommt ja nicht jeden Tag vor, daß eine Frau einfach den ganzen Laden übernimmt.«

»Denkst du, das habe ich vor? Nein, ich will deine Autorität in keinster Weise untergraben.«

»Aber die Leute werden das so sehen.«

»Ich werde schon dafür sorgen, daß das nicht passiert.«

Er strich mit der Fingerspitze über ihren Handrücken. »Warum meinst du, das tun zu müssen?«

»Mir bleibt gar keine Wahl, oder? Wir müssen den Kredit zurückzahlen, oder wir verlieren Belle Terre. Du hast recht, was Gilbreath betrifft. Er ist ein Arschloch, und er wird ohne Mitleid vollstrecken, wenn wir es nicht schaffen.«

»Ich bin sicher, daß uns noch was anderes einfällt, um das Geld aufzubringen, wenn wir in Ruhe darüber nachdenken.«

»Mag sein. Aber die Zeit drängt, und ich kann mich nicht darauf verlassen, daß uns noch etwas Besseres einfällt. Und das Geld für die Tilgung leihen, das will ich nicht. Das würde uns noch tiefer reinreiten und das Unvermeidliche nur aufschieben. Und ich will auch nicht Teile von Belle Terre zu Geld machen. Wenn ich nur daran denke, auch nur eine Tasse der Porzellansammlung oder einen Morgen Land zu verkaufen, dann ... Aber abgesehen davon, was das persönlich für uns bedeuten würde – ich muß an die Pächter denken. Ich kann ihnen nicht einfach die Häuser und das Land nehmen und verkaufen.«

»Du kannst dir aber auch nicht noch die Probleme anderer Leute aufladen.«

Sie lächelte ihm zu, um die Situation zu entspannen. »Ich muß etwas tun. Ich drehe sonst noch durch zwischen den Besuchen im Krankenhaus.«

Er drückte zärtlich ihre Hand. »Ich weiß, daß du gewohnt bist, ständig in Bewegung zu sein, aber ich fürchte, da halst du dir mehr auf, als du glaubst.«

»Wenn ich dabei auf die Nase falle oder die Sache noch verschlimmere, dann wirst du die wunderbare Genugtuung haben, zu lästern: ›Ich hab's dir ja gesagt‹.«

»Das ist nicht zum Scherzen, Schyler.«

»Ich weiß«, sagte sie leise und ließ den Kopf sinken.

»Ich glaub' auch nicht, daß Cotton das lustig findet.«

»Ganz sicher nicht.«

Cotton. Er war ihr Hauptmotiv. Er liebte Belle Terre mehr als alles andere. Als Außenseiter war er hierhergekommen und hatte es zu seinem Eigentum gemacht. Wenn es Schyler gelänge, es zu retten, dann würde seine Liebe und Zuneigung für sie vielleicht wieder aufleben. Vielleicht vergab er ihr dann. Ihr Verhältnis zueinander würde wieder so liebevoll sein wie damals, bevor sie nach London gegangen war. So bald wie möglich wollte sie ihm den getilgten Kreditvertrag zeigen und sehen, wie Liebe und Dankbarkeit in seinen Augen leuchteten. Nicht um ihretwillen wollte sie es, sondern ihm zuliebe.

»Du bist eine aufregende Frau, Schyler.« Sie fuhr herum bei Kens zärtlicher Bemerkung. Es klang so sehr wie das, was Cash nur wenige Abende zuvor zu ihr gesagt hatte. Doch anders als Cash lächelte Ken freundlich. »Du bist zwar manchmal eine echte Nervensäge, aber aufregend.«

»Na, danke.«

Er rückte näher, bis sein Oberschenkel den ihren berührte. Die Schaukel schwang langsam. »Was ich damit sagen will, ist: du hast Köpfchen und Mumm. Diese Entschlossenheit ist ärgerlich wie die Hölle. Aber genau das macht dich auch so verdammt anziehend.« Er streckte die Hand aus und strich ihr federleicht über die Wange. »Erinnerst du dich noch, wie wir stundenlang wegen des einen oder anderen demonstriert haben? Es dem einen oder anderen gezeigt haben?«

»Wir waren schon zwei Kreuzritter, was?«

Er schüttelte den Kopf. »Nein, nur du. Ich bin doch nur mitgelaufen, weil ich mit dir zusammensein wollte.«

»Das stimmt nicht. Du warst in deinen Überzeugungen ebenso stark wie ich. Du weißt es nur nicht mehr.«

»Vielleicht.« Er klang skeptisch.

Ehrlich gesagt, hatte auch Schyler ihre Zweifel. Nur: sie wollte nicht zweifeln. Sie wollte glauben, daß Ken kompromißlos war, daß seine Integrität so unumstößlich war wie der Fels von Gibraltar. »Diesmal riskiere ich wirklich Kopf und Kragen, Ken. Ich brauche deine Kraft und Unterstützung.«

Er schloß seine Finger leicht um ihren Nacken. »Du gibst mir das Gefühl, stark zu sein.« Ihre Blicke trafen sich und verharrten. »Ich habe eine schlechte Wahl getroffen. Ich habe die falsche Frau geheiratet, Schyler.«

»Sag so etwas nicht, Ken.«

»Hör mir zu.« Schyler vernahm die Sorge in seinem Ton, fühlte sie in seiner Berührung. Er kam noch näher. »Mit jedem Tag meines Lebens bereue ich diese Geschichte mit Tricia. Sie ist nicht du. Sie ist kleinlich und oberflächlich. Es geht ihr nur um Äußerlichkeiten.«

»Hör auf, Ken.«

»Nein, ich will, daß du mir zuhörst. Sie ist nicht mal annähernd so wie du. Sie sieht ganz nett aus und ist okay im Bett, aber sie ist selbstsüchtig. Sie hat nicht deinen Geist und dein Feuer, nicht deine Lust am Leben und der Liebe.«

Schyler erschauderte ob dieser Worte, schloß jedoch die Augen, als wollte sie sie abblocken. »Sag jetzt nichts mehr. Bitte. Ich werde nicht länger hierbleiben, wenn du —«

»Bitte, geh nicht weg. Ich brauche dich so sehr.«

Er küßte sie voller Leidenschaft und Verzweiflung. Ihre erste Reaktion war, ihn abzuwehren, aber dann entspannte sie sich nach und nach. Ihr Mund ließ seine forschende Zunge zu. Seine Hand wanderte von ihrem Nacken zu ihrer Brust und knetete sie sanft durch den Stoff des Kleides. Er löste seine Lippen von ihren und flüsterte ihren Namen, bedeckte ihr Gesicht mit schnellen, leichten Küssen. Sie ließ es zu, bis er sie wieder auf den Mund küssen wollte. Da stieß sie ihn weg und sprang von der Schaukel.

Sie ging zum Eckpfeiler, schlang die Arme darum und preßte die Wange an das kühle Holz. »Wir mögen bedauern, wie sich die Dinge zwischen uns entwickelt haben, Ken, aber es gibt kein Zurück. Wage es nie wieder, mich in dieser Weise zu berühren.«

Sie hörte die Ketten der Schaukel quietschen, als auch Ken aufstand. Er stellte sich hinter sie, legte die Hände auf ihre Hüften und murmelte ihren Namen in ihr Haar. Sie schwang herum und schaute ihn direkt an. »Nicht! Ich meine es ernst!«

Es fiel genügend Licht durch die Fenster, um die Entschlossenheit auf ihrem Gesicht und in ihren Augen zu erkennen. Ken reagierte erst enttäuscht, dann wütend; seine Lippen wurden zu einem harten dünnen Strich. Er stürmte über die Veranda und die Treppe hinunter. Dort sprang er in den Wagen, ließ den Motor aufheulen und jagte davon. Schyler sah ihm nach, bis die roten Bremslichter hinter der leichten Kurve verschwanden.

Erst jetzt, als sie sich von der Säule lösen wollte, bemerkte sie ihre Erschöpfung. Wie benommen ging sie ins Haus und die Treppe zu ihrem Schlafzimmer hinauf. Zurechtgemacht fürs Bett, lehnte sie sich gegen die Kissen und stellte sich das Telefon in den Schoß. Sie würde Marks Wecker etwa eine Stunde zuvorkommen, aber es ließ sich nicht ändern. Sie mußte jetzt mit ihm sprechen.

»Hi, ich bin's«, meldete sie sich, als es endlich in der Wohnung klingelte, die sie zusammen mit Mark Houghton bewohnte.

»Schyler? Himmel, wie spät ist es denn?«

»Hier oder bei dir?« Sie lachte, als sie sich ausmalte, wie er mit zerzaustem blonden Haar tapsig und verschlafen nach dem Wecker suchte.

»Eine Sekunde. Will mir nur eine Zigarette anzünden.«

»Aber du hast doch versprochen, mit dem Rauchen aufzuhören, wenn ich weg bin.«

»Hab' gelogen.« In weniger als einer Minute war er zurück. »Ich hoffe, du hast keine schlechten Nachrichten.«

»Wegen Daddy? Nein, sein Zustand ist unverändert.«

»Das ist großartig.«

»Aber ich werde noch nicht so bald zurückkommen.«

»Das ist weniger großartig.«

»Er soll operiert werden.« Sie erläuterte ihm die Prognose der Ärzte. »Ich kann nicht weg, ehe er nicht völlig außer Gefahr ist.«

»Verstehe, aber du wirst mir fehlen. Zuhause und in der Galerie. Einige unserer Kunden wollen nur mit dir verhandeln, mit niemandem sonst. Ich fürchte, wenn du nicht bald wieder hier auftauchst, werden sie mich in den Tower sperren.«

Sie hatte Mark kennengelernt, als sie sich bei ihm in der Antiquitätengalerie beworben hatte. Er war nicht nur ihr Arbeitgeber gewesen, sondern auch ihr Lehrer. Und sie eine gelehrige Schülerin mit einem guten Auge und einem ausgezeichneten Geschmack. Nicht lange, und sie wußte ebenso viel, wenn nicht gar mehr, über ihr Inventar als er. Deshalb war es nicht nur Schmeichelei, sondern ein aufrichtiges Lob.

»Und ich kenne mehrere hochkarätige Kunden, die mich links liegenlassen, um zu dir zu kommen.« Sie spielte mit der Telefonschnur und konzentrierte sich. »Ich werde mich um die Geschäfte der Familie kümmern, bis es Cotton wieder besser geht.« Sie warf diese Information aus wie einen Köder.

Er pfiff. »Da hast du dir aber was vorgenommen. Was ist mit Ken?«

Mark kannte die ganze Geschichte, alles. »Er war nicht gerade erfreut über meine Einmischung und war zuerst dagegen, aber ich denke, er wird sich damit abfinden.«

»Du kriegst das schon hin.«

»Meinst du?«

»Da habe ich nicht den geringsten Zweifel.«

»Nicht so voreilig. Da ist nämlich noch etwas. Ein Kredit bei der Bank wird fällig, und die Schatullen sind leer.«

Es entstand eine bedeutungsvolle Pause. Dann: »Wieviel brauchst du?«

»Ich habe nicht gefragt.«

»Aber ich biete es dir an.«

»Nein, Mark.«

»Schyler, du weißt, alles, was mein ist, ist auch dein. Sei nicht so stolz. Wieviel? Ich werde meinem Anwalt sagen, er soll dir einen Scheck schicken, noch heute.«

»Nein, Mark.«

»Bitte, laß mich dir helfen.«

»Nein. Ich muß es allein schaffen.«

Ich muß mir das Recht verdienen, auf Belle Terre zu leben – das war es, was sie damit meinte. Aber erst in diesem Augenblick war es ihr klargeworden.

Sie lebte doch eigentlich rein zufällig hier. Wäre ein anderes Kind, das ebenso wie sie die Kriterien erfüllte, Stunden vor ihr zur Welt gekommen, hätten Macy und Cotton dieses Baby zur Adoption bekommen. Wenn Cotton starb, würden sie und Tricia Belle Terre erben. Tricia würde dies für gerecht halten.

Aber nicht Schyler. Keinerlei Blutsverwandtschaft verband sie mit diesem Haus und dem Land. Sie würde es sich verdienen müssen. Hätte man sie gedrängt, hätte sie es niemandem erklären können, nicht einmal sich selbst, weshalb sie das Gefühl hatte, daß es notwendig war, dafür zu arbeiten. Es war schlicht und einfach ein innerer Zwang, dem sie folgen mußte.

»Hältst du es noch etwas ohne mich aus, Mark?«

Er seufzte. »Bleibt mir denn was anderes übrig?«

»Ich fürchte, nein.«

»Dann gibt es auch nichts mehr zu diskutieren.«

»Ich wünschte, du könntest mich in den Arm nehmen«, sagte Schyler mit der ängstlichen Stimme eines kleinen Mädchens. »Mark, was weiß ich denn schon, wie man eine Holzfabrik leitet?«

Er lachte. »Ungefähr soviel wie von Antiquitäten, bevor du bei mir angefangen hast. Du wirst es schnell lernen.«

»Aber bei den Antiquitäten hatte ich den allerbesten Lehrer.«

Seine Stimme wurde kehlig bei der Erinnerung an die gemeinsamen Zeiten. »Ich liebe dich, Baby.«

»Ich liebe dich auch.«

Sie erzählte ihm von Jigger Flynn und den Hunden, was er kaum glauben konnte. »Du meinst, diese junge Frau, Gayla, lebt da buchstäblich wie eine Sklavin? Und ich hab' angenommen, der Süden sei nur in den Stücken eines Tennessee Williams und den Romanen William Faulkners dekadent…«

»Es sind nicht alle Menschen hier wie Jigger Flynn.«

Er brachte seine Sorge um ihre Sicherheit zum Ausdruck. Bei dieser Gelegenheit erwähnte sie Cash. »Ich kenne ihn schon seit Urzeiten. Ich meine, ich weiß von ihm seit Urzeiten. Er ist jemand, der immer im Hintergrund gewesen ist.«

»Und du bist sicher, daß du ihm trauen kannst? Hört sich ganz so an, als sei er genauso gefährlich wie dieser Flynn.«

Sie zupfte an der Stickerei des Lakensaums. »Ich schätze, auf seine Weise ist er vertrauenswürdig.«

Vertrauenswürdig? Vielleicht. Gefährlich ganz sicher. Es war gefährlich, allein mit ihm zu sein, wenn man eine emotional überreizte Frau war und zeitweilig seiner selbst unsicher; gefährlich, wenn man seinen Kuß mit dem des ehemaligen Liebhabers verglich und feststellte, daß der des Ex bei diesem Vergleich nur auf einen weit abgeschlagenen zweiten Platz kam.

Kens Kuß hatte sie aus reiner Neugierde erwidert, um zu sehen, was geschehen würde. Aber geschehen war nichts. Doch jedesmal, wenn sie sich an Cashs Kuß erinnerte, schlug ihr Herz schneller, und sie spürte eine ungewollte Erregung.

Sie spielte mit dem Gedanken, es Mark zu erzählen. Er war sehr erwachsen in solchen Dingen. Er war nicht voreingenommen. Er würde es verstehen. Doch sie besann sich eines Besseren. Sie wußte nicht genau, wie sie es in Worte fassen sollte, was sie wegen Cashs Kuß empfand.

»Schyler?«

»Ich bin noch da, aber ich muß jetzt Schluß machen. Da sitze ich hier am Rande der Mittellosigkeit und telefoniere stundenlang.«

»Das nächste Mal bezahle ich.«

»Entschuldige, daß ich so früh angerufen habe. Versuch noch ein bißchen zu schlafen.«

»Von wegen! Zeit aufzustehen.«

»Tut mir leid.«

»Mir nicht. Ruf an, wann immer du möchtest. Wann immer du etwas brauchst.«

»Werde ich.«

»Versprochen?«

»Versprochen.«

Als sie auflegte, wünschte sie, all ihre Beziehungen wären so offen und unkompliziert wie die mit Mark. Sie knipste die Lampe aus, lag im Dunkeln da und starrte auf die stetig wandernden Muster des Mondlichts und der Schatten an der Zimmerdecke.

Morgen früh würde sie als erstes bekanntgeben, daß die Crandall Holzfabrik den Betrieb wiederaufnahm. Wer von den Holzfällern wieder arbeiten wollte, würde sofort eingestellt werden. Sie würde auch die selbständigen Fäller anrufen und ihnen sagen, daß sie wieder Holz aufkaufte. Ihre Namen und Nummern würde sie in den Listen finden. Dann würde sie die Absatzmärkte analysieren und die entsprechenden Firmen kontaktieren. Sie würde Verkaufsgespräche führen müssen.

So viel war zu tun.

So viel, worüber sie nachdenken mußte... besonders darüber, daß Kens Kuß, trotz seiner Leidenschaft, sie nicht annähernd so durcheinandergebracht hatte wie der von Cash Boudreaux.

18. KAPITEL

»Hey, Bürschchen!«

Jimmy Don Davison spannte die Muskeln seines athletischen Körpers an, als er sich mit einem Schlag seines entsetzlichen Fehlers bewußt wurde: er war der einzige hier im Duschraum. Er streckte den Kopf unter dem lauwarmen Wasserstrahl hervor und schaute zu dem Mann, der ihn angesprochen hatte. »Redest du mit mir?«

Der bullige, muskelbepackte Mann stand lässig gegen die feuchte Kachelwand gelehnt. Ein Handtuch baumelte in seiner ausgestreckten rechten Hand. »Mit keinem andern, Sweetheart.«

Jimmy Don ignorierte den Kosenamen und drehte den rostigen Hahn der Dusche zu. Er strich sich das Wasser vom Körper, wobei er sich bewußt war, daß ihm der andere dabei zusah, als seine Hände über seine Muskeln glitten, die er durch tägliches Training auf dem Gefängnishof fit hielt. Er langte nach seinem Handtuch. Razz zog es ihm im letzten Moment weg. Und hielt es ihm wieder hin; ein kindisches Spielchen. Nach mehreren vergeblichen Versuchen kriegte Jimmy Don das Handtuch endlich zu fassen; sofort schlang er es sich um die Hüfte und steckte es an den Enden fest. Ohne sich seine Nervosität anmerken zu lassen, blickte er sich kurz im Duschraum um. Wie befürchtet, waren er und Razz die einzigen hier.

»Wonach guckste denn, Bursche? Nach ’nem Wärter? Spar dir die Mühe. Dem hab ich ’n neues Pornoheft gegeben. Der sitzt jetzt auf’m Scheißhaus und holt sich selig einen runter.« Sein derbes Lachen brach sich an den Fliesen der Dusche.

»Sorry, Razz. Hab zu tun.«

Jimmy Don drückte sich an seinem Mitinsassen vorbei, doch Razz packte ihn mit seiner fleischigen Pranke am Arm und hielt ihn fest. Jimmy Don, der ehemalige Profi-Footballer, war in ausgezeichneter körperlicher Verfassung. Beim Laufen hätte er Razz um Längen geschlagen, ohne sich verausgaben zu müssen. Hier jedoch war er unterlegen. Der Mann, dessen Haut so rosig und weich war wie ein Babypo, brachte fast fünfzig Kilo mehr auf die Waage und war so kräftig wie ein Ochse. Während Jimmy Don seine Muskeln fit und drahtig hielt, trimmte Razz seine auf unnormale Proportionen. Er rasierte sich von Kopf bis Fuß und rieb sich mit Öl ein. Er war ein Ochse von einem Kerl.

Salbungsvoll säuselte er: »Wohin so eilig, Sweetheart?«

»Laß mich in Ruhe.«

Für einen Moment verging Razz das Grinsen, und seine Schweinsaugen bohrten sich in Jimmy Dons hübsches Gesicht. Dann kehrte das verschlagene Grinsen zurück. Er boxte Jimmy Don leicht gegen den Arm. »Wär doch echt bekloppt von 'nem Nigger, den lieben Razz böse zu machen, was?« Er fuhr mit einem Finger über Jimmy Dons wunderschön gestaltete Brust. »Vor allem, wo ich so was Tolles weiß.«

Jimmy Don wich leicht zurück, um Razz' Berührung zu entgehen, sagte aber nichts, und ließ sich auch nicht anmerken, welch mörderischen Haß und Ekel er empfand. Früh genug hatte er das ungeschriebene Gesetz im Knast gelernt, das ebenso brutal war wie das Gesetz des Dschungels: nur der Stärkste überlebte.

»Biste denn kein bißchen neugierig, was ich für 'n tolles Geheimnis über dich weiß?« Razz kratzte mit dem Fingernagel an Jimmy Dons Brustwarze. Die Muskeln drumherum zuckten, aber Jimmy Don verzog keine Miene. Derartige Belästigungen kamen ständig vor. Er hatte gelernt, sie zu schlucken, denn Gegenwehr zu leisten war ein sicheres Todesurteil für jeden in diesem Zellenblock. Der Elektrische Stuhl war human gegen das, was einem die anderen Häftlinge antun konnten, jene, die im Knast regierten. Und Razz war einer von denen. Er war ein Lebenslänglicher; der Knast war sein Königreich. Er übte despotische Herrschaft über andere Häftlinge und viele der Wärter aus. Nur die höchsten Verwaltungsbeamten ignorierten oder scherten sich nicht um die Macht, die Razz und Männer wie er innehatten. Terror war die Taktik, mit der sie arbeiteten.

»Wenn du ganz nett bitte-bitte sagst, verrat' ich's dir«, höhnte Razz.

»Interessiert mich doch 'n Scheißdreck.«

Jimmy Don war schnell. Er lief die hundert Meter in zehn Sekunden. Aber er hatte das Kämpfen nicht auf der Straße gelernt. Razz schon. Ehe Jimmy Don reagieren konnte, hatte Razz eine Hand unter Jimmy Dons Handtuch und quetschte seine Hoden in seiner Faust zusammen, wie ein Schraubstock.

»Biste da sicher?« Er drückte weiter zu. Jimmy Don ging auf die Zehenspitzen. »Sag bitte-bitte.« Razz kam mit seinem Gesicht ganz nahe. Jimmy Don zuckte zusammen. »Sag hübsch bitte-bitte, oder ich reiß sie dir ab.«

»Bitte. Bitte sag's mir.« Jimmy Don haßte sich dafür, daß er kapitulierte, aber er wollte nicht sterben, und er wollte nicht als Krüppel rauskommen. »Bitte.«

»Das hört sich doch schon viel besser an.« Razz lockerte den Griff etwas, aber er ließ nicht los. Er kam noch näher und beugte sich vor, um sein Geheimnis mitzuteilen. »Du wirst auf Bewährung rauskommen, mein Junge. Bald. Sehr bald.«

Jimmy Don hatte geglaubt, sein Herz sei tot. Aber das war es nicht, denn jetzt machte es einen Sprung. Er atmete heftig ein und aus. Er blinzelte mehrmals. »Willste mich verarschen?«

»Traust du mir das zu?« Razz tat entrüstet.

Zur Hölle, ja. »Von wem hast du das mit der Bewährung?«

»Hat mir ein kleines Vögelchen zugezwitschert.« Razz setzte ein betrübtes Gesicht auf. »Ich weiß, du freust dich darüber, aber mich macht diese Neuigkeit ganz traurig. Ich hab' gern hübsche schwarze Jungs um mich herum.« Sein Griff wurde wieder fester. Doch jetzt war es eine eher aufreizende Geste.

Jimmy Don schlug Razz' Hand weg. »Faß mich nicht an, du verdammte Schwuchtel.«

Er wurde hochgehoben und gegen die Wand der Dusche geschleudert. Sein Wangenknochen fing die Wucht ab. Der Schmerz war grauenhaft. Ein Arm wurde ihm nach hinten gebogen. Razz schob ihm die Hand hoch bis zu den Schulterblättern, und Jimmy Don schrie auf vor Schmerz, auch wenn er noch so entschlossen war, ihn nicht zu zeigen.

»Daß ich dein Gesicht nicht wie 'ne Nuß zerquetsche, liegt nur daran, daß ich es hasse, etwas so Hübsches kaputtzumachen«, fauchte Razz.

Jimmy Don rammte ihm den Ellenbogen in den Unterleib. Razz grunzte, lockerte seinen Griff aber keinen Deut. Er quetschte den jüngeren Mann zwischen seinen massiven Körper und die Wand und preßte die Lippen an Jimmy Dons Ohr.

»Besser, du bist nett zu mir, Sweetheart. Du wirst tun, was Razz sagt und wann Razz es sagt, oder ich werde dafür sorgen, daß deine Chancen auf Bewährung das Klo runtergehen. Kapiert? Mir wird nicht mehr viel Zeit bleiben, meinen Spaß mit dir zu haben, aber solange du noch hier drinnen bist, gehörst du mir? Kapiert?«

Jimmy Don nickte. Mit Razz zu kämpfen war verschwendete Energie und Zeit. Bei einem Kampf wurde man nur verwundet und zögerte das Unvermeidliche hinaus. In diesem Falle hieß das, eventuell die Chance auf Bewährung zu verlieren.

Der ehemalige Footballstar mit der Nummer Einundzwanzig, den sie den ›Heiden von Heaven‹ genannt hatten, hörte, wie Razz den Reißverschluß seiner Hose öffnete. Er spürte brutale Hände auf seinem Körper. Er wappnete sich, mental und körperlich, für das, was nun kam.

Er würde es ertragen. Er *konnte* es ertragen. Er würde alles ertragen. Er mußte hier raus. Er lebte allein für den Tag seiner Rache – an Jigger Flynn und an dessen Hure, Gayla Frances.

19. KAPITEL

»Hast du's getan?«

»Was getan?« fragte Cash, während ein scharfer Fingernagel verführerisch über seine Lippen strich. Rhoda Gilbreath lächelte. Es war das blutrünstigste Lächeln, daß er je gesehen hatte. Sie bräuchte nur noch Vampirzähne, und das Bild wäre komplett gewesen.

»Hast du Jigger Flynns Doggen gekillt?«

»Das sind eigentlich keine Doggen, weißt du. Das sind…«

»Keine Haarspaltereien jetzt. Warst du's?«

»Nein.«

Cash schob sie zur Seite und ging weiter ins Zimmer hinein. Kaum hatte Rhoda ihn zur Hintertür ihres Hauses hereingelassen, als sie sich schon an ihn ranmachte. Nach nur einem Kuß hatte sie ihre Frage gestellt.

»Das erzählt sich aber...«

»Kann ich auch nicht ändern. Ich habe seine Hunde nicht erschossen.«

»Und du erwartest von mir, daß ich dir das abnehme?«

»Jigger tut's.«

In Rhodas sorgfältig geschminkten Augen spiegelte sich Erstaunen. »Du hast mit Jigger geredet?«

»Ist nicht mal eine Stunde her. Bring mir 'n Bier.«

Sie holte ihm eine Dose Bier aus dem Kühlschrank und folgte ihm dann aus der Küche ins Wohnzimmer. Er ließ sich auf das edle Sofa fallen, legte die Füße auf den Rauchglastisch und nippte an dem kalten Bier.

Rhoda setzte sich neben ihn. Die Neugierde war ihr anzusehen. »Wo denn?«

»Wo was?«

»Wo hat Jigger dich zur Rede gestellt?«

»Er hat mich nicht zur Rede gestellt. Ich war draußen vor der Stadt und hab seinen Wagen vor einer seiner Pinten gesehen. Ich hab angehalten und bin reingegangen.«

»Was hat er gemacht, als er dich sah?«

Cash zuckte nur mit dem Schultern. »Er hat mir ziemlich wüste Beschuldigungen an den Kopf geworfen. Ich hab ihm gesagt, ich müßte ja schon völlig bescheuert sein, wenn ich seine Hunde umbringen würde, die mir gerade erst ein hübsches Sümmchen eingebracht haben.« Er schlürfte sein Bier, während Rhoda begierig jedes Wort aufnahm. »Er sagte, daran hätte er gar nicht gedacht. Dann fragte er mich, woher das Einschußloch in meinem Lieferwagen stammt.«

»Und?«

»Irgend so ein gottverdammter Idiot oben in Allen hat angenommen, ich würde mit seiner Frau rummachen.«

142

»Hast du?«

Sein Grinsen konnte alles bedeuten. Er genoß es, Rhoda auf die Folter zu spannen. Es war mies von ihm, sicher, aber nicht mieser als die Tour, auf die sie ihren Mann betrog. Cash spannte nie einem Ehemann die liebende Ehefrau aus. Er holte sich nur solche ins Bett, die es auch wollten. Rhoda Gilbreath hatte sich eines Abends im Country Club an ihn rangemacht. Er war kein häufig gesehener Gast dort und an jenem Abend auch nur wegen der Einladung einer frisch Geschiedenen dort.

In einer Pause beim Pokerspiel verschwand die Geschiedene auf die Toilette. Cash ging vor die Tür, um eine Zigarette zu rauchen. Rhoda Gilbreath folgte ihm.

»Was halten Sie von der Pokerpartie?« hatte sie gefragt.

»Langweilig.«

»Und was halten Sie hiervon?« Sie zog sich den Pullover über den Kopf und stand barbusig vor ihm.

Er inhalierte tief den Rauch seiner Zigarette und schaute sich die nackten Brüste an. »Das Beste, was man für sein Geld kriegen kann.«

Sie schlug ihm ins Gesicht. Er schlug sie. Gelassen zog sie den Pullover wieder runter. Ohne den Blick abzuwenden, sagte sie: »Morgen nachmittag, drei Uhr, im Evangeline Motel.«

Er tippte sich mit Mittel- und Zeigefinger an die Schläfe und salutierte spöttisch vor ihr. Sie ging wieder nach drinnen. Er rauchte seine Zigarette zu Ende, ehe er sich wieder unter die Gäste mischte.

Am nächsten Nachmittag beschlugen die Scheiben im Zimmer 218 des Evangeline Motels. Als Rhoda wieder ging, fühlte sie sich derbe zugerichtet, blau und grün am ganzen Körper, aber wunderschön und so gut wie nie.

Seit diesem Nachmittag hatten sie sich in den verschiedensten Motels getroffen, aber er mochte es, zu ihr nach Hause zu kommen. Es bereitete ihm Vergnügen, das Domizil, das sie mit Dale Gilbreath teilte, zu beschmutzen. Er genoß es, seine dreckigen Stiefel auf ihre teuren Möbel zu legen. Er konnte es sich leisten, sie so mies zu behandeln, weil sie mehr zu verlieren hatte als er, und das wußten sie beide.

Sie war attraktiv. Wenn sich ihre Wege trennten, würde sie einen anderen Lover finden, einen, der ihr eisblondes Haar und ihre frostigen blauen Augen zu schätzen wußte; einen, der ihre mit Implantaten verschönerte Figur vergötterte; einer, dessen Lächeln nicht stets mit Verachtung vermischt war.

Rhodas Gesicht war faszinierend, aber es lag eine Härte darin, die es häßlich machte. Ihre Augen hatten ein kalkulierendes Leuchten, das nie ganz verschwand, nicht einmal in den Momenten der Lust. Cash hatte das in der Nacht, als sie einander begegneten, entdeckt. Das machte einen Teil ihrer Anziehungskraft aus. Diese Frau konnte nicht wirklich tief verletzt werden. Und er ließ sich nie mit einer Frau ein, die nicht zäh genug war für den Scheiß, den er baute.

Rhoda war es. Er hatte sie richtig eingeschätzt in dem Moment, als sie anfing, ihm Blicke über den Tisch zuzuwerfen, die besagten: »Es juckt mich, und ich will, daß du mich kratzt.« Frauen wie sie kastrierten ihre Ehemänner, gaben ihnen das Gefühl, unzulänglich zu sein, damit sie ihnen alles gaben, finanziell und im Bett. Sie waren habgierig, fanatisch, was ihr Aussehen anbelangt, verrückt nach Geld, und sexuell unbefriedigt. Sie waren hungrige, selbstsüchtige Hexen. Rhoda Gilbreath war ein Prachtexemplar dieser Sorte. Sie verdiente keinen Respekt.

Sie verdiente nichts Besseres als Cash Boudreaux.

Er trank sein Bier aus und stellte die leere Dose auf den Couchtisch. »Vergiß nicht, die hier wegzuwerfen, bevor Dale nach Hause kommt. Es sei denn, du hast jetzt auch angefangen, Bier zu trinken.«

Sie fuhr mit dem Finger über den Schlitz seines Hemdes und langte unter seinen Gürtel auf der Suche nach seinem Bauchnabel. »Vielleicht will ich ja, daß er rausfindet, daß ich einen Liebhaber habe.«

Cash hob skeptisch eine Augenbraue. »Meinst du nicht, daß er es längst weiß?«

»Kann sein.« Sie lächelte herausfordernd. »Vielleicht lasse ich mir ja entlocken, wer mein Liebhaber ist. Das könnte echt aufregend sein. Ich würd' gern sehen, wie du dich mit ihm anlegst, so wie mit Jigger Flynn.«

»Das wird nie passieren.«

»Ach? Und warum nicht?«

»Weil Jigger seine Hunde geliebt hat.«

Ihr Lächeln fiel zusammen wie ein angestochenes Soufflé. Sie starrte ihn kalt an. »Du bist ein Mistkerl. Ich rate dir, mich ja anständig zu behandeln. Ich hab dir noch nicht verziehen, wie du mich letztes Mal in diesem lausigen Motel einfach sitzengelassen hast.«

Er verschränkte die Hände hinter dem Kopf und lehnte sich gegen die Sofalehne. »Einem Mann, der nichts zu verlieren hat, kannst du nicht drohen, Rhoda. Ich hab nicht mal einen guten Ruf, der auf dem Spiel steht.«

Für einen Moment musterte sie ärgerlich sein hübsches Profil, schmiegte dann besänftigend den Kopf an seine Brust. »Das ist ja das Schlimme daran. Je mehr du dich wie ein Bastard aufführst, desto anziehender bist du. Ich hab in der neuen *Cosmo* alles über solche Typen gelesen. Sie nannten es ›Scheißkerl-Appeal‹.« Er lachte schallend.

Sie nestelte an den Knöpfen seines Hemdes und öffnete einen nach dem anderen. »Aber vielleicht hast du ja doch was zu verlieren. Wenn die Crandalls Belle Terre verlieren, wirst du dein Haus räumen müssen. Ich bezweifle, daß der nächste —«

Er hielt ihre Hand fest und preßte sie gegen seinen Bauch. Es war eine plötzlich reflexartige Geste, blitzschnell. »Wovon, zum Teufel, redest du? Die Crandalls Belle Terre verlieren?«

Sie zog ihre Hand weg und machte sich wieder an den Knöpfen zu schaffen. »Dale hat erzählt, daß Cotton Crandall letztes Jahr einen Kredit aufgenommen hat. Er hat die Zinsen gezahlt, aber jetzt wird die Darlehenssumme fällig. Dale hat sich Sorgen deswegen gemacht, weil Ken Howell das Werk dichtgemacht hat, also hat er sich mit diesem Mädchen getroffen, der ältesten Tochter, wie heißt sie doch gleich noch?«

»Schyler.«

»Wie auch immer. Egal, sie wußte gar nichts von dem Kredit. Er sagte, die hätte fast der Schlag getroffen, als sie erfuhr, daß Cotton Belle Terre als Sicherheit eingesetzt hat. Cool wie sonstwas und ziemlich eingebildet, du weißt schon, aber Dale meinte, sie sei leichenblaß geworden. Im Moment sieht es ganz danach aus, als müßte die Bank zwangsvollstrecken.«

Das war einer der Gründe, weshalb sich Cash weiterhin mit Rhoda Gilbreath traf. Hin und wieder versorgte sie ihn mit einem Happen ganz nützlicher Informationen. Anscheinend hatte Dale keine Skrupel, vertrauliche Bankangelegenheiten mit seiner Frau zu besprechen, die ihrerseits nicht zögerte, sie mit ihrem Lover zu teilen.

Cash starrte ins Leere. Rhodas Kopf wanderte über seine Brust, und ihr Mund hauchte leichte Küsse auf den dichten Teppich seines Haares. »Was sollte die Bank denn mit einem alten Plantagenhaus wie Belle Terre anfangen?« fragte er.

»Hmm. Keine Ahnung.« Sie spielte mit der Zunge an seiner Brustwarze. »Verkaufen, schätze ich.«

»Ich frag mich, wieviel sie dafür verlangen würden.«

Rhoda hob den Kopf und schaute Cash amüsiert an. »Wieso das? Etwa interessiert, Cash?«

Er packte sie bei den Haaren, zog ihren Mund an seinen und vertrieb mit einem harten Kuß jeden verschlagenen Gedanken aus ihrem Kopf, bis sie nur noch an das eine dachte. Ihre hinterhältige Phantasie war ein zu fruchtbares Feld, um auch nur einen einzigen Samen des Verdachts darauf zu säen. Nicht einmal der abstrusesten Spekulation durfte eine Chance gegeben werden, in Rhodas verschwörerischem Wesen Wurzeln zu schlagen.

»Warum machst du nicht weiter?« Er fischte aus seiner Hosentasche eines der eingeschweißten Päckchen hervor, die er stets dabei hatte. Keine kleinen Bastarde für Cash Boudreaux. Niemals.

Seinem heißen Blick standhaltend, leckte sich Rhoda die Lippen. Sie war so geschickt, daß sie nicht mal nach unten schauen mußte, um seinen Gürtel und seinen Reißverschluß zu öffnen. Sie tat es ganz nach Gefühl. Sie nahm seine Hoden in eine Hand und befreite ihn aus seiner Jeans, dann senkte sie das Gesicht über seinen Schoß.

Cashs Kopf sank wieder gegen die Sofalehne. Er starrte hinauf zu den Kristalltränen des protzigen Lüsters über sich an der Zimmerdecke. Er fiel in Trance; aber das lag nicht an den rhyth-

146

mischen Bewegungen von Rhodas gierigem Mund, sondern an dem Namen, der in seinem Kopf widerhallte wie ein Ruf zum Abendgottesdienst. *Belle Terre, Belle Terre...*

»Belle Terre«, verkündete Cotton Crandall voller Stolz.

»Das ist ein wunderschöner Name für ein wunderschönes Haus.«

Monique Boudreaux lächelte, ihre Augen glänzten. Cotton beugte sich zu ihr herab und küßte sie sanft auf den Mund. »Du verstehst, warum ich es wollte, warum ich Macy geheiratet habe?«

»Ich kann es verstehen, Cotton.«

Cash, der mit den nackten Zehen in der warmen Erde spielte, hob den Blick und sah, wie die Miene seiner Mutter trotz ihres Lächelns traurig wurde, auch wenn sie es Cotton nicht merken ließ. Cash hatte gehofft, daß seine Mutter nicht mehr traurig sein würde, wenn sie von New Orleans in diese neue Stadt zogen, wo der große Mann mit dem weißen Haar lebte. Er hatte gehofft, sie würde nicht mehr weinen und nachmittags lustlos auf dem Bett liegen, bis es Zeit für sie war, aufzustehen und zur Arbeit zu gehen, in diese Bar, wo sie rauhen, ungehobelten Matrosen Bier servierte.

Sie hatte immer zu ihm gesagt, daß der Mann, den sie Cotton nannte, sie eines Tages beide holen würde. Dann würden sie glücklich sein. Und das war sie – glücklicher, so oder so. An jenem Tag, als sie diesen Brief von Cotton erhielt, hatte sie Cash so stürmisch in die Arme genommen, daß er kaum noch Luft bekam.

»Schau, *mon cher,* weißt du, was das hier ist? Das sind Fahrkarten. Zugfahrkarten. Siehst du, hat *maman* es dir nicht immer gesagt? Er will, daß wir mit ihm an diesem wundervollen Ort Belle Terre leben.« Völlig aufgelöst hatte sie Cashs Gesicht mit heftigen, überschwenglichen Küssen bedeckt.

Zwei Tage später – länger hatte es nicht gedauert, ihre Angelegenheiten zu regeln und ihre karge Habe zu packen – zogen sie ihre besten Sachen an und bestiegen den Zug. Für Cash hatte die Fahrt gar nicht lange genug dauern können. Als sie ihr Ziel schließlich erreicht hatten, stand er mißtrauisch gegen den Bauch der Dampf speienden Maschine gelehnt und beäugte argwöhnisch den Mann, auf den seine Mutter zulief.

Sie warf sich ihm in die Arme. Er hob sie hoch und schwang sie herum. Cash hatte noch nie einen so großen und starken Mann gesehen. Monique warf den Kopf zurück und lachte heller, als Cash es je gehört hatte. Ihre tanzenden, schwarzen Locken hatten irisierend geleuchtet im Sonnenlicht.

Sie und der Mann küßten sich so lange, daß Cash schon meinte, seine Mutter hätte ihn ganz vergessen. Die große Hand des Mannes wanderte über ihren Körper und berührte sie auf eine Art und Weise, wie sie es bei den Männern in der Bar niemals zugelassen hätte. Viele Küsse später machte sie sich von ihm frei und winkte Cash aufgeregt herbei. Mit zögerlichen kleinen Schritten ging er auf den hochragenden Mann zu. Der lächelte auf Cash herab und zerzauste ihm das Haar.

»Ich glaub' nicht, daß er sich noch an mich erinnert.«

»Er war noch ein Baby, als du gegangen bist, *mon cher*«, sagte Monique in sanftem Ton. In ihren Augen funkelten Tränen, doch um ihren Mund spielte ein breites Lächeln. Cashs junges Herz machte einen Sprung. Seine *maman* war glücklich. So glücklich hatte er sie noch nie erlebt. Ihr beider Leben hatte eine neue Richtung bekommen. Die Dinge würden so sein, wie sie gesagt hatte – wundervoll. Sie würden nicht länger in ihrer von Schaben verpesteten Wohnung auf diesem dunklen, miefigen Flur wohnen. Sie würden in einem Haus auf dem Land wohnen, mit Rasen drum herum und Bäumen und frischer Luft. Sie waren endlich in Belle Terre.

Doch das Haus, zu dem Cotton sie fuhr, war nicht ganz so wundervoll, wie Monique erwartet hatte. Es war eine kleine, graue Hütte am Rande des Bayous, den er Laurent nannte. Die heitere Stimmung war stürmisch geworden. Monique und Cotton hatten eine lautstarke Auseinandersetzung. Cash war zum Spielen nach draußen geschickt worden. Er gehorchte widerwillig, ging aber nicht weiter als bis auf die Veranda; er mißtraute diesem Mann, den er gerade erst kennengelernt hatte, noch immer.

»Es ist ein Schuppen!« rief Monique aufgebracht.

»Aber intakt.«

»Es riecht wie der Sumpf.«

»Ich kann dir helfen, es herzurichten. Schau, ich habe schon damit angefangen. Ich habe ein Badezimmer angebaut.«

Moniques Stimme war gebrochen. »Du wirst nicht mit uns hier wohnen, hab ich recht?«

Nach einer kurzen Pause seufzte Cotton. »Nein, werde ich nicht. Aber mehr kann ich nicht für euch tun.«

Cotton hatte eine Lady namens Macy geheiratet, und das gefiel Monique gar nicht. Sie schrie ihn an und beschimpfte ihn mit Ausdrücken, die Cash schon in der Bar gehört hatte, die er aber selber nie in den Mund nehmen durfte. Sie fiel in ihr ›Frenglisch‹ und sprach es mit solch erhitzter Aufgeregtheit, daß selbst ihr Sohn, der es gewohnt war, kaum verstehen konnte, was sie sagte.

Als die Dunkelheit hereinbrach, gab er den Versuch, die beiden zu belauschen, auf und konzentrierte sich darauf, Glühwürmchen zu fangen. Seine Mutter und Cotton gingen hinauf in das Schlafzimmer und blieben lange dort. Er schlief ein, zusammengerollt auf den harten Bohlen der Veranda. Als die beiden schließlich wieder die Treppe herunterkamen, hatten sie einander die Arme um die Hüften geschlungen. Sie lächelten. Der große Mann beugte sich herab und küßte Cash auf die Wange, dann gab er Monique einen Kuß zum Abschied und fuhr in seinem Auto davon.

Sie sahen ihm nach, bis er hinter den dunklen Bäumen verschwunden war. Monique legte einen Arm um Cashs schmale Schulter. »Hier ist unser neues Zuhause, Cash.« Und auch wenn sie nicht sonderlich glücklich klang, so hörte sie sich doch zumindest zufrieden an.

Monique bewirkte Wunder bei dem Haus. In den folgenden Monaten verwandelte sie es von einem leeren, schmutzigen Ort in ein Heim voller Farben und Licht. Blumen blühten in Kästen an den Fenstern, und sie hatte das Haus mit Teppichen und Vorhängen geschmückt. So wie sie ihr blutendes Herz verbarg, so verdeckte sie die Mängel des Hauses.

Irgendwann gab Cotton schließlich Moniques ständigem Drängeln nach und ging mit ihnen durch den Wald zum großen Plantagenhaus.

Diesen Tag sollte Cash niemals vergessen, denn ein so großes Haus hatte er noch nie gesehen. Es war sogar noch größer als die Gebäude auf der St. Charles Avenue, die Monique ihm von der Straßenbahn aus gezeigt hatte. Es verblüffte ihn, wie sauber und weiß Belle Terre war. Nicht einmal in seiner wildesten Phantasie hätte er sich ein Haus wie Belle Terre vorstellen können.

Im Schatten der Bäume, deren Moos als Vorhang diente, legte Monique die Wange an Cottons Brust, während sie hinüber zu dem großen Haus schaute. »Erzähl mir davon. Wie sieht es drinnen aus?«

»Ach, es ist wunderschön, Monique. Die Flure haben Böden, die so glatt und glänzend poliert sind wie Spiegel. Im Eßzimmer sind die Wände mit gelber Seide bedeckt.«

»Seide?« wiederholte sie mit einem ehrfürchtigen Flüstern. »Ich wünschte, ich könnte es mit eigenen Augen sehen.«

»Das ist unmöglich.« Cotton schob sie von sich fort und blickte sie ernst an. »Niemals, Monique, hörst du? Dieses Haus ist Macys Reich. Du und Cash, ihr dürft niemals näher kommen als bis hierher.«

Monique senkte den Kopf. »Ich verstehe, Cotton. Ich hab mir ja nur gewünscht, auch mal etwas so Vornehmes sehen zu können.«

Cottons Miene verdüsterte sich. Er zog Monique barsch an sich, drückte sie fest und beugte sich mit dem Gesicht über sie. Cash schaute wieder zum Haus hinüber und fragte sich, was denn so schlimm daran wäre, wenn er und seine *maman* hineingingen, um sich die gelben Seidenwände anzuschauen, und weshalb sie es wegen dieser Macy nicht tun konnten. Wahrscheinlich, weil sie mit Cotton verheiratet war.

»Zieht sie sich extra für das Abendessen um?« wollte Monique wissen.

»Ja.«

»Trägt sie dann hübsche Kleider?«

»Manchmal.« Monique drückte sich enger an Cotton, als

wollte sie verhindern, daß er ihr schlichtes Baumwollkleid sah. Er strich ihr liebevoll durch die wilde Lockenmähne. Nach einem Moment hielt er ihr einen Finger unter das Kinn und hob es hoch. »Wo wir gerade vom Abendessen reden – hast du nicht gesagt, daß du Jambalaya für mich gekocht hast?«

Sie schenkte ihm ein strahlendes Lächeln. »*Oui.*«

»Dann laß uns zurückgehen. Ich bin am Verhungern.« Sie machten gleichzeitig kehrt und gingen Richtung Bayou. »Cash, kommst du, Junge?« rief Cotton, als er bemerkte, daß Cash ihnen nicht folgte.

»Komme schon.«

Doch er blieb, wo er war, wie gebannt von der Schönheit des Hauses. Belle Terre …

Rhodas Mund war gierig. Sie bekam gar nicht mir, daß Cash in Gedanken weit weg war, sondern war sich nur der Lust bewußt, die sie seinem Körper verschaffte. Als er zu der vollsten Größe anschwoll, als alles um ihn herum dunkel wurde, als er die Augen zukniff und sich ganz auf seinen Höhepunkt konzentrierte, war es nicht Rhodas Name, der in seinem Kopf widerhallte, sondern ein ganz anderer.

20. KAPITEL

Schylers Kopf sackte nach vorn. Mit geschlossenen Augen reckte sie den Hals und ließ den Kopf auf ihren schmerzenden Schultern kreisen, um die Schläfrigkeit abzuschütteln. Der Versuch, sich wieder auf die vor ihr ausgebreiteten Verträge zu konzentrieren, erwies sich als vergeblich. Ihre müden Augen spielten nicht mehr mit. Sie erhob sich vom Schreibtisch und ging zu der Kaffeemaschine in der Ecke des Büros.

Sie schenkte sich eine Tasse ein, weniger weil sie Kaffee trinken wollte, sondern vielmehr zur Ablenkung und Aufmunterung. Nach nur wenigen kleinen Schlucken stellte sie die Tasse wieder ab und ging ruhelos zum Fenster.

Sie hatte eine Putzkolonne angestellt, um das Werksbüro auf Vordermann zu bringen. Nun war der Schmierfilm an den Fenstern beseitigt, aber auch durch die blitzblanken Scheiben war das, was sie sah, nicht gerade ermutigend. Sie starrte auf die verlassene Rampe. Selbst auf den Gleisen sammelte sich der Staub. Die Frachtzüge kamen nicht mehr hier vorbei, weil es kein Crandall-Holz gab, das sie hätten aufladen und zu den Märkten transportieren können.

Drei Tage war es jetzt her, daß sie die lokale Zeitung gebeten hatte, eine Meldung zu bringen, daß die Crandall Holzfabrik ihren Betrieb wieder aufgenommen hatte. Sie hatte sich sogar darauf eingestellt, die selbständigen Holzfäller abweisen zu müssen, weil sie angenommen hatte, nicht von allen Holz abnehmen zu können, ehe sie nicht mehrere Verträge unter Dach und Fach hätte. Doch ihr Optimismus war fehl am Platze gewesen.

Bis jetzt war noch nicht ein einziger mit Holz beladener Wagen auf dem Werksgelände vorgefahren. Die ehemaligen Arbeiter hatte sie persönlich telefonisch benachrichtigt. Aber keiner von ihnen hatte bislang seine alte Arbeitsstelle wieder eingenommen. Ohne Ware jedoch hatte es überhaupt keinen Sinn, eventuelle Abnehmer zu kontaktieren.

Deprimiert rieb sie sich die geröteten Augen. Gestern abend war sie bis spät im Krankenhaus geblieben, in der Hoffnung, Cotton wach anzutreffen. Nur dieses eine Mal hatte sie Gelegenheit gehabt, mit ihm zu sprechen. Dann hatte er sich weggedreht, ohne sich weiter darum zu scheren, daß sie nach Hause zurückgekehrt war, um ihn zu sehen. Der Gedanke daran ließ sie verzweifeln.

Insgeheim hegte sie den Verdacht, daß er nur vorgab, so tief zu schlafen, wenn sie bei ihm war. Dr. Collins' Prognose war noch immer zurückhaltend, aber grundsätzlich optimistisch. Tricia und Ken hatten sich beide kurz mit Cotton unterhalten können. Doch Schyler hatte er noch immer nichts zu sagen.

Ihre Fahrten zum Krankenhaus waren ein einziger Reinfall. So wie jeder Arbeitstag. Stunden verbrachte sie im Werksbüro und wartete darauf, daß etwas geschah. Doch es geschah nichts. Und trotzdem weigerte sie sich aufzugeben. Sie mußte es schaffen, selbst wenn sie dafür jemanden einstellen mußte, jemanden, der die Sprache der Holzfäller sprach; jemanden, der sie motivieren konnte, härter als jemals in ihrem Leben zu arbeiten.

Selbst wenn es bedeutete, Cash Boudreaux einzustellen.

Sein Name tauchte ständig und überall auf. In den letzten Tagen war sein Name so häufig gefallen, daß sie ihn sogar schon im Schlaf hörte. Und wenn sie aufwachte, war er der erste, an den sie dachte.

Der erste Holzfäller, mit dem sie telefoniert hatte, hatte gesagt: »Sie wollen, daß ich wieder zur Arbeit komme? Großartig! Sobald ich von Cash höre, werde ich –«

»Ich fürchte, Mr. Boudreaux wird nicht mehr da sein.«

»Wie meinen Se das, Cash nicht mehr da? Er ist der Boss.«

»Nicht mehr.«

»Oh, tja, wissen Se, ich hab da jetzt diesen Aushilfsjob...«

Und so war es in einer Tour gewesen. Als sie mit dem fünften Mann auf der Liste gesprochen hatte, war die Kunde offenbar längst überall rum.

»Nun, Cash, er –«

»Ich arbeite immer nur mit Boudreaux. Er –«

»Boudreaux arbeitet nicht mehr für Sie? Tja, sehen Sie –«

Sie hatte mit jedem Holzfäller gesprochen, der je auf der Lohnliste der Crandall Holzfabrik gestanden hatte, aber ohne Erfolg. Es führte zu nichts. Aus lauter Frustration zog sie Ken zu Rate. »Allmählich glaube ich, daß Cash Boudreaux nur einen Baum angucken mußte, und das verdammte Ding fiel um. Was genau hat er hier eigentlich alles gemacht?«

»Nichts als Ärger im allgemeinen.«

Sie zügelte ihre Verärgerung. »Und im besonderen?«

»Im besonderen...« Ken machte eine umfassende Geste. »Er hat mehr oder weniger alles gemacht.«

»Was meinst du damit? Auf den Rodungen, im Sägewerk, im Büro? Was?«

»Zum Teufel, Schyler, ich weiß es nicht. Mein Büro ist in der Stadt. Ich bin so gut wie nie draußen. Ich hatte nichts mit dem täglichen Ablauf zu tun. Ich hab mich um die Geschäfte allgemein gekümmert.«

»Das ist mir klar, Ken. Entschuldige, daß ich dich belästigt habe. Danke für deine Informationen, und sei nicht böse, daß ich dich von der Arbeit abgehalten habe.« Sie wandte sich zum Gehen, weil sie sich unwohl fühlte, wenn sie allein mit Ken war.

»Schyler?«

»Ja?«

Ken schien mit sich zu ringen, ehe er sagte: »Ich hab mal gehört, wie Cotton meinte...«

»Was?«

»Ich hab mal mitgekriegt, wie er sagte, daß Boudreaux mehr über das Forstwesen gelernt hat, als andere Forstarbeiter jemals wissen werden.«

»Wenn Cotton das gesagt hat, dann ist es ein echtes Kompliment«, befand Schyler laut.

»Aber Boudreaux ist der geborene Störenfried. Ständig bringt er die Holzfäller mit irgendwelchen Mätzchen auf die Palme. Kaum ein Tag, ohne daß er und Cotton sich gegenseitig an die Gurgel gegangen sind. Wenn du mich fragst, sind wir ohne ihn besser dran.«

Zu diesem Zeitpunkt hatte Schyler das ebenfalls geglaubt. Er war ein echter Störfaktor, besonders für sie. Schon aus Prinzip würde sie ihm niemals wieder anbieten, für ihre Familie zu arbeiten.

Doch als sie jetzt aus dem Fenster schaute und die Schlepper sah, die in der Garage rosteten, wo sie doch mit Holz hätten beladen sein sollen, mußte sie sich eingestehen, daß sie es sich nicht leisten konnte, Boudreaux länger zu umgehen. Die Kreuzchen auf ihrem Kalender näherten sich unaufhaltsam dem unheilvollen Termin. Auch noch so viel Prinzipientreue konnte Belle Terre nicht retten. Wenn das Geld aufzutreiben bedeutete, vor Cash klein beizugeben, dann würde sie es eben tun. Sämtliche anderen Alternativen waren erfolglos ausgeschöpft.

Ehe der Mut sie wieder verlassen konnte, verschloß sie das Werksbüro hinter sich. Ihr Pferd war noch immer an den Baum jenseits des großen Hofes angebunden und graste friedlich im Schatten. Schyler stieg in den Sattel. Sie und Mark waren gelegentlich gemeinsam ausgeritten, aber nicht so regelmäßig, daß sie morgen nicht wund vom Sattel wäre. Es war ihr egal. Der Muskelkater wurde aufgewogen von dem guten Gefühl, über das Land von Belle Terre zu reiten; so, wie sie es getan hatte, seit sie alt genug gewesen war, im Sattel zu sitzen und Cottons geduldige Anweisungen zu befolgen.

Sie machte sich auf den Weg. Am vielversprechendsten war es sicher, zu Cashs Haus zu reiten. Wenn er dort nicht war, würde sie ihm eine Nachricht hinterlassen. Es war verdammt lästig, daß sie ihn nicht telefonisch erreichen konnte.

Anstatt die Straße zu nehmen, ritt sie über die offenen Felder und durch kleine Wäldchen. Als sie durch ein besonders dichtes Waldstück kam, hörte sie das Jaulen einer Kettensäge. Neugierig lenkte sie ihr Pferd in diese Richtung.

Cash sah Schyler in dem Augenblick, als sie zwischen den Bäumen hervorkam, aber er beachtete sie nicht weiter, sondern machte sich wieder daran, mit seiner Kettensäge die Äste von einem gefällten Baum abzutrennen. Pikiert, weil er sie so offensichtlich ignorierte, kam Schyler näher, blieb aber im Sattel sitzen und sah ihm bei der Arbeit zu.

Er arbeitete mit nacktem Oberkörper; Rücken und Brust waren tief gebräunt, das Gesicht verschwitzt, trotz des Tuches, das er sich um die Stirn gebunden hatte. Seine Muskeln spannten sich, als er mit der schweren Säge das Holz durchtrennte, umgeben von einem feinen blauweißen Nebel. Sägespäne sprühten ihm gegen die Schienbeine und über die Stiefel.

Als der letzte dicke Ast abgetrennt war, schaltete er die Kettensäge aus, und das Kreischen verstummte. Er hielt sie mit einer Hand. Das Gewicht spannte die Haut seines Arms so sehr, daß Schyler jede Vene sehen konnte. Er hob den freien Arm und wischte sich den Schweiß von den Augenbrauen.

»Ich sollte Sie verhaften lassen. Stehlen dreist Holz auf meinem Grund und Boden...«

Ein weißes Grinsen spaltete sein verschmutztes, tiefbraunes Gesicht. »Danken sollten Sie mir. Dafür, daß ich mich um dieses Schadholz kümmere.«

Er setzte die Kettensäge neben dem Baumstamm auf dem Boden ab. Über seinen Jeans trug er die knielangen Überzieher, die dazu dienten, die Oberschenkel eines Holzfällers vor Unfällen zu schützen, zumindest theoretisch. Von einem breiten Ledergurt um seine Taille baumelte eine Plastikflasche mit Treibstoff für die Kettensäge. Und an einer Gurtschlaufe auf dem Rücken hing ein Maßband, mit dem die Länge der gefällten Bäume gemessen wurde. Er trug Arbeitshandschuhe, die auf beunruhigende Weise seinen nackten Oberkörper nur noch mehr betonten.

Er kam auf Schyler zu und hakte sich lässig am Sattelknauf ein. »Oder wollen Sie etwa, daß Ihr Wald von Ungeziefer befallen wird, Miss Schyler?«

Um nicht auf seine Brust und die sexy Lockenpracht schauen zu müssen, sah sie hinüber zu dem gefällten Baum. »Wann ist der Baum denn umgestürzt worden?«

»Vor zwei Monaten etwa hatten wir hier einen schlimmen Sturm. Es sind bereits Larven unter dem Stamm. Ich hab's mir angesehen.«

»Und was wollen Sie jetzt damit machen?«

»Ich werde morgen mit 'nem Schlepper herkommen und den Stamm hier wegschaffen.« Er schaute wieder zu ihr hinauf. »Das heißt, wenn ich mir einen Schlepper ausleihen kann.«

Sie war entschlossen, sich nicht provozieren zu lassen. »Ich muß mit Ihnen reden.«

»Aber nicht von da oben.«

»Bitte?«

»Ich schaue zu niemandem auf. Steigen Sie ab.«

Sie wollte gerade protestieren, als er sich die gelben Arbeitshandschuhe von den Händen streifte und auf den Boden fallen ließ. Er streckte ihr die Hände entgegen. »Das schaffe ich ganz allein«, sagte sie, schwang das rechte Bein über den Sattel und landete auf ihrem rechten Fuß. Sie schob den linken Fuß aus dem Steigbügel und drehte sich um. Cash stand noch immer dicht bei ihr und ließ keine Distanz zu.

»Sind ja ulkige Hosen.«

Sie trug schwarze Reithosen und braune Reitstiefel aus weichem Leder. »Ich hab sie hiergelassen, als ich nach England ging.«

»Ja, was ich so gehört habe, haben Sie's damals mächtig eilig gehabt mit der Abreise.«

So schwierig es war, das zu ignorieren – sie tat es. »Ich bin froh, daß ich es getan habe. Die Reitsachen hierzulassen, meine ich. Heute kann ich sie gut gebrauchen.« Eine Fliege schwirrte um ihre Nase. Sie verscheuchte sie. Cash rührte sich nicht. »Sie sind nur ein bißchen warm heute.«

»Früher sind Sie immer ohne Sattel und mit nackten Beinen geritten.«

Schyler verspürte plötzlich eine andere Art Hitze, die sich in ihrem Körper ausbreitete und wie heiße Lava durch ihre Adern strömte. »Meine Ma hat mir das immer verboten. Sie sagte, es würde nicht damenhaft aussehen.«

Sein Blick senkte sich auf ihre Schenkel und wanderte dann ohne Eile wieder hinauf. »Ihre Mama hatte recht. Es sieht ziemlich unanständig aus.«

»Woher wissen Sie überhaupt, wie es ausgesehen hat?«

»Weil ich Sie dabei gesehen habe.«

»Wo?«

»Überall. Die ganze Zeit. Immer wenn Sie glaubten, unbeobachtet zu sein.«

Schyler ging einige Schritte weg von ihrem Pferd, weg von diesem Mann. Von beiden schien ein moschusartiger, animalischer Duft auszugehen. Die Atmosphäre war sexuell aufgeladen, und sie konnte nicht sagen, warum; außer daß Cash sie das letzte Mal, als sie so dicht bei ihm gestanden hatte, geküßt hatte.

Immer wenn er sie ansah, schienen seine Augen sie daran zu erinnern. Auch er erinnerte sich an diesen Kuß und wußte, daß sie es ebenfalls tat. Nervös krempelte sie die breiten Ärmel ihrer weißen Bluse auf und öffnete den Kragen, um sich Luft zu verschaffen.

»Möchten Sie einen Schluck trinken?« Er beugte sich herab, um seine Handschuhe aufzuheben, und steckte sie in seinen lose sitzenden Hüftgurt.

»Nein, danke. Ich bin geschäftlich hier.«

Er ging zur Ladefläche seines Lieferwagens, der in der Nähe im Schatten geparkt stand. Die Heckklappe war heruntergeklappt. Auf der Ladefläche stand eine große blaue Thermoskanne. Er schraubte den Deckel ab und tauchte einen Plastikbecher hinein, bis er randvoll mit Eiswasser war. Er trank mit hastigen Schlucken. Dabei lief ihm etwas von dem Wasser über die Brust und seinen verschwitzten Hals, bildete glitzernde Tropfen auf seinem Brusthaar.

Schyler wandte bewußt den Blick ab und sah den Schutzhelm, dessen Sichtschutz die Augen eines Holzfällers vor umherfliegenden Holzsplittern schützte. »Ihr Helm nutzt Ihnen aber nichts, wenn er auf dem Wagen liegt. Warum tragen Sie ihn nicht?«

»Mir war nicht danach.«

»Aber wenn Sie sich auf meinem Grund und Boden eine Verletzung zugezogen hätten, hätten Sie mich dafür belangt.«

»Ich bin ganz allein für mich verantwortlich, Miss Schyler. Ich wälze niemals etwas auf andere Leute ab.«

»Ich habe Sie doch gebeten, mich nicht mit ›Miss‹ anzureden.«

»Stimmt. Das haben Sie.« Grinsend wie ein Sünder, der nicht die Absicht hat, sich zu bessern, trank er noch einen Becher Wasser. »Und Sie wollen ganz sicher nichts trinken?«

Das Wasser sah köstlich aus, ebenso wie seine kalten, feuchten Lippen. »Na gut. Danke.«

Er tauchte den Becher erneut in die Thermoskanne und reichte ihn ihr. Sie nahm ihn entgegen, trank aber nicht gleich. Statt dessen schaute sie auf den tropfenden Becher in ihrer Hand. Cash verzog ärgerlich die Augenbrauen.

»Ich hab doch schon meine Zunge in Ihrem Mund gehabt,« knurrte er. »Sich jetzt deswegen anzustellen, aus demselben Becher wie ich zu trinken, dazu ist es wohl ein bißchen spät.«

Sie war noch nie so wütend gewesen. Mit einer blitzschnellen, kurzen Handbewegung goß sie den eiskalten Inhalt auf den Boden. »Sie sind ein Widerling.«

»So nennt man das in England. Bei uns nennt man Leute wie mich weißen Abschaum.«

»Und weltweit nennt man das Bastard.« Ein Muskel zuckte in seiner Wange. Eine Vene an seiner Schläfe trat hervor. Schyler bereute ihre Worte noch im selben Augenblick. »So habe ich es nicht gemeint. Nicht wörtlich.« Sie verspürte den impulsiven

Wunsch, ihn zur Besänftigung zu berühren, aber das tat sie nicht. Sie fürchtete sich davor.

Er nahm ihr barsch den Becher weg und warf ihn auf die Ladefläche. »Sie sind den ganzen Weg hier herausgekommen, bei dieser Hitze, nur um mich zu beleidigen?«

Sie schüttelte den Kopf. »Ich bin geschäftlich hier.«

»Und wen soll ich diesmal für Sie um die Ecke bringen?«

Geschieht mir wohl ganz recht, sagte sie sich im stillen und ging deshalb wortlos darüber hinweg. »Ich möchte, daß Sie wieder für uns arbeiten.«

»Warum?«

»Weil ich Sie brauche.« Seine Augen taxierten sie. Nichts entging ihnen. Leicht unbehaglich fuhr sie fort. »Ich habe das Werk wieder in Betrieb genommen. Den Papierkram kann ich erledigen, weil ich es früher schon für Cotton gemacht habe.«

Sie versuchte, sich die Lippen zu benetzen, doch ihre Zunge war so trocken wie ihr Mund. »Aber ich weiß nicht, wie ich das mit den Holzfällern organisieren soll. Ich weiß nicht, wo sie fällen sollen, was sie fällen sollen oder wieviel. Und wenn sie Holz liefern, kann ich schlecht die Qualität beurteilen und weiß dann nicht, ob ich zuviel oder zuwenig zahle. Soweit ich das verstanden habe, haben Sie die Verantwortung dafür gehabt.«

»Das stimmt.«

»Tja, also, ich bin darauf angewiesen, daß Sie da weitermachen, wo Sie aufgehört haben, als das mit Cottons Herzinfarkt geschah.«

»Mit anderen Worten: Sie wollen, daß ich Ihren Arsch rette.«

Sie fuhr sofort in die Höhe. »Hören Sie, es tut mir leid, was ich da vorhin gesagt habe. Ich wollte Sie wirklich nicht als Bastard beschimpfen. Es ist mir so rausgerutscht. Wenn Sie mir das ankreiden wollen, dann —«

»Sie wollen, daß ich Belle Terre davor bewahre, daß Dale Gilbreath es sich unter den Nagel reißt.«

Schyler verstummte urplötzlich. Einen langen Moment starrten sie einander nur an. Cashs Miene war kampfeslustig, ihre Miene verdutzt. »Woher wissen Sie davon?«

»Ich weiß es eben.«

»Hat Cotton Ihnen erzählt, daß er sich Geld von Gilbreath geliehen hat?«

Er kehrte ihr den Rücken zu und ging zu seiner Kettensäge. »Ihr Vater traut mir nicht.«

»Woher wissen Sie es dann?«

Heaven war eine kleine Stadt. Jeder mischte sich irgendwie in die Angelegenheiten des anderen ein, aber wenn sie daran dachte, daß die Menschen der Stadt sich zurücklehnten wie die Römer einst im Kolosseum und gespannt schauten, ob Belle Terre den Fängen des Löwen entkommen konnte – das war unerträglich. Sie war gerade lange genug weg gewesen, um zerstörerischen Kleinstadttratsch übelzunehmen.

Wütend packte sie Cash am Oberarm und schwang ihn herum. Er schaute auf ihre Hand. Ihre Finger krallten sich in sein Fleisch. Die Haare auf seinem Arm kräuselten sich über ihren Fingernägeln, die halbmondförmige Abdrücke auf seiner Haut hinterließen. Er hob den Blick wieder, doch sie ließ sich vom drohenden Flackern in seinen Augen nicht einschüchtern.

»Von wem haben Sie das mit dem Kredit?«

»Hab's im Bett erfahren.«

Schyler zog die Hand zurück. Cash schmunzelte höhnisch, ehe er weiter zum Wagen ging. Er lud die Kettensäge auf die Ladefläche. Stück für Stück legte er seine Ausrüstung ab und legte sie zu der Säge. Dann schob er die Thermoskanne ganz nach hinten und verschloß die Ladefläche. Er nahm sein T-Shirt, das im offenen Fenster des Wagens gehangen hatte, und zog es sich über den Kopf. Während er es sich über den Oberkörper streifte, fragte er: »Wollen Sie auch noch die genauen Einzelheiten wissen? Zeit, Ort und mit wem ich im Bett war?«

»Nein.«

Er lächelte lässig. Sie hätte ihm am liebsten eine Ohrfeige verpaßt. »Jede Wette.« Sie starrte ihn nur an. Er lachte. »Schade, daß Sie nicht neugieriger sind. Es ist scharfes Zeugs. Würde Sie vielleicht echt anmachen.« Er kniff die Augen leicht zusammen. »Uns beide.«

Dieser Mann benahm sich einfach abscheulich. Er hatte die Manieren eines Wildschweins und die sexuelle Diskretion eines

Straßenköters. Wenn sie nicht auf ihn angewiesen gewesen wäre – und zwar händeringend – hätte sie dafür gesorgt, daß er bei Anbruch der Dunkelheit von Belle Terre verschwunden wäre, ein für allemal, und ohne Rücksicht darauf, welche Abmachungen Cotton mit ihm getroffen haben mochte.

Doch so wie die Dinge standen, blieb ihr nichts anderes übrig, als ihn und seine Arroganz zu ertragen, vorübergehend, wie sie hoffte. Sie hob ihr schweres, welliges Haar aus dem Nacken und hoffte, eine leichte Brise würde ihr etwas Kühlung bringen. »Werden Sie nun für mich arbeiten oder nicht, Mr. Boudreaux?«

»Kommt drauf an.«

»Worauf?«

»Wer die Leitung übernimmt.«

»Sie waren der Vorarbeiter, soweit ich weiß. Das werden Sie auch wieder sein.«

»Wird mir Howell dabei im Nacken sitzen?«

»Kens Verantwortlichkeiten werden dieselben sein wie zuvor.«

»Also weiterhin der Nichtstuer der Firma?«

»Nur zu Ihrer Information«, fuhr sie ihn an. »Er hat Ihre Qualifikationen als Forstarbeiter in höchsten Tönen gelobt.«

»Alles andere wäre ja auch gelogen.«

»Sie müssen ihm nicht dafür danken«, sagte sie sarkastisch.

»Werd' ich auch bestimmt nicht.« Wieder grinste er arrogant. »Aber ich schätze, ich sollte mich geschmeichelt fühlen, daß Sie beide Ihre freie Zeit damit verbringen, über mich zu reden.«

Schyler ballte die Fäuste, um nicht zu schreien. Sie zwang sich, gefaßt zu klingen. »Ken wird von seinem Büro in der Stadt aus arbeiten.«

»Und wo werden Sie sein?«

»Ich werde im Büro auf dem Werksgelände arbeiten, und mich dort um die Verträge und Liefertermine kümmern. Sie schaffen mir die Holzfäller und das Holz ran.«

»Was ist mit den Selbständigen?«

»Die werden wir so einsetzen wie vorher auch.«

»Und die Bezahlung bleibt wie gehabt?«

»Ja. Ebenso wie die Löhne für unsere Angestellten.«

»Und ich habe die Leitung, richtig?«

Schyler hatte das ungute Gefühl, in die Ecke gedrängt zu sein. Er preßte ihr ein mündliches Zugeständnis ab – warum nur? Sie zögerte, sagte dann aber: »Richtig. Sie haben die Leitung.«

»Also gut dann.« Er hatte die ganze Zeit gegen die Ladeklappe gelehnt gestanden, die Arme vor der Brust verschränkt, die Füße über Kreuz. Nun stieß er sich ab und kam auf Schyler zu. Es kostete sie all ihre Willenskraft, nicht zurückzuweichen. Sie harrte aus, bis sie beide dicht beieinander standen.

»Ziehen Sie keine durchsichtigen Blusen mehr an.«

»Was —«

»Dieser Büstenhalter ist doch so gut wie keiner. Das einzige, wozu der taugt, ist, einen Mann kirre zu machen. Wenn Sie wollen, daß sich die Arbeiter voll auf ihre Arbeit konzentrieren, dann können wir es uns nicht leisten, daß die Jungs spitz sind und mit 'nem Steifen rumrennen. Mir ist das egal, wenn die am Wochenende ihre Frauen und Freundinnen durch die Matratzen bumsen, solange sie sich am Montagmorgen nüchtern und pünktlich blicken lassen und malochen bis Freitagnachmittag.«

Seine Augen wanderten über ihr Haar. »Und binden Sie sich das Haar zurück. Wenn Sie mit einer wilden Mähne rumlaufen, als wären Sie gerade gevögelt worden, verschwinden die Jungs glatt hinter den Bäumen, um sich einen runterzuholen.«

»Sie sind ja —«

»Nichts da«, schnitt er ihr das Wort ab und packte sie bei den Schultern. »Sie werden mir jetzt zuhören.« Sein Gesicht kam ganz nahe an ihres heran. »Sie stecken mächtig in der Scheiße, Miss Schyler. Wenn Sie wollen, daß ich Ihnen helfe, Ihre Firma vor dem Bankrott zu retten und Belle Terre vor der Zwangsversteigerung, dann werden Sie gefälligst ab sofort aufhören, mit dem Arsch zu wackeln, werden hübsch den Mund halten und tun, was ich sage, verstanden?« Er schüttelte sie leicht und hob die Stimme. »Haben wir uns verstanden?«

»Ja!«

Er ließ sie so plötzlich los, wie er sie gepackt hatte. »Gut. Morgen früh geht's los.«

21. KAPITEL

»Gilbreath.«

»Hallo? Hier spricht Schyler Crandall. Danke, daß Sie meinen Anruf so spät noch entgegengenommen haben.«

Der Bankdirektor lehnte sich in seinem Drehstuhl zurück und legte die Füße auf seinen Schreibtisch. »Keine Ursache, Miss Crandall. Ich hoffe, Sie haben gute Nachrichten für mich.«

»Ich denke schon.«

»Sie haben die Rückzahlung des Kredits in die Wege geleitet?«

»So gut ist die Neuigkeit nun wieder nicht, fürchte ich.«

Dales Pause war kalkuliert und ausgedehnt. »Das ist äußerst bedauerlich. Für uns beide.«

»Das Crandall Holzwerk hat heute morgen den Betrieb in vollem Umfang wieder aufgenommen, Mr. Gilbreath«, informierte sie ihn kurz und knapp. »Ich habe den ehemaligen Vorarbeiter wieder eingestellt.«

»Sie meinen Mr. Boudreaux?«

»Richtig. Mein Vater setzt sehr großes Vertrauen in ihn. Ebenso wie die Holzfäller. Ich habe eine vielversprechende Liste von Abnehmern aufgestellt. Die werde ich kontaktieren, sobald wir genügend Holz haben, um einige umfangreiche Verkäufe tätigen zu können. Es dürfte höchstens einige Tage in Anspruch nehmen, bis das Holz geschlagen ist. Alle hier stürzen sich wirklich in die Arbeit.«

»Das ist alles sehr interessant, Miss Crandall. Offensichtlich haben Sie einige positive Schritte unternommen, um das Geschäft Ihrer Familie wieder in Gang zu bringen. Nur sehe ich leider nicht, inwiefern das unser Bankhaus betrifft.«

»Wenn ich Ihnen genügend Verträge präsentieren kann, die der Summe des Kredits entsprechen, wären Sie dann bereit, mir dahingehend entgegenzukommen, daß ich zunächst die anstehenden Zinsen zahle und die Kreditsumme selber etwas später ausgleiche? Sagen wir: in sechs Monaten, höchstens.«

Er hatte es hier nicht mit einer zaghaften Südstaatenschönheit ohne Grips zu tun. Nein, Schyler Crandall durfte man nicht unterschätzen. Sie hatte den Stier bei den Hörnern gepackt. Es war an der Zeit, Härte zu zeigen.

»Ich fürchte, das kann ich unmöglich tun, Miss Crandall, selbst wenn Sie die Verträge bekommen sollten, was sehr zweifelhaft ist.«

»Das lassen Sie ruhig meine Sorge sein. Ein unterzeichneter Vertrag ist so gut wie Bargeld.«

»Nicht ganz«, widersprach er mit chauvinistischer Herablassung. »Was ist, wenn Sie die Bestellung nicht erfüllen können?«

»Das werde ich.«

»Aber ich hätte keinerlei Garantien.«

»Sie haben Belle Terre als Sicherheit.«

»Belle Terre habe ich bereits. Was also sollte mein Anreiz sein?«

»Wie wäre es mit Anstand?«

»Das war nun wirklich nicht nötig, Miss Crandall.«

Sie seufzte schwer, entschuldigte sich aber nicht. »Gehen Sie auf den Deal ein, Mr. Gilbreath«, sagte sie fordernd. »Es ist doch unrealistisch anzunehmen, daß ich in so kurzer Zeit mit soviel Bargeld rüberkomme.«

»Das ist wohl kaum mein Problem.« Er versuchte, sich seine Schadenfreude nicht anhören zu lassen. Er spürte, wie sie am anderen Ende der Leitung zappelte.

»Und wenn ich Ihnen die Zinsen und einen Teil der Darlehenssumme zahle?«

»Miss Crandall«, tönte er großspurig, »bitte, ich glaube, Sie überschätzen meine Position da etwas. Sie tun ja so, als sei ich allein der Entscheidungsträger in diesem Fall. Ich bedaure es, aber ich allein kann diese Entscheidung nicht treffen. Ich bin den Direktoren unserer Bank verantwortlich. Und die sind, ebenso wie ich, immer sehr nachsichtig gegenüber Cotton und dem Crandall Holzwerk gewesen.

Er ist jahrelang ein guter Kunde gewesen, aber auch das hat seine Grenzen. *Falls* wir nachgeben und den Kredit verlängern sollten, würden wir uns in eine verletzliche Position gegenüber den Prüfern dieser Bank begeben. Wir müssen über jede einzelne Transaktion Rechenschaft ablegen. Und die Prüfer kennen Cotton Crandall nicht. Sie werden kaum sentimental reagieren. Sie werden es als einen gefährdeten Kredit betrachten. Und so angeschlagen, wie sich die wirtschaftliche Lage im Moment darstellt —«

»Ich danke Ihnen, Mr. Gilbreath, Sie haben meine Fragen beantwortet. Auf Wiederhören.«

Sie hängte ein, ehe er die Chance hatte, etwas darauf zu erwidern. Selbstgefällig grinsend legte Gilbreath den Hörer auf. Er genoß es, die Mächtigen stolpern und fallen zu sehen.

Als er vor drei Jahren aus Pennsylvania hierher nach Heaven gezogen war, waren ihm die Stützen der Gemeinde mit einer Haltung begegnet, die von mildem Spott bis zu unverhohlenem Snobismus reichte. Rhoda und er hatten schon sehr bald erfahren müssen, daß man nicht als heimisch in Heaven galt, solange man keine mottenzerfressene Konföderiertenuniform in einer antiquarischen Truhe aufbewahrte. Der Familienstammbaum mußte über mehrere Generationen zurückverfolgt werden können, ehe man das Stigma, ein Außenstehender zu sein, los war.

Solange man nicht einem dieser Kriterien entsprach, wurde man nicht in die Gesellschaft aufgenommen – was Dale und Rhoda unbedingt wollten. Sie wollten im Mittelpunkt stehen.

Sie waren buchstäblich gezwungen gewesen, ihr Zuhause in Pennsylvania zu verlassen. Das Paar, mit dem sie über mehrere Jahre hinweg Partnertausch praktiziert hatten, war den Wiedergeborenen Christen beigetreten, nachdem diese in der ganzen Stadt neue Mitglieder angeworben hatten. In einer tränenreichen Zeremonie vor einer großen Glaubensgemeinde hatten sie alles gebeichtet und auch die Namen ihrer Partner in der Sünde preisgegeben. Schon am nächsten Tag war Dale von den gesetzlichen Vorstandsmitgliedern der Bank, in der er als Vizepräsident tätig war, diskret aufgefordert worden, seine Kündigung einzureichen. Man bot ihm in einer Art Kompromiß ein Empfehlungsschreiben an, wenn er sofort ging.

Und so war er zur Delta National Bank von Heaven, Louisiana, gekommen, überqualifiziert und alles andere als beeindruckt. Doch zum damaligen Zeitpunkt konnte er sich den finanziellen Luxus nicht leisten, einen Job in seinem Berufsfeld auszuschlagen, schon gar nicht den als Direktor der Bank. Und so hatte er den Vorstand mit schmeichlerischem Charme für sich eingenommen und ihnen als Grund dafür, weshalb er seine frühere Arbeitsstelle aufgegeben hatte, seinen Wunsch, in einem milderen Klima zu leben, verkauft.

Doch kaum hatte die Umzugsfirma seine Möbel ausgeladen, da bereute er seine Entscheidung. Er haßte diese Stadt, haßte die Hitze, haßte die engstirnigen Menschen und ihre festen Cliquen.

Der einzige Mensch, der ihn freundlich behandelt hatte, war Cotton Crandall gewesen. Gilbreath fand heraus, daß Cotton selber so etwas wie ein Newcomer und Außenstehender war. Er hatte sich durch seine Heirat mit der letzten noch lebenden Laurent in der Gemeinde etabliert.

Eine solche Gelegenheit hatte Gilbreath nicht gehabt, aber er sah einen anderen Weg, seine Position in dieser Stadt zu festigen. Es war nicht gerade die ideale Stadt, aber da die Episode in Pennsylvania nicht das einzige Mal gewesen war, daß er und Rhoda von Hütern der Moral aufgefordert worden waren, einen Ort zu verlassen, waren sie entschlossen, in Heaven zu bleiben. Und wenn möglich, würden sie nicht als Bürger zweiter Klasse hier leben. Dies war ein kleiner Teich, aber er würde schon dafür sorgen, daß er der größte Fisch darin sein würde.

Wenn ihm Belle Terre gehörte, würden er und Rhoda von den Menschen hier ganz anders behandelt werden. Es machte ihn ganz schwindelig, wenn er nur daran dachte, daß Yankees auf Belle Terre lebten. Das würde die Stadt mächtig in Aufruhr versetzen. Und es würde verdammt noch mal nichts geben, was sie dagegen tun könnten, als seinen Arsch zu küssen und so zu tun, als würden sie ihn lieben.

Schyler Crandalls Anruf entgegenzunehmen war das letzte Stück Arbeit an diesem Tag. Mit forschem Schritt verließ er das Bankgebäude und lief die zwei Blocks bis zum Parkplatz, wo er jeden Tag den Wagen abstellte, zu Fuß. Bis auf seinen Lincoln war der Parkplatz jetzt leer. Er öffnete die Tür und schlüpfte hinter das Lenkrad.

»Na endlich. Wurde aber auch höchste Zeit«, sagte die Person auf dem Beifahrersitz. »Mach bloß die Klimaanlage an. Hier drin ist es ja heißer als in der Hölle. Ich dachte, du hast fünf Uhr gesagt. Es ist gleich Viertel nach. Wieso hast du solange gebraucht?«

Glucksend startete Dale den Motor und schaltete die Klimaanlage ein. »Ob du's glaubst oder nicht – ich habe gerade mit Schyler gesprochen.«

»Mit Schyler? Sie war in der Bank?«

»Sie hat mich angerufen.«

»Was wollte sie?«

»Sie spürt die Unterströmung und versucht, den Kopf über Wasser zu halten. Ich denke, sie fürchtet, sie könnte alles verlieren, was ihr lieb und teuer und ihr eigen ist.«

»Tja, damit liegt sie gar nicht mal so falsch, was?«

»Das hoffe ich doch. Für dich, ebenso wie für mich.«

»Was wollte sie denn von dir?«

»Einen Handel.« Er gab das Telefonat wieder.

»Du hast sie doch hoffentlich auflaufen lassen.«

Dale grinste verschlagen. »Und ob! Und zwar mit einer gehörigen Portion Mitgefühl.«

»Darauf wird sie nicht reinfallen. Sie ist gerissen.«

»Du machst dir Sorgen deswegen, hab ich recht?«

»Verdammt, ja, tue ich. Weshalb grinst du so? Die Sache ist ernst.«

»Das sagst du mir?« schnappte Dale zurück. »Schyler hat ihren Vorarbeiter wiedergeholt.« Er sah die andere Person an. »Sie geht davon aus, daß sie in den nächsten Tagen einige gute Verträge an Land zieht.«

»Die müssen aber schon mehr als nur gut sein.«

Dale nickte beipflichtend. »Verträge hin oder her, was sie nicht hat, ist Zeit. Ich glaube kaum, daß wir da ein Problem haben werden.«

»Doch, wenn wir Schyler nicht im Auge behalten.«

»Haargenau. Deshalb mußt du mich auch über jeden ihrer Schritte unterrichten. Ich will alles wissen, was deiner Meinung nach wichtig sein könnte.«

»Ich soll sie ausspionieren?«

»Ja. Nicht nur das. Sieh zu, daß du sie sabotieren kannst, wo es nur geht, ohne daß sie dir auf die Schliche kommt.«

»In Ordnung.«

»Wir bräuchten was, um sie abzulenken.«

»Und was?«

»Keine Ahnung. Eine Liebesaffäre? Am besten wäre es, wenn Cotton das Zeitliche segnen würde. Das würde sie für eine Weile vom Geschäftlichen ablenken.« Dale bemerkte die heftige Reaktion der anderen Person. Fragend hob er die Augenbrauen. »Würde dir das tatsächlich so viel ausmachen?« Keine Antwort. Dale verzog das Gesicht. »Ich verstehe schon. Bist du dir auch sicher, wem deine Loyalität gilt?«

»Ich bin nur mir selbst gegenüber loyal. Okay?«

»Und es wird dir nichts ausmachen, wenn es ungemütlich oder gefährlich wird, ehe es vorbei ist?«

»Nein.«

»Hört sich aber nicht sonderlich überzeugt an.«

»Es *macht* mir nichts aus!«

»Schon besser.« Dales Grinsen kehrte zurück.

»Schyler hat Jigger Flynns Hunde abgeknallt.«

Nach einem Moment erstaunten Schweigens fragte Dale: »Bist du sicher? Mir ist da ein Gerücht zu Ohren gekommen, daß —«

»An dem Gerücht ist nichts dran. Schyler ist es gewesen. Sie hat eins von Cottons Gewehren benutzt.«

»Woher willst du das wissen?«

»Ich weiß es eben, okay?«

Dale wußte, wann er nachgeben mußte. Das tat er und erwog gleichzeitig den Wert dieser Information und die Möglichkeiten, wie er sie sich zu Nutzen machen könnte. »Jigger würde was drum geben, das zu erfahren.«

»Wie meinst du das?«

»Tu nicht so ahnungslos. Du denkst genau dasselbe wie ich. Deshalb hast du's mir ja auch erzählt. Ich habe Jigger Flynn früher schon benutzt, um brenzlige Situationen zu bereinigen. Er ist außergewöhnlich wirkungsvoll und relativ preiswert. Wenn er wüßte, daß Schyler für den Tod seiner Hunde verantwortlich

168

ist, dann wäre er zu allem bereit. Er würde es Schyler mit gleicher Münze zurückzahlen.« Dales Mund verzerrte sich zu einem häßlichen Grinsen. »Oder etwa nicht?«

»Ich muß jetzt wieder zurück«, sagte die Person auf dem Beifahrersitz barsch und stieß die Wagentür auf.

»Ganz egal, wie ambivalent deine Gefühle für Cotton sein mögen – sie werden dir doch nicht im Wege stehen, oder?«

»Nein. Nichts wird mir im Weg stehen.«

»Genau das wollte ich hören.«

Höchst zufrieden mit dem Verlauf dieses Gesprächs und den nützlichen Informationen sah Dale der Person nach, bis sie zwischen den Gebäuden untertauchte und verschwunden war.

22. KAPITEL

Angenehm angeheitert verließ Ken die Gator Lounge. Er war nicht so betrunken, daß er schwankte, als er zum Wagen ging, aber er fummelte so umständlich mit den Autoschlüsseln herum, daß er sie fallen ließ und sie auf dem Kies landeten. Er ging in die Hocke und suchte danach, doch ehe er sie aufheben konnte, tauchte urplötzlich ein glänzender schwarzer Schuh aus dem Nichts auf und trat auf den Schlüsselbund. Kens Hand wurde beinahe dabei zerquetscht. Er erstarrte mitten in der Bewegung.

»Hey, Kenny.«

Langsam richtete sich Ken auf. Ein hastiger Blick über die Schulter bestätigte ihm, was er bereits vermutete. Der Mann, zu dem der teure Schuh gehörte, war nicht allein. Typen wie er waren immer paarweise unterwegs, wie Nonnen, nur daß dieses Paar alles andere als christliche Absichten hatte.

»Hey.« Ken lachte nervös. Er zuckte die Achseln und hob die Hände als Zeichen der Unterwürfigkeit. »Bevor du jetzt sauer wirst, laß mich dir sagen, daß ich dir das Geld nicht geben kann heute aben-«

Eine granitharte Faust landete in Kens Magengrube. Er klappte zusammen und krümmte sich. Der Schlägertyp, der im Hintergrund gestanden hatte, packte Ken an den Haaren und zog ihn hoch. Ken schrie vor Schmerz auf. Aber es gab niemanden, der ihn hätte hören können. Der in das rubinrote Licht der Neonreklame getauchte Parkplatz lag verlassen da. Doch selbst wenn jemand seinen Schrei gehört hätte, wäre ihm niemand zu Hilfe gekommen. Diese Typen waren tödlich.

Der erste Kerl, offensichtlich der Sprecher der beiden, trat vor, bis er Nase an Nase mit Howell stand. »Ich bin aber schon stinksauer. Drei Tage bist du schon überfällig mit der Rückzahlung.« Seine Stimme klang seidenweich, aber verächtlich. »Es tut mir weh, wenn du mich anlügst.« Diamantringe blitzten an der Hand auf, die er auf sein Herz legte. »Hier drinnen, tief in mir, tut es mir weh, wenn du mich anlügst.«

»Ich kann's nicht ändern«, keuchte Ken. »Das Geld ist knapp. Ich hab die Krankenhausrechnungen für den alten Mann zahlen müssen. Die Ärzte.«

»Kenny, Kenny, du brichst mir das Herz.« Die beleidigte Miene verzerrte sich zu einer häßlichen Fratze. »Weißt du, was du bist? Du bist nicht nur ein Lügner, sondern auch ein Verlierer. Du hast böse verloren bei dem Hundekampf letzte Woche. Und der Gaul, auf den du beim Rennen in Laffayette gesetzt hast, gehört in die Spielzeugfabrik.« Er spuckte in Kens Gesicht. »Du bist ein gottverdammter Verlierer, und ich hasse Verlierer.«

Ken schwitzte Blut und Wasser. »Hör zu, Mann. Gib mir noch etwas Zeit. Ich —«

Er rammte Ken das Knie in den Unterleib. Ken schrie auf. »Ich hab' die Schnauze voll von deinen billigen Ausreden. Für Ausreden kann ich mir nichts kaufen. Ich will Bares sehen. Wann kriege ich mein Geld?«

»B... bald«, stammelte Ken. »Ich hab was Großes am Laufen.«

»Was Großes? Was soll das denn sein? Willst du beim Bingo gewinnen?« Der Mann, der Ken an den Haaren hielt, kicherte.

»Nein«, keuchte Ken; der Schmerz war noch immer fürchterlich. »Was wirklich Großes.«

»Hört sich an wie der übliche Scheiß.«

»Nein, ich schwör's bei Gott. Ich kann dir noch nichts Genaues sagen. Ich muß da noch was regeln. Die Holzfabrik —«

»Ist wieder in Betrieb. Ja, ja, weiß ich doch. Nichts Neues für mich. Boudreaux ist wieder im Geschäft.« Er ließ ein schmieriges Grinsen aufblitzen. »Bumst der eigentlich deine knusprige kleine Schwägerin?«

»Nein!« Ken wehrte sich verbissen gegen den Mann, der ihn festhielt. Doch der Schläger packte ihn nur noch fester beim Schopf und zog ihm den Kopf in den Nacken. »Das ist eine beschissene Lüge, was du da gehört hast.«

Sein Peiniger lachte boshaft. »Erst hat sie dich aus dem Bett geschmissen und dann aus deinem Job im Familienbetrieb. Ist das nicht eine Schande?«

»Das stimmt nicht. Beides nicht. Ich habe noch immer die Kontrolle über die Geschäftsbücher. Ich bin immer noch der Vizepräsident der Firma.«

»Aber es ist ihre Show. Und Boudreaux zeigt ihr, wie's geht, während er sie fickt. Ist es nicht so?«

Ken versuchte den Kopf zu schütteln, doch diese Bewegung verursachte solche Schmerzen, daß ihm die Tränen kamen. »Nein. Ich habe die Leitung.«

»Du?« Der Schläger lachte bellend auf, verstummte aber schon im nächsten Moment, während er ein Klappmesser aufschnappen ließ und es Ken direkt an die Genitalien hielt.

Ken wimmerte und ging auf die Zehenspitzen. Der Mann hinter ihm, der ihn bei den Haaren gepackt hielt, lockerte nun seinen Griff, wo Ken doch jetzt am liebsten hochgehoben worden wäre. »Ich treibe das Geld für dich schon auf«, jammerte Ken in Panik. »Aber du mußt mir mehr Zeit dafür lassen.«

»Die hast du aber nicht mehr, Kenny.« Er stieß die Klinge fester gegen Kens Reißverschluß.

»Nein, nein, bitte, um Himmels willen, tu's nicht. Du kriegst dein Geld.«

»Alles?«

»Jeden Cent.«

»Wann?«

»In… in einem Monat.« Der Mann hinter ihm öffnete die Faust und ließ ihn los. Beinahe wäre Ken in die Klinge gesackt. »Zwei Wochen«, keuchte er atemlos.

Langsam zog der Geldeintreiber das Messer weg, mit einer Geste, die üblerweise an ein Aufschlitzen erinnerte. »Okay, ich will mal nicht so sein. Zwei Wochen.« Sein breites Grinsen verwandelte sich zu einer finsteren Miene. »Mach dir nicht extra die Mühe, uns anzurufen. Wir werden an dir dranbleiben, Kenny, wie Fliegen an einem Stück Hundescheiße.« Sein Krokodilgrinsen blitzte wieder auf. Sogar seine Zähne sahen aus, als wären sie zu Zacken zurechtgeschliffen. Dann traten er und sein Kumpan aus dem Lichtkegel der Neonreklame und verschwanden in der Dunkelheit.

Ken sank kraftlos auf die Knie. Er übergab sich. Als er nur noch trocken würgte, kroch er auf allen vieren über den Kies, bis er die Autoschlüssel gefunden hatte.

Die Scheinwerfer ließen Schyler hochschrecken. Sie war fast eingenickt auf der Schaukel auf der Veranda, die sie hin und wieder mit ihren nackten Zehen angeschubst hatte. Sie war so müde wie noch nie, seit sie täglich draußen im Werk arbeitete. Meistens ging sie schon kurz nach Anbruch der Dunkelheit zu Bett und war morgens die erste, die sich bei der Arbeit blicken ließ.

Sie lächelte, als sich Ken die Treppe hinaufschleppte. »Hallo. Du siehst ja so geschafft aus, wie ich mich fühle.«

»Ich, äh, mein Magen spielt verrückt.«

»Doch nichts Ernstes, hoffe ich.« Als er den Kopf schüttelte, fragte sie. »Hast du deshalb das Abendessen ausfallen lassen?«

»Nein. Bin aufgehalten worden.« Er überquerte die Veranda und langte nach dem Griff der Fliegengittertür.

»Wenn du einen Moment Zeit hättest, würde ich dich gern etwas fragen.«

Kens Hand fiel herunter; er wandte sich zu Schyler um. »Ich hätte da auch eine Frage an dich«, sagte er schwer.

»Schieß los.«

»Gehst du mit Cash Boudreaux ins Bett?«

Schylers Lächeln erstarb. Sie war zutiefst beleidigt. »Ganz bestimmt nicht.«

Mit schleppendem Schritt kam er bedächtig und ärgerlich auf

die Schaukel zu. »Wär' doch immerhin möglich. Jedenfalls erzählen sich das die Leute in der Stadt.«

Die Dunkelheit verbarg ihre plötzliche Röte, die ihre Wangen überzog. Mit bewundernswerter Beherrschung verhinderte sie, daß er ihr ansehen konnte, wie sehr seine Bemerkung sie aufgebracht hatte. Sie machte eine abfällige Geste. »Du weißt aber auch, wie gern die Leute hier über alles und jeden herziehen.«

»Meistens ist aber auch was dran.«

»In diesem Fall aber nicht.«

»Du bist doch den ganzen Tag mit ihm zusammen.«

»Aber nicht die ganze Nacht!« Sie schluckte den plötzlichen Ausbruch herunter. Sie war zu müde heute abend, um sich zu streiten, vor allem weil es nichts gab, wofür sie sich hätte verteidigen müssen. »Ich arbeite mit Cash zusammen. Da ist es nur natürlich, daß ich Zeit mit ihm verbringe. Ich habe schon mit einigen Männern zusammengearbeitet, aber das heißt nicht, daß ich auch mit ihnen schlafe.«

»Mark Houghton ist da also eine Ausnahme?«

Schyler sprang so schnell aus der Schaukel, daß sie wie wild hinter ihr herschwang. »Ich habe nicht vor, mit dir über mein Privatleben zu diskutieren, Ken. Ich hab dir schon mal gesagt: es geht dich verdammt noch mal nichts an. Gute Nacht.«

Er packte sie am Arm, als sie an ihm vorbei wollte. »Schyler, Schyler«, flehte er. »Geh nicht weg. Bleib und rede mit mir.«

»Reden? Okay. Aber ganz sicher nicht darüber, ob ich mit Cash Boudreaux oder sonstwem ins Bett gehe.«

»Ich ertrage es nicht, wenn sein Name mit deinem in Verbindung gebracht wird.«

»Und was soll ich deiner Meinung nach dagegen tun? Wir arbeiten zusammen.«

»Schmeiß ihn raus.«

»Das kann ich nicht«, rief Schyler zornig. »Und ich will es auch gar nicht. Dazu bin ich viel zu sehr auf ihn angewiesen.«

»So hast du anfangs nicht gedacht.«

»Jetzt weiß ich es besser. Er ist ein ausgezeichneter Forstarbeiter. Er tut sogar mehr als das, wofür er bezahlt wird.«

»Dann hörst *du* eben auf. Laß mich wieder einsteigen.«

Schyler war überrascht, welch großen Widerwillen diese Idee in ihr hervorrief. So strapaziös die Arbeit im Werk auch war, sie dachte gar nicht daran, aufzuhören. Ihre Bemühungen, große Verträge mit den ehemaligen Abnehmern abzuschließen, waren bislang ohne echten Erfolg geblieben. Aber aufzugeben, das kam gar nicht in Frage. Außerdem mangelte es ihr an Vertrauen zu glauben, daß ein anderer – und das galt auch für Ken – so entschlossen um den Erhalt von Belle Terre kämpfen würde wie sie.

Das offen auszusprechen wäre ungehörig gewesen, daher gab sie sich alle Mühe, sein Angebot möglichst diplomatisch auszuschlagen. »Aber du kannst dich doch nicht zweiteilen, Ken.«

»Dann erledige ich meine Arbeit eben vom Werksbüro aus.«

»Beide Jobs auf einmal, das ist zuviel, Ken.«

»Nicht für mich«, beharrte er. »Gib mir eine Chance.«

»Aber es muß doch gar nicht sein, daß du dir soviel zumutest. Besonders, wo ich gewillt bin –«

Er drückte ihren Arm fest. »Aber ich bin *nicht* gewillt. Ich werde es nicht zulassen, daß du zu einer schuftenden Karrierebraut wirst.«

»Das bin ich doch gar nicht.«

»Wird aber nicht mehr lange dauern.« Er zog sie dicht an sich heran. »Ich weiß doch, wie süß und weiblich du warst, als du –«

»Ken, bitte.«

»Laß mich ausreden, Schyler. Ich lieb-«

»Habe ich also tatsächlich deine Stimme hier draußen gehört. Wird auch Zeit, daß du nach Hause kommst.« Ken sprang von Schyler weg und schwang mit schlechtem Gewissen herum. Vor ihm stand seine Frau. »Na, na, na ...« Tricia lachte leise und stieß die Fliegengittertür auf. »Was macht ihr beiden denn hier?«

Einen Moment lang sagte niemand etwas. Dann antwortete Schyler ganz seelenruhig: »Ich habe Ken nach einigen Akten gefragt, die bei den Unterlagen fehlten, die er mir ins Büro gebracht hat.«

Vor wenigen Wochen noch hätte Schyler ein Liebesbekenntnis von Ken willkommen geheißen. Es wäre das I-Tüpfelchen gewesen, wenn er es in einem Moment gestanden hätte, wo Tricia es mitbekommen hätte.

Nun jedoch war dieser Sieg so schal und unwichtig wie eine Plastiktrophäe. Seine Liebe bedeutete ihr nichts mehr.

»Es wäre schön, wenn ich die fehlenden Unterlagen morgen im Laufe des Tages auf dem Schreibtisch hätte, in Ordnung?«

»Äh, sicher, geht klar.«

»Prima.« Sie beugte sich herunter und hob die Sandalen auf, die sie neben der Schaukel abgestreift hatte. »Ich bin erledigt. Morgen muß ich wieder um sechs Uhr aus den Federn, also ab ins Bett.« Sie ging ins Haus und tappste die Treppe hinauf.

Tricia, die gegen die Säule gelehnt stand, warf ihrem Mann einen vorwurfsvollen und hartherzigen Blick zu. »War auch für mich ein langer Tag«, sagte er schnell. »Ich werde —«

»Nichts da, Mr. Howell. Hübsch hiergeblieben.« In Tricias Ton schwang eine solche Autorität, daß Ken automatisch gehorchte. Zum zweitenmal innerhalb weniger Minuten rutschte seine Hand von der Türklinke. »Du stinkst wie eine Kneipe.«

Er ließ sich plump auf die Schaukel fallen und rieb sich die Augen. »Kein Wunder. Da bin ich nämlich auch gewesen.«

»Und hast deinen Kummer wieder mal in Bourbon ersäuft?«

»Yeah«, antwortete er verbittert. »Weil mein größter Kummer die Hexe ist, die ich zur Frau habe.«

»Vergiß es. Ich bin die letzte, die dir Kummer bereitet.«

»Was willst du damit sagen?«

»Du wirst doch nicht zulassen, daß sie hier einfach wieder antanzt und alles an sich reißt, oder?«

»Was? Wer?«

»Schyler, du Idiot. Kapierst du nicht, was sie tut? Ist dir das völlig egal?«

»Es ist mir nicht egal, aber sie hört nicht auf mich, Tricia.«

»Dann redest du eben nicht deutlich genug mit ihr.« Sie kehrte ihm den Rücken zu und verschränkte die Arme, als wollte sie ihre Wut unterdrücken. »Hast du denn überhaupt schon mit ihr über das geredet, was wir besprochen haben?«

Er lachte spöttisch und schüttelte ungläubig den Kopf. »Belle Terre zu verkaufen?«

»Belle Terre, die Fabrik und alles andere auch.«

»Schyler wird dem nie zustimmen.«

»Woher willst du das wissen? Du hast sie ja nicht mal gefragt.«

»Du doch auch nicht.« Es klang wie eine Herausforderung.

»Auf mich hat sie nie gehört. Wenn jemand etwas bei ihr erreichen kann, dann du.« Ihre Augen verengten sich. »Oder verlierst du gerade Boden an Cash Boudreaux? Junge, Junge, was zerreißen sich die Leute in der Stadt *darüber* das Maul! Wenn ich mir vorstelle, daß *die beiden* zusammen ins Bett gehen... Schyler Crandall, die ehemalige Schönheit von Laurent, und Monique Boudreaux' Bastard von einem Sohn. Ist das nicht ein *entzückendes* Paar? Wer hätte das gedacht...?«

»Niemand, der noch alle Tassen im Schrank hat.«

»Was macht dich da so sicher?«

»Ich weiß es eben. Ich habe sie drauf angesprochen. An den Gerüchten ist nichts dran.«

»Und du meinst, sie würde es dir erzählen?«

»Ja«, sagte er mit größerer Gewißheit, als er verspürte. »Ich denke, sie würde es mir sagen.«

»Ist ja auch egal«, wiegelte Tricia lässig ab. »Wenn die Leute annehmen, daß die beiden miteinander schlafen, dann ist es so gut wie eine Tatsache.« Ihr Lächeln änderte die Richtung; sie schaute zu Boden. »Und es würde ihr auch ähnlich sehen, sich mit weißem Abschaum abzugeben. Sie hatte da nie irgendwelche Vorbehalte.« Sie kaute auf dem Mundwinkel. »Und unseren guten Ruf wird sie gleich mit ruinieren. Würd' mich gar nicht überraschen, wenn sie sich genau deshalb mit Cash eingelassen hat. Kommt wieder zurück und macht uns fertig, weil wir... für das, was passiert ist, als wir geheiratet haben.«

Tricia schlug mit der Faust gegen die Säule. »Aber nicht mit mir. Sie liefert uns nur noch einen Grund mehr, von hier abzuhauen. Belle Terre«, spottete sie, »ein hübscher Name... für *was*?« Sie deutete mit einer Hand über die Rasenfläche und das Land dahinter. »Für einen Haufen Dreck. Bäume. Ein stinkender alter Bayou, der für nichts taugt, außer für Moskitos und Langusten. Das Haus ist nicht mal ein Originalbau. Es ist nur ein Nachbau des Hauses, das die Armee der Union angezündet hat, als sie damit fertig waren. Es ist nichts Besonderes daran.«

»Außer daß Schyler dieses Haus liebt.« Ken schaute seine Frau abschätzig an. »Was meiner Meinung nach auch der Grund ist, weshalb du darauf bestanden hast, daß wir hier wohnen.«

Sie konterte seine Attacke. »Hast dich aber nie darüber beklagt, oder? Du mußtest jedenfalls keine Miete zahlen. Mußtest nichts für den Hausstand kaufen. Nicht einen lumpigen roten Heller deines Geldes geht für die Instandhaltung dieses Hauses drauf. Du hast es doch verdammt bequem gehabt die sechs Jahre, die wir jetzt verheiratet sind.« Sie machte eine kurze Pause, ehe sie ihre Trumpfkarte ausspielte. »Das heißt: bis jetzt jedenfalls.«

»Versuch nicht, mir zu drohen, Tricia.«

»Betrachte es als faire Warnung. Wenn du nicht aufpaßt, wird Schyler dich vor die Tür setzen, mein Goldstück. Sie wird sich hier überall reindrängen, und du wirst absolut überflüssig sein. Du wirst wie totes Holz hier rumliegen, und Cotton wird keinen Moment zögern, dich endgültig loszuwerden.«

Weil sie ihn mit seiner größten Furcht aufzog, stand Ken auf und ging wieder zur Haustür. Als er an Tricia vorbeiging, hielt sie ihn am Arm fest. Sie änderte ihre Taktik, schmiegte sich eng an ihn und legte die Wange an seine Brust, trotz des säuerlichen Geruchs, der von ihm ausging.

»Zieh jetzt nicht so beleidigt ab, Baby. Sei nicht böse auf mich. Ich sage das alles doch nur, weil ich dein Bestes will. *Unser* Bestes. Rede mit Schyler, damit wir Belle Terre loswerden. Wozu brauchen wir denn so ein großes altes Haus? Wir werden jedenfalls ganz sicher nicht jedes Schlafzimmer mit einem Enkel füllen, wie Cotton das von uns erwartet. Mit unserem Anteil vom Verkaufserlös könnten wir eine moderne Wohnung kaufen in jeder Stadt, die uns gefällt. Wir könnten reisen. Wir —«

»Tricia«, unterbrach Ken sie müde. »Selbst wenn Schyler dem zustimmen würde, was sie nicht tun wird, was ist mit Cotton? Er wird einem Verkauf niemals zustimmen.«

»Cotton könnte sterben.« Ken starrte in das Gesicht seiner Frau. Es war kalt und ohne jedes Gefühl; der Anblick ließ ihn frösteln. Ihr Ausdruck änderte sich nur unwesentlich, als sie hinzufügte: »Wir müssen uns darauf einstellen. Es kann jeden Tag passieren. Also, wirst du nun mit Schyler über den Verkauf von Belle Terre reden oder nicht?«

»Ich habe eine Menge um die Ohren«, murmelte er ausweichend. »Aber ich verspreche dir, darüber nachzudenken.«

Er riß sich los und ging ins Haus. Tricia sah ihm nach, voller Verachtung für die Art, wie er die Treppe erklomm, mit gebeugtem Kopf, hängenden Schultern, die Hand über das Geländer baumelnd.

Im Vergleich dazu fühlte sich Tricia wie ein Kessel kurz vor dem Überkochen. Sie lehnte sich gegen die Hauswand, ballte die Fäuste und biß sich auf die Unterlippe, um nicht vor Frustration laut zu schreien. Es gab soviel, was sie wollte und wollte und wollte, und nie erfuhr sie irgendeine Befriedigung. Für sie waren die Menschen in ihrer Umgebung, besonders ihr Mann, so ohne jeglichen Ehrgeiz und ganz einfach traurig.

Niemand schien sich groß darum zu scheren, daß ihr Leben rasend schnell vorüberzog, während sie nicht mehr Vorwärtsdrang hatten als die trägen Wasser des Bayou. Sie waren gewillt, sich mit so wenig zu begnügen, wo dort draußen doch soviel auf sie wartete. Sie aber schienen damit zufrieden zu sein, hier in Heaven zu verrotten.

Doch Tricias Ungeduld, fortzugehen, alles zurückzulassen und ihr Leben zu ändern, war so groß und quälend, daß sie es wie ein Jucken unter der Haut verspürte.

23. KAPITEL

Herzpatienten werden all ihrer menschlichen Würde beraubt.

Die Wochen auf der Intensivstation des Krankenhauses hatten Cotton Crandall gelehrt, was es heißt, zutiefst erniedrigt zu sein. Zwar war sein Körper, unterstützt durch starke Medikamente, so sehr geschwächt, daß er ständig das Bewußtsein verlor, doch er wußte, daß man mit kaputter Pumpe seiner Würde und Männlichkeit so beraubt war wie nach einer Kastration.

Er gab sich benommener, als er tatsächlich war, während die Krankenschwester die Infusionsflaschen auswechselte. Was da in seine Venen tropfte, interessierte ihn wenig: seine Neugier galt vorrangig der Krankenschwester. Sie war keine dieser harschen, barschen Drachen in Schwesterntracht, sondern jung und bildhübsch. Aus seinem günstigen Blickwinkel konnte Cotton, während sie seinen Blutdruck maß, die Rundungen ihrer Brüste genießen. Er fragte sich, wie sie wohl reagieren würde, wenn eine Erektion sein Bettlaken spannen würde.

Er hätte fast gelacht bei dieser Vorstellung, doch es mangelte ihm an Energie, also gab er sich mit einem Schmunzeln zufrieden, das kaum merklich um seine Lippen spielte.

Doch auf eine Erektion bestand ohnehin kaum Hoffnung, denn in seinem Schwanz steckte ein Katheter zur Entleerung der Blase. Verflucht, dachte er verbittert. Er war nicht mal mehr in der Lage, allein zu pissen.

Zufrieden mit Cottons derzeitiger Verfassung tätschelte ihm die Krankenschwester leicht die Schulter und verließ das Zimmer. Er blieb allein zurück, in Frieden, aber nicht in Ruhe. Die computerbetriebenen Maschinen zeigten piepsend und blinkend seine Werte auf kleinen grünen Bildschirmen an.

Wie lange noch, bis er hier raus konnte? Wann endlich würde er heim nach Belle Terre können? *Gott, gönn mir wenigstens den Segen, dort zu sterben,* betete er.

Aber er bezweifelte ernsthaft, daß Gott, wenn es ihn denn gab, sich überhaupt an Cotton Crandalls Namen erinnerte.

Dennoch hoffte er. Hätte er sich wünschen können, wie er sterben wollte, dann würde er auf der Veranda von Belle Terre sitzen, mit einem großen Glas Bourbon in der Hand, den Arm um Monique gelegt.

Die Signale, die seinen Herzschlag anzeigten, setzten aus. Er spürte das Herzklopfen in seiner Brust und schob um seiner eigenen Sicherheit willen den Gedanken an Monique beiseite.

Statt dessen dachte er an jene, die auf Belle Terre lebten. Wie üblich kreisten seine Gedanken hauptsächlich um Schyler. Ihr Name rief tiefe Liebe und ebenso tiefen Groll in ihm wach. Diese Emotionen standen in ständigem Widerstreit in seinem Innern; beide so stark, daß ein Gefühl das andere auszulöschen vermochte und ihn wie benommen machte.

Als er wieder ausreichend bei Bewußtsein gewesen war, um mitzubekommen, daß Schyler heimgekehrt war, hatte es sein schmerzendes Herz vor Freude gerührt. Doch der Herzinfarkt hatte nicht seine Erinnerung ausgelöscht. Als er sich vor Augen rief, weshalb sie damals fortgegangen war, kehrte all seine tiefe Verbitterung zurück. Er konnte ihr nicht vergeben.

Er fand es eigenartig, daß sie ihn ständig besuchen kam. Auch wenn er auf ihre Anwesenheit nicht reagierte, kam sie dennoch hoffnungsvoll weiter Tag für Tag. Er wollte es sich nicht eingestehen, aber ihre Besuche waren die strahlendsten Momente seiner schier endlosen Tage. Die Zeit wurde nicht nach dem Stand der Sonne am Himmel gemessen, den man nicht mal sehen konnte, sondern nach den Schichtwechseln der Schwestern und Pfleger. Man konnte Monate im Krankenhaus verbringen, ohne den Wechsel der Jahreszeiten mitzubekommen.

Vielleicht war die Bitte zu groß, das noch einmal sehen zu dürfen, aber er hoffte, wenigstens so lange am Leben zu bleiben, daß er noch ein letztes Mal den Sonnenuntergang auf Belle Terre erlebte. Denn an den allererersten Sonnenuntergang, den er von der Veranda des Hauses aus beobachtet hatte, konnte er sich erinnern, als sei es gestern gewesen.

Er hatte damals für den alten Laurent gearbeitet, den miesesten Bastard, dem er je begegnet war. Was er bei ihm als Holzfäller verdiente, wurde nicht in bar, sondern als Gutschein ausgezahlt, den man nur im Laden des Werks einlösen konnte. Diese Regelung stank zum Himmel, aber er war damals froh gewesen, überhaupt einen Job zu haben.

Eines Tages war Macy Laurent in einem schicken roten Cabrio auf dem Gelände des Holzwerks vorgefahren. Sie war das Ebenbild einer verbotenen Frucht. Mit ihrem blonden Haar und dem bananengelben Sommerkleid sah sie reif zum Pflücken aus. Aber ebenso gut hätte Stacheldraht um sie herum sein können, da niemand von Cottons Kaliber auch nur in ihre Nähe kam. Sie nahm von ihm nicht mehr Notiz als von den übrigen Arbeitern, die sie begafften, während sie ihrem Daddy einen knisternden neuen Zwanzigdollarschein abluchste, was mehr war, als die meisten von ihnen in einer Woche verdienten.

Cotton hielt es für Schicksal, daß wenige Tage später Macys rotes Cabrio mit einem Platten liegenblieb. Er war gerade auf dem Weg vom Mietshaus, in dem er lebte – und das ebenfalls Firmeneigentum war – zur Arbeit, als er sie auf einer der Nebenstraßen entdeckte. Sie trug einen Badeanzug. Ihre Beine konnten glatt mit denen von Betty Grable mithalten, und er war schon seit Jahren ein glühender Verehrer von Miss Grable. Er bot ihr an, den Reifen zu wechseln. Auch wenn er dann zu spät zur Arbeit käme und man ihm das von seinem Lohn abziehen würde, betrachtete er diese gute Tat als eine Art Investition.

Und die sollte sich auszahlen. Macy war beeindruckt von seiner großen, muskulösen Statur und fasziniert von seinem hellen, fast weißen Haar. Sie bot ihm einen Dollar an für den Reifenwechsel. Er lehnte ab. Also lud sie ihn statt dessen auf eine Portion frische Aprikoseneiskrem in ihr Haus ein.

»Irgendwann heute nach dem Abendessen«, hatte sie gesagt und ihm zugewinkt, als sie davon brauste.

Im Mietshaus gab es um sechs Uhr Abendessen. Er wußte nicht, daß die Reichen nicht vor halb acht zu Abend aßen, und so traf er viel zu früh ein. Eine massige Schwarze unbestimmten Alters – später war er erstaunt, als er herausfand, daß Veda Frances nicht mal annähernd so alt war, wie er angenommen hatte; sie war in ihrem Auftreten unbeugsamer gewesen als so mancher Sergeant, unter dem er während des Krieges in Frankreich gedient hatte – hieß ihn mit ernster Miene, auf der Veranda auf Miss Macy zu warten. Ihm wurde ein Glas Limonade angeboten; der lange, staubige Fußmarsch von der Stadt bis hierher hatte ihn durstig gemacht.

Und während er auf der Veranda saß und an seiner Limonade nippte, erlebte er seinen ersten Sonnenuntergang auf Belle Terre. Die Pracht der Farben hatte ihn ganz schwindelig werden lassen. Er hatte sich gewünscht, dies zusammen mit Monique erleben zu können, doch die war zu dieser Zeit noch in New Orleans und wartete darauf, daß er sie nachkommen ließ.

Dann kam Macy heraus auf die Veranda und sprach seinen Namen mit einem Akzent aus, der so weich war wie Honig und so leicht wie eine Feder, und er vergaß jeden Gedanken an Monique Boudreaux. Monique war lebendig und leuchtend wie eine Rose. Macy so süß und anmutig wie eine weiße Orchidee.

Und ihr Teint war auch fast so durchsichtig. Cotton zerbarst fast vor instinktivem Bedürfnis, sie zu beschützen und zu besitzen. Sie war so zierlich, so zerbrechlich, daß sie kaum einen Luftzug verursachte, als sie zu einem der Korbstühle ging und Cotton einlud, auf dem neben ihr Platz zu nehmen.

Als er sie das erste Mal küßte, was kaum eine Woche darauf geschah, schmeckten ihre Lippen nach Geißblatt. Ihr Lachen klang hell wie ein winziges Glöckchen. Sie nannte ihn einen närrischen Poeten.

Als er zum ersten Mal ihre kleinen, spitzen Brüste berührte, wimmerte sie leise und sagte ihm, daß sie sich nicht wohl fühle, und wenn ihr Daddy sie erwischen würde, müßten sie heiraten.

Worauf Cotton nur entgegnete, das fände er in Ordnung.

Die Neuigkeit ihrer Verlobung erschütterte die Stadt, keine Frage. Um ihre Tochter, die zerbrechlich wie Porzellan, aber dickköpfig wie ein Maultier war, zu besänftigen, willigten die Laurents ein – Macy und Cotton durften heiraten. Um das Gesicht zu wahren, dachte man sich eine Vita für Cotton aus, in der auch ein Familienmitglied aus Virginia vorkam. Diese erfundene Familiengeschichte war voller Katastrophen. Fortan war der arme Cotton einziger Nachkomme einer vom Unglück geschlagenen Familie.

Ihn scherte es nicht, was die Laurents ihren hochnäsigen Freunden über ihn erzählten. Er war verliebt in Macy, in Belle Terre. Es war ihm egal, daß sich Macys Mutter abends auf ihr Zimmer zurückzog, um nicht mitansehen zu müssen, wie er die geheiligten Hallen von Belle Terre entweihte mit einen Manieren des weißen Abschaums und seiner ungehobelten Ausdrucksweise. Als sie starb, war er nicht sonderlich traurig; auch nicht, als sein Schwiegervater drei Monate später ebenfalls verstarb.

Wie ein gut geschmierter Kolben schlüpfte Cotton in die entstandene Lücke und übernahm die Leitung des Holzwerkes. Seine erste Maßnahme war die Abschaffung der Entlohnung per Gutschein. Er verkaufte auch den firmeneigenen Laden und ließ das schäbige Mietshaus schließen. Als der Vorstand seine Neuerungen mißbilligte, löste er das Problem, indem er den Vorstand in die Wüste schickte.

Er versprach den Arbeitern, daß ihre Interessen fortan Vorrang vor allem anderen hätten. Sie waren mißtrauisch, stellten aber schon bald fest, daß Cotton Crandall ein Mann war, der zu seinem Wort stand. Ein Versprechen von ihm war so gut wie pures Gold. Und schließlich wurde der Firmenname auf den Briefbögen geändert, ein Zeichen für Cottons Lauterkeit und die Auflösung der Autokratie der Laurents.

Zu Hause aber war alles anders. Er mußte feststellen, daß seine Frau es gewohnt war – und es vorzog – verwöhnt zu werden. Für einen Mann, der im Glauben an eine strenge Arbeitsmoral aufgewachsen war, dessen nächste Mahlzeit davon abhing, ob er hart arbeitete oder nicht, war solcher Müßiggang unbegreiflich. Ebenso machte ihm Macys Aversion gegen Sex zu schaffen. In dieser Hinsicht unterschied sie sich von Monique so sehr wie Tag und Nacht. Natürlich war Monique nicht mehr Jungfrau gewesen. Er hatte sie in einem zwielichtigen Nachtclub im French Quarter kennengelernt, in den letzten Tagen des Krieges. Der Schuppen hatte nur so gewimmelt von Soldaten und Matrosen, doch sie hatte ihn herausgepickt.

Sie hatte lebhaft mit ihm geflirtet; er bot an, ihr einen Drink zu spendieren. Er prahlte mit seinen Heldentaten im Krieg; sie wirkte aufrichtig interessiert. Sie liebten sich in dieser ersten Nacht. Allmächtiger, sie hatte ihn wirklich rangenommen. Er hatte noch nie eine Frau gehabt, die ein derart unbekümmertes Verhältnis zum Sex hatte. Ihre Art zu lieben war feurig, aber sie war treu. Seit dieser ersten gemeinsamen Nacht blieb Moniques Bett nur für ihn reserviert.

Sie waren zusammengezogen, lebten in einem heruntergekommenen Apartment und verbrachten nicht eine Nacht getrennt, bis er schließlich gezwungen war, anderswo Arbeit zu suchen. Zu diesem Zeitpunkt lebten sie schon drei Jahre zusammen. Übers Heiraten hatten sie nie gesprochen. Monique schien es nicht zu erwarten oder zu brauchen, um glücklich zu sein.

Und irgendwie hatte Cotton tief im Innern gewußt, daß noch etwas Besseres auf ihn wartete.

Er glaubte, es in Laurent gefunden zu haben. Die Ironie an der Sache war nur, daß Macy nicht übertrieben hatte, als sie ihm sagte, seine Zärtlichkeiten würden ihr Übelkeit bereiten. Sie fiel fast in Ohnmacht in ihrer Hochzeitsnacht, als er nach stundenlangen vergeblichen Überredungsversuchen und sanftem Druck die Ehe schließlich gewaltsam vollzog.

Während sie weinte, versprach er reuevoll, daß das Schlimmste nun vorüber wäre. Aber es wurde nie besser. Was er auch tat, sie mochte es nie. Intimes Vorspiel wies sie zurück. Sie weigerte sich, ihn ›unten‹ zu berühren, weil es so häßlich und schmutzig war. Sie ließ ihn entweder mit schonungsloser Verachtung oder stoischer Opferbereitschaft gewähren. Er erinnerte sich noch gut an den Tag, als Macy ihn endgültig aussperrte.

»Cotton?«

»Hmm?«

Es hatte geregnet an jenem Tag, deshalb war er nicht raus zum Werk gefahren. Er saß am Schreibtisch in seinem Arbeitszimmer, über die Geschäftsbücher gebeugt.

»Würdest du mich bitte ansehen, wenn ich mit dir rede?«

Er hob den Kopf. Macy stand auf der Türschwelle. Ihre schlanke Gestalt wurde vom Licht aus der Halle umspielt. »Entschuldige, Liebling, ich war gerade ganz in Gedanken.« Er legte den Stift beiseite. »Was ist?«

»Ich habe heute deine Sachen umquartiert.«

»Meine Sachen?«

Nervös verschränkte sie die Hände über der Taille. »Aus unserem Schlafzimmer rüber in das auf der anderen Seite des Flurs.«

Er konnte sich nicht erinnern, jemals wütender gewesen zu sein. »Da hast du dir aber eine Menge Ärger eingebrockt, meine Liebe. Weil du jetzt nämlich jedes verdammte Ding meiner Sachen dahin zurückbringen mußt, wo es verdammt noch mal hingehört.«

»Ich habe dich doch gebeten, nicht in diesem Ton —«

Als er von seinem Stuhl hochfuhr, rollte der nach hinten und krachte gegen die vertäfelte Wand. »Was, zum Teufel, hast du eigentlich vor?«

Ihre flache Brust hob und senkte sich vor Entrüstung. »Mama und Daddy haben nie zusammen in einem Schlafzimmer geschlafen. Kultivierte Menschen tun so etwas nicht. Diese Art von... von... Vergnügen jede Nacht, die du gewohnt bist, ist –«

»*Spaß*.« Er kam durchs Zimmer gestampft und baute sich vor ihr auf. »Den meisten Menschen macht es Spaß.«

»Nun, ich finde es abscheulich.«

Das traf ihn wirklich. Er mußte zugeben, daß es unter anderem Macys Unerreichbarkeit gewesen war, die ihn so sehr angezogen hatte. Vielleicht galt das auch für sie, wo er doch so anders gewesen war als die redegewandten Jungs vom College, die ihr den Hof machten – wie das Märchen von Aschenputtel, nur umgekehrt. Aber wenn er geglaubt hatte, die Mauern des Schlosses überwunden und die Prinzessin gewonnen zu haben, mußte er nun seinen Irrtum erkennen. Er war noch immer der ungehobelte Holzfäller für sie, ordinär und ohne Prinzipien – in einem Wort: abscheulich.

Sein Ego ließ es nicht zu, sich anmerken zu lassen, wie tief sie ihn damit getroffen hatte. »Und was ist mit Kindern?« fragte er in kaltem Ton. »Was ist mit der Dynastie, die wir begründen wollten?«

»Ich möchte ja Kinder haben, ganz sicher sogar.«

Er kam mit seinem Gesicht ganz nahe an ihres. »Tja, um Kinder zu kriegen, Macy, muß man aber ficken.«

Er fand perverses Vergnügen daran zu sehen, wie ihr Gesicht jegliche Farbe verlor. Sie schwankte, als hätte er sie geschlagen. Er mußte den Mut bewundern, den es sie kostete, ihre Position zu verteidigen, aber es überraschte ihn nicht. Einer ihrer Vorfahren war ein Held der Konföderierten gewesen.

»Ich werde dich jeden Monat über meine fruchtbaren Tage unterrichten.« Lautlos, ohne ein Rascheln ihres Kleides, drehte sie sich um und ging.

Einige Monate später entdeckte er das leerstehende Haus am Bayou. Er ließ Monique nachkommen. Bis zum heutigen Tage erinnerte er sich an jenen bewegten Nachmittag, als sie mit ihrem Jungen eingetroffen war. Nicht alles war rosig verlaufen. Als er ihr eröffnete, daß er geheiratet hatte, richtete sie ein Messer auf ihn und drohte damit, ihm den Schwanz abzuschneiden. Aber er hatte es ihr irgendwie erklären können, und die hitzige Auseinandersetzung hatte ihre Leidenschaft nur noch mehr angestachelt.

Nackt und schlüpfrig wie die Ottern hatten sie den Rest des Nachmittags damit verbracht, sich oben in dem glühend heißen Schlafzimmer zu lieben. Es war das letzte Mal, daß er mit Monique schlief, ohne ein Kondom zu benutzen. All sein Samen mußte dem periodischen Beischlaf vorbehalten bleiben, den er Macys frigidem, trockenen Körper abstattete.

Aber Cotton hatte Macys Schlafzimmer nie betreten, ohne zuvor eingeladen worden zu sein. Und nachdem sie die beiden Mädchen adoptiert hatten, war er gar nicht mehr dort gewesen. Selbst nach Macys Tod hielt er sein Wort ihr gegenüber. Monique lebte weiterhin gemäß der Bedingung, die er am Tag vor ihrem Eintreffen in Belle Terre niedergelegt hatte.

Bis zu ihrem Tode hatte sie sich nie über ihre Vereinbarung beklagt. Jedesmal, wenn er seinen Ausflug von Belle Terre zum Haus am Bayou unternahm, ganz gleich, wann er dort unangemeldet auftauchte, ob tagsüber oder nachts – sie ließ alles stehen und liegen und gab ihm, was er brauchte, ob es etwas zu essen war oder ein Streit, Verständnis, ein Lachen, ein Gespräch oder Sex.

Ihre Neugier auf Macy verging nie ganz, aber sie war nicht eifersüchtig auf sie. Eifersucht hätte ihre Situation nicht verbessert. Es wäre ein Verschwenden von Gefühlen gewesen, und Monique verwandte all ihre Gefühle und Energie darauf, Cotton zu lieben.

Mein Gott, wie sehr hatte er diese Frau geliebt.

Sie war jetzt seit fast vier Jahren tot, doch der Schmerz über ihren Tod war noch so deutlich zu spüren wie in jenem Moment, als ihre lächelnden Lippen seinen Namen zum letzten Mal geflüstert hatten und ihre Finger in seiner Hand alle Kraft verloren.

Nun zerfraß die von Schuldgefühlen geprägte Erinnerung an ihr letztes Lächeln die zerbrechlichen Wände seines kranken und schwachen Herzens.

24. KAPITEL

»Cash?« Er blieb stehen und drehte sich um. Schyler stand in der Tür des Büros. »Wollten Sie gerade nach Hause?«

Er blinzelte in die untergehende Sonne. »Es ist Feierabend, oder?«

»Ja, aber wenn Sie eine Minute Zeit hätten, würde ich gerne etwas mit Ihnen besprechen.«

Sie glaubte, er würde sie ignorieren, weil er ihr den Rücken zukehrte und zu seinem Auto schlenderte. Er ließ seinen Wagen fast jeden Tag auf dem Werksgelände stehen und fuhr mit einem der Transporter zu den Stellen, wo Holz gefällt wurde.

»Haben Sie den ganzen Tag im Büro gehockt?« fragte er über die Schulter.

»Ja.«

Er beugte sich über die Ladefläche, öffnete eine Kühlbox und holte einen eisgekühlten Sechserpack Bier hervor. »Kommen Sie. Ich lade Sie auf ein Bier ein.«

»Wo denn?«

Er schaute sie lange und eindringlich an. »Ist das so wichtig?«

Schyler hatte nicht vor, einer Herausforderung auszuweichen, ganz gleich wie subtil diese auch ausgesprochen worden war. »Eine Sekunde bitte.« Sie verschwand im Büro, löschte sämtliche Lichter bis auf eines, und verschloß dann das Büro für die Nacht, ehe sie wieder zu Cashs Lieferwagen kam. Er hatte bereits eines der Biere getrunken, drückte mit einer Hand die leere Dose zusammen und warf sie auf die Ladefläche, wo sie mit einem hohlen metallischen Scheppern landete. Er zog eine Dose für Schyler aus der Plastikhalterung und nahm auch noch eine für sich, ehe er den Rest des Sechserpacks wieder in die Kühlbox verstaute.

»Wo gehen wir hin?«

»Über den Fluß und durch den Wald.«

»Zum Haus der Großmutter?« Lachend ging Schyler neben ihm her.

»Ich hatte nie eine Großmutter.«

Ihr Lachen und ihre Schritte wurden unsicher. »Ich auch nicht.« Er blieb unvermittelt stehen und schaute sie an. »Zumindest kannte ich sie nicht«, sagte sie andeutungsvoll. Er ging weiter. Nach einer Weile fragte Schyler: »Weshalb tun Sie das?«

»Was?«

»Mir mitten ins Gesicht zu sagen, was Sie alles nicht gehabt haben.«

»Um Sie zu ärgern.«

»Sie geben es also zu?«

»Warum nicht? Es ist doch wahr. Ich brauche keinen Priester, um meine Sünden zu beichten.«

»Sie sind Katholik?«

»Meine Mutter war katholisch.«

»Und Sie?«

»Ich komme bestens ohne Religion klar. Meiner Mutter hat ihr Glauben ja auch nichts genutzt, oder? Einmal, drüben in Vietnam, habe ich einem toten Soldaten den Rosenkranz aus der Hand genommen. Was hat ihm das Beten genützt?«

»Wie können Sie nur so gefühllos sein?«

»Alles eine Sache der Übung.«

Sie setzten ihren Weg fort, aber Schyler hatte noch etwas auf dem Herzen. »Was ist mit der Familie Ihrer Mutter?«

»Was soll damit sein?«

»Woher stammt sie?«

»Aus Terrebone, aber ich habe keinen von der Bande kennengelernt, an den ich mich groß erinnere.«

»Wie kommt's?«

»Sie haben meine Mutter rausgeworfen.«

Wieder blieb Schyler stehen und schaute ihn im Zwielicht der hereinbrechenden Dämmerung an. »Sie haben sie rausgeworfen?«

»*Oui.* Wegen mir. Als mein alter Herr uns sitzenließ, wollten ihre Leutchen auch nichts mehr mit uns zu tun haben.«

Nicht eine Spur von Trauer spiegelte sich auf seiner eindeutig maskulinen Miene wieder, aber Schyler wußte, daß es ihm weh tun mußte. Irgendwo tief in seinem Innern mußte Cash Boudreaux den Schmerz der Zurückweisung verspüren.

Sie gingen weiter den überwachsenen Pfad entlang, der sich durch den Wald schlängelte. »Vielleicht hat meine leibliche Mutter mich aus einem ähnlichen Grund zur Adoption freigegeben«, sagte sie. »Vielleicht hat ihre Familie ihr damit gedroht, sie zu enterben, wenn sie ihr uneheliches Kind behalten würde. Ihre Mutter muß Sie sehr geliebt haben, daß sie Sie trotz ihrer Familie behalten hat. Sie muß Sie wirklich gewollt haben.«

»Das hat sie auch. Aber weil sie mich unbedingt behalten wollte, hat sie es verdammt schwer gehabt.« Er bog einen herabhängenden Ast für sie beiseite. »Dort drüben.«

Er deutete auf einen schmalen und flachen Nebenarm des Flusses am Boden einer leichten Senke. Rankende Weidenzweige beugten sich zur Wasseroberfläche hin und kitzelten die knorrigen Zypressen, die aus dem Wasser ragten.

»Es ist wunderschön hier«, flüsterte Schyler. »Und so friedlich. Man könnte meinen, die nächste Stadt sei Meilen entfernt.«

»Setzen Sie sich.«

Sie setzte sich auf den Felsblock, auf den er gezeigt hatte, dicht am Wasser. Als sie den Verschluß ihrer Bierdose öffnete, nahm sie den würzigen Geruch von Hefe war. Schaum sprühte ihr über den Handrücken, und sie schlürfte ihn weg. Dann nahm sie einen Schluck aus der Dose und leckte sich über die Lippen. Cash lehnte sich gegen den Stamm einer Zypresse und beobachtete Schyler. Sie blickte hoch zu ihm und fragte: »Wie finden Sie nur solche Plätze?«

Er schaute sich um. »Als ich aufwuchs, war ich wild wie ein Indianer. Am liebsten war ich im Wald. Ich bin hier überall herumgestrolcht.« Er ließ sich am Stamm herabgleiten, bis er in der Hocke saß. Dann nahm er einen Ast auf und stocherte damit im Uferschlamm herum. Blasen stiegen an die Wasseroberfläche. Wo sie zerplatzten, blieben kleine Löcher. »Flußkrebse«, sagte er.

Schyler starrte ihn an. Dieser Mann gab ihr Rätsel auf; er war voller Widersprüche. Er arbeitete hart, aber nicht des Geldes wegen. Es schien ihm nichts auszumachen, ohne großen Luxus zu leben. Er verfluchte materielle Besitztümer nicht, begehrte sie aber auch nicht; es schien ihm tatsächlich egal zu sein.

»Haben Sie je daran gedacht, etwas ganz anderes zu machen, Cash?«

Er nahm einen Schluck von seinem Bier. »Was anderes machen?«

»Aus Ihrem Leben. Ich meine, hatten Sie nie die Absicht, mal woanders hinzugehen?«

»Zum Beispiel?«

»Ich weiß nicht. Irgendwohin. Haben Sie sich mal nach anderen beruflichen Möglichkeiten umgeschaut?«

Er schüttelte den Kopf. »Ich wollte schon immer im Wald arbeiten.«

»Ich weiß. Sie machen Ihren Job auch hervorragend. Deshalb hätten Sie auch überall Arbeit finden können, wo es Holz gibt. Haben Sie nie daran gedacht, aus Heaven fortzugehen?«

Er starrte lange auf die reglose Oberfläche des Wassers, ehe er antwortete. »Dran gedacht hab' ich schon.«

»Und warum sind Sie dann nicht gegangen?«

Er trank sein Bier aus. »Es hat eben nicht geklappt.«

Unzufrieden mit der Antwort hakte Schyler nach. »Was hat nicht geklappt? Ein in Aussicht gestellter Job?«

»Nein, das nicht.«

»Was denn?«

»Ich konnte nicht fortgehen.« Ungeduldig erhob er sich.

»Natürlich hätten Sie gehen können. Was hat Sie denn hier gehalten?«

Er machte mehrere ruhelose Bewegungen, stemmte dann die Hände in die Hüften und starrte auf seine Stiefel. Er atmete tief ein und aus. »Meine Mutter. Ihretwegen konnte ich nicht fortgehen.«

Das war eine offenere Antwort, als Schyler erwartet hatte, aber sie warf dennoch nicht viel Licht auf die Sache. Sie ließ ihre Fingerspitze um den Rand der Bierdose kreisen. »Und nachdem sie gestorben war? Warum sind Sie dann nicht gegangen?«

Er antwortete ihr nicht. Sie schaute erwartungsvoll zu ihm. Er starrte auf sie herab. »Ich hatte ihr versprochen zu bleiben.« Sie schauten einander so lange an, daß sich Schyler unbehaglich fühlte. Intuitiv wußte sie, daß hinter seiner Antwort etwas Wichtiges steckte, etwas, das mit ihr zu tun hatte, aber sie bezweifelte, daß sie es je erfahren würde, was es war. Cash Boudreaux war ein Rätsel, das ungelöst bleiben würde.

Das erinnerte sie an das, worüber sie eigentlich mit ihm hatte sprechen wollen. »Cash, haben Sie mir nicht erzählt, daß zwei der Schlepper einen Platten hatten, als sie gestern morgen aufs Gelände kamen?«

»*Oui*, aber das ist schon behoben. Ich habe die Reifen selber ausgewechselt. Sie werden in Otis Werkstatt wieder repariert.«

»Wegen der Reifen mache ich mir auch gar keine Gedanken«, murmelte sie abwesend. »Aber kommt Ihnen das nicht seltsam oder ungewöhnlich vor?«

»Was?«

»Daß zwei Schlepper an einem Tag einen Platten haben.«

»Zufall.« Ihr besorgtes Stirnrunzeln verriet, daß sie da gar nicht so sicher war. »Meinen Sie nicht?«

Als sie tief seufzte, hoben sich ihre Brüste und spannten den Stoff ihrer Bluse. Sie war sich dessen nicht bewußt und auch nicht, wie sehr diese ungewollte Bewegung seinen Blick angezogen hatte. Seit dem Tag, als sie ihn gebeten hatte, seine alte Arbeit wiederaufzunehmen, hatte sie stets darauf geachtet, sich zurückhaltend zu kleiden; nicht weil sie sich gezwungen fühlte, seine überheblichen Anweisungen zu befolgen, sondern weil sie seine Kritik nicht herausfordern wollte.

»Ich schätze, es ist wohl wirklich ein verrückter Zufall. Wahrscheinlich hätte ich auch gar keinen weiteren Gedanken daran verschwendet, wenn nicht…«

»Wenn nicht *was*?«

Sie kam sich reichlich albern vor. »Als ich heute morgen ins Büro kam, stand die Tür sperrangelweit auf. Sie sind doch nicht vor mir dagewesen, oder?«

Er schüttelte den Kopf. »Vielleicht der Wind?«

»Welcher Wind?« Sie lachte leise. »Ich würde sonst was geben für eine kühle Brise. Nein. Außerdem hatte ich die Tür abgeschlossen. Ich prüfe das immer nach, bevor ich abends heimfahre. Sind Sie vielleicht gestern abend noch dort gewesen, um zu telefonieren?«

Er schmunzelte und schüttelte wieder den Kopf. »Worauf wollen Sie hinaus? Daß sich jemand an den Reifen der Schlepper zu schaffen gemacht hat?«

»Nein, ich schätze, nicht. Hört sich auch reichlich albern an, was?« Sie rieb sich den Nacken. Die nagenden Verdächtigungen, die sie den ganzen Tag mit sich herumgetragen hatte, klangen lächerlich, als sie sie jetzt laut aussprach. Sie wünschte, sie wäre ihrem ursprünglichen Instinkt gefolgt und hätte es für sich behalten.

»Hat denn was gefehlt im Büro?«

»Nein!«

»Waren die Sachen durchwühlt?«

»Nein!«

»Keine Zeichen von Vandalismus?«

Auch das mußte sie kopfschüttelnd verneinen. »Ich fand's nur so unheimlich.«

»Ich bin sicher, daß es keinen Grund gibt, sich deswegen Sorgen zu machen. Aber vielleicht sollten Sie von jetzt an besser etwas früher nach Hause fahren. Bleiben Sie besser nicht solange alleine hier.«

»Das hat Ken mir auch geraten. Er ist jeden Abend hergefahren, um mich auf dem Rückweg zu begleiten.«

»Howell?« Cashs Brauen verzogen sich noch weiter. »Und vorgestern abend war er auch da?«

»Ja.« Seine Frage verwunderte sie. »Wieso?«

»Hat er sich vielleicht bei der Garage rumgetrieben?«

Sie warf ihm einen vorwurfsvollen Blick zu. »Das ist doch absurd.«

»Ist es nicht. Howell hat zwei sehr gute Gründe, absolut stocksauer zu sein.«

»Und welche?«

»Daß Sie die Leitung der Firma übernommen haben. Und dann sind da noch die kursierenden Gerüchte über uns beide.«

»Über uns?« Sie wußte, was jetzt kommen würde. Der einzige Grund, weshalb sie gefragt hatte, war ihre Neugier; sie wollte herausfinden, wieviel er wußte, und machte sich innerlich gefaßt auf das, was er ihr jetzt sagen würde, ganz gleich was.

»Über uns. Sie und mich. Die Leute denken, daß wir nicht nur beruflich zusammen zu tun haben. Die denken, wir gehen auch zusammen ins Bett. Und sie denken, daß wir einen Heidenspaß dabei haben.«

Damit hatte sie nicht gerechnet. Seine Worte trafen sie mit solcher Wucht, daß ihr die Luft wegblieb. Sie sagte nichts; es war ihr einfach unmöglich; ebenso wie sie seinem zwingenden Blick nicht ausweichen konnte. In einem Moment waren seine Augen graublau, im nächsten grün wie das Moos, dann wieder achatfarben.

»Überlegen Sie mal: Wenn Sie an Howells Stelle wären, würden Sie sich dann nicht auch beschissen vorkommen?«

»Ken hat keinen Grund, irgendwelchen Groll zu hegen. Ich hab mich nicht in seine Arbeit im Büro in der Stadt eingemischt. Und was das andere betrifft – auch wenn es nur dummer Tratsch ist, geht ihn das gar nichts an. Er ist mit meiner Schwester verheiratet.«

»Stimmt«, knurrte Cash. »Aber er erträgt den Gedanken nicht, daß ich auflese, was er weggeschmissen hat. Fertig?«

Wieder verschlug es Schyler die Sprache. Schließlich fragte sie heiser: »Was?«

»Fertig?« Er nickte auf die Bierdose, die sie abwesend mit beiden Händen zusammendrückte.

»Oh, nicht ganz.«

»Tja, was haben wir denn hier?«

Schyler hob gerade mit zittriger Hand die Bierdose zum Mund, als sich Cash vorbeugte und etwas vom morastigen Boden dicht bei ihren Füßen auflas. Sie erstarrte vor Schreck, als sie die sich windende Schlange sah, die er am Schwanz gepackt hatte und herabbaumeln ließ. Das dunkel gestreifte Tier war gut und gerne einen halben Meter lang. Der Kopf war schwarz. Im Innern des geöffneten Mauls konnte Schyler das rosaweiße Häutchen sehen, von dem die Schlange ihren Spitznamen hatte.

Cash schwang die Schlange nach hinten, als würde er eine Angelleine auswerfen. Die Schlange segelte durch die Luft und landete mit einem lauten Platschen in der Mitte des trüben und trägen Bayous.

Schylers Blick wanderte von der Wasseroberfläche wieder zu Cash. »Das war eine Mokassinschlange.« Sie schüttelte sich.

»Mmm-hmmm. Können wir jetzt zurück?«

»Und Sie haben sie hochgehoben.«

Jetzt bemerkte er ihre offensichtliche Bestürzung und sagte ironisch: »Ich bin am Bayou aufgewachsen, Schyler. Ich hab keine Angst vor Schlangen. Vor keiner Schlange.« Er gab ihr die Hand und half Schyler auf. Er fuhr mit seinen warmen, rauhen Händen über ihre Oberarme. »Aber ich schätze, Sie schon. Sie haben ja eine Gänsehaut.« Und während er mit einer Hand weiter über ihre Haut strich, flüsterte er: »Nicht allzu viele Schlangen kommen bis zu Ihrem Haus, hab ich recht?«

Eine Hand an ihrem Ellenbogen, führte er sie wieder zurück zum Werksgelände. Schyler hatte wackelige Knie. Die Sache mit der Schlange hatte sie verunsichert. Ebenso wie sein ritterliches Verhalten. Und seine zärtliche Berührung und sein heißer Blick und jedes Wort aus seinem Munde.

Als sie wieder beim Wagen waren, lehnte sie sich dagegen. »Ehe ich es vergesse«, sagte sie, »da ist noch etwas, worüber ich mit Ihnen reden möchte.«

»Ich bin ganz Ohr.«

»Ich habe heute einen Termin für ein Treffen mit Joe Endicott jr. abgemacht, in seiner Papierfabrik.«

»Drüben in Texas?«

»Ja. Wir hatten früher schon mal mit ihm zu tun.«

»Ich erinnere mich. Sie bescherten uns einige gute Verträge.«

»Das ist aber schon einige Jahre her. Wissen Sie vielleicht, weshalb sie die Geschäftsbeziehung zu uns abgebrochen haben?»

»Nein.«

»Ich auch nicht. Er hat mich anfangs ziemlich kühl behandelt, aber schließlich habe ich seine Reserviertheit geknackt, und er willigte in ein Treffen ein. Es wird am 12. stattfinden.« Sie holte Luft. »Cash, werden Sie mich dorthin begleiten?«

Er wirkte verdutzt, antwortete aber prompt: »Sicher.«

»Ich würde es sehr zu schätzen wissen. Ich brauche Ihre Erfahrung. Ich habe den Eindruck, daß die echtes Qualitätsholz benötigen, und ihre bisherigen Lieferanten nicht genug liefern können. Das heißt: Da ist eventuell ein großer Auftrag für uns drin. Wenn wir deren Erwartungen erfüllen können, wäre ich in der Lage, den Kredit bei der Bank allein mit dieser Bestellung zurückzuzahlen.«

Sie hatte längst keine Hemmungen mehr, die Geschäfte der Familie mit ihm zu besprechen. Seit sie zusammenarbeiteten, hatte sie eines festgestellt – wenn es jemanden gab, der Einblick in die Angelegenheiten des Werkes hatte, dann war es Cash. Er wußte, in welcher finanziellen Klemme sie steckte, also hatte es keinen Sinn, ihm etwas vorzumachen.

»Wird mir eine Ehre sein«, sagte er. »Haben Sie Ihr Bier jetzt endlich ausgetrunken?«

Sie nickte und reichte ihm die Dose, die noch immer zu einem Drittel voll war. Er trank den Rest selber aus und warf die leere Büchse zu den anderen beiden auf die Ladefläche.

Dann stemmte er sich gegen den Rahmen der Ladefläche und drückte die Arme durch. Sein straffer Rücken spannte sich. Er wandte Schyler das Gesicht zu und schaute sie an. »Aber Bier haben Sie ja noch nie sonderlich gemocht, stimmt's?« Schyler schaute weg. »Ich schätze, diese Pleite am Thibodaux Pond hat es Ihnen wohl ein für allemal verleidet.«

Sie starrte auf den ersten Abendstern, der sich silbern funkelnd am blauen Himmel blicken ließ. »Mich wundert, daß Sie sich daran noch erinnern.«

»Und ob.«

Sie beugte den Kopf soweit nach vorn, daß ihr Kinn fast ihre Brust berührte. »Immer wenn ich im nachhinein daran denken mußte, bekam ich eine Heidenangst, was damals hätte passieren können.«

»Sie waren drauf und dran, ganz böse Probleme zu kriegen, und Sie waren damals erst… wie alt? Vierzehn? Fünfzehn?«

»Fünfzehn.«

Er lockerte die Arme wieder, schwang herum und lehnte sich dann mit einer Schulter gegen den Wagen; jetzt standen sie sich direkt gegenüber. Schyler sah Cash nicht an, doch sie konnte seinen Blick spüren.

»Meine Mutter war gerade erst wenige Monate zuvor gestorben.« Es war ihr unerklärlich, weshalb sie das Gefühl hatte, sie würde ihm eine Erklärung für ihr Verhalten an jenem Abend vor so vielen Jahren schulden. Aber sie konnte nicht anders. »Sie... meine Mutter... hat sich nie besonders um uns gekümmert. Ich meine...« – fügte sie schnell hinzu – »sie hat sich nicht so liebevoll um uns gekümmert wie Cotton. Sie war immer durch andere Dinge abgelenkt.«

Cash schwieg. »Aber sie hat die Regeln bestimmt, sie war für die Disziplin zuständig. Sie und Cotton stritten sich öfter darüber, wie Tricia und ich erzogen werden sollten, als über irgend etwas anderes.«

Natürlich hatte eine dieser Auseinandersetzungen zu Cottons Verbannung aus Macys Schlafzimmer geführt. Doch das war vor ihrer Zeit auf Belle Terre gewesen. Schyler hatte es nie erlebt, daß ihre Eltern ein gemeinsames Schlafzimmer teilten. Sie erinnerte sich noch, wie schockiert sie war, als sie mit acht Jahren herausfand, daß in den meisten Familien Mama und Daddy nicht nur im selben Zimmer schliefen, sondern auch in *einem* Bett.

»Egal«, fuhr sie fort. »Nach Mamas Tod probierten Tricia und ich aus, wie weit wir bei Cotton gehen konnten. Ich wußte, daß er nicht gerade erfreut sein würde über diese Geschichte bei der Party. Er hatte mir ein neues Auto gekauft, auch wenn mein Führerschein nur begrenzt gültig war. Ich wollte unbedingt zu dieser Party am See und den älteren Kids meinen neuen Wagen zeigen. Ich schätze, daß sie dachten, der Tod meiner Mutter hätte mich nicht gejuckt. Also bin ich hingefahren.«

»Und sind Darrell Hopkins in die Arme gelaufen.«

Sie lachte hämisch und schaute zu ihm auf. »Wie kommt es, daß Sie sich daran noch erinnern?«

»Ich erinnere mich an sehr viele Dinge an jenem Abend.« Seine Stimme wurde kehlig. »Sie trugen ein weißes Kleid. Ich weiß noch, wie Sie im Schein des Feuers aus allen anderen herausstachen. Das Kleid war aus diesem Material mit den kleinen Löchern drin.«

»Ösen.«

»Irgendwie so was. Ihr Haar war länger als jetzt und war hier oben irgendwie mit einer Klemme zusammen…« Er machte eine Handbewegung.

»Ich kann kaum glauben, daß Sie sich so gut daran erinnern.«

»Oh, das tue ich. Weil ich nämlich nie den Anblick vergessen werde, wie dieser geile Bursche Ihr Hinterteil begrapscht hat, während sie mit ihm tanzten.«

Schylers Lachen verstummte. Sie senkte den Blick. »Die Sache ging viel zu weit, ehe ich überhaupt merkte, was geschah. In der einen Minute schien alles sehr romantisch zu sein, unter dem Sternenzelt am Ufer des Sees mit einem ›älteren Mann‹ zu tanzen. Im nächsten Moment packte er mich. Ich geriet in Panik und fing an, mich zu wehren.«

Sie hob den Blick und sah Cash in die Augen. »In diesem Augenblick erschienen Sie auf der Bildfläche, einfach so, aus dem Nichts. Ich weiß noch, daß ich mich später, als ich wieder bei klarem Verstand war, gefragt habe, woher Sie gekommen sind und was Sie dort wohl gewollt haben. Ich hatte Sie seit Ewigkeiten nicht mehr gesehen.«

»Ich war auf Heimaturlaub aus Fort Polk.«

Ihre Erinnerung kehrte zurück. »Sie hatten einen Haarschnitt wie ein GI.«

Er fuhr sich mit der Hand durch sein langes Haar und schmunzelte. »*Oui.* Ich machte einen Streifzug durch die Stadt und habe mich gelangweilt. Da hörte ich von dieser Wahnsinns-Party am See, mit jeder Menge Bier, und hab mir gedacht, ich fahr' da mal hin und gucke, ob ich da nicht ein bißchen Aktion kriegen kann.«

»Was damit endete, daß Sie mich heimfuhren und bei Daddy ablieferten.«

»Aber erst habe ich Darrell Hopkins noch eine ordentliche Abreibung verpaßt. Wissen Sie, als ich ihn das letzte Mal sah, was noch gar nicht so lange her ist, da wechselte er die Straßenseite, um mir aus dem Weg zu gehen. Er hat einen Stiftzahn.«

Cash ballte seine linke Hand zur Faust. »Er hätte sich eben nicht mit einem Soldaten anlegen sollen, der auf dem Weg in einen Dschungelkrieg ist.«

Schylers Miene wurde ernst. »Sie kannten mich doch kaum. Weshalb also haben Sie das getan, Cash?«

Die Atmosphäre zwischen ihnen wurde so spannungsgeladen wie kurz vor einem Sturm. Seine Augen wanderten über ihr Gesicht. »Vielleicht weil ich eifersüchtig war. Vielleicht weil ich mit Ihnen tanzen wollte, um selber derjenige zu sein, der Sie betatscht.«

Er meinte es als Beleidigung. Schyler war zum Heulen zumute, und sie wußte nicht genau, weshalb. »Das nehme ich Ihnen nicht ab, Cash. Ich glaube, Sie taten es, weil Sie nett sein wollten.«

»Ich hab Ihnen doch schon mal gesagt: Ich bin niemals nett. Besonders nicht zu Frauen.«

»Aber damals war ich noch ein Mädchen. Ich denke, Sie haben sich eingemischt, weil Sie nicht zulassen wollten, daß einem unschuldigen Mädchen weh getan wird.«

»Könnte sein.« Er gab sich Mühe, gleichgültig zu klingen, doch seine Stimme war tief und leise. Er konnte seinen Blick nicht von ihren Augen lassen. »Aber eigentlich glaube ich es nicht.«

»Wieso nicht?«

»Weil es mir viel zu sehr gefallen hat, als Sie Ihren Kopf auf meinem Schoß hatten. Wissen Sie noch?«

»Nein.«

»Lügnerin.«

»Ich erinnere mich nicht daran!«

»Sollten Sie aber. Auf der Heimfahrt legten Sie den Kopf auf meine Oberschenkel. Ich seh's noch immer vor mir. Ihr Haar über meinen Schoß ausgebreitet. Es sah so seiden aus, so sexy, und so fühlte es sich auch an. Es war... überall.« Sein Blick wurde finster und heftete sich auf ihren Mund. »Ich hätte mir nehmen sollen, was mir zustand, solange ich die Chance dazu hatte; ich hätte mir einfach nehmen sollen, was ich meinte als Belohnung für meine gute Tat verdient zu haben.«

»Und was meinen Sie damit?«

Langsam kam seine Hand aus der Dunkelheit hoch. Seine Finger schlossen sich um ihren Nacken. Sein Daumen streichelte ih-

198

ren Hals. Er zog sie an sich, bis die Spitzen ihrer Brüste seine Brust berührten. »Eine kleine Kostprobe von Ihnen.«

»Haben Sie mich deshalb neulich geküßt? Weil Sie das Gefühl hatten, daß es Ihnen zusteht?«

»Ich habe Sie aus demselben Grund geküßt, aus dem heraus ich auch alles andere tue – weil ich es verdammt noch mal tun wollte.«

»Offensichtlich wollten Sie das an jenem Abend auch. Warum haben Sie es dann nicht getan?«

Das Schutzschild, das oft seine Augen verdeckte, fiel wieder herunter. »Mir kam eben was dazwischen.«

»Cotton.«

»Ganz recht, Cotton.«

»Warum war er so böse auf Sie? Wenn Sie nicht gewesen wären, hätte ich meine Unschuld an einen biersaufenden, geilen Jungen verlieren können. Ich selber hatte ja gar nicht so viel getrunken. Zwei Bier vielleicht, aber das hat schon gereicht, um mich beschwipst zu machen und meinen Verstand zu benebeln.«

»Also erinnern Sie sich gar nicht mehr an alles?«

Schyler war verblüfft über den Argwohn auf seinem Gesicht. »Nicht ganz«, antwortete sie bedächtig und versuchte, sich an fehlende Details zu erinnern. »Ich weiß noch, daß Darrell ohnmächtig auf dem Boden lag; er hat aus dem Mund und aus der Nase geblutet. Ich wollte ihm helfen; ich wollte sichergehen, daß ihm nichts Ernstes zugestoßen war, aber Sie haben mich zu meinem Auto geschleppt. *Meinem* Auto«, betonte sie. »Sie haben mich auch in meinem Wagen nach Hause gefahren, stimmt's?«

»*Oui.*«

»Und wie sind Sie wieder zu Ihrem Auto am Thibodaux Pond gekommen?«

»Von Belle Terre aus zu Fuß bis zur Landstraße und von da per Anhalter weiter.«

Sie hatte nie sämtliche heiklen Teile des Puzzles jener Nacht zusammengefügt. Nun erschien es ihr wichtig, auch wenn sie nicht sagen konnte, warum.

Cash hatte sie damals gerettet, aber dann – typisch für ihn – die Situation zu seinem Vorteil ausgenutzt. Auf dem Vordersitz des nagelneuen Mustang hatte sie den Kopf auf Cashs Schoß gelegt. Das machte es noch verbotener, noch erotischer, und war ein Grund mehr für Cottons Wutausbruch.

Sie schaute wieder zu Cash. »Cotton ist sehr wütend geworden, nicht wahr?«

»Kein Wunder. Sein größter Schatz und ganzer Stolz ist betrunken nach Hause gebracht worden.«

»Ja, aber er ist wütend auf Sie gewesen. Wieso? Es war doch nicht Ihre Schuld.« Wieder versuchte sie vergeblich, sich zu erinnern. »Als wir Belle Terre erreichten, haben Sie mich halb die Treppe hinaufgetragen. Dann ging das Licht auf der Veranda an. Und…« Sie hielt inne, schloß die Augen und rief sich das Bild vor Augen. »Und plötzlich stand Cotton da.«

»Und hat mich sofort angebrüllt, ohne auch nur auf eine Erklärung zu warten. Veda kam raus und hat Sie ins Haus gebracht und hoch in Ihr Zimmer.«

»Ich erinnere mich.« Leise lachend fügte Schyler hinzu: »Sie hat mich ausgezogen und ins Bett gesteckt und mich wegen meines schlechten Benehmens ausgeschimpft. Dann ist sie über den weißen Abschaum hergezogen, der keinen Respekt hat vor anständigen jungen Mädchen wie den Crandall-Schwestern.«

Sie erinnerte sich, wie Veda das ›so seidige, so sexy‹ blonde Haar bürstete, das sich nur wenige Minuten zuvor noch auf dem Schoß von Monique Boudreaux' Bastard ausgebreitet hatte.

Möge Veda in Frieden ruhen, dachte Schyler und lächelte schwermütig. Veda hätte Cash eigenhändig eine Tracht Prügel verpaßt, wenn sie gekonnt hätte. Aber dafür hatte er eine gehörige Schelte von Cotton einstecken müssen. Während sie oben von Veda in den Schlaf gewiegt worden war, mußte sich Cash ungerechtfertigte Beschuldigungen gefallen lassen.

»Sie haben die Schuld auf sich genommen, nicht wahr?« fragte sie ihn verwirrt. »Sie haben das meiste von Cottons Wutanfall abgekriegt.« Vor sich hinstarrend fuhr sie fort, während sich die Erinnerung wie die Seiten eines Buches vor ihr auftaten. »Ich weiß noch, wie ihr beiden euch angeschrien habt. Cotton kapierte nicht, daß Sie nicht derjenige gewesen sind, der mir Bier gegeben hat.«

»Cotton weigerte sich, es zu kapieren«, sagte Cash verbittert.

»Er hätte sich bei Ihnen bedanken sollen, doch statt dessen schrie er —« Das Buch wurde plötzlich zugeschlagen. Die Seiten wurden nicht mehr umgeblättert. Ihre Suche hatte in eine Sackgasse geführt, und wie immer, wenn man in eine Sackgasse geriet, war es frustrierend. »Cotton hat Sie angeschrien... was hat er Ihnen an diesem Abend vorgeworfen?«

»Daß ich Sie betrunken heimgebracht habe?«

»Nein, noch etwas anderes«, beharrte sie.

»Ich kann mich nicht mehr daran erinnern«, sagte er höflich. Blitzschnell duckte er den Kopf und hauchte ihr einen Kuß auf den Mund. »Ist doch auch egal, oder? Es ist eine uralte Geschichte.«

Es war nicht egal. Sie wußte es genau. Da war etwas Wichtiges, das ungesagt blieb, etwas, was wichtiger war, als Cash zugeben wollte.

»Warum helfen Sie mir nicht, mich daran zu erinnern?«

»Ich würde lieber was ganz anderes machen«, flüsterte er an ihrem Hals. »Wenn Sie die Vergangenheit unbedingt wieder aufleben lassen wollen, dann sollten wir jetzt eine kleine Spritztour mit Ihrem Wagen machen. Ich werde fahren. Sie können den Kopf wieder auf meinen Schoß legen.« Er nahm ihr Gesicht in beide Hände, gab ihr einen kurzen, aber derben Kuß. »Vielleicht fällt Ihnen dabei ein, was Sie noch mit Ihrem Mund anstellen können, außer über vergangene Zeiten zu reden.«

»Nein!« schrie sie auf; wütend, daß er das Thema so einfach abgetan hatte. »Ich muß unbedingt mit Ihnen darüber reden, Cash.«

»Reden ist reine Zeitverschwendung für einen Mann und eine Frau.« Er legte ihr einen Arm um die Hüfte und zog sie an sich. »Ich sag Ihnen was: Wenn Sie wirklich einen Abstecher in die Vergangenheit wollen, dann lassen Sie uns den Rest vom Sechserpack nehmen und zum Thibodaux Pond fahren.« Er gab ihr einen schnellen Kuß auf die Nasenspitze. »Wir könnten ein Schlückchen trinken. Uns ausziehen. Im Adamskostüm baden.« Er küßte sie auf den Mund und drang mit seiner Zunge zwischen ihre Lippen. »Wir rollen ein bißchen im Gras herum. Gönnen uns ein ausgiebiges Vorspiel. Ich werde Sie am ganzen Körper küssen. Meine Zunge wird Sie streicheln, bis Sie den Verstand verlieren.« Seine Lippen eroberten erneut ihre. Der Kuß war rauh und schamlos wie seine Fingerspitzen auf ihrer Brust. »Wer weiß? Vielleicht habe ich ja mehr Schwein als Hopkins damals.«

Schyler stieß ihn weg und wischte sich den Kuß von den Lippen. Ihre Brust hob und senkte sich vor Entrüstung – und zu ihrer Beschämung auch vor Erregung. »Ich hätte Sie über den Haufen schießen sollen, als ich Gelegenheit dazu hatte.«

Er lächelte nur lässig. »Und ich hätte Sie vergewaltigen sollen, als ich die Chance dazu hatte. Nacht, Miss Schyler.« Er kehrte ihr den Rücken zu und verschwand in der Dunkelheit.

Später, als Schyler im Bett lag und versuchte einzuschlafen, dachte sie noch immer über diesen Zwischenfall nach. Cash Boudreaux machte sie wütend wie kein anderer Mann. Sie hätte ihn glatt umbringen können für alles, was er sich ihr gegenüber herausnahm; am meisten aber dafür, daß er jedesmal, wenn sie in seiner Nähe war, ihr Blut zum Kochen brachte.

Seit ihrem ersten Treffen vor so vielen Jahren hatte er ihr nichts als Ärger eingebrockt und Probleme heraufbeschworen. Ihre Erinnerung an jene Nacht am See, als er sie heimgebracht hatte, hatte gnädig geruht. Aber nun blitzten die Erinnerungen wie Lichtkegel in der Dunkelheit des angeblichen Vergessens auf.

Dennoch konnte sie sich an das Wichtigste nicht erinnern – nämlich was Cash zu ihrem Vater gesagt hatte. Es war von größter Bedeutung, auch wenn Cash offensichtlich nicht wollte, daß sie sich daran erinnerte. Das war eigenartig. Was konnte das nur sein, und warum war es selbst jetzt noch so wichtig?

Stunden später suchte sie noch immer nach einer plausiblen Erklärung, als plötzlich das Telefon auf ihrem Nachttisch klingelte. Sie langte in der Dunkelheit nach dem Hörer und hob ab. »Hallo?«

»Miss Crandall?«

»Ja.«

»Hier spricht Dr. Collins.«

Ihre Finger um den Hörer verkrampften sich.

25. KAPITEL

»Daddy?« fragte Schyler ängstlich. »Was ist mit ihm?«

»Es wäre gut, wenn Sie so rasch wie möglich ins Krankenhaus kämen«, sagte Dr. Collins. »Er hat einen weiteren schweren Herzanfall erlitten. Uns bleibt jetzt keine andere Wahl. Wir müssen operieren. Selbst wenn es... ich weiß es einfach nicht.«

»Bin schon unterwegs.«

Sie erlaubte sich fünf Sekunden eines betäubenden, lähmenden Schmerzes, ehe sie die Füße aus dem Bett schwang. Barfuß lief sie hinunter in die Halle. Ken stand, in Unterwäsche, vor dem Schlafzimmer, das er und Tricia teilten. »Ich habe es auf dem Nebenapparat in unserem Zimmer mitgehört«, sagte er. »Wir kommen mit.«

»Gut. Wir treffen uns in fünf Minuten unten.«

Selbst um diese nächtliche Stunde war das Krankenhaus hell erleuchtet, wenngleich grabesstill. Es war ein schweigsames Trio, das im Fahrstuhl in den zweiten Stock fuhr, wo sie mehrere Wochen lang regelmäßige Besucher gewesen waren. Die Frauen sahen blaß aus, so ungeschminkt. Das grelle Licht war keineswegs schmeichelhaft. Kens Augen waren verschwollen, und um sein Kinn lag der dunkle Schatten von Bartstoppeln.

Als sich die Fahrstuhltüren öffneten, stürzten sie heraus wie Sensationsreporter auf der Jagd nach einer großen Story. Schyler stürmte vorneweg und erreichte als erste die Station.

»Wo finde ich Dr. Collins?« fragte sie eine Schwester.

»Er bereitet sich auf die Operation vor. Er hat diese Einverständniserklärung für Sie hier hinterlegt.«

Schyler warf nur einen flüchtigen Blick auf das notwendige Dokument und unterschrieb dann auf der gestrichelten Linie. »Ist mein Vater schon in den OP gebracht worden?«

»Nein, aber die Pfleger sind gerade bei ihm im Zimmer.«

»Kann ich zu ihm?«

»Er hat ein Beruhigungsmittel erhalten, Miss Crandall.«

»Ist mir egal. Ich muß ihn sehen.« Sie sagte nicht ›noch ein letztes Mal‹, aber das war es, was sie am meisten fürchtete.

Die große Sorge, die ihr ins Gesicht geschrieben stand, sprach das Mitgefühl der Schwester an. »Also gut. Aber sehen Sie zu, daß Sie niemandem im Weg stehen.«

»Werde ich schon nicht.« Sie drehte sich zu ihrer Schwester und Ken um. »Wollt ihr ihn auch sehen?«

Tricia rieb sich nervös über die fröstelnden Oberarme und schüttelte den Kopf. Ken schaute von seiner Frau zu Schyler. »Warum gehst du nicht allein zu ihm?«

Schyler hetzte den Korridor hinunter. Die Tür zu Cottons Zimmer stand offen. Zwei Pfleger waren gerade dabei, ihn aus seinem Bett auf einen Rollwagen zu heben. Sein Körper sah so zerbrechlich aus wie der eines Kindes. Er hing an Schläuchen und Drähten. Ein makabrer Anblick. Doch nicht einmal das hielt Schyler auf. Sie stürmte ins Zimmer. Die Pfleger schauten sie verwundert an.

»Ich bin seine Tochter.«

»Wir bringen ihn zum OP«, sagte einer der beiden.

»Ich habe die Erlaubnis, mit ihm zu sprechen. Ist er bei Bewußtsein?«

»Glaube kaum. Er hat eine Spritze bekommen.«

Während sie die Infusionen einstellten und Cotton mit einem weißen Laken zudeckten, ging Schyler an die Seite des Wagens, um Cottons Hand zu ergreifen. Sie war voller blauer Flecken von den vielen Kanülen; leblos lag sie in ihrer.

Dennoch war ihr die Innenseite dieser Hand auf wundervolle Weise vertraut. Sie kannte jede Schwiele. Unzählige Erinnerungen waren mit dieser Hand verbunden. Mit ihr hatte Cotton ihr stolz den Kopf getätschelt, wenn sie eine Eins in Mathe nach Hause gebracht hatte, und sie getröstet, wenn sie von einem bokkigen Fohlen gefallen war. Diese Hand hatte ihr die Tränen abgewischt, während er ihr sagte, daß Macy sie liebte, obwohl sie es nicht zeigte.

Sie hob seine Hand an ihre Wange. »Daddy, warum hast du mich nicht mehr lieb?« Schyler flüsterte diese Worte so leise, daß niemand sie hören konnte. Doch wie als Antwort darauf schlug Cotton die Augen auf und schaute sie direkt an. Sie schrie leise und freudig und lächelte strahlend durch ihre Tränen hindurch. Er würde nicht sterben, ohne zu wissen, wie sehr sie ihn liebte.

»Schyler?« fragte er mit rasselnder Stimme.

»Es ist höchste Zeit für uns, Miss«, sagte einer der Pfleger und versuchte, Schyler beiseite zu schieben.

»Ja, ich weiß, aber… Daddy, was? Was willst du mir sagen?« *Er liebte sie noch immer!* Er versuchte es ihr zu sagen, für den Fall, daß dies seine letzte Gelegenheit dazu war.

»Warum hast du…«

»Miss?«

»Bitte!« rief sie frustriert. Der Pfleger wich zurück. Schyler beugte sich wieder über Cotton. »Was, Daddy?«

»Warum… hast du… mir mein Enkelkind genommen?«

»Boudreaux!«

Cash war so sehr in seine Gedanken versunken gewesen, daß er weder den Lieferwagen hatte kommen hören noch die Schritte auf der Veranda seines Hauses. Seit halb vier hatte er dagesessen, Kaffee getrunken und auf den Sonnenaufgang gewartet, damit er endlich zur Arbeit fahren konnte. In letzter Zeit drehten sich seine Gedanken in müßigen Momenten wie diesen um die Frau, für die er arbeitete.

Deshalb sah er auch stets zu, daß er beschäftigt war.

Sein Name ertönte aus dem Nichts. Nun klopfte jemand an der Tür und rief erneut seinen Namen, reichlich barsch und rauh. Cash verfluchte seinen frühen Besucher und setzte die Tasse mit dem frischen Kaffee auf dem Tisch ab.

Als er die Tür öffnete, stand Jigger Flynn vor ihm. Mißtrauisch kniff Cash die Augen zusammen, gab sich aber alle Mühe, möglichst cool zu wirken.

»*Bonjour*, Jigger. Was verschafft mir denn die Ehre deines Besuches so früh am Morgen?«

Ohne jede Begrüßung schnarrte Jigger: »Ich brauche was für meine Frau.«

»Welche Frau?«

»Die schwarze Hexe, die bei mir wohnt, welche denn sonst?«

Cashs Blick wurde eiskalt. »Gayla?« Jigger grunzte und wak-
kelte mit dem Kopf. »Was ist mit ihr?«

»Sie blutet schlimm.«

»Sie blutet?« wiederholte Cash alarmiert. »Wo?«

»Überall. Ich wach' auf, und in meinem Bett is' alles voller
Blut. Sie sagt, sie hat 'n Kind verlor'n.«

»Himmel.«

Cash wischte sich mit der Hand übers Gesicht. Jigger war
nicht zum ersten Mal hier, um eine Medizin für eine seiner Prostituierten zu holen.

»Wenn sie eine Fehlgeburt hatte, muß sie zu einem Arzt«,
sagte Cash. »Besser, du bringst sie ins Krankenhaus.«

»Deine *Maman,* die hat mir da früher auch immer 'n Mittel-
chen gegeben, weißte? Hat die Nutten fix wieder auf die Beine
gebracht.«

»Sie hat mehr davon verstanden als ich.«

Jiggers Augen funkelten böse. »Wär' doch jammerschade,
wenn die Gayla verblutet.«

Das war seine Art, Cash zu sagen, daß er keinesfalls die Absicht hatte, sie ins Krankenhaus zu bringen. Er war gerissen genug, es nicht geradeheraus zu sagen, aber sein Grinsen verriet
ihn.

Zähneknirschend gab Cash nach. »Warte hier.«

Einige Minuten später kehrte er mit einer Papiertüte zurück.
»Hier drin sind zwei verschiedene Flaschen; sie soll von beidem
was einnehmen. Ich hab' draufgeschrieben, wieviel von jedem.«
Er reichte Jigger die Tüte. Jigger griff danach, aber Cash ließ
nicht sofort los. Jigger schaute ihn fragend an. »Laß sie in Ruhe,
bis sie wieder ganz in Ordnung ist«, sagte Cash bestimmt. »Hast
du kapiert, was ich gesagt habe?«

»Ficken is' nicht?«

»Haargenau. Du bringst sie sonst um.«

Jigger grinste anzüglich. »Gayla gefällt dir, was? Ich sag dir
was, Boudreaux – kannst sie haben für eine Nacht. Als Bezahlung für die Medizin.«

Cashs Miene wurde drohend. Er ließ blitzartig die Tüte los.
»Gib mir lieber 'nen Zwanziger dafür.«

206

Achselzuckend fischte Jigger einen Schein aus seiner Hosentasche und reichte ihn Cash. »Biste dir sicher, daß du nicht doch lieber die Gayla haben willst?« Cash antwortete nicht darauf. Jigger gackerte und wandte sich zum Gehen. Doch nach dem ersten Schritt drehte er sich wieder um und fragte: »Warum malochst du eigentlich für diese Schyler Cran-*dall*?«

»Weil die Arbeitszeit okay ist und sie anständig zahlt.«

Jiggers Augen verengten sich zu Schlitzen. »Hat die Lady meine Hunde abgeknallt, wie Gilbreath es behauptet?« Cash erwiderte nichts, aber er nahm diese Information auf. »Das wird sie mir büßen«, zischte Jigger drohend.

»Überlaß Schyler Crandall mir.«

Jigger warf den Kopf zurück und lachte. Er deutete mit seinem angeknabberten, gelben Fingernagel auf Cash. »Hätte ich ja fast vergessen. Du hast ja auch noch ein Hühnchen zu rupfen mit den Cran-*dalls*.«

»Und das werde ich auf meine Weise tun. Du hältst dich von denen fern.«

Jigger zwinkerte. »Wir beide stehen auf derselben Seite des Zauns, Boudreaux, vergiß das nicht. Auf derselben Seite.«

Er humpelte die Stufen der Veranda hinunter zu seinem Wagen. Er lachte noch einmal kurz, dann winkte er Cash zu, ehe er wegfuhr.

Cash machte sich fertig zur Arbeit, zog den Stecker der Kaffeemaschine heraus und verließ nur Minuten nach Jigger das Haus. Überrascht stellte er fest, daß Schyler noch nicht da war, als er auf das Firmengelände fuhr. Er verschaffte sich Einlaß ins Büro, und fragte sich, ob er ihr von Jiggers Besuch erzählen sollte. Er entschied sich dagegen. Die Neuigkeiten über Gayla würden sie nur aufregen und sie höchstwahrscheinlich nur dazu verleiten, irgendeine Dummheit anzustellen. Außerdem – je weniger Schyler wußte, desto besser.

Als sich die Holzfäller zur Arbeit meldeten und Schyler noch immer nicht da war, wählte Cash die Telefonnummer von Belle Terre und erhielt von der mürrischen Haushälterin die Auskunft, daß Miss Crandall nicht daheim sei.

»Wissen Sie, wo sie ist?« fragte er.

»Im Krankenhaus. Mr. Crandall hatte wieder einen Herzanfall und liegt wahrscheinlich im Sterben.«

Nachdenklich legte Cash den Hörer auf. Er ließ sich in Cottons Stuhl hinter dem Schreibtisch fallen und starrte in den Raum. Schließlich kam einer der Holzfäller hereingestapft, um die Anweisungen für den heutigen Tag zu holen. Aber als er Cashs Miene sah, verzog er sich wieder ohne ein Wort. Irgendwas war mit dem Boß, und Gnade Gott demjenigen, der es wagte, ihn zu stören, wenn er in dieser Laune war.

26. KAPITEL

Die Worte ihres Vaters klangen in ihr nach.

»Warum hast du mir mein Enkelkind genommen?«

So oft Schyler die Frage auch im stillen wiederholte, es ergab keinen Sinn. Und besonders jetzt, wo sie kaum einen klaren Gedanken fassen konnte, war dieses Rätsel für sie nicht zu entschlüsseln. All ihre Energie galt einem einzigen Ziel, nämlich sich selbst auf den Beinen zu halten, bis die Operation vorüber war.

Sie schlug die Hände vors Gesicht und holte tief Luft. Er durfte nicht sterben, ehe sie nicht noch einmal mit ihm gesprochen hatte. Es durfte nicht sein. So grausam konnte Gott nicht sein.

»Kaffee, Schyler?«

Sie ließ die Hände sinken. Ken beugte sich herab. »Nein, danke.« Er drückte ihr aufmunternd die Schulter, ging dann zum Plastiksofa zurück und setzte sich neben Tricia. Er nahm die Hand seiner Frau und drückte sie. Schyler sah ihnen mit einem Anflug von Neid zu. Nach dieser Art der Verbundenheit mit einem Menschen sehnte sie sich jetzt selber – egal mit wem; einfach ein Mensch, der ihre Furcht verstand und ihr half, das alles hier durchzustehen.

Tricia bekam zufällig Schylers sehnsüchtigen Blick mit. Sie rückte näher an Ken heran und klammerte sich besitzergreifend an seinen Arm. Schyler ignorierte diese selbstgefällige Geste, schaute ihre Schwester aber eindringlicher an. Ohne ihr Make-up wirkte Tricia viel älter, härter. Keine Schminke verdeckte die verbitterten Züge um ihren Mund oder das eiskalte Kalkül in ihren Augen.

Und plötzlich wußte Schyler es.

In einem explosionsartigen Moment der Erkenntnis *wußte* sie es. Tricia war die Übeltäterin.

»Hast du...« Schyler versuchte trotz ihres ausgedörrten Mundes zu schlucken. Ihre Stimme klang heiser. »Tricia, hast du Daddy irgendwann einmal gesagt, ich hätte eine Abtreibung gehabt?«

Tricias Wangen wurden noch bleicher. Ihre Lippen hingen herab und öffneten sich einen Spalt, was ihr einen leicht debilen Ausdruck verlieh. Ihre blauen Augen zuckten einmal, dann noch einmal. In wortloser Bangigkeit starrte sie auf die Frau, die nur dem Namen nach ihre Schwester war.

»Du hast es getan. Du hast es getan.«

Das Wissen traf Schyler mitten ins Herz. Sie schnappte vor Schmerz nach Luft und japste fast. Sie schloß die Augen. Tränen rannen ihr über die kreidebleichen Wangen.

»Miss Crandall?«

Sie hob den Kopf und schlug die Augen auf. Dr. Collins stand vor ihr und schaute besorgt auf sie herunter. Er trug noch immer seinen grünen OP-Kittel. Der Mundschutz baumelte um seinen Hals. »Der Chirurg hat mich hergeschickt. Er ist jetzt fertig.«

»Ist mein Vater noch am Leben?«

Der junge Arzt lächelte. »Ja, ist er. Er hat einen vierfachen Bypass überlebt.«

Mehrere Knoten in ihrer Brust lösten sich, und sie bekam wieder richtig Luft. »Wird er gesund werden?«

Der Doktor kratzte sich unschlüssig an der Wange. »Wenn er sich erholt, wird es ihm eindeutig besser gehen als vorher. Aber sein Zustand wird einige Tage lang sehr kritisch sein.«

»Ich verstehe. Danke für Ihre Offenheit.«

»Möchten Sie mit dem Chirurgen sprechen?«

»Wenn es ihm möglich ist. Aber notwendig ist es nicht, oder?«

»Nein.« Einen Moment lang musterte er sie. »Sie haben eine

209

lange Nacht hinter sich. Ich schlage vor, Sie fahren jetzt nach Hause und legen sich…«

Seine Stimme verebbte. Schyler schüttelte hartnäckig und entschlossen den Kopf. »Nein. Wenn Daddy aufwacht, muß ich hier sein.«

»Es könnte —«

»Ich muß hier sein«, wiederholte sie unmißverständlich.

Der Arzt sah ein, daß es keinen Sinn hatte, es ihr auszureden zu wollen. »Ich werde Sie auf dem laufenden halten. Es wird etwa 36 Stunden dauern, bis er wieder zu sich kommt. Es ist kein hübscher Anblick, aber Sie können in bestimmten Abständen zu ihm, wenn Sie es wünschen.«

»Ja, das möchte ich.«

»Okay. Dann seien Sie zu jeder geraden Stunde um zehn nach an seinem Zimmer.«

Er nickte den Howells zu, die sich seltsamerweise gar nicht gerührt hatten, schenkte Schyler einen letzten Blick und verließ das Wartezimmer mit der für ihn typischen Forschheit.

Schyler schluckte mühsam. Sie wollte jetzt nicht zusammenbrechen und weinen, auch wenn ihr die Schluchzer im Hals steckten, daß es schmerzte. Sie trocknete sich die verschwitzten Handflächen an dem Taschentuch ab, das bereits zerknittert und aufgeweicht war vor lauter Schweiß. Ihre Fingerspitzen waren weiß und blutleer. Sie fühlten sich eisig an.

Mit einer gewaltigen Anstrengung stand sie auf. Sie machte nur drei Schritte und stand dann vor ihrer Schwester und ihrem Schwager. Sie schaute Tricia direkt in die Augen. »Mach, daß du hier wegkommst. Geh mir aus den Augen.« Sie betonte jedes einzelne Wort, laut und deutlich.

Dann verließ sie das Wartezimmer, stolz und wütend.

Schyler wurde der Hausgeist auf der Intensivstation des Krankenhauses. Sie weigerte sich zu gehen. Endlos wanderte sie auf und ab, ruhelos, unaufhörlich, begierig nach jedem Bericht über Cottons Zustand, der ärgerlicherweise unverändert blieb.

Am ersten Tag dachte sie an kaum etwas anderes als an ihren Vater. Sie hatte solche Angst, daß die Monitore, die seinen Herzschlag anzeigten, plötzlich verstummen könnten, und er sterben würde. Jede Stunde, die er überlebte, war ermutigend, hatten ihr die Ärzte gesagt. An diese Hoffnung klammerte sie sich. Am zweiten Tag begann sie, daran zu glauben. Um das stundenlange Warten während der zweiten Nacht zu verkürzen, ging sie zu den Münztelefonen und rief Mark an. Als sie seine vertraute und besorgte Stimme hörte, verlor sie all ihre Beherrschtheit und brach in Tränen aus.

»Ist er gestorben, Liebling?«

»Nein, nein.« Weinend und schluchzend unterrichtete sie ihn vom neuesten Stand der Dinge.

»Ich hoffe, er kommt wieder auf die Beine. Ich bin sicher, daß er es schaffen wird. Die Ärzte sind zuversichtlich, nicht wahr?«

»Ja. Haben sie jedenfalls gesagt.«

»Und was ist mit dir? Du klingst völlig ausgelaugt.«

»Bin ich auch«, gestand sie. Sie mußte Mark nichts vormachen. »Ich bin erschöpft. Aber ich will solange hierbleiben, bis er außer Gefahr ist.«

»Aber was nützt es ihm denn, wenn du selber zusammenklappst?«

»Ich muß hier bei ihm bleiben.«

Er wußte nur zu gut, daß jede Diskussion mit ihr zwecklos war, wenn sie in diesem Ton mit ihm sprach. Taktvoll wechselte er das Thema. »Und wie läuft das Geschäft? Irgendwelche Fortschritte?«

Sie unterrichtete ihn auch darüber. »Natürlich bin ich seit Daddys Operation nicht mehr draußen im Büro gewesen. Aber ich gehe davon aus, daß Cash alles unter Kontrolle hat.«

Wieder bot Mark ihr Geld an. Wieder lehnte sie ab. Schließlich sagte er: »Du fehlst mir, Schyler.«

»Du fehlst mir auch. Ich möchte so gern in den Arm genommen werden.«

»Komm nach Hause, und ich nehme dich in den Arm.«

Sie biß sich auf die Unterlippe und kämpfte gegen die Tränen an. Sehr teure Tränen waren das. Es war die reinste Geldverschwendung, bei einem Telefonat nach Übersee zu weinen, aber sie hatte schreckliche Sehnsucht nach Mark. »Es geht nicht,

Mark. Noch nicht. Vielleicht eine ganze Weile nicht. Ich muß Daddy zuliebe hierbleiben. So oder so.«

»Soviel Loyalität von dir verdient er doch gar nicht.«

»Doch, tut er.« Er wußte nichts von Tricias gemeiner Lüge, aber sie wollte nicht am Telefon mit ihm darüber reden. »Mein Platz ist jetzt auf Belle Terre. Ich muß bleiben.«

Nachdem sie aufgelegt hatte, fühlte sich Schyler deprimierter denn je. Niedergeschlagen, mit gesenktem Kopf, ging sie über den sterilen, durch die Klimaanlage kühlen Korridor zum Wartezimmer, das zu ihrem Hauptquartier geworden war.

Sie sah Cash erst, als sie vor ihm stand. Er packte sie am Oberarm, um sie aufzuhalten. Sie schaute ihn mit ausdrucksloser Miene an, während in seinen Augen Bestürzung lag. Da wurde ihr klar, wie schrecklich sie aussehen mußte. Zwei Tage lang hatte sie die Spiegel auf der Damentoilette gemieden. Wie zur Verteidigung fragte sie: »Was machen Sie denn hier?«

Seine Hände fielen von ihren Armen, und seine Lippen formten sich zu einem höhnischen Grinsen. »Das ist doch hier ein öffentliches Krankenhaus, nicht wahr? Oder werden Bastarde nicht mehr reingelassen?«

»Oh, na großartig! Genau das brauche ich jetzt. Ihren verdammten Sarkasmus.« Sie versuchte, an ihm vorbeizugehen, aber er versperrte ihr den Weg.

»Warum haben Sie mir nicht Bescheid gesagt, als es passiert ist?«

Sie lachte ungläubig. »Weil ich nicht die Zeit dazu hatte. Ich hatte weiß Gott andere Dinge im Kopf.«

»Okay, dann eben danach. Was hatten Sie denn da schon zu tun? Haben Sie nicht mal gedacht, daß es mich interessieren könnte?«

»Sie haben es doch erfahren.«

»Nachdem ich Ihretwegen auf Belle Terre angerufen habe.«

»Wieso? Weshalb haben Sie sich denn solche Sorgen gemacht?«

»Alles, was diese hochnäsige Hexe, die den Anruf entgegengenommen hat, mir erzählen wollte, war, daß Cotton einen Herzanfall erlitten hat und es wahrscheinlich nicht überleben wird.«

»So ungern ich Mrs. Graves auch in Schutz nehme – aber in diesem Fall hat sie wirklich nicht mehr gewußt.«

»Tja, hier in der Gegend hat sich das aber ziemlich schnell rumgesprochen. Ich habe die Einzelheiten über die Operation an der gottverdammten Tankstelle erfahren, als ich meinen Wagen aufgetankt habe.«

Die Oberschwester hinter dem Tresen hob den Kopf und warf ihnen einen mißbilligenden Blick über den Rand ihrer altmodischen Brille zu. Cash starrte zurück. »Ist irgendwas, Lady?«

»Ich darf Sie doch bitten, sich nicht ganz so laut zu unterhalten, Sir.«

Cash haßte Autorität und Bevormundung; was der Blick, den er der Frau zuwarf, bewies. Er packte Schyler am Arm und zog sie den Korridor hinunter, bis sie zu zwei Schwingtüren kamen, hinter denen ein mit hohen Hydrokulturen, Plastikpflanzen und steinernen Bänken geschmückter Innenhof lag. Er stieß einen Palmwedel beiseite, der ihm im Weg war, und ignorierte die Bänke.

»Wie geht es ihm?«

Schyler war am Rande des Zusammenbruchs. Sie reagierte auf alles gereizt.

Und besonders ärgerte es sie, wie froh sie war, Cash Boudreaux hier zu sehen.

Wenn er nicht so ein Mistkerl gewesen wäre, seine Manieren nicht derart abstoßend gewesen wären, wenn er es verstanden hätte, sich wie ein Gentleman zu benehmen und nicht wie ein Schläger aus der Gosse, dann hätte sie es genossen, daß er hier bei ihr war. Seine breite Brust schien der richtige Ruheplatz für ihren müden Kopf. Wenn er sie in den Arm genommen hätte, hätte sie sich an ihn geschmiegt, so sehr wünschte sie es sich, gehalten zu werden. Sie hätte jeden Trost angenommen, den er ihr angeboten hätte. Aber er bot keinen Trost; er war einfach nur er selbst – zynisch und widerwärtig.

»Ich habe gefragt, wie es ihm geht.«

Er bellte diesen Satz so barsch, daß Schyler zusammenfuhr. »Es geht ihm gut.«

»'Nen Scheißdreck.«

»Okay, es geht ihm nicht ganz so gut«, fauchte sie und fuhr aufgebracht mit einer Hand durch die Luft. »Sie haben ihm den Brustkorb geöffnet und seine Rippen und haben einen vierfachen Bypass an seinem Herzen operiert, das ohnehin sehr schwach war. Was glauben Sie also, wie es ihm geht? Sie und er haben doch nie ein gutes Wort füreinander übrig gehabt. Warum interessiert Sie das alles auf einmal?«

Sein Gesicht kam ganz dicht heran. »Weil ich wissen will, ob die Firma, für die ich meine Eier riskiere, den Bach runtergeht, wenn der Eigentümer abkratzt.«

Schyler wirbelte herum. Cash fuhr sich mit beiden Händen durchs Haar und hielt es sich für einige Sekunden aus der Stirn, ehe er es wieder fallen ließ. Er fluchte still vor sich hin, in Englisch, in Französisch, und in jenem Kauderwelsch, den er von seiner Mutter gelernt hatte.

»Hören Sie«, sagte er, als er Schyler bei den Schwingtüren einholte. »Die Arbeiter haben nach ihm gefragt. Als ich im Krankenhaus anrief, hat mir niemand etwas sagen können. Und Howell war so verschlossen wie eine verdammte Venusmuschel. Ich muß doch den Männern etwas sagen können.«

Schyler hatte sich wieder im Griff und wandte sich ihm zu. Ihre Miene war steinern. »Dann sagen Sie ihnen, daß es ihm den Umständen entsprechend gut geht. Der Arzt meinte, daß wir eventuell morgen mit einer Besserung rechnen können.« Ihre Miene wurde etwas sanfter, als sie hinzufügte: »*Wenn* sich etwas verändert.«

»Danke.«

»Nichts zu danken.«

»Haben Sie sich schon ein Bett reservieren lassen?«

»Pardon?«

»Ein Bett hier im Krankenhaus. Sie sehen ja absolut gräßlich aus.«

»Wie überaus charmant von Ihnen, Mr. Boudreaux.«

»Ich hab's noch milde ausgedrückt. Wann haben Sie denn das letzte Mal was Richtiges gegessen? Oder ein paar Stunden geschlafen? Gebadet? Weshalb bestrafen Sie sich für Cottons Krankheit?«

»Tue ich ja gar nicht!«

»Ach nein?«

»Nein. Und ich brauche Sie nicht, um mir zu sagen, wie mitgenommen ich aussehe.« Sie streckte sich. »Ich werde Ken die Lohnschecks am Freitag rausbringen lassen. Da Sie ja Ihre Eier für die Firma riskieren, seien Sie versichert, daß Sie für Ihre Bemühungen bezahlt werden.«

Sie ließ ihn stehen, fluchend inmitten des künstlichen Waldes.

Am Nachmittag des darauffolgenden Tages suchte Dr. Collins sie kurz nach zwei Uhr auf. Sie saß ihm Wartezimmer, den Kopf gegen die Wand gelehnt. Er setzte sich neben sie und nahm ihre Hand. Schyler machte sich auf das Schlimmste gefaßt.

»Ich will ja nicht zu optimistisch sein«, begann er, »aber er zeigt echte Anzeichen einer Besserung.«

Erleichtert atmete sie aus. »Gott sei Dank.«

Der Doktor drückte ihre Hand. »Ich möchte ihn mindestens noch eine weitere Woche auf der Intensivstation behalten. Aber ich denke, er ist über den Berg.«

»Kann ich zu ihm?«

»Gewiß.«

»Wann?«

»In fünf Minuten. Bis dahin, schlage ich vor, bürsten Sie sich das Haar und legen Lippenstift auf. Wir wollen doch den armen Kerl nicht zu Tode erschrecken, nach all dem, was er durchgemacht hat.« Schyler lachte zittrig.

Fünf Minuten später betrat sie das Zimmer der Intensivstation, in dem Cotton schon zuvor gelegen hatte. Sofort sah sie, daß es ihm besser ging. Seine Haut war nicht mehr so aschfahl. Die Krankenschwester zog sich respektvoll zurück.

Schyler beugte sich über ihn und berührte sein Haar. Seine Augen öffneten sich und fanden ihre. »Du wirst wieder ganz gesund werden«, flüsterte sie. Ihre Fingerspitze strich sanft über seine buschigen weißen Augenbrauen, die sich ungehorsam wieder aufrichteten. »Wenn es dir ein bißchen besser geht, werde ich dir alles erklären.« Sie fuhr sich mit der Zunge über die Lippen, auch wenn sie gerade frischen Lippenstift aufgelegt hatte.

»Aber ich möchte, daß du eines weißt, und das ist die Wahrheit.«
Sie hielt inne, um sicherzugehen, daß er bei klarem Verstand war und sie seine volle Aufmerksamkeit hatte. »Ich bin niemals schwanger gewesen. Ich hatte auch nie eine Abtreibung. Ich hätte doch nie im Leben dein Enkelkind umgebracht.« Sie legte ihm die Hand auf die Wange. »Daddy, hörst du mich?«

Seine Augen füllten sich mit Tränen. Sie hatte ihre Antwort.

»Ich habe dich noch nie angelogen. Das weißt du. Was ich dir sage, ist die reine Wahrheit. Ich schwöre es bei Belle Terre; du weißt, wie sehr ich es liebe. Ich war nie schwanger. Es war alles ein… unglückliches Mißverständnis.«

Die Veränderung auf seinem Gesicht war so dramatisch wie das erste Licht des Morgengrauens nach langer Dunkelheit. Seine Züge wurden ruhig und friedlich. Er schloß die Augen. Eine Träne trat zwischen den faltigen Lidern hervor. Schyler wischte sie mit dem Daumen fort, beugte sich dann herab und küßte ihn liebevoll auf die Stirn.

So erschöpft sie auch war – als sie das Krankenhaus verließ, fühlte sie sich so gut wie schon lange nicht mehr.

27. KAPITEL

Wieder auf Belle Terre, gönnte sich Schyler zuerst eine ausgiebige Dusche. Danach fühlte sie sich schon viel besser.

Dann verschwand sie schnurstracks im Bett und schlief die nächsten sechzehn Stunden durch.

Mit einem Bärenhunger wachte sie am nächsten Morgen auf, schlüpfte in lässige Alltagskleidung, und ging dann hinunter in die Küche. Sie hatte ihr Omelett aus drei Eiern, Schinken und Käse fast fertig zubereitet, als Mrs. Graves hereinkam.

»Guten Morgen«, begrüßte Schyler sie freundlich, während sie das Omelett schwungvoll aus der Pfanne auf ihren Teller gleiten ließ. Die Haushälterin machte, erbost, daß jemand ihre Küche in Beschlag genommen hatte, wortlos auf dem Absatz kehrt und stapfte wieder hinaus. Schyler setzte sich an den Küchentisch und verputzte ihr Frühstück bis auf den letzten Bissen, trank dazu frisch ausgepreßten Orangensaft und zwei Tassen Kaffee.

Es war ein regnerischer Tag, der Himmel von einer dunklen Wolkendecke verhangen. Genau der richtige Tag, um lange zu schlafen. Und anscheinend taten Tricia und Ken das auch.

Sie verließ das Haus, ohne die beiden zu Gesicht zu bekommen, und fuhr zum Krankenhaus. Als sie Cottons Zimmer betreten wollte, blieb sie wie angewurzelt stehen. Aufgestützt auf eine schlanke Krankenschwester stand er neben dem Bett. Er hob den Kopf und lächelte seiner Tochter zu.

»Tut höllisch weh, aber es ist ein großartiges Gefühl.«

Schyler ließ ihre Handtasche einfach zu Boden fallen, lief zu ihrem Vater und umarmte ihn.

Doch die Krankenschwester ersparte ihnen eine aufgewühlte Szene, als sie sagte: »Ich hoffe, daß er wenigstens auf Sie hört, Miss Crandall. Er ist der mürrischste Patient, den ich je hatte. Was ich auch sage, er lästert und flucht.«

»Das ist eine gottverdammte Lüge.«

Die Frauen zwinkerten sich hinter seinem Rücken zu. Zusammen halfen sie ihm, sich wieder ins Bett zu legen. Trotz seines Draufgängertums hatte ihn dieser kleine Ausflug sehr erschöpft. Kaum hatte er den Kopf wieder auf die Kissen gebettet, schnarchte er selig. Schyler blieb noch ein Weilchen bei ihm, verließ dann aber das Zimmer und ging hinunter zu dem kleinen Laden in der Eingangshalle, wo sie einen Strauß Blumen für ihn kaufte. Es gab so vieles, worüber sie beide reden mußten, soviel, was klargestellt werden mußte. Doch dafür würde später noch genug Zeit sein – Gott sei Dank.

Sie wartete noch einige Stunden, aber er wachte nicht auf. Dr. Collins und der Kardiologe versicherten ihr, daß viel Schlaf momentan das Beste für ihn sei. Sie verließ das Krankenhaus, ohne noch einmal mit Cotton gesprochen zu haben, doch sein liebevolles Lächeln, als sie das Zimmer betreten hatte, war ihr Bestätigung genug, daß er genau verstanden hatte, was sie ihm tags zuvor gesagt hatte, und daß sein Vertrauen in sie wieder intakt war.

Sie wäre liebend gern raus zum Werk gefahren, um sich über

den Gang der Geschäfte zu vergewissern, doch auch das mußte noch einige Stunden warten. Es gab etwas, was sie vor allem anderen erledigen mußte. Es wurde höchste Zeit, etwas zu klären. Sechs Jahre hatte sie darauf gewartet.

Kurz nach zwölf traf sie wieder auf Belle Terre ein. Das Wetter war noch immer unfreundlich. Sie lief vom Wagen zur Veranda. Die Zimmer im Parterre waren verwaist. Sie hörte Mrs. Graves in der Küche werkeln, zog es aber vor, sie zu meiden, und ging nach oben. Hinter der Tür zu Tricias Schlafzimmer dudelte ein Radio. Ohne anzuklopfen trat Schyler ein.

Tricia saß, nur mit Seidenkimono und Slip bekleidet, an ihrem Schminktisch und machte sich zurecht. Sie summte ein Lied von Rod Stewart mit. Als sie Schyler im Spiegel erblickte, stellte sie den Eyeliner weg und schwang auf ihrem purpurnen Samtstuhl herum.

»Ich hab dich gar nicht klopfen hören.«

»Ich habe auch nicht angeklopft.«

Tricia zog den Kimono vor dem Körper zusammen, ein Zeichen ihrer Nervosität, auch wenn sie sonst keine Miene verzog. »Nicht gerade höflich. Oder hat dich dein Zusammensein mit weißem Abschaum vergessen lassen, was sich gehört.«

Schyler ließ sich nicht provozieren und hatte auch nicht vor, sich zu entschuldigen. Sie ging zum Radio und schaltete es mit einer raschen Handbewegung aus. Eine plötzliche Stille breitete sich aus. Schyler stellte sich vor ihre Schwester hin.

»Du verdienst es gar nicht, daß ich höflich zu dir bin. Sei froh, wenn du nicht das kriegst, was du eigentlich verdienst.« Schyler war wütend, so wütend, daß sie Tricia am liebsten die Haare einzeln ausgerissen hätte. Doch noch stärker als ihre Wut war ihre Fassungslosigkeit. »Warum, Tricia? Welchen Grund kannst du nur gehabt haben, Cotton zu erzählen, ich hätte eine Abtreibung vornehmen lassen.«

»Wie kommst du darauf, daß ich das getan habe?«

»Laß deine Spielchen!« fuhr Schyler sie an. »Ich weiß es. Was ich nicht weiß, ist, warum du es getan hast. Um Himmels willen, Tricia, weshalb eine solche Lüge?«

Tricia erhob sich und zerrte den Gürtel ihres Kimonos fest.

Sie ging ans Fenster, zog die Vorhänge beiseite und schaute hinaus in den trüben Tag. Der Vorhang fiel wieder zurück, als sie ihn losließ. Schließlich wandte sie sich zu Schyler um.

»Damit er mich in Ruhe läßt, deshalb. Ich wollte, daß er endlich damit aufhört, mich dafür zu verurteilen, daß ich dir Ken ausgespannt habe. Nicht, daß ich mich da groß hätte anstrengen müssen.« Hochmütig reckte sie das Kinn, ihr Haar fiel ihr auf die Schultern. »Als er mit mir im Bett war, wollte er gar nicht mehr zu dir zurück.«

Diese Sätze hätten Schyler noch vor einigen Jahren am Boden zerstört, doch nun waren ihre Gedanken auf etwas anderes konzentriert. »Cotton hat dir Vorwürfe wegen der Sache mit Ken gemacht?«

Tricia lachte kurz und ohne Humor. »Vorwürfe gemacht? Er hat mich in die Mangel genommen, mir keine Ruhe mehr gelassen, er hat mich wüst beschimpft. So, wie er sich aufgeführt hat, hätte man ja meinen können, ich hätte dir einen Pflock durchs Herz getrieben. Dauernd hat er mir in den Ohren gelegen, daß ich dich betrogen und verraten hätte, und hat mir sogar vorgeworfen, ich hätte mir Ken nur deshalb geschnappt, um es dir heimzuzahlen.«

Schyler strich mit den Fingern über die geschwungene, hölzerne Rückenlehne der Chaiselongue. Sie sah es noch vor sich, wie Macy früher hier ausgestreckt gelegen hatte, auf Kissen gebettet, erschöpft und abwesend, während ihre Töchter kamen, um ihr einen Gutenachtkuß zu geben. Schyler spürte noch immer die kalten Lippen ihrer Mutter, die ihre Wange kaum berührt hatten. Tricia hatte Schyler jedesmal beiseite geschubst, um selber einen dieser leidenschaftslosen seltenen Küsse zu ergattern.

»Und hatte er nicht recht damit?« fragte sie Tricia mit sanfter Stimme. »War es denn nicht so, daß du Ken nur deshalb haben wolltest, weil ich mit ihm zusammen war?«

»Nein!« antwortete Tricia schrill. »Ich habe mich in Ken verliebt. Du bist genau wie Daddy. Immer denkst du nur das Schlimmste von mir!«

»Wenn Menschen schlecht über dich denken, Tricia, dann

hast du das allein dir zuzuschreiben. Du hast dein ganzes Leben lang Intrigen geschmiedet. Aber das… das…« Ihr Blick wanderte über das hübsche Zimmer, während sie nach passenden Worten für Tricias Tun suchte. Vergeblich. »Wie konntest du nur so bösartig und hinterhältig sein?«

»Ich wollte dich nicht damit verletzen, Schyler.«

Schyler schaute sie fassungslos an. »Wie hätte es das denn nicht tun sollen?«

»Weil du stark genug bist, um zu überleben. Du bist nach London gegangen und hast ein neues Leben angefangen. Ich hab gedacht, Daddy würde schon drüber wegkommen.«

»Daß seine Tochter eine Abtreibung hatte?«

»Mein Gott, ich hab eben einfach das Erstbeste gesagt, was mir einfiel, als er mich gefragt hat, wie ich das der armen kleinen Schyler nur habe antun können.« Wie zum Hohn legte sie eine Hand auf die Brust.

»Das nehme ich dir nicht ab. Ich glaube, du hast ihm diese Lüge absichtlich aufgetischt, weil du wußtest, daß es einen Keil zwischen uns treiben würde.«

»Völliger Unsinn.« Tricia setzte sich wieder an den Schminktisch und griff zum Eyeliner. Sie beugte sich zum Spiegel hin und fuhr fort, sich die Augen anzumalen. »Nun mach da mal keinen Staatsakt draus. Eine Abtreibung erschien mir als glaubhafter Grund für den Streit zwischen dir und Ken. Ich konnte ja nicht ahnen, daß Daddy deshalb für alle Zeiten Trübsal blasen würde.«

»Aber als du dann gemerkt hast, daß es doch so ist und er es mir vorwirft, warum hast du ihm da nicht die Wahrheit gesagt?«

»Weil er mich dafür gehaßt hätte. Und das wollte ich nicht.«

»Aber du hast zugelassen, daß er *mich* haßt.«

Tricia wirbelte herum. »Na und? War doch auch mal an der Zeit, daß wir die Plätze tauschten, oder?«

Schyler wich einen Schritt zurück, so sehr war sie verdutzt über Tricias unverhohlenen Haß auf ihrem verzerrten Gesicht.

»Was meinst du damit?« fragte sie.

»War ich nicht mal dran, seine Zuneigung zu bekommen? Seine Aufmerksamkeit? Seine Liebe?« Ihre Brust hob und senkte sich unter dem Seidenkimono. Diese Worte trug sie schon seit Jahren mit sich herum, nun brach es aus ihr heraus. »Dich hat er nach Strich und Faden verwöhnt. Du konntest gar nichts falsch machen, alles war perfekt. Und wenn er zufällig mal mich gesehen hat, dann hat ihm das gar nicht gefallen, was er sah.«

»Tricia, das ist doch nicht wahr.«

Tricia überging Schylers Satz. »Wenn er mit mir geredet hat, dann nur, um mich zu kritisieren. Aber du, du hast alles richtig gemacht.«

Sie zerrte sich den Kimono vom Körper und ging zum Kleiderschrank, nahm mit einer unbeherrschten Geste ein Kleid vom Kleiderbügel und schlüpfte hinein. Schyler sah, welch eine wunderschöne Frau Tricia war. Ihr Körper war wohlproportioniert, schlank und fest. Ihr Gesicht wäre ebenso hübsch gewesen, wenn nicht diese Bitterkeit ihr die weibliche Sanftheit geraubt hätte.

Tricia ging wieder zum Schminktisch, griff zum Lippenstift und fuhr sich mit weichen raschen Strichen über die Unterlippe. »Ich kann mir beim besten Willen nicht vorstellen, warum sie mich überhaupt adoptiert haben.« Sie preßte die Lippen aufeinander und stellte den Lippenstift auf den Schminktisch zurück.

»Weil sie es wollten. Dich wollten.«

Tricia schnaubte verächtlich. »Deine Naivität verblüfft mich, Schyler. Mama war doch schon halb verrückt, weil sie selber keine Kinder kriegen konnte.«

»Sie wollte Daddy unbedingt Kinder schenken.«

Wieder ächzte Tricia höhnisch. Sie schlang sich einen Gürtel um die Taille, zog ihn fest und rückte ihn zurecht. »Nicht im Traum hat sie daran gedacht, Daddy irgendwas zu schenken. Sie hat ihm das Leben so schwer wie möglich gemacht. Ein Kind wollte sie nur, weil dann ein Laurent Belle Terre geerbt hätte. Zumindest ein halber Laurent, das war noch das Beste, was sie hinkriegen konnte. Sie hat sich selber nie verziehen, daß sie keine Kinder kriegen konnte, weil es nicht zu ihrem Bild der perfekten Ehefrau gepaßt hat. Und deshalb ist sie ja auch fast durchgedreht.«

»Sag nicht so etwas. Mama war vielleicht nicht sonderlich glücklich, aber —«

»Verdammt, Schyler, sie war jämmerlich unglücklich. *Ja!*« betonte sie, als sie sah, daß Schyler ihr widersprechen wollte. »Sie war eine jämmerliche, selbstsüchtige Hexe. Sie hatte nur ein Ziel in ihrem erbärmlichen Leben: nämlich dafür zu sorgen, daß alle anderen auch unglücklich sind. Sie hat uns nicht geliebt. Sie hat nur sich selbst geliebt. Punkt. Cotton hat dich geliebt. Du warst sein ein und alles. Und was meinst du, was da noch für mich übrig blieb? Na? Ich sag's dir: nichts. Ich stand immer abseits, Tag für Tag, mein ganzes Leben lang. Und als dann Ken Howell kam, mit seinem Stammbaum in der einen und seinem gebrochenen Herzen in der anderen Hand – verdammt noch mal, ja! – da wollte ich ihn haben. Warum auch nicht? Ich war auch endlich mal an der Reihe«, schrie sie und schlug sich mit der Hand vor die Brust. »*Und ob* ich hinter ihm her war, darauf kannst du wetten! Ich hätte alles getan, um zu verhindern, daß du ihn kriegst.«

»*Alles?* Tricia ... du bist niemals schwanger gewesen, hab ich recht? Es gab nie ein Baby von Ken. Und du hattest auch gar keine Fehlgeburt nach der Hochzeit, stimmt's?«

»Was macht das —«

»Sag's. Ja oder nein?«

»*Nein!*«

Die Feindseligkeit zwischen ihnen war greifbar. Tricia hatte mit einem einzigen Wort die Antwort auf ihren seit langem gehegten Verdacht geliefert; wie die Glocke am Boxring am Ende einer Runde war es das Signal, in ihre Ecke zurückzukehren. Mit angehaltenem Atem standen sie beide da. Schyler ergriff als erste das Wort.

»Weiß Ken, daß du ihn belogen hast?«

Tricia zündete sich achselzuckend eine Zigarette an. »Kann's mir jedenfalls vorstellen. Er ist zwar nicht Einstein, aber so blöd nun auch wieder nicht. Wir haben nie darüber gesprochen.« Sie blies den Rauch aus, hoch zur Zimmerdecke. »Ich nehme an, er glaubt lieber weiterhin, daß es eine Fehlgeburt war und keine starke Monatsblutung. Mir soll's recht sein, wenn er dann leichter damit klarkommt, daß er dich verloren hat.«

222

Sie warf Schyler einen flüchtigen Blick zu. »Und ganz unter uns: Ich bin ihm eine viel bessere Ehefrau, als du es je hättest sein können. Deine Selbständigkeit schüchtert ihn ein. Er bewundert dich dafür, aber es gefällt ihm gar nicht. Weil es seine Mängel zu offensichtlich macht.«

»Wie kannst du es wagen, mir zu sagen, ich würde Ken keine gute Frau sein?! Ich habe ihn geliebt. Aufrichtig geliebt.«

Tricia verzog leicht die Mundwinkel. »Ja«, sagte sie leise. »Ich weiß.«

»Er ist zu mir zurückgekehrt. Das hast du nicht ertragen können.« Schylers Worte verfehlten ihre Wirkung nicht. Wütend schnippte Tricia die Asche in einen Aschenbecher auf dem Schminktisch. »Und das war auch der Grund für deine Lüge mit deiner angeblichen Schwangerschaft. Du wolltest uns beide damit treffen und verletzen. Das bot dir die Möglichkeit, mich zu vernichten und Ken endgültig in deine Fänge zu kriegen.«

In Gedanken versunken ging Schyler zu einem der Fenster. Der Regen war stärker geworden. Auf dem Rasen bildeten sich kleine Pfützen. Selbst bei Regen war Belle Terre wunderschön. Nichts konnte diese Schönheit in ihren Augen mindern.

»Aber dann mußtest du dich vor Daddy rechtfertigen. Du wußtest, daß ihm Belle Terre über alles geht. Er hat ständig von einer Dynastie gesprochen, die er begründen will. Und auch wenn sie nicht seinen Namen tragen würden – er wollte, daß viele Kinder in diesem Haus aufwachsen. Du wußtest, daß er sich nichts sehnlicher wünschte. Du wußtest, daß ihn nichts mehr verletzen würde, als zu erfahren, daß eine von uns beiden sein Enkelkind abgetrieben hat.«

»Du meine Güte!« blaffte Tricia und drückte ihre Zigarette aus. »Du bist genauso sentimental wie er. Unsere Kinder würden doch gar nicht seine Enkelkinder sein. Weil wir nicht seine leiblichen Kinder sind! Dieses ganze Gerede von Dynastie und nachfolgenden Generationen war doch absolut lächerlich. Es war doch peinlich, wenn er wieder und wieder damit angefangen hat, wie ein brabbelnder Idiot. Hier in der Gegend weiß doch jeder, daß er Macy Laurent nur wegen Belle Terre geheiratet hat.«

»Das ist nicht wahr. Er hat Mama geliebt.«

»Und gebumst hat er Monique Boudreaux!«

Schyler fuhr herum und schaute Tricia in schierem Unglauben an.

Tricia lachte schallend. »Ich werd' ja nicht wieder! Das hast du gar nicht gewußt, hab ich recht? Ich faß es nicht.« Sie war wirklich platt. »Du hast tatsächlich nicht gewußt, daß sie Cottons Geliebte war? Unglaublich.« Sie schüttelte den Kopf und schnaubte verächtlich. »Was hast du denn gedacht, was er ist – ein Mönch? Der Heilige Cotton? Hast du wirklich angenommen, er hätte sich keine andere zum Vögeln gehalten in all den Jahren, in denen er und Mama nicht mehr miteinander schliefen?«

»Du bist vulgär.«

»Ganz recht«, schnurrte Tricia. »Deshalb war es ja auch so einfach, Ken aus deinem Bett in meins zu locken.«

»Also ganz so ist es nun auch nicht gewesen.«

Beide Frauen fuhren herum, als sie Kens Stimme von der Tür her vernahmen. Er hatte Tricia angesprochen. Aber er schaute zu Schyler. »Dann will ich deinem Gedächtnis mal etwas auf die Sprünge helfen, Tricia. Die Wahrheit ist: du hast dich mir doch hemmungslos an den Hals geworfen.«

»Was dir anscheinend gut gefallen hat.«

»Und du hast mich ebenso angelogen wie Cotton.«

»Sie hat dir gesagt, ich hätte dein Kind abgetrieben?« fragte Schyler.

»Weil du beleidigt gewesen seist, sagte sie.«

»Und das hast du ihr geglaubt?«

Schyler starrte auf den Mann, der vor ihr stand, und fragte sich, wie sie ihn je hatte lieben können. Er war schwach. Er war mitleiderregend. Er hatte es zugelassen, daß eine boshafte Frau seine Gedanken beherrschte und seine Zukunft bestimmte. Ein echter Mann hätte sich niemals so an der Nase herumführen lassen. Cash Boudreaux ganz sicher nicht.

Mit einer hilflosen Geste sagte Ken: »Verdammt, Schyler, es war leicht, ihr zu glauben. Du hast immer für die Rechte der Frauen demonstriert und hast gesagt, eine Frau hätte ein Recht darauf, sich frei zu entscheiden.«

»Ja, das Recht, frei zu *entscheiden*. Aber das heißt doch nicht, daß ich –« Sie verstummte. Es hatte keinen Sinn, das alles jetzt wieder aufzurühren. Der Schaden war schon vor Jahren geschehen. Aber gottlob nicht für alle Zeit.

»Ich habe Daddy gestern gesagt, wie es wirklich war. Wir haben uns wieder ausgesöhnt.« Sie ignorierte Ken und wandte sich direkt an Tricia. »Es hat nie Anlaß für dich gegeben, anzunehmen, Daddy würde dich nicht lieben. Er hat dich immer geliebt und tut es auch jetzt. Und obendrein hast du noch Ken. Damit ist das Kriegsbeil für mich begraben, aber ich werde dir nie verzeihen, daß du dich in mein Leben eingemischt hast.«

Sie wandte sich zum Gehen, doch Tricia stürzte ihr nach. Sie verstellte Schyler den Weg. »Es ist mir scheißegal, ob du mir verzeihst oder nicht. Ich will nichts weiter als meinen Anteil von diesem Haus und dem sonstigen Besitz. Dann werde ich nichts lieber tun, als mich aus deinem Leben zu verabschieden.«

»Deinen Anteil am Haus? Wovon redest du?«

»Tricia«, rief Ken, »nicht jetzt.«

»Wir wollen Belle Terre verkaufen.«

Sie begriff nicht gleich. Die Sache war so undenkbar wie lächerlich. Sie mußte lachen. »Belle Terre verkaufen?« Sie erwartete, daß beide schmunzeln und sie in diesen offensichtlich privaten Witz einweihen würden.

Doch statt dessen schien es eher eine private Verschwörung zu sein. Tricia warf ihr einen haßerfüllten Blick zu. Sie schaute zu Ken, in der Hoffnung, von ihm eine Erklärung zu erhalten. Er sah schuldbewußt weg.

»Seid ihr beiden noch zu retten?« fragte sie mit heiserer Stimme. »Belle Terre wird niemals verkauft werden.«

»Und warum nicht?«

»Weil es unser Eigentum ist. Es gehört Cotton und uns.«

»Nein, tut es nicht«, keifte Tricia. »Die Laurents waren hier zu Hause, ihnen hat es gehört. Aber von denen ist keiner mehr am Leben.«

Schyler riß sich zusammen. »Mag sein, daß Cotton keine Blutsverwandtschaft aufweisen kann, aber sein ganzes Leben steckt in Belle Terre. Er wird es nie verkaufen.«

Sie versuchte, an Tricia vorbeizugehen, aber die hielt sie mit erstaunlicher Kraft am Arm fest. »Cotton könnte seine Meinung ändern.«

»Niemals. Da ist jeder Versuch zwecklos.« Sie schüttelte Tricias Hand ab.

»Er ist ein alter Mann, Schyler. Sein Gesundheitszustand ist mehr als kritisch gewesen. Seine Geschäfte laufen schlecht. Er hat so hohe Schulden, daß er sie nie mehr loswerden wird.«

»Dein Vorschlag?«

»Wir könnten ihn entmündigen lassen.«

Schyler verspürte den unbändigen Wunsch, Tricia zu schlagen; sie mußte die Fäuste ballen, um es nicht zu tun. »Das eine verspreche ich dir: Wenn Cotton irgend etwas zustößt, Tricia, dann sieh dich vor! Dann kriegst du es mit *mir* zu tun.«

28. KAPITEL

Schyler kümmerte es nicht, daß sie viel zu schnell fuhr. Sie hielt das Lenkrad so fest umklammert, daß ihre Fingerknöchel weiß wurden. Die Scheibenwischer flappten wild hin und her, kamen aber kaum gegen die Sturzbäche vom Himmel an.

Ihre Erschöpfung trotz des langen Schlafs nahm sie nur am Rande wahr. Viel schlimmer war, daß sie sich vorkam, als sei ihr bei lebendigem Leibe die Haut abgezogen worden. Die Auseinandersetzung mit Ken und Tricia hatte ihr die Selbstbeherrschung geraubt; sie fühlte sich wund und verletzlich. Sie fürchtete, jeden Moment zusammenzubrechen.

Deshalb mußte sie etwas tun: wenn sie sich jetzt fallen ließ, würde sie vielleicht nie mehr wieder auf die Beine kommen. Sie könnte schlicht den Verstand verlieren, wenn sie über all das nachdachte, was in der letzten Stunde gesagt worden war. Nein, sie mußte sich ablenken, weil sonst ihre Gedanken nur um eines kreisen würden: Sie wollten Belle Terre verkaufen.

Über ihre eigene Entscheidung gab es keinen Zweifel. Sie hatte ein Ziel ins Auge gefaßt und war entschlossen, sich von nichts und niemandem davon abbringen zu lassen, es auch zu er-

226

reichen. Sie mußte Belle Terre retten, mußte es bewahren – für Cotton. Selbst wenn das hieß, bis zum Umfallen zu schuften. Sie mußte es tun.

Der Weg zum Werksgelände war ihr so vertraut, daß sie, als sie die Brücke über den Laurent Bayou überquert hatte, fast automatisch mit voller Wucht auf die Bremse trat. Der Wagen schlitterte einige Meter, ehe er zum Stehen kam. Das rhythmische Klackern der Scheibenwischer vermischte sich mit dem Trommeln des sintflutartigen Regens auf dem Autodach. Schyler atmete schwer, als wäre sie die Strecke vom Haus bis hierher gerannt; fassungslos starrte sie auf das Bild, das sich ihr bot.

Sie konnte nicht glauben, was sie sah. Das Werk war menschenleer. Keine Arbeiter weit und breit. Nichts. Der Kontrast zu ihrem fast schmerzend brennenden Verlangen, etwas zu tun, war unerträglich.

Die Tür zum Büro war verriegelt, nirgends brannte Licht. Vor den schweren Toren der Hallen, in denen die Schlepper untergebracht waren, hingen Ketten. Die Laderampen bei den Gleisen lagen verlassen da. Das ganze Gelände wirkte wie eine Geisterstadt, öde, leer und tot.

Schyler kämpfte gegen ihre Bestürzung an und versuchte verzweifelt, sich zu erinnern, welcher Tag der Woche heute war. Scheinbar hatte sie jegliches Gefühl für die Zeit verloren. Ihr langer Aufenthalt im Krankenhaus hatte sie völlig durcheinandergebracht. Im Geiste strich sie die Tage auf dem Kalender ab. Nein, kein Zweifel, es war noch nicht Wochenende, heute war ein ganz normaler Werktag.

Aber warum arbeitet denn niemand? Wo, zum Teufel, ist Cash? Zur Hölle mit ihm!

Sie war so aufgebracht, daß sie anfing, am ganzen Leib zu zittern. Sie nahm den Fuß von der Bremse, schlug das Lenkrad bis zum Anschlag ein und gab Vollgas; die Hinterräder drehten durch auf dem morastigen Untergrund. Eine Schlammfontäne spritzte hinter dem Wagen hoch.

»Verdammt!« Schyler schlug mit der Faust auf das Steuer und trat das Gaspedal erneut durch. Schließlich fanden die Räder Halt. Der Wagen schoß nach vorn. Das Heck schlingerte und rutschte gefährlich nahe auf einen Brückenpfeiler zu. Schyler riß das Steuer herum, bekam den Wagen im letzten Moment in den Griff und raste die Hauptstraße entlang. Sie hatte Glück, daß ihr kein einziger Wagen entgegenkam, denn sie fuhr direkt auf dem Mittelstreifen.

Durch den heftigen Regen und die damit verbundene Dunkelheit war die Sicht stark beeinträchtigt. Deshalb sah sie die gesuchte Abzweigung zu spät und trat auf die Bremse. Der Wagen schlitterte weiter. Fluchend legte sie den Rückwärtsgang ein und setzte mit quietschenden Reifen zurück.

Die Nebenstraße war ein einziger See aus Schlamm und Morast, doch sie richtete die Figur vorn auf der Kühlerhaube genau auf die Mitte aus und fuhr los. Ihre Wut kam so sehr in Fahrt wie der Wagen. Als sie ihr Ziel schließlich erreicht hatte, bremste sie, riß die Wagentür auf und stürmte hinaus. Ohne sich um den Regen zu kümmern, marschierte sie direkt auf das Haus zu. Es hatte dieselbe Farbe wie der graue Himmel und fügte sich so gut in die Umgebung ein, daß es fast unsichtbar war.

Er saß auf der überdachten Veranda, gerade so weit darunter, daß er nicht naß wurde. Der Regen rollte vom Blechdach, schwappte über den Vorsprung und sammelte sich vor der Veranda in großen Pfützen. Die Füße gegen einen Holzpfosten gestemmt, kippelte er in einem gefährlichen Winkel auf seinem Rohrstuhl mit hoher Lehne.

Barfuß und mit nacktem Oberkörper saß er da; eine Flasche Whiskey und ein gefülltes Glas standen neben ihm. In seinem Mundwinkel wippte eine Zigarette. Er hatte die Augen zugekniffen gegen den beißenden Qualm. Er öffnete sie einen Spalt, als Schyler auf der Veranda auftauchte und ihre erste Frage abfeuerte.

»Was, zum Teufel, machen Sie hier?«

Seelenruhig nahm Cash die Zigarette aus dem Mund und schaute Schyler neugierig an. »Rauchen!«

Sie bebte vor Wut und ballte die Fäuste. Sie schien es gar nicht wahrzunehmen, daß sie naß bis auf die Haut war. Mit einem einzigen zornigen Knurren holte sie aus und schlug seine Füße vom Pfeiler weg. Krachend landete der Stuhl auf den vorderen Stuhlbeinen. Als wäre er hochkatapultiert worden, stand Cash plötzlich vor ihr. Er schnippte die Zigarette über die Brüstung.

»Sie leben gefährlich, Miss Schyler.« Seine Stimme klang scharf.

»Ich sollte Sie fristlos feuern.«

»Weswegen?«

»Weil Sie in meiner Abwesenheit nur faulenzen und nichts tun. Warum arbeitet niemand? Wo sind die Holzfäller? Die Schlepper sind heute gar nicht draußen gewesen. Ich war auf dem Gelände. Das Büro ist verschlossen, die Garage verriegelt. Nichts passiert. Warum nicht, verdammt noch mal?«

Cashs Geduldsfaden war noch nie sonderlich stabil gewesen. Tadel konnte er gar nicht vertragen, und einem Streit ging er nie aus dem Weg. Das christliche Motto, die andere Wange hinzuhalten, war seinem Wesen gänzlich fremd. Bei der Armee waren ihm Reflexe antrainiert und später geschärft worden, die blitzschnell aufflackerten.

Es mochte den Anschein haben, als sei hier ein Mann, der völlig entspannt eine Zigarette, ein Glas Whiskey und einen gemütlichen Regen genoß, aber in Wahrheit war Cash nicht minder angespannt als Schyler. Während der vergangenen Tage hatte er kaum mehr Schlaf gehabt als sie. Seine ohnehin knappe Geduld war schon vor Tagen aufgebraucht gewesen; seine Nerven lagen buchstäblich blank. Er trank tagsüber mehr Whiskey, als ihm gut tat. Ein Streit kam ihm gerade recht; und nun hatte Schyler sein Territorium betreten und warf ihm wüste Beschuldigungen an den Kopf.

Wäre sie ein Mann gewesen, hätte sie jetzt schon im Dreck gelegen. Aber Cash hatte sich trotz seines aufbrausenden Temperaments noch nie körperlich an einer Frau vergriffen. Vorwurfsvoll sagte er: »Das Wetter, Lady. Erwarten Sie allen Ernstes, daß ich bei diesem Sauwetter die Arbeiter rausschicke?«

»Ich habe Sie eingestellt, damit Sie bei jedem Wetter arbeiten.«

»Das ist aber kein kurzer Aprilschauer.«

»Von mir aus könnte es ein Orkan sein. Ich erwarte, daß die Arbeiter das tun, wofür ich sie bezahle: Holz fällen.«

»Sind sie *verrückt*? Bei soviel Regen in so kurzer Zeit wird der Wald zu einer tödlichen Falle. Wir kommen ja nicht mal mit den Schleppern durch. Der Schlamm —«

»Werden Sie jetzt die Leute rausschicken oder nicht?«

»Werd’ ich nicht.«

Ihre Brust hob und senkte sich vor Wut und Frustration. »Ich hätte drauf hören sollen, was man mir über Sie gesagt hat. Sie taugen tatsächlich nichts.«

»Kann schon sein. Aber bei einem solchen Regen wird kein Fäller rausgehen. Und wenn Sie genug Erfahrung hätten, dann wüßten Sie das auch verdammt gut. Cotton würde seine Männer bei diesem Wetter jedenfalls nicht rausschicken.«

Plötzlich mußte sie daran denken, was Tricia ihr gesagt hatte. »Ihre Mutter…« Sie holte Luft. »Und mein Vater. Ist das wahr? Waren die beiden…?«

»Ja. Waren sie…«

Schyler unterdrückte ein Schluchzen. »Aber er war *verheiratet*. Er hatte Familie«, rief sie entrüstet. »Sie war eine Hure.«

»Und er ein Hurenbock«, konterte Cash. »Ich hab’ es gehaßt, wenn er mit ihr zusammen war.« Er kam drohend näher und drückte Schyler gegen den Holzpfeiler. »Aber ich mußte damit leben, tagein, tagaus, praktisch mein ganzes Leben lang. Sie nicht. Sie waren wohlbehütet auf Belle Terre, während ich zusehen mußte, wie er meine Mutter jahrelang ausnutzte und ihr weh tat. Und ich konnte, verdammt noch mal, nichts dagegen tun.«

»Ihre Mutter war eine erwachsene Frau. Sie hat ihre Wahl getroffen.«

»Eine beschissene, wenn Sie mich fragen. Sie hat sich dafür entschieden, einen elenden Hurenbock wie Cotton Crandall zu lieben.«

Schyler reckte das Kinn. »Das würden Sie ihm niemals ins Gesicht sagen, dazu fehlt Ihnen der Mumm.«

»Ich hab’s getan. Fragen Sie ihn.«

»Ich will, daß Sie Ende dieser Woche von Belle Terre verschwunden sind.«

»Und wer wird dann dafür sorgen, daß Ihr Holz zum Verkauf bereit ist?«

»*Ich.*«

»Falsch. Einen Scheiß können Sie ohne mich machen.« Er kam einen Schritt näher. »Und das wissen Sie genau. Sonst wären Sie doch jetzt gar nicht hergekommen, stimmt's?« Er stützte sich mit einer Hand dicht neben ihrem Kopf am Pfeiler ab und beugte sich vor zu ihr, wobei sein Körper ganz leicht den ihren berührte. »Nein, ich habe mich geirrt. Sie sind noch aus einem anderen Grund hier. Eigentlich glaube ich sogar, daß Sie aus einem ganz anderen Grund hergekommen sind.«

»Sie sind ja betrunken.«

»Noch nicht.«

»Ich habe es so gemeint, wie ich es gesagt habe. Ich will, daß Sie von hier verschwunden sind, bis —«

Sie hatte sich vom Pfeiler gelöst. Cash packte sie am Arm und schleuderte sie wieder dagegen, hart genug, um sie mitten im Satz zu unterbrechen. Er hielt ihr Kinn in der Hand.

»Das Problem mit dir, Schyler, ist, daß du nie weißt, wann du aufgeben mußt. Du drängelst und drängelst, bis einem Mann der Kragen platzt.«

Er küßte sie grob. Schyler wehrte sich vehement, versuchte, seine Hand von ihrem Kinn abzuschütteln, versuchte, ihn wegzustoßen, ihn zu schlagen.

»Gib's zu.« Sein Mund löste sich gerade so weit von ihrem, daß er sprechen konnte. »*Deshalb* bist du hergekommen.«

»Lassen Sie mich gehen.«

»Keine Chance, Lady.«

»Ich hasse Sie.«

»Aber du willst mich.«

»Zum Teufel mit Ihnen!«

»Du willst mich. Deshalb bist du auch so wild wie eine aufgescheuchte Wespe.«

Wieder küßte er sie. Diesmal gelang es ihm, mit der Zunge in ihren Mund zu dringen. Der Regen trommelte auf das Dach und löschte jeglichen Protest aus, erst das wütende Wimmern, dann das der Kapitulation.

Es war keine bewußte Entscheidung. Sie gab nicht aus freien Stücken auf. Ihre Gefühle besiegten ihren Willen und antworteten auf ihre Weise. Seit Tagen hatten ihre Emotionen ein Ventil gesucht, nun war es da, und sie strömten darauf zu.

Aber noch leistete ihr starrköpfiges Wesen Widerstand. Sie schaffte es, das Gesicht wegzudrehen. Ihre Lippen fühlten sich geschwollen an. Als sie mit der Zunge darüber fuhr, schmeckte sie Whiskey und ihn. Cash Boudreaux.

Das war unerträglich. Sie stemmte sich mit den Händen gegen seine nackten Schultern und wollte ihn wegstoßen. Aber er kam wieder näher, beugte sich vor, und dann verschlangen seine Lippen die ihren. Sie krallte sich in seine muskulösen Oberarme und hinterließ tiefe Furchen auf seiner Haut.

Nach dem Kuß wandte sie erneut das Gesicht ab. »Aufhören«, keuchte sie.

Er gehorchte. Zumindest küßte er sie nicht weiter auf den Mund. Dafür aber ihren Nacken. »Du willst es doch genauso sehr wie ich.«

»Nein.«

»O doch.« Er neckte ihr Ohrläppchen mit der Zunge. »Wie lange ist das schon her, seit du das letzte Mal so richtig gut gebumst worden bist?«

Schyler stöhnte kurz auf. Ihr Kuß wurde leidenschaftlicher, hungriger, ungestümer und fordernder. Er leckte ihr mit der Zunge über die Lippen, als wollte er jeglichen Stolz und Widerstand fortwischen.

Seine Hände legten sich auf ihre Brüste. Er liebkoste sie nicht, sondern knetete sie, und scherte sich nicht um die Knöpfe ihrer nassen Bluse, scherte sich auch nicht um den Verschluß ihres BHs.

»Sehr schön, Miss Schyler.«

»Scher dich zum Teufel.«

»Noch nicht. Nicht bevor wir zu Ende gebracht haben, womit wir angefangen haben.«

Schylers Kopf fiel gegen den Pfeiler. Sie schloß die Augen und krallte sich blind in das Haar auf seiner Brust. Er grunzte, vor Schmerz, vor Lust, biß sie auf die Unterlippe. Sie sehnte sich nach einem gierigen, offenen Mund, nach einem hemmungslosen Zungenkuß – und sie bekam ihn.

Plötzlich lösten sie sich voneinander und schauten sich wortlos in die Augen. Ihr keuchender Atem war alles, was außer dem Prasseln des Regens zu hören war.

Cash hob Schyler auf seine Arme, dann stieß er mit einem Fuß gegen die Tür, daß sie krachend aufschwang. Im Haus war es dunkel und stickig. Cash trug sie nach hinten zu der eingefaßten Veranda.

Das Bett war ungemacht, die Laken weiß und sauber, aber zerknittert von der Feuchtigkeit eines Regentages, was ebenso sexy war wie die Hitze, die ihre Körper verströmten. Die Matratze bog sich durch, als er sich draufkniete, und die Federung quietschte. Kaum hatte ihr nasses Haar die Kissen berührt, als sich Cash auf sie legte, als wollte er sie ganz in Besitz nehmen. Ihre Körper rieben sich aneinander, während sich ihre Lippen zu einem hungrigen Kuß vereinten.

Seine Hand schlüpfte unter ihren Rock, schob ihn hoch und wanderte dann über ihren Schenkel und weiter. Sie war warm und feucht. Er preßte die Hand gegen ihren Schamhügel. Sie antwortete ihm mit einem leisen und sehnsüchtigen Seufzer. Geschwind setzte er sich auf, faßte auch mit der anderen Hand unter ihren Rock und zog ihr mit einem Ruck das Höschen bis zu den Knöcheln herunter.

Dann hockte er sich rittlings über sie, die Knie fest an ihren Seiten. Schylers Herz pochte wie wild, als sie zu ihm aufsah. Seine muskulösen Schenkel spannten sich in seiner ausgewaschenen Jeans. Aus ihrem Blickwinkel wirkten seine Schultern noch breiter, seine Arme noch kräftiger, so als könnte er sie damit entzweibrechen, wenn er wollte.

Sein Bauch war flach und hart. Kupferne Brustwarzen nisteten in einem wahren Wald von hellbraunem Haar. Sein Gesicht war nahezu ausdruckslos, seine Augen schienen die einzigen Farbtupfer in diesem grauen Zimmer zu sein. Sie brannten förmlich.

Sie blickte unverwandt in diese Augen, während er ihre Bluse ungeduldig öffnete und die hauchdünne Spitze ihres BHs zur Seite fallen ließ. Nun lagen ihre Brüste nackt vor ihm, ihre Brustwarzen schimmerten rosig und waren hart.

Cash beugte sich über sie und liebkoste eine mit seiner Zunge. Wieder und wieder berührte er sie mit der Zungenspitze, dann nahm er eine ihrer glänzenden Knospen in den Mund.

Das Gefühl war so herrlich, die Hitze so durchdringend, daß sich Schyler ganz fest an ihn klammerte. Ihre suchenden Hände fanden an seinen Oberschenkeln Halt. Ihre Daumen gruben sich in die Senke seiner Leiste. Auf beide Arme gestemmt beugte er den Kopf tief über ihre Brüste. Sein Haar fiel nach vorn und kitzelte auf ihrer Haut.

»Zieh mich aus«, befahl er kehlig zwischen den sanften, feuchten Liebkosungen, die er ihren Brüsten schenkte. Als sie zögerte, richtete er sich wieder auf und langte nach seinem Reißverschluß. Stöhnend öffnete er ihn.

Als der Reißverschluß offen war, zog er die Hose von den Hüften. Schyler hielt den Atem an angesichts der Größe seines Glieds. Die Spitze war so rund und weich und üppig wie eine reife Pflaume.

Er spreizte ihr leicht die Beine und schob den Saum ihres Rokkes bis über die Taille hoch. Schyler schloß die Augen.

Und im selben Augenblick wollte sie ihm sagen, er möge aufhören damit. Aber dann berührte er sie. Seine Finger spielten mit den dunkelblonden Locken zwischen ihren Schenkeln, schlüpften in die weichen Falten ihres Körpers und tiefer hinein, bohrten sich in ihre feuchte Grotte.

Er stöhnte auf. »Halt dich fest«, sagte er. »Das wird ein wilder Ritt werden.« Er hob ihre Hände zum Kopfende des Bettes hin, bis sie das kalte metallene Gitter umfassen konnte.

Seine Hände wanderten wieder über die Innenseiten ihrer Schenkel und spreizten sie noch weiter. Schyler stöhnte leise und hilflos. »Sieh mich an. Ich will, daß du mich ansiehst. Damit du weißt, mit wem du es tust.«

Sie schlug die Augen auf; seine Worte waren ebenso herausfordernd wie beleidigend. Sie wußte sehr genau, mit wem sie hier lag – und wer in sie drang. Sie war naß, aber eng. Sie wimmerte unter dem Schmerz, den er ihr zufügte. Er reagierte überrascht. Erneut stieß er zu und bohrte sich mit völliger Besessenheit in sie.

Dann zog er sich zurück, doch ohne sie ganz zu verlassen, ehe er erneut in ihr versank. »Ich heiße Cash Boudreaux.«

»Ich weiß, wie du heißt.«

»Sag es.« Er preßte sein Becken gegen ihres. »Sag meinen Namen.« Sie biß sich auf die Unterlippe; Schweißperlen sammelten sich auf ihrer Oberlippe. Sie versuchte, ihre Hüften ruhig zu halten, aber sie streckten sich ihm fast automatisch entgegen, um den nächsten Stoß seines harten Penis zu empfangen. »Sag meinen Namen, verdammt.«

Er legte ihr die flache Hand auf den Bauch, die Finger auf ihre Brüste gerichtet, fuhr dann herunter bis zu ihrer Scham. Er rieb und rieb, langsam aber fest, bis Schyler aufstöhnte. Heiße Spiralen breiteten sich über ihren Körper aus, bis selbst ihre Fingerspitzen kribbelten. Sie klammerte sich noch fester an das Kopfende.

»Sag meinen Namen.« Seine Stirn war schweißnaß; er biß die Zähne zusammen, so sehr mußte er sich beherrschen. Dann beugte er sich vor und rieb seine Nase an ihren Brüsten. Die Bartstoppeln auf seinem Kinn rieben auf ihrer weichen Haut. Seine Pobacken hoben und senkten sich bei jedem Stoß. Er reizte sie weiter mit der Hand, bis er die Feuchtigkeit an den Fingern spürte. Er schob den Daumen in die Quelle dieser Feuchtigkeit und preßte ihn sanft und gefühlvoll gegen ihren sanfteren und noch empfindlicheren Hügel.

Lust und Begierde überspülten Schyler wie eine Woge. Sie schrie auf.

»Sag meinen Namen«, keuchte er.

»Ca… Cash.«

Er schloß die Augen. Bog den Nacken durch. Sie warf den Kopf hin und her, die Schenkel fest gegen seine Pobacken gepreßt. Cash starrte auf sie herab. Einem Verlangen nachgebend, das er noch nie erlebt hatte, sank er auf sie und vergrub sein Gesicht an ihrer Schulter. Seine Hände vereinigten sich mit ihren auf dem Metallgitter des Kopfendes. Seine Brust bebte auf ihren Brüsten. Ihr Atem ging schneller und schneller. Immer wilder und hemmungsloser stieß er in sie.

Als der Höhepunkt näher und näher kam, waren alle Worte

ausgelöscht; nur ihr Stöhnen der Erlösung und Befriedigung war zu hören, wie aus einem Munde und im selben Augenblick.

29. KAPITEL

Einerseits blieb er viel zu lange in ihr.

Andererseits war es viel zu schnell vorbei.

Cash stemmte sich hoch und schaute ihr ins Gesicht. Sie hatte die Augen geschlossen. Ihre Züge waren sanft und reglos. Er widerstand dem Impuls, sie zu küssen, löste sich aus der Umarmung ihrer Arme und Beine und rollte sich dann zur Bettkante. In einer automatischen Bewegung langte er nach seinen Zigaretten und dem Feuerzeug auf dem Nachttischchen.

Als er sich eine Zigarette anzündete, setzte sich Schyler auf, schwang die Beine zur anderen Seite des Bettes und kehrte ihm den Rücken zu. Sie schob ihren Rock hinunter und suchte zwischen den zerwühlten Laken nach ihrem Höschen. Als sie es fand, beugte sie sich vor und schlüpfte hinein und stand dabei auf. Sie verschloß ihren BH und knöpfte die Bluse zu, steckte sie aber nicht in den Rock.

Dann drehte sie sich zu Cash um und sah ihn an, als wollte sie etwas sagen. Sie schluckte. Ihre Lippen öffneten sich, schlossen sich aber wieder wortlos. Mit der Zigarette im Mund verschränkte Cash die Arme hinter dem Kopf, in einer Pose, die unverschämt und gleichgültig wirkte, besonders da seine Jeans noch immer halb heruntergelassen war.

Er hätte einen Monatslohn gewettet, was Schyler als nächstes tun würde, und er lag richtig mit seiner Annahme. Sie kehrte ihm wieder den Rücken zu und verließ das Haus. Er lauschte ihren Schritten, als sie durch die Vordertür ging und über die Veranda. Kurz darauf hörte er den startenden Motor.

Lange blieb er regungslos liegen, bis die Zigarette zwischen seinen Lippen bis zum Filter abgebrannt war. Er spuckte sie aus, streifte die Jeans ganz ab, knüllte sie zusammen und warf sie wütend mit voller Wucht gegen die Wand; sie landete auf dem Fußboden.

Nackt rollte er sich auf die Seite und starrte gedankenverloren durch das Fliegengitter nach draußen. Es regnete noch heftiger als zuvor. Er konnte durch den silbernen Vorhang kaum noch das gegenüberliegende Ufer des Bayou erkennen. Die Äste der Bäume bogen sich unter der Regenflut.

Sein Blick wanderte zu dem Kissen neben ihm. Er legte seine Hand in die Senke, die ihr Kopf dort hinterlassen hatte. Das Kissen war noch immer warm.

»Schyler.«

Schyler. Cash konnte sich noch gut an jenen Tag erinnern, als er diesen Namen zum ersten Mal hörte. Damals fand er, daß es ein seltsamer Name für ein kleines Mädchen war. Monique war auch dieser Meinung gewesen. Sie hatten darüber geredet, nachdem Cotton wieder weg war.

Es war ein kalter Novembertag gewesen. Der Bayou war in Nebel gehüllt. Cash hatte kleine weiße Wölkchen in die kalte Luft gehaucht und so getan, als würde er Zigaretten rauchen wie die größeren Jungs in der Billardhalle.

Cotton hatte ihn dabei ertappt. »Warum bist du nicht in der Schule, Cash?« hatte er gefragt, als er aus seinem langen, chromglänzenden Auto gestiegen war.

»*Maman* hat mich heute nicht hingeschickt. Sind da Doughnuts drin?« Er deutete auf die weiße Bäckertüte, die Cotton bei sich hatte. Cotton kam selten mit leeren Händen. Gewöhnlich brachte er immer etwas mit: Blumen, ein kleines Schmuckstück oder Parfüm für Monique; Comics, Bonbons oder ein kleines Spielzeug für Cash.

Nur Geld gab er ihnen nie. Er hatte es versucht, aber Monique weigerte sich strikt, es anzunehmen. Sie hatten sich gestritten deswegen, aber Monique hatte sich jedesmal durchgesetzt.

An diesem Tag stritten sich die beiden nicht. Monique kam auf die Veranda und trocknete sich die Hände an einem Geschirrtuch ab. »Hast wohl meine Mehlschwitze geschnuppert, was?« zog sie Cotton auf. »Wie kommt's, daß du es jedesmal riechst, wenn ich Gumbo koche?«

Cotton erwiderte ihr Lächeln. »Guter Tag für Gumbo.« Dann

verzog er seine hellen Augenbrauen. »Warum ist Cash nicht in der Schule?«

Monique zuckte die Schultern. »Wir haben lange geschlafen.«

»Er sollte aber in der Schule sein, Monique. Du kriegst sonst nur wieder Besuch von der Schule wegen der Schulschwänzerei.«

Sie lachte tief und kehlig, während sie sich vorbeugte und Cashs zerzausten Schopf an ihre warmen Brüste drückte. »Er muß heute etliches an Medizin für mich ausliefern. Die Leute liegen alle mit Grippe flach.«

»Medizin? Lächerlich!« murmelte Cotton und stampfte mit den Stiefeln auf, um den Dreck abzuschütteln, als er auf die Veranda kam. »Was du den Leuten andrehst, das ist doch Hokuspokus, Voodoo-Schnickschnack.«

Lachend und den achtjährigen Jungen in die Mitte nehmend, biß sie Cotton neckend ins Ohrläppchen. »Bei dir wirkt es aber, *mon cher*.«

Cotton seufzte. »Teufel ja, das tut's.« Er küßte sie lange und innig, rieb ihren Rücken mit seinen großen, von der Arbeit rauhen Händen. »Wann ist das Essen fertig?«

»Dauert noch ein Weilchen. Kannst du solange bleiben?«

Als Cotton zu Cash hinunterschaute, sah ihm der Junge an der Miene an, daß er etwas auf dem Herzen hatte. »Ich muß was mit dir besprechen.«

Am Tisch vor dem Kamin vertilgten sie die Doughnuts und eine frische Kanne Kaffee, dann rückte Cotton mit der Neuigkeit heraus.

»Wir werden ein Baby kriegen.«

Cash, der sich den Puderzucker von den Fingern schleckte, schaute schnell zu seiner Mutter. Er wußte instinktiv, daß es ihr Kummer machen würde. Und das tat es auch. Er sah, wie sie ihre schmalen Hände faltete, so fest, daß ihre Knöchel hervortraten.

»Ein *bébé*?«

»Ja. Wir werden ein Kind adoptieren. Macy... Macy...« Cotton seufzte und starrte lange in seine Kaffeetasse, ehe er fortfuhr. »Scheint so, als ob sie unfruchtbar ist. Das setzt ihr schlimm zu.« Seine blauen Augen schauten vielsagend zu Monique. »Besonders seit sie von dir weiß. Sie will unbedingt Kinder. Es gehören einfach Kinder nach Belle Terre.«

Monique schaute zu Cash. »*Oui*, da hast du recht«, sagte sie leise. »Da sollten so viele Kinder wie möglich sein.«

Cotton lachte gezwungen. »Na, wir fangen erst mal mit einem an. Es ist ein Mädchen, noch ein Baby. Macy wollte einen Jungen, aber...« Er zuckte mit den Schultern. »Dieses Mädchen kam auf die Welt, und Macy wollte es unbedingt haben. Pater Martin regelt alles mit der Adoption für uns. Ich mußte einwilligen, die Kleine katholisch zu erziehen.«

»Immer noch besser, als als Baptistin aufzuwachsen...«

Ihr Lästern war so gezwungen, wie sein Lachen es gewesen war. Er räusperte sich laut. »Grade mal drei Tage ist die Kleine alt.«

»Wie sieht sie aus?«

»Sie ist in Baton Rouge zur Welt gekommen, deshalb haben wir sie noch nicht gesehen. Aber Macy hat ihr schon einen Namen gegeben: Schyler.«

»Ein seltsamer Name für ein kleines Mädchen. Aber hübsch«, meinte Monique mit schalem Enthusiasmus.

»Es ist ein Familienname der Laurents.«

Was sie sagten, war eine Sache, doch ihre Augen verrieten, was sie wirklich dachten. Schließlich schwiegen sie beide. Die Scheite im Kamin knackten und knisterten. Cash schaute vorsichtig und argwöhnisch von seiner Mutter zu ihrem Liebhaber.

Nach einer Weile langte Cotton über den Tisch und bedeckte Moniques gefaltete Hände. »Das ändert aber nichts.«

»Doch.«

»Nein, tut es nicht. Das weißt du genau. Du *weißt* es.« Sie starrte ihm nur weiter in die Augen, verletzt und unsicher. Er schaute sie weiterhin besänftigend an. »Wann, hast du gesagt, ist das Gumbo soweit?«

Ihre Miene hellte sich auf. Ihre nerzschwarzen Augen funkelten durch die unvergossenen Tränen. »Kannst du noch bleiben?«

»Ich kann noch bleiben.«

»Bis es fertig ist?«

»Bis ich mindestens zwei Töpfe gegessen habe.«

Sie sprang von ihrem Stuhl auf und schlang Cotton die Arme um den Nacken. Sie küßten sich mit einer Leidenschaft, die noch stärker war, weil sie verboten war. Dann eilte sie zum Herd, um Fisch, Shrimps, Gemüse und Gewürze in den Topf zu tun, damit alles in der Mehlschwitze ziehen konnte, bis es gar war und das Gumbo herzhaft und dick und genau richtig.

In der Zwischenzeit half Cotton Cash, den roten Handkarren zu beladen, mit dem man ihn oft in den Straßen der Stadt sehen konnte, beladen mit klimpernden Flaschen voller Salben, Tropfen und Tinkturen. Seine Mutter war eine *traiteuse,* und er der Botenjunge.

»Du rauchst doch noch nicht, oder?« fragte Cotton, weil er bei seiner Ankunft gesehen hatte, wie Cash so getan hatte als ob.

»Nein, Sir.« Monique hatte ihm beigebracht, wie er Cotton geziemend anzusprechen hatte.

»Gut. Ist nämlich eine schlechte Angewohnheit und sehr schlecht für dich.«

»Warum das?«

»Weil es der Lunge schadet.«

»*Sie* rauchen aber manchmal.«

»Ich bin ja auch erwachsen.«

Cash schaute zu Cotton auf und hoffte, eines Tages ebenso groß und stark zu sein. »Wird das neue Baby im großen weißen Haus wohnen?«

»Selbstverständlich.«

Cash dachte darüber nach und beneidete das Baby ein wenig. »Werden Sie uns noch besuchen kommen, wenn Sie es haben?«

Cotton erstarrte. Er schaute in Cashs ernstes, besorgtes Gesicht. Mit einem halben Schmunzeln strich er dem Jungen über die Wange. »Aber klar, ich werde euch auch weiterhin besuchen. Nichts und niemand könnte mich davon abhalten.«

Cash wog ab, wie ehrlich diese Antwort wohl war, und gelangte zu der Überzeugung, daß Cotton es aufrichtig meinte. »Wie war der Name des Babys noch?«

»Schyler.«

Cash legte die Hand in die Kuhle, die ihr Kopf im Kissen hinterlassen hatte. Der Bezug war feucht von ihrem nassen Haar. Er ballte die Finger zusammen. Doch seine Faust blieb leer.

Für Monique Boudreaux' Bastard war nie etwas da.

30. KAPITEL

»Was ist los? Du bist so unruhig heute abend. Läufst noch den Teppich durch, wenn du so weitermachst.« Dale Gilbreath konnte hinter seiner Zeitung nicht sehen, welch vernichtenden Blick ihm seine Frau als Antwort auf diese Bemerkung zuwarf. Er ließ die Zeitung sinken und schmunzelte in seiner herablassenden Art, die sie zutiefst verabscheute. »Ist irgend etwas, Liebes? Fühlst du dich nicht wohl?«

»Mir geht's bestens«, entgegnete Rhoda, aber es klang nicht sonderlich überzeugend.

»Du bist schon den ganzen Abend so abwesend und zappelig.« Sein Blick wanderte mit nur mäßigem Interesse über die Meldungen in der Zeitung.

»Es liegt am Regen.« Rhoda ging zum Fenster und zog an der Troddelkordel. Die Vorhänge schwangen auf. »Mein Gott, das Wetter hier ist aber auch lausig. Die Luftfeuchtigkeit ist so verdammt hoch, das ist ja, als würde man Linsensuppe einatmen. Es sieht nach Regen aus, aber es regnet nicht. Und wenn es dann regnet, ist es gleich eine gottverdammte Sintflut.«

»Das bißchen Schwüle? Dafür haben wir hier keine strengen Winter mehr.«

Dale fing sich einen weiteren bitterbösen Blick ein. Sie konnte auf seine alberne Besserwisserei heute abend gut verzichten, vor allem, wo sie doch wußte, daß er das Klima hier in Louisiana ebenso haßte wie sie.

»Ein bißchen Schnee schippen würde dir nicht schaden«, gab sie in schneidendem Ton zurück. »Du kriegst langsam eine Wampe. Was ja kein Wunder ist, wenn du den ganzen Tag mit dem Arsch hinter deinem Schreibtisch hockst. Meinst du nicht, du solltest mal ein bißchen Sport treiben?«

Rhoda ging fünf Tage die Woche in ein Fitneßstudio. Die Anstrengung und der Schweiß waren wie ein religiöses Ritual für sie. Um ihm zu zeigen, wie sehr sie ihm in konditioneller Hinsicht überlegen war, zog sie ihren Bauch ein, streckte das Rückgrat durch und die Brust raus.

Dale legte die Zeitung beiseite, griff zu seiner Pfeife und begann seelenruhig, sie mit seinem erlesenen Tabak zu stopfen, den er in einem Lederbeutel aufbewahrte. »Wo du recht hast, hast du recht. Ein bißchen Bewegung könnte mir nicht schaden.« Er hielt ein brennendes Streichholz an den Pfeifenkopf, nahm einige paffende Züge und blies das Streichholz aus. Durch den aufsteigenden Rauch hindurch fragte er sie: »Willst du dich heute abend wirklich mit mir anlegen, Rhoda?«

Dale konnte hundsgemein werden. Dann beließ er es nicht einfach bei Beleidigungen, sondern feuerte Treffer ab, die unterhalb der Gürtellinie landeten. Rhoda war nicht in der Verfassung, seiner mit sanfter Stimme ausgesprochenen, aber bösartigen Attacke Paroli zu bieten. Ihr Ego war ohnehin bereits angeschlagen.

Cash hatte versprochen, sich am Nachmittag zu melden, um einen Ort und eine Uhrzeit für ein Rendezvous durchzugeben. Doch sie hatte vergeblich gewartet. *Ihn* anzurufen war ja nicht möglich, denn er hatte kein Telefon. Schon des öfteren hatte sie sich gefragt, ob vielleicht der wahre Grund, weshalb er sich kein Telefon zulegte, der war, daß er auf diese Weise, wenn er wollte, für eine Frau unerreichbar blieb. Dieser Cajun war ein echter Hurensohn.

Sie wäre ja zu seiner abgelegenen Hütte rausgefahren, aber sie wußte nicht genau, wo sie lag. Ärgerlicherweise hatte er sich sehr ungenau ausgedrückt, als sie ihn danach gefragt hatte. Und je länger sich dieser elendige Nachmittag hinzog, desto ernsthafter spielte sie mit dem Gedanken, ihren Ruf aufs Spiel zu setzen und ihren Stolz zu opfern für eine einzige Nummer mit ihm, aber was war, wenn sie mit ihrem BMW irgendwo im Morast steckenblieb? Die Leute sagten zwar ›Straßen‹ dazu, und manche hatten sogar richtige Verkehrsschilder, aber für sie waren das Schlammpisten, die man in jedem Fall meiden mußte.

Als sie an ihre geplatzten Pläne für diesen Nachmittag dachte, geriet ihr Blut wieder in Wallung. Und offensichtlich war Dale auf Streit aus, ob sie es nun wollte oder nicht.

Lässig sagte er: »Ich könnte zum Beispiel mit dieser albernen pubertären Beziehung zu deinem derzeitigen Liebhaber anfangen.«

Rhodas Hände verkrampften sich leicht, aber sie war geübt darin, die Fassung zu wahren. Dale wollte doch nur erreichen, daß sie sich in Ausflüchte rettete und alles vehement abstritt. Er genoß es, sie mit versteckten Andeutungen und Halbwahrheiten zu ärgern und sie zu reizen, bis sie die Nerven verlor.

Langsam wandte sie sich zu ihm um und tat bewundernswert verblüfft. »Mein derzeitiger Liebhaber?«

Er nuckelte an seiner Pfeife und lächelte mit dem Mundstück zwischen den Zähnen. »Du hättest wirklich Schauspielerin werden sollen, Rhoda. Du bist verdammt gut. Aber ich kenne dich besser als du dich selbst. Ich kann es riechen, wenn du geil bist. Dann verströmst du einen Moschusduft wie ein Tier.«

»Also, ich bin nur froh, daß du dich nicht als Dichter versucht hast. Deine Ausdrucksweise ist ekelhaft.«

»Du bist auch sehr gut, wenn es darum geht, vom Thema abzulenken.«

»Ich finde dein Thema sterbenslangweilig.«

Dale gluckste. »Rhoda, du und deine Liebhaber, das ist doch nie langweilig.«

»Wie kommst du überhaupt darauf, daß ich einen Lover habe?« Die Hände in die Hüften gestemmt starrte sie ihn herausfordernd an.

»Weil du immer einen hast.« Und albern fügte er hinzu: »Mindestens einen.«

»Etwa eifersüchtig?«

»Aber nicht doch. Du weißt ja…«

»Ach, richtig«, sagte Rhoda mit dem verschlagenen Lächeln einer Katze. »Du hast ja schon immer lieber zugesehen als mitgemacht.«

»Weil du jedesmal eine so unterhaltsame und fesselnde Show bietest.«

Es war nicht als Kompliment gemeint, und Rhoda war klug genug, es nicht irrtümlicherweise als ein solches aufzufassen. »Laß uns über etwas anderes reden. Oder besser: laß uns gar nicht mehr reden. Du hast miese Laune heute abend.«

Dale paffte mit trügerischer Zufriedenheit an seiner Pfeife. »Du wärst gut beraten, mich nicht zu verärgern, meine Liebe.« Wie von Dale beabsichtigt, erregte das ihre Aufmerksamkeit.

Sie streckte die Waffen. »Ach? Und warum?«

»Weil ich kurz vor einem großen Deal stehe.«

»In der Bank?«

»Mm-hmm. Etwas, worüber du dich sehr, sehr freuen wirst.«

»Ist es legal?«

Er runzelte die Stirn, aber keiner von ihnen beiden nahm seinen vorwurfsvollen Gesichtsausdruck ernst. »Ich muß doch sehr bitten. Selbstverständlich ist es legal. Im Grunde wird es sogar der krönende Abschluß der Arbeit eines ganzen Jahres sein.«

»Und was heißt das für mich?«

»Nichts weniger, als daß ein Traum in Erfüllung geht. Für uns beide. Dann werden wir nicht mehr aus den wichtigen gesellschaftlichen Kreisen der Stadt ausgeschlossen sein, sondern man wird uns statt dessen den Arsch küssen. Und dann werden wir tun und lassen können, was wir wollen.«

Rhoda verspürte vor Aufregung ein Kribbeln, das fast etwas Sexuelles hatte. Sie setzte sich auf die Armlehne des Sessels und schmiegte sich dicht an Dale. »Erzähl's mir.«

»Noch nicht. Ich heb's mir als Überraschung auf.« Er klopfte die Pfeife in einen Aschenbecher aus und knipste die Lampe auf dem Ecktisch aus.

Rhoda folgte ihm, als er aufstand und zum Schlafzimmer ging. »Verdammt, Dale. Ich hasse es, wenn du mir so mit der Mohrrübe vor der Nase herumfuchtelst.«

»Ganz im Gegenteil, Liebling. Du liebst es. Nichts macht dich mehr an als Intrigen.«

»Wie denn, wenn ich gar nicht weiß, worum es geht. Sag mir, was du vorhast.«

»Na gut. Ich gebe dir einen Tip.« Er machte Licht im Schlafzimmer. »Was ist derzeit das heißeste Thema in der Stadt?«

Sie überlegte einen Moment, während sie mit Abstand zusah, wie Dale eine 35mm Kamera aus dem Glasregal nahm. Er legte einen Film ein und stellte den Blitz ein. Plötzlich vibrierte Rhodas Kehle in einem tiefen, verruchten Lachen. »Doch nicht Schyler Crandall!« rief sie. »Dein Plan hat doch nicht etwas mit Crandall und Belle Terre zu tun, oder?«

»Warum nicht?« Dale richtete die Lampenschirme auf den Nachttischchen so aus, bis er zufrieden war. Unverblümt sah er zu seiner Frau. Sie begann, sich auszuziehen.

»*Belle Terre*? Du meinst, es besteht eine Chance —«

Dale legte ihr die Hand auf den Mund. »Zu keinem Menschen auch nur ein Sterbenswort darüber, verstanden?« Sie nickte. Er nahm die Hand weg und machte sich daran, ihre Bluse aufzuknöpfen.

»Diese Tochter«, flüsterte Rhoda, »soweit ich weiß, ist sie eine harte Nuß: Cotton soll ihr alle Kniffe beigebracht haben.«

»Schyler? Kein Grund zur Sorge«, tat Dale diesen Einwand selbstgefällig ab. »Um die kümmert sich schon jemand.«

»Wie meinst du das?«

»Das, meine Liebe, ist eines der Details, die dich gar nicht weiter interessieren müssen. Diesmal steht sehr viel auf dem Spiel, Rhoda. Deshalb müssen wir auch besonders vorsichtig sein.« Er zog ihr die Bluse von den Schultern und warf sie über einen Stuhl. »Wär' doch jammerschade, wenn wir uns durch eine unbedachte Indiskretion alles versauen würden oder nicht?« Er kniff sie in die Brustwarze, aber etwas zu stark, um es als Vorspiel aufzufassen. Sie zuckte zusammen. »Und deshalb solltest du darauf achten, von wem du dich ficken läßt.«

»Was —«

»Hör zu: such dir einen Liebhaber, der nicht so eng mit den Crandalls verbunden ist, und am besten einen, der nicht aus der Mülltonne gekrochen ist.«

Sie schaute ihm direkt in die Augen, ohne mit der Wimper zu zucken. Es entsetzte sie nicht weiter, daß er von ihrer Affäre mit Cash wußte. Eigentlich war es ihr sogar recht. Dale wußte, daß Cashs Ruf bei Frauen legendär war. Daß Cash sie unter so vielen ausgesucht hatte, machte sie nur noch begehrenswerter.

»Bislang war es dir immer egal, wer meine Liebhaber waren«, sagte sie in einem Ton, so schwül wie das Wetter.

»Weil sie bis jetzt immer aus akzeptablen Kreisen kamen. Aber dieses Mal hast du dir Müll aus dem Bayou gefischt.«

Aufgrund einer stillschweigenden Vereinbarung würde der Name Cash Boudreaux niemals fallen. Sie wußten aus eigener Erfahrung, daß es nicht ratsam war, Namen zu nennen. Das konnte nur zu ernsten Komplikationen führen, wenn die jeweilige Affäre vorüber war. Nichts zugeben war das Credo, an das sie sich beide hielten.

»Er könnte nützlich für uns sein.«

»Ist er auch«, sagte Dale. »Sogar außerordentlich nützlich. Aber ich benutze ihn auf meine Weise. Und es gibt einen Platz, wo er für uns von größerem Nutzen ist als in deinem Bett. Er kann nicht zur gleichen Zeit von uns beiden gefickt werden.«

Wieder lachte sie kehlig. »Aber so haben wir es früher schon gemacht.«

»Aber nicht mit einem Mann von seinem Kaliber. Ich glaube kaum, daß es ihm gefallen würde, du etwa?«

»Nein«, antwortete sie ohne zu zögern. »Das würde ihm ganz sicher nicht gefallen.«

»Ich mache dir ja keinen Vorwurf, daß du ihn dir ausgesucht hast. Er ist attraktiv, wenn man auf den vulgären, brutalen Typ steht. Aber so lange, bis alle Details abgeschlossen sind, amüsier dich mit einem, der deiner gesellschaftlichen Stellung entspricht.«

»Und deiner.« Rhoda wußte genau, daß dies der entscheidende Punkt der ganzen Diskussion war. Dale war es egal, ob er als Ehemann betrogen wurde. Es kam nur darauf an, *wer* ihm die Hörner aufsetzte. Es war eine Frage des Ego.

»Und meiner«, räumte er ein. Er half ihr, aus dem Rock zu steigen, und hielt inne, um die schwarzen Strümpfe zu bewundern und den Strumpfhalter aus Spitze. Er faßte ihr zwischen die Schenkel. »Du bist naß.«

»Das wußtest du doch genau.«

Er streichelte sie und lachte. »Geldgeile Schlampe. Dir geht glatt einer ab, wenn du nur über Geld redest.«

»Da haben wir beide dieselbe Leidenschaft, Liebling.«

»Ich erinnere mich noch an eine Zeit, als du zu mir sagtest: wenn mein Schwanz so riesig wäre wie meine Habgier, dann müßtest du dir keine anderweitigen Vergnügungen beschaffen.«

»Woraufhin du gesagt hast, daß mein Sex so ziemlich dein größtes Kapital sei.«

»Und? Hat es sich nicht auch schon mehr als einmal als profitabel erwiesen?«

Später, als sie sich aufreizend auf dem Bett räkelte, die Lippen ihres Geschlechts so rosig und feucht schimmernd wie die ihres Mundes, kam Dale mit der Kamera heran für eine Nahaufnahme. Er kicherte, als er auf den Auslöser drückte.

»Sag mir, worüber du lachst.«

»Ich hab nur gerade gedacht, was einige aus dem Vorstand der Bank wohl sagen würden, wenn sie dich so sehen würden.«

Rhoda streckte die Hand nach ihm aus und streichelte seine Wange in gespielter Zuneigung. »Aber das haben die meisten von ihnen doch, mein Bester, das *haben* sie...«

31. KAPITEL

Und dann die Sache mit den toten Katzen...

Schyler war von Cashs Haus aus sofort zurück nach Belle Terre gefahren und schnurstracks auf ihr Zimmer gegangen. Nach einem ausgiebigen heißen Bad bat sie Mrs. Graves, ihr das Abendessen nach oben zu bringen. Als die Haushälterin mit dem Tablett erschien, ignorierte Schyler sowohl den langen Stoßseufzer als auch das Essen. Sie hatte gar keinen Hunger und bezweifelte, daß sie jemals wieder Appetit haben würde.

Wie hatte sie nur eine solche Dummheit begehen können?

Nicht, daß es etwas Neues für sie gewesen wäre, sich in ihrem Urteil gründlich zu täuschen. Sie hatte ja auch die Eifersucht, den Haß und die gemeinen Tricks ihrer Schwester unterschätzt. Sie hatte Ken viel zu leicht aufgegeben, sich dann aber viel zu lange an eine tote Liebe geklammert. Nicht viel hatte gefehlt, und Tricia wäre es gelungen, sie – Schyler – und ihren Vater auf ewig zu entzweien. Doch all ihre schwerwiegenden Fehler, die sie in ihrem Leben bisher begangen hatte, waren nichts dagegen, daß sie mit Cash Boudreaux ins Bett gegangen war.

Um nicht die ganze Nacht darüber nachdenken zu müssen, nahm sie eine Schlaftablette und legte sich früh schlafen. Doch ehe die sanfte Betäubung des Medikaments einsetzte, lief der Nachmittag noch mehrere Male vor ihrem geistigen Auge ab.

Sie fühlte seine Hände, seine Lippen, seinen Körper. Sie spürte ihn neben sich. Und in sich. Wieder und wieder tauchte sein Bild vor ihr auf – nackt und stark, hart und wunderschön. Er machte Liebe, wie er alles andere auch tat, voller Intensität und Leidenschaft und ohne jegliche Hemmung. Selbst die Erinnerung an ihren Liebesakt war aufregender als jede andere sexuelle Erfahrung, die Schyler bisher gemacht hatte. Noch nie hatte sie sich so verdammt großartig gefühlt.

Das heißt – bis es vorbei war. Dann hatte sie sich so elend gefühlt wie nie zuvor. Sie hatte nicht geweint, aber ihr war danach zumute gewesen. Gottlob hatte sie die Tränen unterdrücken können. Sie wären das Zeichen ihrer endgültigen und vollständigen Erniedrigung und Cashs Triumph gewesen, denn was auf diesem Bett geschehen war, war ein Kampf gewesen. Er hatte beweisen wollen, daß er sie schlagen konnte, und das war ihm gelungen.

Er hatte gekämpft, um zu siegen. Wenn auch nur ein liebevolles und zärtliches Wort gefallen wäre, dann hätte sie sich die Niederlage nicht so zu Herzen genommen. Doch nichts hatte den Schlag, der ihrem Stolz versetzt worden war, abgemildert; sie konnte nicht einmal behaupten, sie sei dazu gezwungen worden. Nein, als er sie zu seinem Bett trug, hatte sie es gewollt.

Sie hatte unbehelligt und mit eigener Kraft sein Haus verlassen und war heimgefahren. Sie hatte mit Dr. Collins telefoniert, ohne sich etwas anmerken zu lassen, und hatte sogar kurz und bewegt mit Cotton gesprochen. Unter den gegebenen Umständen hatte sie sich gut geschlagen. Sie war zwar verwirrt und wütend, aber sie war nicht zusammengebrochen.

Aber als sie die toten Katzen sah, begann sie am ganzen Leib zu zittern.

Mrs. Graves' Aufschrei zerriß die Stille des Hauses. Es war ein klarer Morgen, der einen besseren Tag als den vorherigen ankündigte. Vögel badeten in den Regenpfützen auf dem Rasen. Die Sonne kam hinter rosa Wölkchen hervor. Ein himmlischer Tag in Heaven... aber nicht alles war makellos.

Ein Schrei riß Schyler aus dem Schlaf. Sie sprang aus dem Bett, nackt wie sie war, schnappte sich einen Morgenmantel und stürmte aus ihrem Zimmer; fast wäre sie mit Ken und Tricia zusammengeprallt. Den Blicken der beiden nach zu urteilen waren auch sie vom Schrei der Haushälterin aufgeschreckt worden.

»Was, zum Teufel, ist los?« murmelte Ken.

»Keine Ahnung.«

Schyler lief als erste die Treppe hinunter. Mrs. Graves stand in der offenen Eingangstür, die Hände vor dem Gesicht. Sie jammerte und wimmerte. Schyler schob sie beiseite und trat über die Türschwelle.

Ihr leerer Magen krampfte sich zusammen. Sie schmeckte bittere Galle auf der Zunge. Knapp einen Meter von ihr entfernt lagen zwei tote Katzen. Das Weibchen lag auf dem Rücken, alle viere von sich gestreckt, der Kater auf ihr. Die Symbolik war so offenkundig wie ordinär. Der Katze war die Kehle durchgeschnitten worden. Blut sickerte aus der offenen, mit Fell verklebten Wunde. In den toten Augen krabbelten Ameisen. Der Kater war ebenfalls tot, aber es war nicht zu erkennen, wie er umgebracht worden war.

»Verdammt!« keuchte Ken. »Tricia, bleib wo du bist. Und sorg um Himmels willen dafür, daß sie endlich den Mund hält.« Aufgebracht deutete er auf Mrs. Graves, die noch immer wimmerte.

Die beiden Frauen zogen sich zurück. Ken drückte sich an Schyler vorbei, die wie angewurzelt auf der Türschwelle stand. Er ging in die Hocke und besah sich die toten Tiere genauer. Dann schaute er zu Schyler hoch. »Hast du eine Ahnung, was das soll?«

»Woher denn?« Aber sie fürchtete, daß sie es doch wußte. Zwei tote Katzen auf der Veranda, das hätte man noch für einen dummen, widerlichen Streich halten können. Aber zwei tote

Katzen, auf brutale Weise umgebracht und so hingelegt, daß sie wie ein Paar beim Liebesakt aussahen, das war das Produkt eines kranken Geistes. Die Frage war nur – *wessen?*

»Schätze, wir sollten den Sheriff benachrichtigen.«

Schyler schüttelte den Kopf. »Nein. Er würde ja doch nichts unternehmen. Sehen wir zu, daß wir sie wegschaffen. Sei so gut.«

»Na hör mal!« entrüstete sich Ken. »Bin ich ein verdammter Totengräber, oder was?«

Schyler begann zu zittern. Ihre Hände ballten sich zu Fäusten, und sie spürte, wie sie die Beherrschung verlor. »Schaff sie weg«, rief sie ärgerlich. »Oder willst du lieber raus zum Werk fahren und zusehen, wie du mit den Holzfällern klarkommst?«

Auf Kens Gesicht spiegelte sich blanker Unwillen, aber dann stapfte er von der Veranda und hinüber zum Geräteschuppen. Barfuß überquerte er den Rasen, wobei er den vielen Pfützen ausweichen mußte. Schyler besah sich die Holzbohlen der Veranda. Sie waren sauber; keinerlei Spuren oder morastige Fußabdrücke. Wer auch immer die Katzen hier abgelegt hatte – entweder war die Person aus dem Haus gekommen oder sehr, sehr gerissen.

Sie ging wieder hinein und nach oben in ihr Zimmer. Als sie vor dem Bett stand, kämpfte sie gegen den Impuls an, sich unter der Bettdecke zu verkriechen. Statt dessen setzte sie sich auf die Bettkante, verschränkte die Arme vor dem Körper, wiegte sich vor und zurück und ließ ihren Tränen freien Lauf.

Jemand wußte von Cash und ihr. Jemand wußte, daß sie miteinander geschlafen hatten. Aber wer?

Cash? Sie hatte ihn gefeuert. Er hatte sie vom ersten Moment an nicht ausstehen können. Aber wäre er deshalb so wütend, daß er kaltblütig zwei Katzen umbringen würde? Denkbar war das durchaus. Deshalb hatte sie ihn ja auch gefragt, ob er Jiggers Hunde für sie beseitigen würde. Sie hatte selber erlebt, wie er Ken mit einem Messer bedroht hatte. Er stand in dem Ruf, gewalttätig zu sein.

Aber das war Jigger Flynn auch. Nur, woher sollte er das von Cash und ihr wissen? Nein, das war unmöglich. Oder?

Tricia und Ken waren nach ihrer gestrigen Auseinandersetzung garantiert wütend auf sie. Sie war gegen einen Verkauf von Belle Terre. Und trotzdem, selbst wenn sie wüßten, daß sie und Cash zusammen im Bett gewesen waren, zu so etwas würden sie sich nicht hinreißen lassen.

Mit einem Mal wurde sich Schyler bewußt, daß es mehrere Menschen in Heaven – und besonders auf Belle Terre – gab, die es lieber gesehen hätten, wenn sie niemals aus London zurückgekehrt wäre.

Aber es bedurfte schon mehr als zweier toter Katzen, um sie von hier zu vertreiben. Sie mußte den Kredit vor Ablauf der Frist zurückzahlen. Der gestrige Arbeitstag war dem Wetter zum Opfer gefallen, also würden sie heute doppelt so hart arbeiten müssen, um den Ausfall wieder aufzuholen. Nun, da Cash nicht mehr mit von der Partie war, mußte sie alles allein regeln. Aber das sollte sie nicht aufhalten. Sie war es schon seit langem gewohnt, sich auf sich selbst zu verlassen.

Sie wischte sich die salzigen Tränen von den Wangen, warf den Morgenmantel ab und ging zum Kleiderschrank.

Als sie auf dem Werksgelände eintraf, waren gerade drei von den Holzfällern da. Sie luden Ketten und Flaschenzüge auf einen flachen Anhänger. Es war ihnen anzusehen, daß sie keine Zeit verlieren wollten. Ihre Mienen waren grimmig. Sie nahmen sich nicht einmal die Zeit, sie zu begrüßen. Irgend etwas stimmte nicht.

»Was ist los?« rief sie, als sie aus dem Auto stieg.

»Ein Unfall«, antwortete einer der drei, während er weiter auf seinem Kautabak kaute. »'Tschuldigung, Ma'am.« Er schob sie zur Seite und wuchtete eine Rolle stabiles Seil auf den Truck.

»Ein Unfall? Wo? Was denn für ein Unfall?«

»'N umgekippter Anhänger.«

»Ist jemand verletzt worden?«

»Ja, Ma'am. Ein Mann liegt drunter.«

Mehr Details brauchte sie nicht. Dies war ein Notfall. Die Holzfäller liebten es, sich wahre Horrorstories über Arbeitsunfälle zu erzählen. Sie war oft und lange genug hier draußen gewesen, um das zu wissen. Und meistens war es gar nicht nötig, die Geschichten noch großartig auszuschmücken. Unfälle beim Holzfällen waren gewöhnlich verheerend, wenn nicht gar tödlich.

»Ist er schwer verletzt? Warum hat man mich nicht benachrichtigt?«

»Wir haben im Haus angerufen. Aber Sie waren schon weg.«

»Habt ihr einen Krankenwagen gerufen?«

»Aber klar. Hab denen gesagt, wo sie uns finden. Ist ein gutes Stück im Wald. Wird schwer werden für die Jungs, da überhaupt hinzukommen, bei dem Morast. Aber die haben gesagt, sie packen das schon. Hey, Miss Schyler Ma'am, was haben Sie denn vor?«

»Da ich nicht mit meinem Wagen dorthin komme, werde ich bei euch mitfahren.« Die drei Männer starrten sie entsetzt an.

»Aber das ist gar nicht nötig, daß Sie mitkomm'n, Ma'am.«

»Das ist da draußen nicht unbedingt der geeignete Ort für 'ne Frau.«

»Wir verschwenden nur wertvolle Zeit.« Sie stieg in das Führerhaus des Lasters und zog mit aller Wucht die Tür zu.

Achselzuckend und murmelnd, daß es ja nicht sein Arsch sei, den die Lady da riskiere, setzte sich der Fahrer hinter das Steuerrad. Die beiden anderen Männer kletterten auf den Anhänger.

Der Laster schnaufte über eine holperige und schmale Hauptstraße. Nach einer Abzweigung fuhren sie scheinbar kilometerweit durch einen Wald, der so dicht war, daß kaum Licht durch die Bäume drang. Der Fahrer fluchte laut, als er das Fahrzeug schwerfällig über das unebene Terrain zu der Stelle steuerte, wo der Holzfällertrupp riesige Kiefern geschlagen und gefällt hatte.

»Da drüben«, sagte der Fahrer zu Schyler und nickte in die Richtung.

Baumstämme lagen über die Lichtung verstreut wie die Stäbe beim Mikado. Der Boden des Waldes war übersät mit abgetrennten Zweigen, Ästen und Nadeln. Die Luft war feucht. Der Schlepper, eine Maschine, mit der die gefällten Stämme zu den Anhängern geschafft wurden, hatte die Erde frisch umgepflügt. Der Duft der Kiefern war so durchdringend wie der einer Weihnachtskerze. In einigen Stunden würde es hier sehr heiß werden und staubig, aber um diese frühe Uhrzeit war es noch angenehm.

Schyler hatte es früher immer sehr gern gemocht, so früh im Wald zu sein, aber heute blieb ihr keine Zeit, das frische Grün zu genießen. In der Mitte der Lichtung lag der umgestürzte Baumstamm; er sah aus wie ein auf der Seite liegender Dinosaurier. Schyler wartete nicht, bis der Laster zum Halten kam, sondern stieß mit der Schulter gegen die knarrende Tür, wuchtete sie auf und sprang hinaus. Sofort versanken ihre Füße im Morast. Sie zog den Rock bis über die Knie und stapfte dann auf die schweigende Gruppe der Männer zu...

»Entschuldigt. Darf ich mal...?« Sie bahnte sich mit den Ellbogen eine Gasse. Ihre Stimme hatte dieselbe Wirkung wie Moses' Stab. Die Männer wichen zur Seite wie das Rote Meer.

Sie hielt ruckartig inne, als der letzte beiseite trat und sie sah, welcher Anblick sich in der Mitte des Kreises bot. Ein massiger Baumstamm hatte das Bein eines Arbeiters eingeklemmt. Der Mann lag auf dem Rücken und litt offensichtlich unter entsetzlichen Schmerzen. Sie holte tief Luft, dann ging sie zu ihm und kniete sich neben ihn.

Seine Lippen waren eine schmale weiße Linie der Qual. Sein Gesicht war wächsern und fahl, das in seltsamem Kontrast zu den dunklen Bartstoppeln stand. Er war schweißgebadet. Mit zusammengebissenen Zähnen klammerte er sich an eine Hand, als hinge sein Leben davon ab, nur ja nicht loszulassen.

Es war Cash Boudreaux, an den er sich klammerte, auf Leben und Tod.

Cash sprach sanft zu ihm: »...der tollste Puff, den ich je gesehen habe, mitten in Saigon. Bist du eigentlich mal in einem der Bordelle gewesen, als du drüben warst, Glee? Diese Asiatinnen haben Tricks darauf —«

Der Holzfäller schrie auf.

»Wo bleibt der verdammte Whisky?« brüllte Cash. Eine Flasche Jack Daniels wurde von Hand zu Hand durch die Menge gereicht, bis sie bei Schyler angelangt war. Sie gab sie an Cash weiter. Ihre Blicke trafen sich. Etwas Seltsames geschah in ihrem Innern — sie war aufgeregt.

Cash sagte nichts, nahm nur die Flasche und schraubte den Verschluß ab. Er führte dem Mann die Flasche an die Lippen, während er ihm mit einer Hand den Kopf abstützte.

»Wann kommt denn endlich der Scheißkrankenwagen?« fragte Cash sie aus dem Mundwinkel.

»Die Männer sagten, er müßte bald hier sein.«

»Cash?« Der Verletzte wollte keinen Whisky mehr. »Werden sie's mir abnehmen, mein Bein? Müssen sie's mir amputieren?«

»Scheiße, bei dem kleinen Kratzer? Das ist doch *gar* nichts.« Cash gab Schyler die Flasche zurück und wischte dem Verletzten mit den Fingern den Mund ab.

»Erzähl mir keinen Scheiß, Cash. Werden sie's amputiern?«

Cash ließ die falsche Herzlichkeit sein. »Ich weiß es nicht, Glee.«

Dem Mann bebten die Lippen. »Es tut höllisch weh, Cash. Kein Scheiß.« Er stöhnte vor Schmerz.

»Ich weiß, Glee, ich weiß. Bleib ganz ruhig.«

»Wie soll ich denn meine Kleinen satt kriegen, wenn mein Bein im Arsch ist, Cash?«

»Mach dir mal deswegen keine Sorgen.« Er lächelte und zwinkerte. »Da gibt's Wichtigeres. Überleg lieber mal, wie du beim nächsten Tanzabend die ganzen Verehrer von Marybeth verscheuchst. Könnte gut sein, daß du da mal aussetzen mußt.«

»Marybeth ist wieder schwanger. Im siebten Monat. Sie kann nicht arbeiten. Wie soll ich denn nur meine Kleinen satt kriegen?«

Der Mann fing an zu weinen. Schyler starrte zu ihm hinab. Seine Verzweiflung war greifbar und real. Verlorene Liebe, traurige Filme im Kino, persönliche Enttäuschungen. Tote Katzen. Das waren Dinge, über die man weinte. Aber sie hatte es noch nie erlebt, daß ein Mensch weinte, weil er vielleicht nicht mehr in der Lage war, seine Kinder zu ernähren.

Mein Gott, wo hatte sie nur gelebt? Dies war die Wirklichkeit, das reale Leben. Menschen litten. Menschen litten tatsächlich Hunger. Sie hatte für die Armen und Benachteiligten demonstriert und gestreikt, aber nun erlebte sie zum ersten Mal persönlich, was menschliches Leid bedeutete. Die Tränen dieses Mannes rührten sie zutiefst.

»Glaub mir, wegen deiner Familie brauchst du dir überhaupt keine Sorgen zu machen«, sagte Cash sanft. »Ich werd' schon dafür sorgen, daß sie nicht hungern müssen. Das schwör ich dir beim Grab meiner Mutter.« Er hob plötzlich den Kopf. »Gott sei Dank, da kommt der Krankenwagen. Hörst du das, Glee? Gleich wirst du hier weggebracht, und dann ist erstmal ein langer, netter Urlaub angesagt.«

»Cash?« Der Mann krallte sich in Cashs Hemd. »Du wirst auch nicht vergessen, was du mir versprochen hast?«

»Versprochen ist versprochen, Glee.« Er drückte die Hand des Mannes noch fester.

Glees besorgte Miene entspannte sich für den Bruchteil einer Sekunde, ehe er das Bewußtsein verlor.

Cash ließ den Kopf des Mannes vorsichtig auf den Boden sinken, dann erhob er sich. »Macht den Weg frei«, rief er den übrigen Arbeitern zu. Er nahm kein Blatt vor den Mund, als er auf die verspäteten Notärzte zuging. »Ihr habt euch ja beschissen lange Zeit gelassen.«

»Wir waren gerade beim Frühstück.«

»Was denn? Pussys? Gebt dem Mann was gegen die Schmerzen, irgendwas, damit er betäubt bleibt.«

»Wir wissen schon, was zu tun ist«, erwiderte einer der beiden.

»Dann tut es auch«, knurrte Cash. »Tank, Chip... wo steckt ihr?« Die beiden Männer preschten vor wie beim Militär. »Ist der Kran bereit?«

»Alles klar, Cash. Kann losgehen.«

»In Ordnung. Auf geht's. Ihr wißt ja alle Bescheid.«

Alle, bis auf Schyler. Sie stand da und schaute sich hilflos um, während die Männer in alle Himmelsrichtungen ausschwärmten. Cash wirbelte herum, wobei er sie fast umgestoßen hätte. »Stehen Sie doch hier nicht im Weg rum«, fuhr er sie barsch an.

Sie wollte etwas sagen, wußte aber genau, daß dies nicht der richtige Zeitpunkt war, um sich mit ihm anzulegen. Mit hoch erhobenem Kopf stapfte sie durch den Morast zurück zum Laster, mit dem sie hergekommen war. Das hier war eindeutig eine Männersache. Das hatte nichts mit Gleichberechtigung zu tun – sie war hier ganz einfach fehl am Platze.

Sie sah zu, wie Cash eigenhändig den Kran bediente und vorsichtig den Baumstamm hochhob, unter dem der Mann begraben lag. Sein Schienbein war zerschmettert; das Bein war nur noch ein Klumpen aus Fleisch und gesplittertem Knochen, kaum zusammengehalten vom zerrissenen Hosenbein. Es war ein Segen für ihn, daß er bewußtlos blieb, als die Ärzte ihn aus dem Morast hoben und auf eine Trage legten.

Die übrigen Arbeiter schauten schweigend und betroffen zu, als die Trage in den Krankenwagen geschoben wurde. Das fröhliche Zwitschern und Geschnatter der Vögel wirkte auf groteske Weise unangebracht in der respektvollen Stille, die andauerte, bis der Krankenwagen wieder hinter den Bäumen verschwunden war auf seinem Weg ins Krankenhaus.

Dann brüllte Cash: »Was ist los? Steht hier nicht rum! An die Arbeit, Leute!« Dann, um den Befehl etwas abzumildern, fügte er hinzu: »'Ne Runde Bier für alle, auf meine Rechnung, wenn wir die Hälfte von dem aufholen, was wir gestern verloren haben.« Die Männer johlten begeistert. »Ab geht's, Männer! Stellt den verdammten Anhänger wieder auf. Und macht ihn diesmal richtig fest. Seht vor allem zu, daß die Ladung nicht zu schwer wird. Nicht, daß es noch einen erwischt.«

Er sah zu, daß seine Anweisungen genauestens befolgt wurden, dann schaute er auf die Uhr. Er schien ganz auf seine Arbeit konzentriert.

»Ich habe Sie doch gestern gefeuert. Anscheinend haben Sie das vergessen.«

Sein Kopf fuhr herum. »Sie sind ja immer noch hier!?«

»Ich bin der Boß. Haben Sie nicht gehört, was ich gesagt habe?«

Der Blick, mit dem er sie von Kopf bis Fuß bedachte, war wie purer Sex. »*Oui.* Hab's gehört. Und ich hab auch nicht vergessen, was du gestern gesagt hast.«

Sie versuchte, hinter seinen trügerischen Blick zu schauen, aber das war er gar nicht – sondern klar, kühl und eindringlich.

Entweder wußte er wirklich nichts von den toten Katzen auf der Veranda, oder er hatte keinerlei Schuldgefühle deswegen.

Beides war nicht sonderlich beruhigend. Wenn Cash es nicht getan hatte – wer dann? Und wenn Cash sich einer solch schändlichen Tat nicht schämte, dann war er ein Psychopath. Aber es paßte gar nicht zu seiner ganzen Art, so etwas zu tun und symbolische Botschaften zu hinterlassen. Er war doch viel eher der Typ, der seine Drohungen ganz unverhohlen aussprach.

»Ich habe Sie gefeuert«, wiederholte Schyler. »Warum sind Sie trotzdem zur Arbeit gekommen?«

»Weil es nicht so leicht ist, mich loszuwerden, *Miss Schyler*. Sie haben mich angeheuert, damit ich meinen Job erledige. Und genau das werde ich tun. Nicht für Sie, nicht für Cotton, sondern für mich.« Er tippte sich gegen die Brust. »Ich habe mehr Jahre meines Lebens in diese Firma gesteckt, als ich Lust habe zu zählen. Und ich werde den Teufel tun und einfach so zusehen, wie der Laden bankrott geht.«

»Und was ich gestern gesagt habe, ist Ihnen egal?«

Er schmunzelte arrogant. »Sie können sagen, was Sie wollen. Die Wahrheit ist: Sie brauchen mich. Das war uns beiden doch von Anfang an klar.«

Sie schaute zu den Arbeitern, die mit sicheren Handgriffen den Anhänger wieder aufrichteten. »Ich schätze, ich kann Sie wohl nicht mehr rausschmeißen, nachdem, wie Sie diesen Notfall gemeistert haben. Ich möchte Ihnen danken für das, was Sie für diesen Mann getan haben.«

»Sein Name ist Glee.«

»Das weiß ich«, entgegnete sie verärgert auf seine subtile Belehrung. »Glee Williams. Ich werde veranlassen, daß seine Familie versorgt ist, während er im Krankenhaus liegt.«

»Er wird sehr wahrscheinlich sein Bein verlieren.« Diese Bemerkung war eindeutig. Cash wollte sehen, wozu sie bereit war.

»Er wird den vollen Lohn bekommen. Solange wie nötig.«

Cash sah auf sie herab. Aus irgendeinem unerklärlichen Grund hatte sie das Gefühl, auf der Anklagebank zu sitzen und einen unerbittlichen Richter von ihrer Unschuld überzeugen zu müssen. »Was soll ich denn sonst noch tun?« schrie sie plötzlich.

»Wir hätten heute gar nicht rausfahren dürfen.« Er nickte in Richtung des Anhängers, der umgestürzt war. »Mir war klar, daß es gefährlich ist. Der Boden ist noch viel zu weich. Wenn die Stämme beim Verladen auch nur ein bißchen verrutschen, dann kippt der ganze Anhänger um, weil er keinen richtigen Stand hat. Und genau das ist auch passiert. Ich hätte es wissen müssen. Jetzt hat es mich einen guten Mann gekostet. Und Glee das Bein.

Aber ich wollte ja nicht, daß Sie denken, ich würde nichts tun und wertvolle Arbeitstage verstreichen lassen. Ich wollte nicht als nutzlos vor Ihnen dastehen.« Wütend streifte er seine gelben Arbeitshandschuhe über. »Ich hoffe, Sie erinnern sich daran, jedesmal wenn Sie einen Gehaltsscheck für Glee Williams ausstellen.«

Er klappte den Sichtschutz an seinem Helm herunter und kehrte Schyler den Rücken zu.

32. KAPITEL

Jigger war übel gelaunt, als er heimkam. Und er war betrunken. Nüchtern war er ein mieser Kerl. Aber wenn er betrunken war, gab es auf der ganzen Welt niemanden, der mieser war als Jigger Flynn. Dann hielt Gayla ihn für den Leibhaftigen, den Satan, über den sie in der Bibel gelesen hatte.

Manchmal hatte sie durchaus das Gefühl, ihm Paroli bieten zu können, aber niemals, wenn er betrunken war. Dann vermied sie alles, womit sie ihn irgendwie provoziert hätte.

Dies war wieder so ein Abend. Die Fliegengittertür fiel krachend hinter ihm zu. Er polterte zum Küchentisch und zog einen Stuhl vor. Fast hätte er den Tisch umgerissen, als er sich setzte.

Schweigsam brachte Gayla ihm das Abendessen. Er schob den Teller mit einem verächtlichen Schnauben beiseite und verlangte Whisky. Sie schenkte ihm ein Glas ein.

»Boudreaux, dieser Bastard«, grummelte er und schüttelte den Whisky in sich hinein. »Mächtig gerissen, dieser Cajun.«

Gayla fügte seine fast unverständlichen Sätze wie ein Puzzle zusammen, bis sie einen Sinn ergaben. Demnach hatte Cash Boudreaux den Arbeitern des Crandall Holzwerks heute abend eine Runde Bier spendiert, als Belohnung dafür, daß sie die Arbeit von zwei Tagen an einem geschafft hatten.

»Der hält sich für 'ne große Nummer.« Jigger starrte mit seinen glasigen Augen zu Gayla. »Ich sag dir, der wird noch auf die Fresse fliegen, und ob! Jetzt prahlt er rum, aber wart's nur ab. Seine ganze Arbeit wird – *Päng!*« Er klatschte in die Hände. Sein Gesicht lief noch dunkler an und seine Augen funkelten, als er sich umständlich ein weiteres Glas Whisky einschenkte. »Und diese Schyler Cran-*dall*... verdammte Hure.«

Gayla strich sich über die Oberschenkel und trocknete sich die Hände an ihrem billigen Baumwollkleid ab. »Was hat Schyler dir denn getan?«

»Meine Hunde umgebracht, *das* hat diese Nutte getan.« Er schüttete noch mehr Whisky in sich hinein. »Ich werde sie kriegen. Und dann mache ich sie *fertig*.«

»Was hast du mit Schyler vor?«

Jigger schaute auf zu ihr und lachte; es war ein böses Lachen, das Gayla eine Gänsehaut über den Rücken jagte. »Du glaubst wohl, die Cran-*dalls* hätten irgendwas mit dir zu schaffen, nur weil deine Mammy auf Belle Terre gearbeitet hat, ja? Ha! Diese aufgeblasene Schlampe, die spuckt doch auf schwarze Nutten wie dich.«

Gayla senkte beschämt den Kopf. Wahrscheinlich hatte er recht. Seit jenem Abend, als sie Schyler mit dem Gewehr im Anschlag auf dem Hof gesehen hatte, betete sie tagtäglich, daß ihre alte Freundin sie nicht erkannt hatte. Schyler war anständig und herzensgut. Sie würde es nie verstehen oder verzeihen, was aus Gayla geworden war.

»Was hast du mit Schyler vor?« wiederholte sie und hielt den Kopf weiter gesenkt. Wenn sie Jiggers Pläne kannte, konnte sie sie womöglich durchkreuzen. Sie konnte Schyler eine anonyme Warnung zukommen lassen und so verhindern, daß ihr etwas zustieß. Gayla hatte lange genug mit Jigger zusammengelebt, um zu wissen, daß er seine Drohungen auch wahrmachte. Er würde nicht die geringste Angst haben, sich mit den Leuten auf Belle

Terre anzulegen, besonders wo Cotton außer Gefecht war und dieser nutzlose Ken Howell die Verantwortung übernommen hatte.

»Das geht dich nichts an, klar? Ist allein *meine* Sache«, knurrte er. Als er aufstand, wankte er so sehr, daß er sich auf die Tischkante stützen mußte. »Deine Sache ist es, dich für den reichen Gentleman fertigzumachen, der dich gleich abholen wird.«

Erschrocken wich Gayla zurück. »Aber das geht nicht, Jigger, das weißt du doch. Ich bin noch nicht wieder gesund.«

Er grunzte verächtlich. »Dieser armselige Cajun hat mir 'ne armselige Medizin angedreht. Dafür kriege ich ihn noch an den Arsch.« Er zeigte auf Gayla. »Du tust, was ich dir sage. Du wirst gehen. *Heute* abend. Verdien dir gefälligst dein Essen.«

»Ich kann nicht!«

Er holte aus und verpaßte ihr einen Schlag quer über die Brüste. Wenn er ihr wehtat und sie verletzt, dann nie so, daß es die Vollkommenheit ihres Gesichts zerstört hätte. »Er hat mir 'n Hunderter gezahlt. Also wirst du mit ihm gehen.«

Tränen rannen Gayla über die Wangen. »Ich kann nicht, Jigger. Ich blute doch immer noch. Bitte, zwing mich nicht, mit ihm zu gehen. Bitte.«

»Ich mach' Geschäfte mit dem Mann. Und du bist Teil unseres Deals.«

Durch ihr bitteres Flehen ließ er sich nicht erweichen. Als draußen vor dem Haus Autoreifen auf dem Kies knirschten, packte er Gayla bei der Hand, zerrte sie über den Küchenboden und durch die Eingangstür. Sie versuchte, ihre Hand freizubekommen. Ihre Fersen gruben sich in die vom Regen aufgeweichte Erde. Sie stolperte hinter ihm her, während er mit großen Schritten auf den langen Wagen mit den verspiegelten Scheiben zuging.

Die Scheinwerfer blendeten sie. Gayla wußte, es war Gott, der ihre Sünde in grelles Licht tauchte. Sie drehte den Kopf zur Seite. Jigger zog die Beifahrertür auf und schob Gayla in den Wagen, wo es dank der Klimaanlage angenehm kühl war.

»Gibt's ein Problem, Jigger?« fragte der Mann hinter dem Steuer. Gayla kannte die Stimme. Sie fuhr nicht zum ersten Mal mit ihm mit.

»Kein Problem«, antwortete Jigger. »Sie mag dich.«

»Gut«, sagte der Mann mit sanfter Stimme. »Ich mag sie nämlich auch.«

Gayla hielt den Kopf gesenkt und sah nicht, welch drohenden Blick Jigger ihr zuwarf, ehe er die Beifahrertür schloß. Der Mann fuhr los, aber sie waren kaum außer Sichtweite des Hauses, als er auf die Bremse stieg und sich Gayla zuwandte. Er strich ihr über die Wange und fühlte ihre Tränen an den Fingerspitzen.

»Ich werde dir nicht wehtun, Gayla.«

Sie wußte, daß er die Wahrheit sagte. Er war keiner von der groben Sorte. Er wollte einfach nur ein paar von seinen schmutzigen Fotos machen. Er würde sie kaum anfassen.

Und emotional würde er sie überhaupt nicht berühren. Sie hatte sich in sich selbst zurückgezogen, wie ein sterbender Stern, der ein schwarzes Loch hinterließ, aus dem kein Licht heraus- und keins hineindrang. Nichts und niemand konnte sie berühren. Auf diese Weise, und nur auf diese Weise, hatte sie bisher überlebt. Sie ließ es nicht zu, überhaupt etwas zu fühlen.

»Dieser Joe Jr. ist ein echter Kotzbrocken. Man weiß nie, woran man bei ihm ist.« Cotton lehnte sich gegen die Kissen auf seinem Bett. »Hat die Cleverness vom alten Endicott geerbt. Und höllisch arrogant obendrein. Ein wirklich gerissener Bursche. Wenn man ihm nicht auf die Finger klopft, zieht er einen bis aufs Hemd aus.«

Schyler schmunzelte; es war ein gutes Zeichen, daß ihr Vater schon wieder seine gewohnt rüden Ausdrücke benutzte. Er wurde mit jedem Tag kräftiger. Und je mehr er zu Kräften kam, desto ungehobelter wurde seine Ausdrucksweise.

Am Nachmittag war er von der Intensivstation auf ein normales Zimmer verlegt worden. Sein Zustand war den Umständen gemäß bestens. Und nun hielt er Hof wie ein König, der dem Tod von der Schippe gesprungen und auf den Thron zurückgekehrt war. Schyler redete sich ein, daß seine schnelle Genesung auch darin begründet lag, daß sie angefangen hatte, mit ihm über geschäftliche Dinge zu reden. Dr. Collins hatte ihr nur beigepflichtet, als sie ihn diesbezüglich um seine Meinung gefragt hatte. Es könne nur von Vorteil sein, so hatte er gesagt, wenn Cotton sich nicht wie ein Invalide vorkäme.

»Herzpatienten durchlaufen eine Phase der Depression, die fast so schlimm ist wie ihre körperliche Erkrankung. Reden Sie mit ihm über das Geschäft, nur zu. Nichts Katastrophales. Sie verstehen schon, aber geben Sie ihm das Gefühl, daß er gebraucht wird. Verhätscheln Sie ihn nur nicht zu sehr.«

Und so hatte sie Cotton erklärt, wie die Dinge um das Holzwerk standen.

»Die Sache mit dem Kredit tut mir leid, Schyler«, hatte er gesagt. »Vor allem, daß dir das jetzt alles aufgebürdet ist. Aber, mein Gott, mir war ja gar nicht klar, wie schnell das Geld fällig werden würde.«

»Es war doch dein Herzinfarkt, der alles durcheinandergebracht hat.« Schyler lächelte ihm zu. »Mach dir keine Sorgen. Wir schaffen es schon.«

»Aber wie?«

»Ich habe mehrere Eisen im Feuer.«

Er löcherte sie nicht nach weiteren Details, also blieb es ihr erspart, ihm zu sagen, daß keines der Eisen, mit denen sie prahlte, groß genug waren, um den Kredit zu tilgen. Zwar verließ jeden Tag eine Menge Holz das Werk, aber all das war nichts im Vergleich zu dem umfangreichen Auftrag, den sie so dringend brauchten, und den sie sich von Endicott erhoffte.

Cotton schien absolut einverstanden damit zu sein, daß die Leitung des Holzwerks nun in ihren Händen lag. Sie hatte es sorgfältig vermieden, Cashs Namen auch nur zu erwähnen, weil sie nicht wußte, wie Cotton darüber dachte, daß Cash eine derart wichtige Rolle zukam.

Und eine wichtige Rolle spielte er. Auch wenn Schyler es sich noch so ungern eingestand, aber ohne ihn hätte sie es wohl kaum geschafft. Cash arbeitete härter als jeder andere. Sie sahen sich mehrmals täglich auf dem Werksgelände, aber seit Glees Unfall hatten sie kaum mehr als das Nötigste miteinander besprochen. Die Dinge schienen besser zu laufen, wenn sie sich weiterhin aus dem Weg gingen.

Ken ergriff das Wort und riß Schyler damit aus ihren Gedanken. »Vielleicht sollte ich Schyler morgen nach Texas begleiten.«

Er und Tricia waren ebenfalls zu Cotton ins Zimmer gekommen. Es war das erste Mal seit ihrem Streit, daß Schyler mit den beiden in einem Raum war. Aber Cotton zuliebe taten sie so, als wären sie nach wie vor ein Herz und eine Seele, die Drei Musketiere höchstpersönlich. »Immerhin hatte ich schon mit Joe Jr. zu tun.«

»Was vielleicht der Grund ist, warum wir mit Endicott im Clinch liegen«, fuhr ihm Cotton in die Parade. »Schyler soll das ruhig allein aushandeln.«

»Aber sie hat überhaupt keine Erfahrung darin«, gab Ken zu bedenken.

Cotton schaute voller Zuneigung und Bewunderung auf seine Tochter. »Dann kriegt sie eben jetzt welche, oder? Mit Joe jr. zu verhandeln ist wie eine Feuertaufe.«

»Na gut, aber wenn sie den Deal vermasselt, dann gib nicht mir die Schuld dafür.«

»Keine Angst«, entgegnete Cotton barsch.

Schyler lenkte das Gespräch in eine andere Richtung. »Ich war vorhin bei Glee Williams.«

»Wie geht's ihm?«

Sie hatte Cotton von dem Unfall berichtet, aber erst nachdem die Ärzte ihr mitgeteilt hatten, daß Glee eine Beinamputation erspart bleiben würde. In einer schwierigen und langen Operation hatten sie sein Bein wieder zusammengeflickt. Er würde zwar immer sehr stark hinken und niemand konnte sagen, welche Art von Arbeit er in der Zukunft würde verrichten können, aber wenigstens hatte er sein Bein nicht verloren.

Erfreulicherweise nahm Cotton Anteil am Schicksal des Holzfällers. Er kannte Glee persönlich und wußte sogar, wie dessen Frau hieß.

»Er sieht schon viel besser aus als gestern«, sagte Schyler. »Er hat gesagt, er hätte gar keine Schmerzen mehr, aber man hat ihm auch ein starkes Schmerzmittel verabreicht. Die Blumen, die du für ihn bestellt hast, hat er bekommen. Er und Marybeth lassen dir ihren Dank ausrichten. Sie sieht ja aus, als wäre sie noch zu jung zum Wählen, geschweige denn, drei Kinder zu haben und das vierte unterwegs.«

»Ich glaube, sie ist tatsächlich noch nicht alt genug dafür.« Cotton lachte. »Glee hat sie sich geangelt und angebufft, als die beiden in der achten Klasse waren.«

Tricia rollte mit den Augen. Schyler schmunzelte. So sehr sich Macy auch bemüht hatte, es ihm abzugewöhnen – Cotton benutzte bis heute seine derben Ausdrücke vor seinen Töchtern.

»Die Versicherung wird sicher mehr Geld von uns haben wollen, nach dem, was sie für die Operation berappen mußte.« Ken verzog das Gesicht. »Schyler hat einen Spezialisten aus New Orleans kommen lassen.«

»Und er hat auch ein echtes Wunder vollbracht, um das Bein zu retten.« Sie war wütend, daß Ken sie zwang, sich zu verteidigen.

Er ignorierte sie und wandte sich weiter direkt an Cotton. »Und dann hat sie angeboten, Williams den vollen Lohn zu zahlen. Ohne zeitliche Begrenzung. Das wird uns ein Vermögen kosten, und wir haben *nichts* davon.«

»Ich stehe hinter ihren Entscheidungen«, sagte Cotton mit stahlharter Stimme, die besagte, daß das Thema für ihn damit erledigt war.

Schyler spürte die zunehmende Spannung und mischte sich ein weiteres Mal ein. »Tricia hat eine Kleidersammlung für die Williams-Kinder und eine große Spendenaktion für die ganze Familie organisiert. Die können die Sachen sicher mehr als gut gebrauchen, wo doch in ein paar Wochen das Baby kommt.«

Cotton schaute lobend zu seiner jüngeren Tochter. »Das ist sehr anständig von dir, Tricia. Das werden die Williams zu schätzen wissen.«

Verlegen antwortete Tricia: »Ich bin dankbar, wenn ich auch einen bescheidenen Beitrag leisten kann.«

»Tja, wir werden dich jetzt besser wieder in Ruhe lassen.« Schyler nahm ihre Handtasche und drückte Cotton einen Kuß auf die Wange. »Gute Nacht, Daddy. Schlaf gut.«

»Wird mir auch gar nichts anderes übrigbleiben, als zu schlafen, wo sie mir doch jeden Abend eins von diesen gottverdammten Zäpfchen in den Arsch schieben.« Seine Derbheit verdeckte nicht, wie erschöpft er war.

Kaum hatte sich die schwere Tür hinter ihnen geschlossen, als Tricia ihre Schwester am Handgelenk packte. »Warum hast du das gemacht? Einen Scheißdreck werde ich organisieren, hast du mich verstanden? Wie kommst du nur darauf, ihm so etwas zu erzählen? Keine meiner Freundinnen würde sich jemals dafür hergeben. Ganz zu schweigen davon, auch nur einen Fuß in diese heruntergekommene Gegend zu setzen.«

Schyler machte ihre Hand frei. »Dann läßt du es eben bleiben. Ich habe gedacht, es würde Daddy glücklich machen, wenn er sieht, daß auch du dich um die geschäftlichen Belange der Familie kümmerst. Und ich hatte ja auch recht damit. Er hat sich darüber gefreut.«

»*Vielen* Dank. Aber ich habe es absolut nicht nötig, daß du versuchst, mich vor ihm gut aussehen zu lassen, klar?« Tricias Lippen waren ein dünner Strich, ihre Augen funkelten böse. »Na schön, dann werde ich mich eben auch um die geschäftlichen Angelegenheiten der Familie kümmern. Aber ich glaube kaum, daß dir das schmecken wird, *große* Schwester.«

Sie ging zum Fahrstuhl und riskierte ihren manikürten Fingernagel, als sie wutentbrannt den Knopf betätigte. Ken berührte Schyler am Ellbogen. »Soll ich morgen nicht doch besser mitkommen? Das ist ein großer Auftrag, den du da ganz allein an Land ziehen willst.«

Schyler hatte niemandem erzählt, daß Cash sie zu Endicott begleiten würde. Was eine ihrer weisesten Entscheidungen in letzter Zeit war, weil sie nämlich gar nicht sicher war, ob er tatsächlich noch mitkommen würde. Wenn nicht, dann würde sie niemandem den Grund für seine Absage erklären müssen. Und wenn doch, dann würde Ken es erst erfahren, wenn nichts mehr zu ändern war. Im Moment wollte sie ihm weder ihre Beweggründe darlegen noch über ihre Entscheidung diskutieren.

»Danke, Ken, aber ich finde, es ist sinnvoller, wenn du hierbleibst und zusiehst, daß alles weiterläuft.«

Seufzend fuhr er sich durchs Haar. »Du bist immer noch sauer auf mich, stimmt's?«

»Nein. Das ist nichts Persönliches.«

Er schaute sie sehnsüchtig an. »Laß uns das Kriegsbeil begraben, Schyler. Ich halte das nicht mehr länger aus, diese ewige Spannung.«

»Du und Tricia steht auf der einen Seite. Ich auf der anderen.«

»Vergiß doch Tricia. Ich rede von uns. Ich will mich nicht mehr mit dir streiten.«

»Aber wir streiten uns doch nur wegen einer einzigen Sache, Ken, und das ist Belle Terre. Wenn ihr beide weiterhin vorhabt, es zu verkaufen, dann werde ich gegen euch kämpfen. Wenn nicht, dann können wir weiter Freunde sein.«

»Nur Freunde?« fragte er und senkte die Stimme.

»Nur Freunde.« Sie ließ ihn stehen und ging zu Tricia, die ungeduldig an der offenen Fahrstuhltür wartete.

Verdammte Nutte.

Schyler starrte auf die Worte, die ungelenk mit Farbe auf die Tür zum Werksbüro gesprayt waren. Sie schaute sich um. Niemand war zu sehen. Es war bereits nach neun Uhr am Abend. Sie zögerte, das Büro zu betreten, nahm aber an, daß der Schmierer sein schmutziges Werk für den heutigen Tag beendet hatte. Eher unwahrscheinlich, daß er sich noch hier herumtrieb. Sie schloß die Tür auf und ging hinein.

Die rote Glut einer Zigarette zwinkerte ihr aus dem Dunkel entgegen. Mit klopfendem Herzen langte sie nach dem Schalter und machte Licht. Hinter dem Schreibtisch saß Cash, die Stiefel über eine Ecke der Platte geflegelt.

»Schätze, Sie haben die Botschaft gelesen.« Er nickte zur Tür, die Schyler noch immer aufhielt.

»Stammt die von dir?«

Er schnaubte verächtlich und schwang die Füße vom Schreibtisch. »Wohl kaum. Würde doch nie teure Farbe verschwenden für etwas, was ich dir auch direkt ins Gesicht sagen kann.«

Sie schloß die Tür. »Und zwei Katzen würdest du auch nicht umbringen, oder?«

Seine Brauen zogen sich zusammen, als er sich aus dem Stuhl stemmte. »Wovon redest du? Zwei Katzen?«

Sie erzählte es ihm. »Ken hat die Kadaver weggeschafft. Er hat mir hinterher erzählt, daß das männliche Tier ausgenommen war. Du verwendest nicht vielleicht Katzeninnereien für deine Zaubermittel?«

Cashs Miene blieb ungerührt. »Nicht, daß ich wüßte.«

Schyler warf ihre Handtasche und die Autoschlüssel auf den Schreibtisch. »Ich könnte einen Drink vertragen. Du auch?«

»Ich hab mich zwar schon bedient, aber ich nehme noch einen.«

Schyler schüttelte den Kopf, als sie das Glas auf dem Tisch entdeckte, in dem nur noch ein winziger Rest war. Sie öffnete die unterste Schublade des Schreibtisches, holte die dort versteckte Flasche Bourbon hervor und schenkte ihnen beiden einen Drink ein. »Was hast du denn hier noch gemacht... außer, meinen Whisky zu stehlen?«

»Hausaufgaben.« Er schlug den Ordner auf, der vor ihm auf dem Schreibtisch lag.

Schyler setzte sich auf den Stuhl, den er soeben freigemacht hatte. Das Leder war noch warm. Es fühlte sich wundervoll an ihren Schenkeln und Pobacken an. Sie riß sich zusammen.

»Endicott«, sagte sie, als sie den Briefkopf auf dem zuoberst liegenden Schreiben las.

Cash setzte sich auf die Kante des Schreibtisches und schaute Schyler an. »Diesen Briefen nach liefen die Geschäfte zwischen Cotton und dem alten Endicott völlig problemlos. Beide Seiten haben prächtig davon profitiert.«

Schyler zwang sich, nicht auf Cashs Jeans zu schauen, die sich im Schritt gegen die Kante des Schreibtischs drückte. Sie langte nach ihrem Glas und nahm einen Schluck Whisky. »Cotton hat Joe Jr. zwar einen undurchsichtigen Kotzbrocken genannt, aber es klang trotzdem, als hätte er Respekt vor ihm.«

»Wie geht es ihm?« Als er ihren fragenden Blick sah, fügte er hinzu: »Cotton.«

»Viel besser. Er ist von der Intensivstation verlegt worden.«

Cash nickte und zeigte mit seinem Glas auf den Ordner. »Ich habe die gesamte Korrespondenz gelesen. Ich komme einfach nicht dahinter, weshalb die Endicotts sauer auf uns sind.«

»Tja, schätze, das werden wir morgen wohl in Erfahrung bringen.«

»Wir?«

»Kommst du nicht mit?«

»Willst du das denn immer noch?«

Es kostete sie einige Überwindung, es zuzugeben, aber sie wollte ihn dabeihaben. Dem Holzwerk und Cotton zuliebe. Und wegen Belle Terre. Und – wem versuchte sie eigentlich, etwas vorzumachen? – *ihretwegen.* »Ja, Cash, ich möchte, daß du mich begleitest.«

Er starrte sie über den Rand seines Glases hinweg an und trank dann den Rest Bourbon. »Wann morgen?«

»Wir treffen uns hier um neun.«

»Okay.« Er stand auf. »Laß uns Schluß machen für heute.«

»Ich habe noch zu tun.« Sie deutete auf den Stapel an Briefen und Unterlagen. »Ein bißchen Papierkram erledigen.«

»Ich finde, du solltest nicht solange allein hierbleiben. Laß uns fahren.« Er hakte die Daumen hinter den Gürtel und nahm eine Haltung ein, die besagte: Jegliche Diskussion zwecklos.

»Ich bin müde«, gab sie zu.

»Und morgen wird ein langer Tag werden. Außerdem könnte sich der Schmierfink noch immer hier rumtreiben.«

Oder der Schmierfink stand ihr gegenüber, die Schultern erhoben, das Becken rausgestreckt, der Wolf im Schafspelz. Ehe sie nachgab, trank sie erst noch ihr Glas aus, wie er es gerade zuvor getan hatte. Als sie aufstand, lächelte Cash, als wüßte er, daß dieser letzte Zug ein Zeichen des Trotzes war.

Sie ging vor ihm aus der Tür. »Ich lasse das gleich morgen früh wegmachen«, sagte er.

»Danke, Cash.«

»Keine Ursache.«

Seine gespielte Ergebenheit war ärgerlich, aber sie konnte nichts dagegen machen. Als sie bei ihrem Auto standen, zog Cash Schyler eng an sich. »Welcher Mistkerl auch immer das getan hat«, sagte er, »er scheint etwas zu ahnen.«

Schyler ging hoch wie eine Rakete. »Du willst also darüber reden, ja?«

»Worüber? Über unseren Fick?«

»Ja.«

Er grinste. »Klar. Warum nicht? Laß uns darüber reden.«

»Also gut.« Sie atmete tief ein und aus, um ihm zu zeigen, wie sehr dieses Thema sie langweilte. »Es war ein Fehler, mit dir ins Bett zu gehen. Ich bedauere es und wünschte, es wäre nicht passiert, aber ich kann es nicht mehr ändern. Ich übernehme die volle Verantwortung für mein Tun, aber ich habe vor, die ganze Sache zu vergessen. Und von dir erwarte ich dasselbe.«

»Ja?«

»Ja.«

Sein vom Whisky warmer Atem war so balsamisch wie die Abendluft, als er ihr in das erhitzte Gesicht lachte. Er beugte sich vor, bis sich ihre Körper berührten. »Eher unwahrscheinlich. Weißt du eigentlich, was es für einen armen Bastard wie mich, einen Jungen vom weißen Abschaum, bedeutet, *Miss* Schyler Crandall einen Orgasmus verschafft zu haben?«

Sie stieß ihn weg und riß die Wagentür auf. »Kein Grund für großes Eigenlob. Es war nur so lange her für mich, das war alles.«

Kies prasselte ihm gegen die Stiefel, als ihr Wagen davonstob. Cash sah ihr nach, bis die roten Rückleuchten in der Dunkelheit verschwanden.

Cash machte sich nicht die Mühe, den billigen Bourbon auszupacken, sondern trank gleich aus der braunen Papiertüte; es schwappte glucksend, als er einen weiteren Schluck nahm; ein Zeichen, daß nicht mehr viel in der Flasche war. Er rülpste.

Wo blieb die Schlampe nur?

Er war, nachdem Schyler gefahren war, wieder zurück ins Büro gegangen, hatte über das derbe Grafitti an der Tür geschmunzelt und einen Anruf getätigt. Das war vor einer Stunde gewesen. Nun wartete er neben dem Getränkeladen der Tankstelle am Lafayette Highway. Auf der anderen Straßenseite lag das Motel. Er wartete auf Rhoda.

Sie hatte mehr als zufrieden geklungen, als er sich bei ihr gemeldet hatte. Oh, zuerst hatte sie ziemlich unnahbar getan. Offensichtlich war sie stocksauer. Er hatte ihr erklärt, wieviel er um die Ohren hatte, aber sie war weder sonderlich beeindruckt noch verständnisvoll gewesen und hatte nur in einer Tour abfällige Sprüche vom Stapel gelassen; er hätte sie am liebsten erwürgt.

Schließlich hatte er sowas gesagt wie: »Meinetwegen. Wenn *du* nicht willst, dann eben eine andere. Ist mir doch egal. Du hast keine Lust heute abend? Dann eben nicht.« Das war ein Tritt in ihren vornehmen Arsch gewesen. Er nannte ihr die Uhrzeit und den Treffpunkt, und sie hatte sofort zugesagt.

Aber jetzt wünschte er, er hätte seinen Ärger und Frust im Whisky ertränkt und Rhoda außen vorgelassen. Ihre Affäre hatte den ersten Reiz eingebüßt. Er war gelangweilt, vor allem weil Rhoda besitzergreifend geworden war und anfing zu klammern. Sie hatte ihren Zweck erfüllt. Er brauchte sie nicht mehr.

Nur heute nacht noch einmal.

Heute nacht brauchte er eine Frau, an der er seine Frustration abreagieren konnte. Verdammte Schyler Crandall! Sie hatte ihn mit größtem Vergnügen umgehauen wie einen jungen Baum und ihn daran erinnert, daß sie ihn nur als Ersatz für ihren Freund in London benutzt hatte, der sie sexuell befriedigte und ihr ein vornehmes Leben bot.

»Scheiße.« Er leerte die Flasche und warf sie in das überquellende alte Ölfaß, das draußen vor der Herrentoilette als Mülleimer diente.

Schyler wollte also ihren gemeinsamen Nachmittag vergessen. Sie wollte nicht, daß jemand davon erfuhr. Tja, das war ihm nur recht. Er würde es niemals zulassen, daß er ein Objekt des Spottes werden würde, so wie Cotton Crandall. Die Leute krochen vor Cotton, weil er wohlhabend und einflußreich war, der größte Holzlieferant in der Gegend. Aber hinter seinem Rücken war er für die Menschen hier noch immer der arme kleine Holzfäller, der sich auf Belle Terre eingeheiratet hatte, denn hier galt noch immer das Elfte Gebot: »Geld heiratet Geld.« Gegen dieses ungeschriebene Gesetz hatte Cotton verstoßen, und das hatte man ihm bis heute nicht vergessen.

So etwas würde Cash Boudreaux nicht befriedigen. Er wollte

in den Spiegel schauen können ohne das Wissen, daß es allein der Familienname seiner Frau war, der ihm Respekt einbrachte. Zwischen Schylers schlanken, seidigen Schenkeln lag die Pforte zu der süßesten und engsten Frau, die er je gehabt hatte, aber er hatte nicht vor, Belle Terre durch dieses Portal zu betreten.

Er würde sich nehmen, was ihm zu Recht zustand – wann er es wollte und wie er es wollte.

Inmitten dieser Grübeleien bemerkte er, wie Rhodas schwarzer BMW auf dem Parkplatz des Motels vorfuhr. Er sah sie aussteigen. Sie ließ den Motor laufen, ging hinein, um einzuchekken, wofür sie ihre goldene Kreditkarte benutzte. Mit dem Zimmerschlüssel in der Hand kam sie zurück zum Wagen; ihre unechten Titten wackelten unter ihrem ärmellosen Pullover.

Cash verspürte das Verlangen, anzufassen, zu küssen, zu saugen – aber nicht Rhodas Brüste. Er verfluchte, wie leicht er zu beeindrucken war, ging zu seinem Lieferwagen und stieg ein. Er starrte auf den Zündschlüssel in seiner Hand und erwog ernsthaft, Rhoda sausen zu lassen und heimzufahren, um allein Trübsal zu blasen.

Er schaute auf die gegenüberliegende Straßenseite und sah, wie Rhoda eines der Zimmer betrat. Sie war bestimmt heiß und gewillt, ihm zu gefallen, wahrscheinlich sogar mehr als das.

Worauf, zum Teufel, wartete er denn noch?

Entschlossen steckte er den Schlüssel ins Zündschloß und ließ den Motor an. Ohne auf den Verkehr zu achten, raste er zum Motel hinüber und brachte den Wagen vor dem Zimmer zum Stehen, in dem Rhoda verschwunden war.

Er wollte Schyler Crandall, aber er ging hinein, um es mit der untreuen Frau des Bankdirektors zu treiben.

33. KAPITEL

»Was ist los? Habe ich Ei auf dem Schlips?«

»Deine Krawatte ist tadellos.«

»Und warum starrst du dann dauernd drauf?«

»Weil du eine umhast.«

271

Cash verstand Schylers Humor nicht und schmollte. »Ich mag zwar mit Bayouschlamm an den Füßen aufgewachsen und ärmer als eine Kirchenmaus gewesen sein, aber ich bin kein Ignorant. Stell dir vor – ich kann sogar schreiben und lesen. Und ich weiß sehr wohl, wann ein Schlips angesagt ist.«

»Soll ich fahren?«

»Nein.«

»Es macht dir nichts aus zu fahren?«

»Ich hab's dir doch schon gesagt: Es macht mir nichts aus.«

»Ich dachte nur, daß du deshalb so daneben gewesen bist.«

»Bin ich doch immer.«

»Das stimmt allerdings.«

Schyler nahm auf dem Beifahrersitz Platz und schaute hinaus auf die verschwommenen Farbtupfer der vorbeifliegenden Landschaft. Cash fuhr viel zu schnell. Sie wußte noch sehr gut, wie er in jener Nacht gerast war, als er sie bei Jigger Flynns Haus aufgegabelt hatte. Aber da war es auch buchstäblich auf Leben und Tod gegangen. Weshalb er jetzt so raste, war ihr allerdings schleierhaft; sie wußte nur, daß er schon den ganzen Morgen über, seit sie sich mit ihm auf dem Werksgelände getroffen hatte, mürrisch und gereizt war.

Als sie sich erkundigt hatte, welche Anweisungen er den Holzfällern für den Tag gegeben habe, hatte er nur grummelig geantwortet. Ebenso knurrig reagierte er auf ihr Angebot, auf dem Hinweg zu fahren. Während der ganzen Fahrt hatte er keine drei Worte mit ihr gewechselt.

Sein Gesicht zeigte nichts von seiner inneren Anspannung, aber seine ganze Haltung verriet, daß er jeden Moment auf einen Streit gefaßt war. Sein Blick war stur auf die Straße gerichtet.

»Vielleicht hätte ich doch lieber Kens Angebot annehmen sollen«, überlegte sie laut. Aber Cash biß nicht an. Sie führte den Gedanken dennoch zu Ende. »Er wollte nämlich mitkommen.«

»Wär' vielleicht auch besser gewesen.«

»Auf jeden Fall wäre er ein angenehmerer Begleiter gewesen.«

»O ja, er ist ein echter Charmeur. Mit der Tour kriegt er jeden rum.« Er schaute sie von der Seite an. »Und ihr Crandall-Mädchen fliegt ja ganz besonders auf seinen Charme.«

272

»Du bist unheimlich gern vulgär, was?«

»Nur blöd, daß euer Supermann so eine Flasche ist, wenn's hart auf hart geht.«

»Immerhin hast du ihn mit einem Messer bedroht!«

»Du nimmst ihn wohl jedesmal in Schutz, oder?«

Schyler biß die Zähne zusammen; sie war wütend auf sich selbst, daß sie sich überhaupt auf diesen Streit eingelassen hatte, wo er doch offensichtlich nur darauf gewartet hatte. Sie sah, wie er die Finger ausstreckte und wieder das Steuerrad umklammerte, als wollte er es aus der Verankerung reißen.

»Sie sind ein schlechter Verlierer, Mr. Boudreaux.«

Sein Kopf fuhr herum. »Was soll denn das heißen?«

»Ich habe dir gestern abend einen Korb gegeben. Anscheinend bist du das von einer Frau nicht gewohnt.«

»Da haben Sie ganz recht, Miss Schyler. Tatsächlich hat die zweite, die ich gestern abend gefragt habe, sofort ja gesagt.«

Jetzt fuhr Schylers Kopf herum. Das neckische Lächeln war ihr vergangen. Aber sie hatte sich rasch wieder im Griff und hoffte, daß Cash ihr nicht angesehen hatte, wie verdutzt sie war. »Glückwunsch.«

Ein tödliches Grinsen blitzte auf. »Danke. Kaffee?« Er nickte in Richtung einer Raststätte, der sie sich mit überhöhter Geschwindigkeit näherten.

»Ja, bitte.«

Kaum hatte Cash angehalten, sprang Schyler aus dem Wagen und verschwand auf der Damentoilette. Sie wusch sich die Hände und betrachtete sich im Spiegel. »Bist ja selber schuld«, flüsterte sie sich im Spiegel zu. »Hättest eben nicht fragen dürfen, wenn du die Antwort nicht vertragen kannst.«

Es war unrealistisch, Respekt von Cash zu erwarten, wo sie zu einer seiner Eroberungen geworden war. Frauen waren für ihn so leicht zu haben wie das Papierhandtuch, mit dem sie sich die Hände abtrocknete.

Um ihr Ego zu retten, ehe sie wieder hinausging, strich sie ihre zerknitterte Bluse glatt und legte Lippenstift auf. Sie bürstete sich sogar das Haar. Heute sollte er die Chefin in ihr sehen, wenn er sie anschaute, und nicht die Geliebte, die er gehabt hatte.

»Macht es dir was aus, den Kaffee im Auto zu trinken?« fragte Cash, als sie sich am Imbiß der Raststätte trafen. Er reichte ihr einen Becher mit Kaffee.

»Nein, das geht schon.«

»Gut. Dieser Geruch hier macht mich krank.«

Hinter dem Tresen des Imbiß brutzelten Würstchen in altem Fett. Cash setzte die Sonnenbrille wieder auf, die er hochgeschoben hatte, als sie hereingekommen waren. Schyler bemerkte seine geröteten Augen und seine fahle Haut.

»Jetzt weiß ich, was mit dir los ist«, sagte sie, als sie zurück zum Wagen gingen. »Du hast einen Kater.«

»Mörderisch.« Er verzog das Gesicht.

»Muß ja eine schlimme Nacht gewesen sein.«

»Mörderisch.« Diesmal schmunzelte er.

Er hielt ihr die Tür auf, Schyler stieg ein und fragte sich, weshalb ihr Cashs Affären auf einmal soviel ausmachten.

»Tja, dann wären wir uns also einig, Mr. Endicott«, sagte Schyler, »wenn das der beste Preis ist, den Sie uns anbieten können.«

»Das ist ein Spitzenangebot. Vergleichen Sie's ruhig mit dem Preis anderer Abnehmer. Ich mache Ihnen nichts vor.«

Joe Endicott Jr. war ein aufgeblasener Arsch, wie er so dasaß, zurückgelehnt auf seinem Chefsessel, ein selbstgefälliges Grinsen auf dem Gesicht. Er schien sich einzubilden, alle Trümpfe in der Hand zu haben. Was leider auch der Fall war.

Nur wußte er natürlich nicht, daß der Deal, den sie vereinbart hatten, das Crandall Holzwerk wieder in die schwarzen Zahlen bringen würde – und sogar noch etwas mehr als das. Schyler fielen mehrere Steine vom Herzen, aber sie verbarg ihre Erleichterung vor Joe Endicott Jr.

»Wir waren immer der Meinung, daß Crandall absolute Spitzenqualität liefert.«

»Freut mich zu hören«, entgegnete Schyler auf das Kompliment. »Nun zu den Zahlungsmodalitäten. Wollen Sie jeweils bei Erhalt einer Lieferung zahlen, oder wäre es Ihnen lieber, wöchentlich einen Scheck über die erfolgte Liefermenge zu schikken?«

»Weder noch.«

»Weder noch?«

Joe Jr. ließ einen Knöchel knacken. »Bei mir wird nicht abgestottert.«

»Ich verstehe nicht…«

»Ich werde erst dann zahlen, wenn der letzte Baumstamm der kompletten Bestellung angeliefert worden ist.«

»Dann müssen Sie uns ja für ziemlich blöde halten.« Cash saß auf dem zweiten Sessel vor Endicotts Schreibtisch. Bis jetzt hatte er sich kaum zu Wort gemeldet, nur wenn Schyler ihn etwas gefragt hatte oder er direkt angesprochen war.

»O nein, dafür halte ich Sie gewiß nicht, Mr. Boudreaux.«

»Wie können Sie dann erwarten, daß wir uns auf derartige Bedingungen einlassen?«

»Sie werden Ihr Geld bekommen, Miss Crandall. Wenn ich mein Holz kriege. Das gesamte Holz.«

»So können wir nicht arbeiten.«

Endicott breitete die Hände aus und lächelte freundlich. »Dann wird wohl nichts aus unserem Geschäft.«

Schyler schaute zu Cash. Der starrte auf Endicott, als wollte er ihn am liebsten wie eine Schabe unter seinem Stiefel zermalmen. Kein Zweifel, daß er sich nicht gescheut hätte, handgreiflich zu werden. Schyler gab sich alle Mühe, sich zusammenzureißen, und wandte sich wieder an Endicott. »Darf ich fragen, was der Grund für Ihre Haltung ist?«

»Sicher. Sie haben nicht immer vollständig geliefert.«

»Bitte?«

Endicott lächelte kurz, dann fuhr er fort. »Wir haben schon einige tausend Dollar an das Crandall Holzwerk verloren. Mein alter Herr hat Ihnen mal einen Vorschuß auf eine Bestellung gezahlt, aber die Lieferung ist nie eingetroffen. Deshalb haben wir ja auch vor einigen Jahren unsere Geschäftsbeziehung mit Ihnen eingestellt.«

Schyler richtete sich auf. »Ich kann Ihnen versichern, Mr. Endicott, daß das nur ein mißliches Versehen gewesen sein kann, vielleicht ein Fehler in der Buchhaltung. Mein Vater genießt seit Jahrzehnten den Ruf eines ehrlichen und zuverlässigen

Geschäftsmannes. Sollten wir tatsächlich einen Scheck als Vorschuß erhalten haben —«

»Sie *haben*. Und er ist auch eingelöst worden.«

»Von meinem Vater?«

»Jawohl.«

»Das verstehe ich nicht.« Sie stand auf verlorenem Posten. Cotton war ein ehrgeiziger Unternehmer, der an die Prinzipien der Konkurrenz und des freien Marktes glaubte. Und der jede sich bietende Gelegenheit zu einem guten Geschäft auch nutzte. Aber er hielt sich stets an die Regeln. Er war nicht unehrlich. Das hatte er nicht nötig. »Weshalb haben Sie nicht darauf bestanden, daß —«

»Meinen Sie, das hätte ich nicht?« Knack, knack. »Aber es gab nie eine Reaktion auf meine Briefe und Mahnungen.«

»Warum haben Sie dann nicht geklagt?«

»Weil mein Vater eine sentimentale Ader hat.« Joe Jr. zuckte die Achseln. »Er hat immer gesagt, der alte Crandall sei einer seiner besten Geschäftspartner in Südwest-Louisiana. Die beiden hatten schon seit Urzeiten miteinander zu tun. Er sagte, ich solle es auf sich beruhen lassen, und das habe ich getan. Wider besseres Wissen.«

»Nun, ich werde es jedenfalls nicht auf sich beruhen lassen«, entschied Schyler mit fester Stimme. »Ich werde der Sache auf den Grund gehen und solange bohren, bis ich Ihnen eine vollständige Erklärung geben kann. Aber in der Zwischenzeit müssen wir uns darauf verständigen, daß Sie bei Erhalt jeder Teillieferung zahlen. Alles andere wäre unrealistisch. Wie sollen wir denn sonst unseren Aufwand begleichen?«

Die Arme hinter dem Kopf verschränkt antwortete er: »Das ist ja wohl nicht mein Problem, oder?«

»Also werden wir solange kein Geld von Ihnen erhalten, bis die letzte Lieferung eingegangen ist?«

»Richtig. Bis zum letzten Scheit.«

»Keiner macht auf diese Weise Geschäfte.« Wie ein gereiztes Tier fuhr Cash von seinem Stuhl hoch.

»Ich auch nicht ... normalerweise.« Endicott drehte sich leicht auf seinem Stuhl herum und warf einen Blick durch die Glasfront in seinem Rücken. Das Fenster bot einen Ausblick auf den Verladehof bei den Gleisen, wo das Holz abgeladen wurde, ehe es durch die Papiermühlen lief. »Aber ich muß sehen, daß mein Arsch im Trockenen ist. Und deshalb will ich die Lieferungen nach einem speziellen Zeitplan bekommen, aber ich werde Crandall nicht einen Penny zahlen, ehe nicht die gesamte Bestellung geliefert worden ist.« Er wirbelte in seinem Stuhl herum. »*Comprende?*«

Schyler schaute hilflos zu Cash. Er sah zu ihr, dann wieder zu Endicott. »Ich brauch' jetzt 'ne Zigarette.« Er stand abrupt auf. »Schyler?« Er reichte ihr die Hand, half ihr aus dem Stuhl, und zusammen gingen sie zur Tür.

»He, sind wir jetzt im Geschäft oder nicht? Sie verschwenden meine kostbare Zeit. Was soll ich denn machen, während Sie draußen rauchen?« rief ihnen Endicott nach.

»Entspannen, Junior«, sagte Cash. »Ein Nickerchen machen. Was weiß ich. Wir sind gleich wieder zurück.«

Er ließ die Tür hinter ihnen zukrachen. Die Sekretärin schaute tadelnd auf. Aber Schyler und Cash scherten sich nicht darum und gingen wortlos an ihr vorbei. Am Ende des Empfangsbereichs befand sich eine Sitzecke. Dorthin geleitete Cash Schyler. Er nahm seine Zigaretten aus der Brusttasche seines Hemdes und schüttelte eine aus der Packung. Schyler sah ihm zu, wie er sich die Zigarette anzündete. Ärgerlich blies er den Rauch hoch zur Decke.

»Also?« fragte sie. »Was meinst du?«

»Am liebsten würde ich dem Kerl einen Tritt in die Eier verpassen und ihn samt seinem verdammten Chefsessel durch die Glaswand jagen.«

»Was soll ich ihm sagen?«

»Am besten: ›Scheiß drauf‹.«

»Cash! Ich meine es ernst.«

»Ich auch.« Als er ihre zurückhaltende Miene sah, sagte er: »Okay, okay, aber jetzt ganz ernst.«

»Weißt du irgend etwas von der Sache mit dem Vorschuß und der nicht erfüllten Lieferung?«

»Ich schätze, du hältst mich für den Gauner der Firma.«

»Ich habe niemanden beschuldigt, es war kein Vorwurf. Ich habe einfach nur eine Frage gestellt.«

Er nahm einen tiefen Zug von seiner Zigarette, dann drückte er sie mürrisch im Aschenbecher aus. »Nein, ich habe keinen blassen Schimmer, warum die Bestellung nicht ausgeführt worden ist, die Briefe nicht beantwortet wurden und so weiter und so weiter. Bestehst du auf einem Lügendetektor?«

Seufzend rieb sich Schyler die Schläfen. Sie zählte langsam bis zehn, dann fragte sie: »Soll ich auf seine Bedingungen eingehen? Ganz ehrlich – was soll ich *deiner* Meinung nach tun?«

»Wie sehen die Alternativen aus?«

»Zurückfahren und mich wieder ans Telefon hängen. Was natürlich ein herber Rückschlag wäre. Es hat mich schon Tage gekostet, diesen Termin zu vereinbaren. Ich habe nicht die Zeit, noch mal ganz von vorn anzufangen.«

»Es gibt jede Menge anderer Abnehmer, Schyler.«

»Ich weiß, aber nicht in diesem Umfang. Gut, sicher eine kleine Bestellung hier und da, wie ich es bis jetzt auch gemacht habe. Wir würden uns zu Tode schuften, aber es würde trotzdem nicht reichen, vielleicht würde es gerade mal genug einbringen, um die Löhne zu zahlen und nicht dichtmachen zu müssen. Aber mit diesem Auftrag wäre ich in der Lage, den Kredit abzulösen, und es bliebe noch genug, um die nächsten Monate gut über die Runden zu kommen.«

»Dann hast du deine Antwort doch.«

»Aber was ist, wenn wir ihm das ganze Holz liefern und er uns dann nicht in vollem Umfang bezahlt?«

»Das würde er nicht wagen. Wir hätten es schwarz auf weiß. Und außerdem —« Cash ahmte Joe Jr. nach und ließ die Knöchel knacken – »ist ihm sein Leben zu lieb.«

»*Können* wir die Bestellung denn erfüllen?«

»Laß es mich kurz überschlagen.« Er setzte sich auf die Kante einer kleinen Couch und langte nach einer Zeitschrift, die auf einem schmalen Tischchen lag. Er füllte die Rückseite mit einigen raschen Kalkulationen. »Sechs Schlepper, dazu kommen die selbständigen Fäller. Wenn wir mit jeder Ladung…«

»Aber überleg doch, wieviel er bestellen will.«

»Wie gesagt, wir können von den Selbständigen kaufen.«

»Trotzdem. Der Kredit wird in weniger als einem Monat fällig.«

»Dreißig Tage. In dieser Spanne könnten wir es schaffen.«

»Soviel Zeit haben wir nicht, Cash.«

»Dann werden eben Überstunden gemacht.«

»Und wenn das Wetter nicht mitspielt?«

»Tja, wenn's regnet, sind wir aufgeschmissen.«

»Oh, mein Gott.«

Cash überflog noch einmal seine Kalkulationen. »Wir können es schaffen, Schyler.«

»Bist du sicher?«

»Ich bin sicher.«

»Bis zum Ablauf der Frist?«

»Ja.«

»Ich setze mein ganzes Vertrauen in dich.«

Er sah sie lange und eindringlich an. »Ich weiß.«

Sein Gesichtsausdruck und der sanfte, fast ein wenig traurige Ton seiner Stimme brachten sie aus der Fassung. Einen Moment lang war sie verwirrt. Dann fragte sie ihn: »Wenn ich nicht hier wäre, wenn du ganz allein entscheiden müßtest, was würdest du tun?«

Er stand auf, ging zum Fenster und schaute hinaus, die Hände in den Hosentaschen. Seine Anzugshose paßte ihm so gut wie seine Jeans, die er sonst immer trug. Seine Schuhe sahen neu aus, als hätte er sie extra für dieses Treffen gekauft. Schyler war gerührt.

Langsam drehte er sich zu ihr um. »Ich hasse es, anderen in den Arsch zu kriechen, besonders so einem Typen.« Er reckte das Kinn in Richtung der Tür am anderen Ende des Korridors. »Ich hätte nicht übel Lust, ihm zu sagen, wo er sich das Ganze hinschieben kann. Schätze, es käme darauf an, wie dringend ich auf diesen Deal angewiesen wäre. Wie wichtig ist dieser Auftrag für dich?«

Plötzlich mußte sie an den Ausdruck auf Cottons Gesicht denken, als er gesagt hatte: »Warum hast du mir meinen Enkel genommen?« Das würde sie bis an ihr Lebensende nicht vergessen. Cottons Vertrauen in sie, seine Liebe, waren erschüttert worden. Sie mußte beides vollständig wiedergewinnen.

»Es ist sehr wichtig, Cash«, antwortete sie mit belegter Stimme. »Nicht nur für mich. Auch für Cotton. Für Belle Terre. Das alles steht auf dem Spiel. Ich würde alles tun, alles opfern, selbst meinen Stolz, um Belle Terre zu retten. Kannst du das verstehen?«

Ein Muskel in seiner Wange zuckte. »*Oui*, das kann ich verstehen.«

»Wollen wir wieder reingehen und den Vertrag mit Joe Jr. unterschreiben?«

»Du kannst auf mich zählen.«

Ken Howell kam und ließ sich auf seine Frau fallen. Nach Luft japsend hob er den Kopf und hauchte ihr kleine Küsse auf die Wange. »Das war großartig. Hat's dir auch gefallen?«

Sie stieß ihn weg und rollte sich zur Seite. Dann setzte sie sich auf die Bettkante und zog ihr Negligé über. »Hast du Schyler das auch jedesmal gefragt, wenn du mit ihr geschlafen hast?«

Sein ohnehin gerötetes Gesicht lief noch dunkler an. »Bei Schyler mußte ich nicht fragen.«

Tricia warf ihm einen Blick über die Schulter zu. »Touché.« Ihre Pantoffeln schlappten, als sie zum Bad ging. Über das Rauschen des fließenden Wassers hinweg fragte sie ihn: »Liebst du sie immer noch?«

Ken tappste nackt zum Badezimmer. Er blieb in der Tür stehen und wartete, bis Tricia sich die Zähne geputzt hatte. »Willst du das wirklich wissen?«

Sie richtete sich auf und tupfte sich den Mund mit einem Handtuch ab, während sie Ken im Spiegel über dem Waschbekken beobachtete. »Ja, ich glaube, das möchte ich.«

»Du hast doch nur Angst, sie könnte etwas haben, was du nicht kriegen kannst.«

Sie zuckte die Achseln und streifte das hauchdünne Hemdchen ab. »Gut möglich.«

»Wenigstens bist du ehrlich.«

Tricia stellte die Dusche an. Sie prüfte die Temperatur des

Wassers, schaute dann aber über die Schulter zu Ken. Er starrte mißmutig auf den Kachelboden. »Das war ich nicht immer.«

Er schaute auf. »Was? *Ehrlich?* Ja, ich weiß.«

Einen Moment lang schauten sich Ehemann und Ehefrau über das Bad hin an, das sich rasch mit Wasserdampf füllte. Auf ihren Mienen lag eine Spur von Bedauern, vielleicht sogar Reue, aber sie machten sich beide nichts vor. Keiner von ihnen beiden war rechtschaffen und würde es auch nie sein.

»Wann hast du's gewußt?«

»Daß du gar nicht schwanger warst?« fragte er. Tricia nickte. Er strich sein zerzaustes Haar zurück. »Ich weiß nicht. Vielleicht hab' ich's von Anfang an gewußt.«

»Und trotzdem hast du mich geheiratet.«

»Weil ich keinen anderen Weg aus dem Schlamassel gesehen habe. Mit deiner Lüge zu leben war zweckdienlicher und hat weniger Ärger eingebracht.«

»Also bliebst du lieber bei mir, als Schyler um Verzeihung zu bitten, daß du mich gebumst hast.«

»Ich war nie scharf auf 'ne Tapferkeitsmedaille.«

»Und was ist mit diesen Katzen?«

Er schaute sie verdutzt an. »Ich hätte fast gekotzt, als ich die Viecher weggeschafft habe.«

»Mach hier keinen auf blöd, Ken. Hast du es getan?«

»Natürlich *nicht*. Du?«

»*Natürlich* nicht.«

Keiner glaubte so recht an die Unschuld des anderen. Tricia stieg unter die Dusche, ließ aber die Tür offen. »Du mußt sie aufhalten, das ist dir doch klar?«

»Ich versuch's«, gab Ken zurück.

»Dann gib dir noch ein bißchen mehr Mühe. Sie ist heute drüben in Texas und will da einen großen Auftrag holen. Wenn ihr das gelingt, ist die Fabrik aus dem Schneider. Und wir werden echte Probleme kriegen, Cotton dazu zu bringen zu verkaufen, wenn der Kredit abgelöst ist.«

Ken starrte auf sein Spiegelbild und fuhr sich mit der Hand über sein stoppeliges Kinn; ihm gefiel gar nicht, was er sah. Er sah allmählich alt, aufgedunsen und verlebt aus.

»Und auf Cash Boudreaux müssen wir auch aufpassen«, rief Tricia unter der Dusche hervor. »Soweit ich weiß, stecken er und Schyler unter einer Decke.«

»Der arbeitet für sie, mehr nicht. Und sie braucht ihn, um mit den Arbeitern klarzukommen.«

Tricias Lachen schallte laut unter der Dusche, als sie das Wasser abdrehte. »Wie naiv du bist, Ken. Oder steckst du den Kopf in den Sand? Du willst einfach nicht glauben, daß die beiden ein Liebespaar sind.«

»Wer sagt das?«

»Alle sagen das.« Sie wickelte sich in ein Badetuch und begann, sich mit Babyöl einzureiben. »Cash kriegt jede Frau ins Bett, die er haben will. Und diejenigen, die dort mit ihm waren, behaupten, er sei der beste Liebhaber, den sie je hatten. Sein Schwanz soll 30 Zentimeter lang sein.«

Ken runzelte die Stirn, als er unter die Dusche stieg und die Hähne voll aufdrehte. »Scheiß Weibergelaber. Redet ihr über nichts anderes? Geht's denn nur um Männer und ihre Schwänze?«

»Ach? Und ihr Männer redet nicht die ganze Zeit über Titten und Ärsche?«

»Das ist nun mal ein Vorrecht von uns Männern.«

»Nicht mehr, Baby«, gluckste Tricia.

Ken schüttelte angewidert den Kopf, dann hielt er ihn direkt unter den Wasserstrahl. Tricia trocknete sich ab, schleuderte das Handtuch zum Wäschekorb in der Ecke und ging aus dem Bad.

Eines wußte sie ganz sicher – wenn sie etwas haben wollte und es drauf anlegte, dann bekam sie es auch. Wenn Ken da nicht mithalten konnte oder wollte, dann würde er eben auf der Strecke bleiben. Groß bedauern würde sie es jedenfalls nicht.

34. KAPITEL

»Chateaubriand und Spargel zum Lunch, ziemlich dekadent!«

Cash schob Schyler nachsichtig zum geparkten Wagen. Sie war beschwipst und ausgelassen. Auf dem Rückweg hatten sie an diesem Steakhouse haltgemacht, um den Vertrag bei einem Essen gebührend zu feiern. Als sie feststellen mußten, daß das Restaurant nicht vor vier Uhr öffnete, hatten sie beschlossen, sich die Zeit mit einem Spaziergang in einem Park am Rand eines Waldes zu vertreiben. Obwohl der Vertrag mit Endicott einen eindeutigen Nachteil hatte, waren sie blendender Laune.

Das Essen war vorzüglich, die Portionen übermäßig großzügig bemessen gewesen. Sie hatten sich eine königliche Bewirtung gewünscht und bekommen, da sie um diese frühe Uhrzeit die einzigen Gäste waren. Schyler hatte Champagner bestellt, um auf ihren Erfolg anzustoßen. Cash vermutete, daß diese beiden Flaschen wahrscheinlich der gesamte Vorrat des Restaurants waren, in dem zumeist Touristen und Einheimische verkehrten.

Eine Flasche hatten sie zu ihren Steaks getrunken. Die andere drückte Schyler nun liebevoll an ihre Brust, als sie zum Wagen schlenderten.

»Laß uns die Fenster runterkurbeln und ordentlich auf die Tube drücken«, schlug sie aufgeregt vor.

Ihre bernsteinfarbenen Augen funkelten, wie Cash es noch nie gesehen hatte. Der Champagner tat ihr offensichtlich gut. Sie hatte ihre ganze Hochnäsigkeit zusammen mit ihren Hemmungen abgelegt. Sie war nicht mehr die Chefin, nicht mehr die herrschende Prinzessin von Belle Terre. Sie war nur noch Frau, und zwar durch und durch.

»Meinetwegen, aber ich fahre.« Schmunzelnd hielt er ihr die Wagentür auf. »Warum ziehst du das Jackett nicht aus?«

»Gute Idee.« Sie stellte die Flasche Champagner neben den Sitz und zog ihr Leinensakko aus, wobei sie sich vorbeugte und leicht die Schulter schüttelte, um die Ärmel abzustreifen. Ihre Brüste wippten unter der Bluse.

Sein Penis nahm Notiz davon.

Sie legte das Jackett zusammen mit seinem Mantel auf den Rücksitz. Als er um den Wagen herumging, zog er die Krawatte ab und öffnete die oberen Knöpfe seines Hemdes. Als sie auf dem Highway waren, lagen Schylers Schuhe vor ihr auf dem Boden; ihr Kopf war an die Kopfstütze gelehnt. Einen Fuß hatte sie unter ihren Oberschenkel geklemmt. Es war nicht unanständig. Sie hatte den Rock zwischen den Schenkeln.

Was Cash jedoch dachte, war alles andere als anständig.

»So ein Scheusal«, sagte sie gähnend.

»Wer ist ein Scheusal? Ich?«

Den Kopf noch immer an der Kopfstütze sah sie zu Cash. Ein kleines Lächeln spielte um ihre Lippen, die seit dem Essen ohne Lippenstift waren. Aber Cash mochte es lieber, wenn ihr Mund ungeschminkt war. Sie hatte einen Schlafzimmermund, geeignet fürs Küssen, geeignet für eine Menge Sachen.

»Nein, nicht du. Joe Endicott Jr.«

»Er ist ein Arschloch.«

Sie kicherte. »Derbe, aber wahr.« Einen Moment lang musterte sie ihn. »Wie kommt's, daß es gar nicht schäbig klingt, wenn du solche Ausdrücke verwendest?«

»Tut's das nicht?«

»Nein«, antwortete sie verwirrt. »Genau wie bei Cotton. Er flucht ganz fürchterlich. Hat er schon immer getan. Die ersten Worte, die ich als Kind lernte, waren Schimpfworte, die ich von ihm aufgeschnappt hatte. Mama hat ihm die ganze Zeit in den Ohren gelegen, er solle sich eine anständigere Ausdrucksweise angewöhnen.« Wieder gähnte sie. »Ich fand nie, daß es bei Cotton schlimm oder unanständig klang.«

»Zieht es zu sehr?«

Ihre Brüste hoben sich, als sie tief einatmete, und drückten sich gegen die inzwischen zerknitterte Leinenbluse. Sie sah nicht mehr unberührbar aus, im Gegenteil. Cash sehnte sich danach, sie zu berühren. Er konnte nicht verstehen, warum er es nicht tat, warum er nicht einfach über die kurze Distanz zwischen ihnen nach einer dieser weichen Knospen griff. Bis jetzt war er gegenüber einer Frau noch nie zimperlich gewesen. Was er sah und haben wollte, das nahm er sich. Und meistens kam er damit auch durch.

»Nein, es zieht nicht zu sehr. Der Fahrtwind ist herrlich«, seufzte Schyler. Sie schloß die Augen. »Weck mich, wenn wir in Heaven sind.« Wieder kicherte sie und fing an, ein altes Lied zu singen. »Veda hat mich früher immer auf der Veranda geschaukelt und dieses Lied dabei gesungen.«

Cash glaubte, sie sei eingeschlafen, aber kurz darauf sagte sie: »Ein komischer Name für eine Stadt, nicht wahr? *Heaven*. Himmel. Ich liebe diesen Namen, und ich hasse ihn, weißt du, was ich meine?«

Er nahm ihre Frage ernst. »*Oui*.«

»Es ist wie mit meinem Leberfleck auf der Hüfte. Er ist häßlich. Ich mag ihn nicht, aber... er ist ein Teil von mir. Es wäre nicht gut, ihn wegmachen zu lassen, weil, wenn ich dann auf diese Stelle schauen würde, dann müßte ich jedesmal daran denken, daß dort mal ein Leberfleck war. Und so geht es mir auch mit Heaven und Belle Terre. Ich kann fortgehen, um die ganze Welt reisen, aber sie sind immer da. Bei mir.« Sie schlug die Augen auf. »Bin ich betrunken?«

Er mußte unweigerlich lachen, als er ihren besorgten Gesichtsausdruck sah. »Wenn du nüchtern genug bist, um dich das zu fragen, dann bist du nicht allzu betrunken.«

»Oh, gut, gut.« Wieder schloß sie die Augen. »Der Champagner war köstlich, nicht wahr?« Sie leckte sich die Unterlippe.

Cash rückte sein schwellendes Körperteil in eine weniger unbequeme Lage. »*Oui, delicieux*.«

»Sind wir schon da?« Schyler setzte sich auf, benommen und orientierungslos.

»Nicht ganz. Ich möchte dir noch etwas zeigen.«

»Aber hier ist doch gar nichts«, quengelte sie.

Rings um den Wagen war dichter Wald. Den langen Schatten der hohen Bäume nach zu urteilen mußte es kurz vor Sonnenuntergang sein.

Cash stieß die Wagentür auf, stieg aus und nahm die noch ungeöffnete Flasche Champagner mit. »Komm. Sei keine Spielverderberin. Und vergiß deine Schuhe nicht.« Schyler schnappte sich ihre Schuhe, stieg aus, stützte sich aber schwankend am Auto ab. »Alles in Ordnung?« fragte Cash, als er um das Heck des Wagens herumkam.

»In meinem Kopf findet gerade ein Kegelturnier statt. Und meine Augäpfel sind die Kegel.«

Sein Lachen schreckte die Vögel in den Bäumen auf. »Du hast nur einen kleinen Kater. Was da hilft, ist ein Schluck hiervon.« Er hielt die Flasche Champagner hoch, und Schyler stöhnte. Cash hakte Schyler ein und führte sie in den Wald.

»Das sind aber keine Wanderschuhe, Cash.« Sie versank mit ihren hohen Absätzen im weichen Boden.

Er verstärkte seinen Griff an ihrem Arm. »Es ist nicht mehr weit.«

»Nicht mehr weit wohin?«

»Wart's doch ab.«

»Ich weiß gar nicht, wo wir sind.«

»Auf Belle Terre.«

»Belle Terre? Aber hier bin ich noch nie gewesen.«

Sie erklommen einen sanften Hügel. Der Boden war bedeckt mit violettem Eisenkraut. Wilde Rosenbüsche verhedderten sich in kleineren Sträuchern; der Duft der rosa Blüten mischte sich in die schimmernde, staubige Hitze des Spätnachmittags.

Sie erreichten den Gipfel der Anhöhe. Cash sagte: »Vorsicht. Auf der anderen Seite geht es ziemlich steil nach unten.«

»Cash!« rief Schyler, als ein Tier mit Flügeln nicht weit von ihnen von einem Baum zum nächsten segelte. »War das eine Fledermaus?«

»Ein fliegendes Eichhörnchen. Normalerweise kommen die erst nachts raus. Das hier ist ziemlich früh dran.«

Sie beobachtete die Kunststücke des Eichhörnchens, bis es unter den Zweigen verschwunden war. Stille senkte sich herab. Fast meinte man, die Käfer zu hören, die sich durch umgestürztes Holz fraßen. Irisierende Insekten schwirrten über der glitzernden Wasseroberfläche. Bienen summten in den Blüten. Ein Kardinalsvogel schoß durch die Bäume wie ein roter Pfeil.

Ehrfürchtig stand Schyler vor diesem von Menschen unberührten Ort. Hier war die Natur noch in Ordnung. Sich selbst überlassen, hatte sie sich über die Jahrhunderte auf wundervolle Weise wiedererschaffen. Ich muß immer noch betrunken sein, dachte Schyler. Sie geriet in eine fast poetische Verzückung. Cash schmunzelte über ihre begeisterten Kommentare, wirkte aber weder besonders überrascht noch amüsiert.

Er stellte sich mit einem Fuß auf einen Felsblock, während sein Blick über den Wald wanderte. »Ich vermute, daß der ursprüngliche Wald durch einen Waldbrand zerstört worden ist. Das geschah, na ja, vielleicht vor ein paar hundert Jahren. Schau mal hinter uns«, sagte er und deutete in die Richtung. »Welche Arten von Bäumen siehst du? Hauptsächlich.«

»Eichen und andere Laubbäume.«

»Richtig. Aber nach dem Feuer sind als erstes die Kiefern wieder nachgewachsen. Kurz nach dem Waldbrand hatten sie vielleicht den Umfang einer Baumschule. Die jungen Bäume haben Vögel angelockt, die aus den benachbarten Wäldern Samen des Hartholzes mitbrachten.«

Er führte sie den steil abfallenden Abhang hinunter zu einem umgestürzten Baum nahe des Ufers. Sie konnte jetzt erkennen, daß der Bayou an dieser Stelle gar nicht stillstand, wie sie es von oben gesehen angenommen hatte. Aber die Strömung war so träge, daß das Wasser reglos wirkte.

»Ich dachte, du läßt kein Schadholz im Wald liegen?«

Er entfernte die Folie von der Champagnerflasche und steckte sie in seine Tasche. Dasselbe tat er mit dem Drahtverschluß, nachdem er diesen entfernt hatte. »Gewöhnlich nicht. Aber hier ist es etwas anderes.« Er schaute sich voller Ehrfurcht um, wie man es in einer Kathedrale tat. »Hier ist alles unberührt. Die Natur löst ihre Probleme selbst. Niemand mischt sich hier in die natürliche Ordnung ein.«

»Aber dies ist ein Teil von Belle Terre.«

Der Korken sprang heraus, der Champagner spritzte. Sie lachten.

In derselben ausgelassenen Stimmung fragte sie: »Ist das nicht eine ziemlich dreiste und besitzergreifende Haltung gegenüber meinem Grund und Boden?«

Er schaute sie lange an. »Ich würde jeden umbringen, der versucht, diesen Platz zu zerstören.«

Schyler glaubte ihm. »Sag so etwas nicht. Du könntest dazu gezwungen sein.«

Er schüttelte den Kopf. »Cotton geht es nicht anders.«

»Cotton?« fragte Schyler überrascht.

»Meine Mutter liegt hier begraben.«

Schyler folgte seinem Blick hinauf zum Gipfel des Hügels, wo sie noch Minuten zuvor gestanden hatten. »Ich hatte ja keine Ahnung...«

»Sie durfte nicht auf dem Friedhof bestattet werden. Der Pfarrer hat es nicht zugelassen, weil sie...« Cash nahm einen Schluck Champagner aus der Flasche. »Er hat's eben nicht zugelassen.«

»Weil sie die Geliebte meines Vaters war.«

»Vermutlich.«

»Sie muß ihn sehr geliebt haben.«

Er schnaubte leicht, was sich fast wie ein verächtliches Lachen anhörte. »Und ob. Sie *hat* ihn geliebt.« Er nahm noch einen Schluck. »Sie hat ihn mehr als alles andere geliebt. Sogar mehr als mich.«

»Oh, das bezweifle ich, Cash«, widersprach Schyler eilig. »Keine Frau würde einen Mann mehr lieben als ihr Kind, vor allem, wenn er nicht ihr Ehemann ist.«

»Sie schon.« Er setzte seinen Fuß auf den Baumstamm, wobei er fast ihre Hüfte berührte, und sich vorbeugend auf sein Knie abstützte. »Du hast mich mal gefragt, warum ich nie fortgegangen bin.«

»Ja.«

»Du willst also wissen, warum ich die ganzen Jahre hiergeblieben bin, wo mich jeder einen Bastard schimpft.«

»Das hat mich gewundert, ja.«

Seine Augen durchbohrten sie. »Bevor meine Mutter starb, mußte ich ihr versprechen, Belle Terre niemals zu verlassen, solange Cotton am Leben ist. Ich mußte es schwören.«

Schyler schluckte. »Aber warum... warum sollte sie das von dir verlangen?«

288

Er zuckte die Achseln. »Wer weiß? Vielleicht, um als sein Schutzengel da zu sein.«

»Aber wozu?«

»Vielleicht, um ihn vor sich selbst zu schützen.« Plötzlich wechselte er das Thema. »Auch einen Schluck Champagner?«

»Besser nicht.«

»Ach komm, was kann's denn schon schaden?«

Er berührte ihre Schulter mit der Flasche. Sie nahm sie ihm ab und trank einen Schluck. Der Champagner schäumte in ihrem Mund und in ihrem Hals. »Er ist viel zu warm.«

Sie gab ihm die Flasche zurück, war aber wie gebannt, mit welcher Eindringlichkeit er sie ansah. Der Wald, der noch vor wenigen Augenblicken voller Leben gewesen war, war plötzlich totenstill. Nichts rührte sich. Sie konnte spüren, wie die Hitze vom Boden aufstieg, durch das tote Holz, durch ihre Kleidung und durch ihre Schenkel in ihren Körper eindrang. Die vollkommene Stille klang ihr in den Ohren. Obwohl sie gerade erst einen Schluck getrunken hatte, war ihr Mund wie ausgedörrt.

»Wir sollten besser zurückgehen.« Sie erhob sich. Cash nahm den Fuß vom Baumstamm, machte aber keinerlei Anstalten, den Rückweg anzutreten. Er starrte sie nur weiterhin an. Nervös begann sie: »Danke, daß du mir bei Endicott geholfen hast und daß du mir diesen Platz gezeigt hast. Ich hätte sonst niemals gewußt, daß es ihn überhaupt gibt. Es ist wunderschön hier. Es ist —«

Die Flasche noch immer in einer Hand, schlang er Schyler den Arm um den Nacken und versiegelte ihre Lippen mit einem heißen Kuß.

Schylers Arme schlossen sich um seinen schlanken Körper. Ihre Finger gruben sich in die Muskeln seines Rückens. Ganz eng preßten sie sich aneinander.

Sie fanden sich in einem hungrigen Kuß, wo Lippen und Zungen versuchten, so schnell wie möglich so viel wie möglich zu schmecken. Sie schnappten nach Luft und schauten einander tief in die Augen. Ihr Atem ging heftig und stoßweise.

»Ich habe all meine Regeln bei dir gebrochen. Mein Motto lautet normalerweise: Fick sie und vergiß sie.« Er schaute ihr wieder in die Augen. »Aber diesmal kann ich es nicht vergessen. Ich habe es versucht.« Seine Hand fuhr über ihren Bauch; er preßte sie gegen ihre Scham. »Verdammt, ich will dich noch mal«, sagte er kehlig.

»Ich dich auch.«

»*Oui?*«

»Ja. Wo?«

»Hier.«

»Hier?«

»*Oui.*«

»Ich —«

»*Oui.*«

Wieder küßten sie sich. Seine Zunge erforschte ihren Mund. Er stöhnte auf und rieb sich gegen ihren Bauch. Sie berührte ihn, ließ ihre Hand zu einer zärtlichen, liebkosenden Faust werden. Wieder stöhnte er. Noch immer im Kuß vereint sanken sie auf die Knie.

Cash drückte sie sanft nach hinten, bis sie auf einem Bett aus Laub und Nadeln lag, das verführerischer raschelte als Laken aus Satin. Cash gab dem primitiven maskulinen Verlangen, zu besitzen und zu beherrschen, nach und legte sich der Länge nach auf sie.

Schyler reagierte mit gleicher Leidenschaft, doch ihre Antwort war ganz und gar feminin. Sie spreizte die Schenkel. Hart und voller Verlangen drängte er sich an sie. Beide seufzten und stöhnten sie voller Sehnsucht auf, als wäre dies schon der Höhepunkt, so wundervoll war dieses Gefühl.

Schyler hob die Hüften an und versuchte, den störenden Rock hochzuschieben. Cash rieb sein rauhes Gesicht gegen ihre Brüste, sein Mund war offen, feucht und heiß. Er kämpfte mit der Schnalle seines Gürtels, in seiner Ungestümtheit stellte er sich zu unbeholfen an.

Er fluchte, völlig außer Atem, frustriert. Schyler schob seine Hände weg und machte sich an dem starrköpfigen Gürtel zu schaffen.

Plötzlich stellten sie im gleichen Moment fest, daß ihre Geräusche der Lust nicht das einzige waren, was sie vernahmen. Abrupt rollte sich Cash von Schyler und setzte sich auf.

»Cash? Hast du das auch gehört?«

»Schhhh!« Er hielt die Hand hoch.

Sie lauschten. Da war es wieder – ein leises, undefinierbares Geräusch.

Cash stand auf. Leichtfüßig wie ein Hirsch und lautlos wie ein Schatten eilte er in die Richtung, aus der das Geräusch gekommen war. Seine Ausbildung als Dschungelkämpfer kam ihm nun zugute. Er berührte nicht einmal die Blätter an den Zweigen, an denen er vorbeiglitt. Mit seinem Messer in der Hand kroch er über die schlammigen Ufer des Bayou.

»*Mein Gott…*«

Schyler verließ das Liebesnest, das ihre Körper auf dem weichen Boden gebildet hatten, und eilte ihm nach; sie schlitterte im Schlamm und rief: »Was ist?« Dann sah sie sie. »*Gayla!*«

35. KAPITEL

Die junge schwarze Frau schaute sie aus angsterfüllten Augen an. Eine Gesichtshälfte war angeschwollen und mit blutenden Schrammen überzogen; ihr Kleid hing in Fetzen; überall war die Haut mit Abschürfungen und tiefen Kratzern übersät. Sie hatte einen Schuh verloren.

Cashs messerscharfer Blick suchte beide Ufer des Bayou und den Hügel ab. Schyler kniete sich in den Morast. »Gayla, mein Gott, Gayla.« Sanft wiederholte sie den Namen und wollte ihre Freundin aus Kindertagen berühren. Gayla zuckte zurück.

»Hab' keine Angst, Gayla. Ich bin's – Schyler.« Verwirrt schaute sie zu Cash. »Sie erkennt mich gar nicht.«

»Doch, Schyler.« Gayla fuhr sich mit der Zunge über einen tiefen und übel aussehenden Schnitt in ihrer Unterlippe. Von dort war Blut auf ihre Brust getropft. »Schau mich nicht an. Geh weg. Bitte.«

Tränen traten ihr in die schokoladenbraunen Augen. Schyler bettete Gaylas Kopf auf ihren Oberschenkel und legte ihr die Hand auf die weiche, unversehrte Wange.

»Oh, ich werde dich aber sehr oft ansehen«, flüsterte sie Gayla zu. »Weil ich dich nämlich so sehr vermißt habe. Wir werden miteinander reden, werden uns an die alten Zeiten erinnern, und wenn du dich wieder besser fühlst, dann werden wir rumalbern und kichern wie kleine Mädchen.«

Eine Träne rann über Gaylas zerkratzte Wange. »Ich bin kein kleines Mädchen mehr, Schyler. Ich bin eine —«

»Du bist meine Freundin«, betonte Schyler.

Gayla schloß die Augen und begann heftig zu weinen. »Aber das verdiene ich gar nicht.«

»Gott sei Dank, daß wir beide nicht bekommen, was wir verdienen.« Während sie Gayla weiter hielt und ihr zärtlich den Kopf streichelte, schaute sie auf zu Cash. Er hatte die unmittelbare Umgebung abgesucht. »Siehst du jemanden?«

»Nein.« Er kniete sich nieder und betrachtete dieses Werk eines Wahnsinnigen. »Hat Jigger dir das angetan?« Gayla nickte. »Dieser gottverdammte Mistkerl. Sieht aus, als hätte er sie erst verprügelt und dann den Hügel runtergestoßen.«

Gaylas kurzer Schopf war voller Nadeln und Erde. Kleine Äste und Blätter klebten an ihrem zerrissenen Kleid. Ihre nackten Arme und Beine waren lehmverschmiert.

»Nein, Mr. Boudreaux«, widersprach Gayla mit tränenerstickter Stimme. »Ich bin den Hügel runtergefallen, aber Jigger hat mich nicht geschubst. Ich bin vor ihm weggelaufen.«

»Du bist den ganzen Weg bis hierher zu Fuß gelaufen?«

»Ja.«

»Sucht er nach dir?«

»Nein, das heißt, ich weiß nicht. Laßt mich doch einfach hier liegen. Vergeßt, daß ihr mich gesehen habt. Laßt mich hier liegen; laßt mich sterben, ist mir nur recht. Ich kann nicht zurück. Er wird mich umbringen. Ich will nicht mehr weiterleben, aber er soll nicht die Freude haben, mich umzubringen.«

»Er wird dich nicht umbringen. Er wird dir gar nichts mehr tun, weil ich dich nämlich beschützen werde. Und ich werde dich mit Sicherheit nicht hier liegen und sterben lassen«, sagte Schyler ernst und entschlossen. »Kannst du sie den Hügel hochtragen?« fragte sie Cash. »Ich könnte dann oben bei ihr bleiben und warten, während du einen Krankenwagen holst.«

»Nein!« Gayla hätte sich fast aufgerichtet. »Nein, bloß nicht! Bitte nicht! Er wird mich finden und umbringen.«

»Im Krankenhaus bist du in Sicherheit, Gayla.«

Gayla, am Rande der Hysterie, schüttelte wild den Kopf. »Jigger hat mich verprügelt und dann im Schuppen eingesperrt. Aber ich konnte fliehen. Wenn er rausfindet, daß ich abgehauen bin, wird er durchdrehen.«

»Das ist er doch schon.«

»Er wird mich finden und mich umbringen, Schyler, weil ich weggelaufen bin. Ich schwör's dir, das wird er tun. Er hat's mir angedroht, und er wird's auch tun.« Sie klammerte sich mit beiden Händen an Schyler. »Wenn du mir hilfst, wird er dir auch was antun. Geh weg, bitte. Berühr mich nicht, ich bin schmutzig. Du willst doch bestimmt nichts mit einer Hure wie mir zu tun haben.«

»Das reicht!« rief Schyler. »Ich habe keine Angst vor Jigger Flynn. Wenn er uns auch nur irgendwie nahe kommt, werde ich ihn eigenhändig über den Haufen schießen.« Gayla weinte wieder; Schyler mäßigte ihre Stimme. »Wenn du dich im Krankenhaus nicht sicher fühlst, dann bringen wir dich eben nach Belle Terre. Ich verspreche dir: dort *bist* du in Sicherheit.«

Cash schob Schyler sanft beiseite. »Komm, Gayla. Schaffst du's, mir die Arme um den Nacken zu legen? Komm, du schaffst es«, drängte er sanft, als sie den Kopf schüttelte. »Versuch's. Siehst du, so ist es gut.« Er ließ eine Hand unter ihren Rücken und die Knie gleiten und hob sie hoch.

»Cash, sie blutet«, keuchte Schyler. Gaylas Kleid war am Rücken blutgetränkt. »Gayla, was hat er dir nur angetan?«

»Sie ist ohnmächtig«, sagte Cash. Gaylas Kopf hing leblos gegen seine Schulter. »Ist vielleicht auch besser so. Das wird ein harter Aufstieg.«

Er starrte den Hügel hinauf. Schyler nahm die Champagnerflasche und folgte ihm. Ihre Schuhe waren lehmverschmiert, ihr teurer Rock verdreckt. Aber das war ihr egal. Sie fragte sich, wie Gayla den Sturz überlebt hatte.

Schließlich erreichten sie nach einem mühevollen Aufstieg den Wagen. Schyler ging vor, öffnete die hintere Tür und sprang hinein. »Leg ihren Kopf auf meinen Schoß. Und fahr so schnell es geht zum Krankenhaus. Mir ist egal, was sie gesagt hat, sie muß sofort in die Notaufnahme.«

Cash legte Gayla auf den Rücksitz zu Schyler, blieb aber über sie gebeugt. »Was ist?« fragte Schyler. »Fahr los«, befahl sie.

»Im Krankenhaus wird man sich zwar um ihre Verletzungen kümmern«, gab er zu bedenken, »aber man wird auch den Sheriff informieren.« Er nickte auf die bewußtlose Frau herunter. »Der wird eine routinemäßige Untersuchung des Falles einleiten, aber er wird verdammt noch mal nichts gegen Jigger unternehmen. In ein paar Tagen wird sie dann wieder entlassen. Und Jigger wird schon auf sie warten. Dann wird es sicher noch schlimmer für sie.«

Schyler starrte auf Gaylas brutal mißhandeltes Gesicht und wußte, daß Cash recht hatte. »Okay, dann bringen wir sie nach Belle Terre. Nur... ob ich einen Arzt kriegen kann, der –«

»Ich schon.«

Cash schlug die Tür zu, lief um den Wagen herum und setzte sich hinters Steuer. Kurz darauf waren sie im Zwielicht des Sonnenuntergangs auf dem Highway, unterwegs nach Belle Terre.

»Noch einen Drink, Tricia?«

»Nein danke, Liebling. Mrs. Graves müßte jeden Moment das Abendessen servieren.«

Tricia fächerte sich mit der dünnen Abendausgabe des *Heaven Trumpet* Luft zu. Die Zeitung hatte einen ausführlichen Bericht über die großzügige Spendenaktion für Glee Williams Familie gebracht. Tricia fühlte sich zwar geschmeichelt, gleichzeitig aber pikiert – geschmeichelt, weil sie als Initiatorin dieser erstaunlichen Aktion der Hilfsbereitschaft genannt wurde; pikiert, weil in Wahrheit Schyler diejenige gewesen war, die das meiste organisiert hatte, bis hin zum Einsammeln von Lebensmitteln und Kleidung.

»Allmählich wird's lästig«, sagte sie bockig, »ständig darauf zu warten, daß Schyler sich zum Abendessen blicken läßt. Jeden Abend kommt sie zu spät.«

»Sie wußte doch nicht, wann sie von ihrem Treffen mit Endicott zurück sein wird.« Ken lutschte einen Eiswürfel aus seinem leeren Glas. »Es ist eine lange Fahrt.«

»Sie hätte wenigstens anrufen können.«

»Entspann dich. Da kommt sie ja schon.« Ken stellte das leere Glas ab und ging von der Veranda auf die Treppe. »Und sie rast wie der Teufel. Sieht ihr gar nicht ähnlich.«

»Vielleicht hat sie es doch noch kapiert, daß sie ständig zu spät kommt«, lästerte Tricia, während sie die Zeitung beiseite legte und sich von ihrem Stuhl erhob, um ins Haus zu gehen.

»Was, zum Teufel...?« rief Ken.

Cash brachte den Wagen nur wenige Schritte von der Treppe zum Stehen. Er öffnete die Tür, sprang heraus und hielt die hintere Tür auf. Dann beugte er sich vor und hob Gayla aus dem Wagen.

»Was soll das denn werden?« Ken stellte sich Cash in den Weg, als der die Treppe zur Veranda hoch wollte. »Schyler, ich verlange, daß du mir auf der Stelle sagst, was das —«

»Steh nicht im Weg rum, Ken. Tricia, ist eines der Gästezimmer bereit?« Beide Howells starrten Cash und Gayla an, als wären sie von einem anderen Stern. »Antworte gefälligst«, verlangte Schyler. »Ist eines der Gästezimmer bereit?«

Tricia schaute Schyler in die Augen. »Was ist mit dem Mädchen los?«

»Sie ist brutal verprügelt worden. In welches Zimmer können wir sie bringen?«

»Du willst sie doch nicht etwa ins Haus bringen?!«

Schyler seufzte ungläubig und angewidert. Sie schaute hilfesuchend zu Ken. Der starrte nur Cash an.

»Was ist denn nur los mit euch?« rief Schyler. »Seht ihr nicht, daß es Gayla ist?«

»Ich habe ja Augen im Kopf«, giftete Tricia zurück.

»Sie ist schwer verletzt.«

»Dann schlage ich doch vor, sie ins Krankenhaus zu schaffen.«

»Wir werden sie ins Haus bringen.«

Schyler ging an Ken vorbei und gab Cash ein Zeichen, ihr zu

folgen. Sie war froh, daß er Gayla auf dem Arm trug; sonst hätte er körperliche Gewalt angewendet, damit Ken den Weg freimachte. Und wenn man seinen mörderischen Blick sah, wußte man, daß es ihm großen Spaß bereitet hätte.

Schyler überquerte die Veranda und langte nach der Klinke der Fliegengittertür. Tricia verstellte ihr blitzschnell den Weg und lehnte sich mit dem Rücken gegen die Tür. »Mama würde sich im Grab umdrehen, wenn sie wüßte, daß du sie mit hierher gebracht hast.«

»Gayla ist früher schon im Haus gewesen. Sehr oft sogar. Wir haben immer mit ihr gespielt, schon vergessen? Ihre Mutter hat deine Kleider gebügelt, deinen Abwasch gemacht und das Essen für dich gekocht. Und Veda war schwärzer als Gayla.«

»Das hat doch nichts mit der Hautfarbe zu tun.«

»Worum geht es dann?«

»Du zwingst mich, sehr unfreundlich zu sein, Schyler. Sie ist Jigger Flynns Hure«, rief Tricia.

Schyler war außer sich vor Wut. »Und wer ist daran schuld?«

Tricia wankte, faßte sich aber schnell wieder. »Ich schätze, du gibst mir die Schuld daran.«

»Habe ich da so unrecht?«

»Alles, was hier schiefläuft, schiebst du mir in die Schuhe!«

»Ich will mich jetzt nicht mit dir streiten, Tricia.« Schyler verlor allmählich die Geduld mit Tricia. »Dies ist ein Haus, kein Heiligtum. Weder Cash noch Gayla können oder werden es entweihen. Mama wird nicht mehr erfahren, wer hier ein oder aus geht. Und selbst wenn sie es von oben mitansehen sollte, kann sie nichts daran ändern, verdammt noch mal. Und jetzt geh mir aus dem Weg.«

Schyler schob ihre Schwester beiseite und zog die Tür auf.

»Du weißt genau, was Cotton von *ihm* hält«, rief Ken hinter ihr.

Sie drehte sich um und überlegte einen Moment. Dann sagte sie: »Auch Cotton wird nichts daran ändern können.« Sie schaute zu Cash und nickte zum weitläufigen Foyer hinter der Tür. Zum ersten Mal in seinem Leben trat Cash Boudreaux über die Schwelle von Belle Terre.

Mrs. Graves stand im Foyer und sah aus wie der letzte aufrechte Wächter der Pforte zum Paradies. »Ist eines der Gästezimmer bereit?« fragte Schyler sie.

»Nicht für *so eine*.« Sie verschränkte die Arme vor ihrer flachen Brust, als wollte sie zeigen, daß sie nichts mit dem, was hier geschah, zu tun haben wollte.

»Dann bringen wir sie in mein Zimmer«, sagte Schyler ganz ruhig. »Und Sie bereiten das Gästezimmer für mich vor.« Sie ging auf die Treppe zu. »Ach, übrigens, Mrs. Graves, das wird auch das letzte sein, was Sie auf Belle Terre tun. Bitte packen Sie Ihre Sachen. In einer Stunde können Sie sich von mir einen Abfindungsscheck abholen.«

Schyler lief Cash voran die geschwungene Treppe hinauf. Mrs. Graves starrte ihnen mit offenem Mund nach. Tricias und Kens Mienen waren wie versteinert. Schyler ignorierte ihre Blicke und zeigte Cash den Weg zu ihrem Zimmer. Er ging voran; als sie die Tür erreichte, legte er Gayla gerade auf ihr Bett.

»Das wird eine Menge Scherereien geben.« Als er die Arme unter Gaylas reglosem Körper hervorzog, war die Vorderseite seines Hemdes blutgetränkt.

»Das ist egal. Ich habe unten noch größere Scherereien«, murmelte Schyler, als sie sich über Gayla beugte. »Ich werde sie ausziehen, und du rufst einen Arzt.«

»Keinen Arzt.«

»Was?« Schyler richtete sich auf und starrte ihn verständnislos an.

»Zieh sie schon mal aus. Ich bin bald wieder zurück.« Er ging zur Tür.

»Warte!« rief Schyler ihm nach. Ihre Finger rutschten an seinem blutigen Ärmel ab, aber es gelang ihr, Cash aufzuhalten. »Aber du hast doch gesagt, du könntest einen Arzt herschaffen. Wo willst du denn jetzt hin?«

»Ich bin der Arzt, und ich werde jetzt meine Sachen holen.«

Sie erbleichte. »Spinnst du? Sie braucht ärztliche Hilfe. Sie könnte sterben. Das ist kein Moskitobiß, Cash. Sie hat Blutungen, und ich weiß nicht einmal —«

»Es sind vaginale Blutungen. Sie hat eine Fehlgeburt gehabt.«

Schyler schnappte nach Luft und hielt dann den Atem an. Sprachlos schaute sie Cash an. »Ich weiß, wovon ich rede. Meine Mutter hat ein Baby verloren. Und es war niemand da, der ihr hätte helfen können. Also mußte ich es tun. Sie hat mir gesagt, was zu tun ist. Ich weiß also, wovon ich rede.«

Schyler wirbelte herum und langte nach dem Telefon. Sie hob den Hörer ab, aber noch ehe sie ihn ans Ohr halten konnte, hatte Cash ihn ihr aus der Hand gerissen und wieder auf die Gabel krachen lassen. »Du hast Gayla ein Versprechen gegeben.«

»Dafür übernehme ich nicht die Verantwortung.«

»Du *hast* es versprochen.«

»Aber da wußte ich nicht, daß es so ernst ist. Was, wenn sie stirbt?«

Cash packte sie bei den Schultern. »Ich kann ihr helfen. Vertrau mir.« Er drückte ihre Schultern. »Vertrau mir.«

Schyler schaute ihm in die Augen, dann hinunter zu Gayla. Sie sank zusammen. Leise sagte sie: »Wenn unten irgendwer versuchen sollte, dich aufzuhalten —«

»Keine Bange. Sie könnten mir keine größere Freude machen.«

Schyler sah ihm nach und hoffte inständig, daß sie sich richtig entschieden hatte. Dann wandte sie sich um und ging zum Bett.

36. KAPITEL

Schyler nutzte die Zeit bis zu Cashs Rückkehr, um Gaylas Wunden mit einem feuchten Tuch zu säubern. Schmutz und getrocknetes Blut hatten das wahre Ausmaß der Prügel verdeckt. Aber nun wuchs Schylers Mitleid mit ihrer Freundin ebenso wie ihr Haß auf Jigger Flynn. Als Cash schließlich wieder zur Tür hereingestürmt kam, standen Schyler Tränen in den Augen.

»Sie hat am ganzen Körper blaue Flecken und Wunden.«

»Jigger ist alles andere als ein zärtlicher Liebhaber«, entgegnete Cash.

»Er ist ein Tier«, sagte Schyler. »Und er gehört hinter Schloß und Riegel.«

»Du sagst es.« Cash setzte sich auf die Bettkante und musterte Gaylas Gesicht. »Wie geht es ihr sonst?«

»Keine Blutungen mehr.«

»Gut. Irgendwelche anderen Anzeichen?«

»Sie ist bei Bewußtsein. Sie hat gestöhnt, als ich sie gewaschen habe.«

Cash legte Gayla die Hand auf die Stirn. »Gayla«, sagte er mit sanfter Stimme, »wach auf. Ich muß dir ein paar Fragen stellen.« Ihre Lider öffneten sich flatternd. Sie schaute erst zu Cash, dann hinüber zu Schyler. »Du bist auf Belle Terre. In Sicherheit.«

»In Sicherheit.« Sie sahen, wie ihre aufgeplatzten und geschwollenen Lippen ungläubig diese Worte formten. Friedlich schloß sie die Augen.

»Du darfst nicht wieder einschlafen.« Cash schüttelte sie wach. »Ich werde dich jetzt verarzten, aber dazu mußt du mir erst noch einige Fragen beantworten.«

Mühsam schlug Gayla die Augen auf. »Okay.«

Er öffnete seinen Lederbeutel und holte ein Gefäß mit Salbe hervor. Er schlug die Bettdecke zurück und machte sich daran, die gelbliche Substanz auf die Schrammen an ihren Armen und der Brust zu reiben. »In welchem Monat warst du?«

Tränen traten ihr in die Augen, als die alte Furcht sie erneut ergriff. Ihr Gesicht bebte. »Ich konnte das Baby doch nicht zur Welt bringen. Er ist ein böser Mann; das ging doch nicht.«

»Es gibt kein Baby mehr.« Cash drückte ihr zur Beruhigung die Hand. »Wie weit warst du, als die Blutungen anfingen? Wie lange vorher hattest du deine letzte Periode?«

»Sechs, acht Wochen vielleicht.«

»*Bien.*«

»Ich hab die Medizin genommen, die Sie geschickt haben.«

»Medizin?« fragte Schyler Cash erstaunt. »Du hast schon vorher davon gewußt?«

Er bedeutete ihr, still zu sein. Gayla sprach noch immer mit sehr schwacher Stimme. »Jigger meinte, Sie hätten ihm gesagt, das würde mich schnell wieder gesund machen.«

Erneut fuhr Schyler Cash an. »Du hast diesem Kerl Medizin für sie gegeben?«

»*Oui.* Und jetzt sei endlich still.«

»Du hast mit *ihm* Geschäfte gemacht?« Schyler war außer sich.

»Ja, habe ich«, entgegnete Cash barsch. »Er kam zu mir und sagte, Gayla würde bluten. Daß sie eine Fehlgeburt gehabt habe. Was hätte ich denn tun sollen? Ihn wegschicken?«

»Du hättest es mir wenigstens erzählen können.«

»Wozu? Damit du losrennst und dich in Sachen einmischst, die dich nichts angehen? Damit du ihm noch mal einen Besuch mit einem Gewehr abstattest und er so richtig stinksauer auf dich wird?« Schyler verstummte, aber innerlich kochte sie. »Außerdem ging es Cotton zu diesem Zeitpunkt besonders schlecht. Es sah aus, als würde er es nicht überleben. Du hattest doch den Kopf mit anderen Dingen voll.«

Er widmete sich wieder seiner Arbeit. Er legte einen Finger auf eine kreisrunde Narbe auf Gaylas Brust. »Er hat sie mit einer Zigarette verbrannt.« Gayla wimmerte bei der schrecklichen Erinnerung daran. Cash sah sie mitfühlend an. »Was hat die Fehlgeburt ausgelöst?«

Gayla rollte sich zur Seite und verbarg ihr Gesicht im schneeweißen Kissen. Schyler und Cash sahen einander verwirrt an. Sie hatte gesagt, daß sie Jiggers Baby nicht hatte austragen wollen, aber nun schien sie sich der Fehlgeburt zu schämen. Cash berührte sie bei der nackten Schulter und drehte Gayla wieder herum. »Gayla, sag mir, was passiert ist. Ist Jigger zu grob zu dir gewesen?«

Langsam schüttelte sie den Kopf. Tränen rannen ihr über die zugerichtete Wange. »Ich hab's selbst gemacht. Ich hab die Blutung ausgelöst.«

»Meine Güte«, schnaubte Cash.

Schyler hob beide Hände an die Lippen und drückte sie, bis das Blut aus ihnen gewichen war.

»Ich konnte dieses Baby nicht kriegen«, beteuerte Gayla mit belegter Stimme. »Ich werde dafür in die Hölle kommen, daß ich's umgebracht habe, nicht wahr? Gott wird mich in die Hölle schicken, weil ich mein Baby umgebracht habe.«

Sie war kurz vor einer Hysterie. Cash beugte sich über sie und drückte sie wieder auf die Kissen. »Du wirst nicht in die Hölle kommen, Gayla. Du bist nicht diejenige, die gesündigt hat. Du bist es, an der gesündigt worden ist. Hat die Medizin, die ich dir geschickt habe, denn geholfen?«

»Ja. Danke auch, Mr. Boudreaux. Ich war wirklich krank, bis Jigger mir die Medizin gebracht hat. Ich hab' mich genau an die Anweisungen gehalten und alles eingenommen. Da hat das Bluten aufgehört. Ich hab mich schon viel besser gefühlt, aber dann...«

Gayla schaute zu Schyler. In ihren dunklen Augen schimmerten Tränen der Reue. »Dann hat er mich gezwungen, mit einem seiner Kunden mitzugehen.« Ihre Worte waren kaum zu verstehen. »Ich wollte nicht. Ich hab' ihm gesagt, ich kann das nicht tun, weil ich doch noch nicht wieder ganz gesund bin, aber —« Wieder drückte sie ihr Gesicht in die Kissen. »Der Mann hat hundert Dollar für mich bezahlt. Jigger hat mich gezwungen, mitzugehen.«

Cash schaute zu Schyler. Diese schüttelte nur fassungslos den Kopf.

»Hat dieser Mann dich zum Sex gezwungen?« fragte Cash. Gayla nickte. Cash fluchte. »Und warum hat Jigger dich heute verprügelt?«

»Weil ich mich geweigert habe, heute noch mal mitzugehen. Ich habe Jigger gesagt, daß ich mich nicht gut fühle, und daß ich wieder blute. Aber er wollte nicht, daß der Mann böse auf ihn wird.«

»War es wieder derselbe Mann?«

»Ich glaube, ja. Ich habe sein Auto gesehen.«

»Wer ist dieser Mann?«

»Ich weiß nicht, wie er heißt. Aber er...«

»Was?«

»Er... er macht immer Fotos von mir.«

Schyler erschauerte. Cash beschloß sich Gaylas Information zu merken. »Und was genau ist dann heute nachmittag geschehen?«

»Ich habe gesagt, ich gehe nicht mit. Der Mann wollte nicht mehr warten und ist weggefahren. Dann hat mich Jigger mit seinem Lederriemen verprügelt. Und das« – sie deutete auf ihr geschwollenes Kinn – »hat er mit der Faust gemacht. Er hatte eine Kette drum gewickelt.«

Cash bedachte Jigger mit einem wüsten Schimpfwort, das, wie Schyler fand, nur zutreffend war.

»Er hat mich in den Schuppen gesperrt und gesagt, ich soll mal drüber nachdenken, was ich gemacht habe.« Gaylas Lippen zitterten. »So schlimm hat er mich noch nie verprügelt. Ich wußte: das nächste Mal wird er mich totschlagen. Ich mußte weglaufen, als ich die Chance hatte.« Angst verzerrte ihr Gesicht. »Er wird mich umbringen, wenn er mich hier findet.«

»Er kann dir nichts tun, solange du hier bist«, beruhigte Schyler ihre Freundin und legte ihr die Hand auf den Arm. »Du mußt nie wieder Angst vor ihm haben.«

Gayla schien nicht so sicher zu sein. »Du haßt mich nicht für das, was ich getan habe, Schyler?«

»Natürlich nicht. Du konntest doch nichts dafür.«

»Mama konnte nicht mehr arbeiten gehen. Sie war so krank. Ich mußte für sie sorgen, ihr Medikamente kaufen. Ich konnte keinen Job finden, also habe ich als Kellnerin in einem miesen Schuppen gearbeitet. Mama hätte mich umgebracht, wenn sie davon gewußt hätte. Ich habe ihr erzählt, ich würde im Supermarkt arbeiten.«

Sie benetzte sich die Lippen und krallte sich in den Saum des Lakens, mit dem Cash sie zugedeckt hatte. »Mama wurde noch schlimmer krank. Ich fragte Jigger um Arbeit. Er sagte, es gäbe nur einen Weg, wie ich noch mehr verdienen könnte.«

»Nicht, Gayla«, sagte Schyler.

»Ich ging mit dem ersten Mann mit, weil es mir fünfzig Dollar einbrachte. Hinterher habe ich geweint und geweint wegen Jimmy Don. Ich wußte, er wird mich hassen, wenn er es je herausfindet. Ich dachte, es wäre nur das eine Mal. Das ist alles, ich schwöre es. Ich wollte gar keine Hure werden.«

»Ich weiß. Du mußt es mir nicht weiter erklären.«

»Aber diese fünfzig Dollar waren schnell ausgegeben. Und ich brauchte noch mehr Geld. Ich ging mit einem anderen Mann mit. Und mit noch einem. Jigger brachte sie dauernd an.«

»Gayla, niemand verlangt eine Beichte von dir«, sagte Cash. Er nahm die schluchzende Frau in den Arm und sagte zu Schyler: »Ich muß sie untersuchen. Kannst du ihr etwas zu trinken holen? Heißen Tee? Irgendwas?«

Schyler drückte noch einmal Gaylas Arm, bevor sie aus dem Zimmer ging. Sie zog die Tür hinter sich zu, holte tief Luft und lehnte sich für einen Moment gegen die Wand. Sie war ausgelaugt, geistig und körperlich, aber jetzt war keine Zeit, um sich auszuruhen. Sie ging nach unten.

Ken war nirgends zu sehen. Tricia befand sich im vorderen Salon. Sie unterbrach ihr rastloses Auf und Ab, als sie Schyler sah, und folgte ihr wutschnaubend in die Küche. Schyler stellte den Kessel auf den Herd und setzte Teewasser auf.

»Das hast du doch nicht ernst gemeint mit Mrs. Graves, oder?«

»Danke, daß du mich daran erinnerst, Tricia. Ich muß ihr noch einen Scheck ausstellen.«

»Ich werde nicht zulassen, daß du sie rausschmeißt.«

»Das habe ich bereits. Ich kann diese Frau nicht ausstehen. Seit ich zurückgekommen bin, ging es mir so mit ihr.«

»Aber du kannst sie nicht einfach so feuern.« Tricia schnippte dicht vor Schylers Gesicht mit den Fingern. »Nur weil sie laut ausgesprochen hat, was Ken und ich dachten. Irgendwas stimmt nicht mit dir, Schyler. Du gehst in allem zu weit. Und in letzter Zeit verhältst du dich sehr unvernünftig.«

»Ich habe Mrs. Graves gefeuert, weil sie eine Freundin von mir beleidigt hat. Auch wenn die Freundin bewußtlos war und es nicht mitbekommen hat. Und was mein ›unvernünftig sein‹ angeht – vielleicht hast du recht.« Sie stellte die Kanne mit dem zubereiteten Tee auf ein Tablett. »Mrs. Graves kann mit ihrem Auszug noch bis morgen früh warten. Ich habe jetzt wirklich nicht die Zeit, die Sache mit dem Scheck zu regeln.«

Tricia war baff. Sie folgte Schyler dicht auf den Fersen, als diese zur Treppe ging. »So kommst du mir nicht davon! Was glaubst du eigentlich, wer du bist? Kommst nach sechs Jahren wieder nach Hause, mischst dich in alles ein und bringst alles durcheinander, was ich in diesen Jahren getan habe!«

Schyler wandte sich zu ihr um. »Alles, was du getan hast, Tricia, bedarf einer Änderung.«

Tricia richtete sich drohend auf. »Gleich morgen früh wird Daddy davon erfahren.«

Schyler setzte das Tablett auf dem Tisch im Foyer ab und drückte Tricia gegen die Wand. »Nein, das wird er nicht«, sagte sie nicht minder drohend. »Hast du mich verstanden?«

»Du wirst schon sehen…«

»Was meinst du wohl, was passiert, wenn du ins Hospital fährst und es ihm erzählst? Er wird sich aufregen. Er könnte einen erneuten Herzinfarkt erleiden. Er könnte sogar sterben. Ganz plötzlich. Und was wäre dann mit all deinen Plänen, Belle Terre zu verkaufen? Die könntest du für alle Zeit vergessen. Weil ich mir absolut sicher bin, daß Daddy alles zu gleichen Teilen unter uns aufgeteilt hat, und ich würde dich eher in der Hölle schmoren sehen, als meine Hälfte zu verkaufen. Deine Chancen, Cotton zu einem Verkauf zu überreden, sind so gering, daß es nicht der Rede wert ist. Aber bei mir hast du überhaupt keine Chance.« Sie nahm das Tablett wieder auf. »Denk drüber nach, bevor du zu Cotton fährst und anfängst zu tratschen.«

Als sie ihr Zimmer betrat, deckte Cash gerade Gayla liebevoll zu. Schyler schaute ihn fragend an.

»Ich denke nicht, daß sie in Lebensgefahr schwebt. Sie hat unglaubliches Glück gehabt.« Er fuhr sich mit den Fingern durch das ohnehin schon zerzauste Haar. »Glaub mir, du würdest die Details nicht hören wollen. Es ist ein Wunder, daß sie nicht verblutet ist.«

»Braucht sie eine Transfusion?« Schyler schaute auf Gayla hinab und sprach bewußt leise.

»Das hatte ich anfangs befürchtet, aber jetzt nicht mehr. Wenn, dann hätte ich sie ins Krankenhaus gefahren. Es war keine Uterusblutung. Sie war… nun ja… sie war innen aufgekratzt.« Schyler zuckte zusammen. »Ich habe im Bad ein paar Binden gefunden. Wechsle sie regelmäßig. Sollte die Blutung wieder stärker werden, sag mir Bescheid. Wenn sie einige Tage im Bett bleibt, müßte es ihr bald besser gehen.«

»Was ist mit ihrem Gesicht?«

»Keine ernste oder bleibende Verletzung. Wenn die Schwellungen zurückgehen, wird sie so hübsch sein wie eh und je. Die Schrammen und Kratzer werden abheilen.«

»Nach dem Trauma, das sie in den letzten Jahren durchlebt hat, weiß ich nicht, ob sie je wieder ganz gesund werden wird.« Schyler reichte ihm das Tablett. »Hier ist der Tee.«

Cash griff wieder in seinen Beutel und holte ein schmales Fläschchen hervor. Er entkorkte es und gab einige Tropfen des Inhalts in den Tee. »Was ist das?« fragte Schyler.

»Ein uraltes Mittel, das seit Generationen von *traiteur* zu *traiteur* weitergereicht wird. Es wird dafür sorgen, daß Gayla einige Stunden durchschläft.« Er hob Gaylas Kopf von den Kissen. »Komm, Gayla, trink einen Schluck.« Er hielt ihr die Tasse an die geschwollenen Lippen. »Dann hast du das Gefühl, als würdest du auf einem fliegenden Teppich direkt ins Nirwana gleiten.«

Gayla nippte an dem starken Tee und schaute zu Schyler auf. »Warum tust du das alles für mich?«

»Dumme Frage, Gayla. Ich habe deine Mutter geliebt. Und ich liebe dich.«

»Ich verdiene es nicht, geliebt zu werden«, sagte sie schläfrig. »Nicht einmal Gottes Liebe habe ich verdient.«

»Er liebt dich auch.«

Gayla schüttelte den Kopf. »Nicht, nachdem ich mein Baby umgebracht habe. Das ist eine Todsünde. Aber das macht nichts mehr. Jimmy Don könnte mich nie wieder lieben, nachdem ich es mit so vielen Männern gemacht habe. Und ich habe Jimmy Don mehr geliebt, als ich Gott liebte.« Sie schaute hoch zu ihnen; ihr Blick war bereits getrübt von Cashs Mittel. »Meinst du, daß Gott deshalb zugelassen hat, daß Jigger mich gekriegt hat? Ist Gott eifersüchtig auf Jimmy Don gewesen?«

Cash stellte die leere Tasse auf den Nachttisch. »Ich bin wahrlich kein Prophet, Gayla. Aber ich glaube nicht, daß Gott so mies mit den Menschen umspringt, wie es die Menschen untereinander tun.«

Gayla schien diese sehr ungewöhnliche Deutung der Religion

zu trösten. Sie schloß die Augen. Sekunden später wurde ihr ganzer Körper schlaff. »Sie schläft«, sagte Cash und erhob sich.

Erst jetzt fiel Schyler auf, wie müde er aussah. Sie räusperte sich. »Cash, ich weiß gar nicht, wie ich dir danken soll.«

»Spar dir die Mühe. Ich habe es nicht für dich getan.«

»Schon, aber —«

Das plötzliche Klopfen an der Tür unterbrach sie mitten in ihrem Satz. Sie war zu überrascht, um zu reagieren. Cash tat es und knurrte drohend: »Wer ist da?«

»Deputy Sheriff Walker.«

Cash fluchte leise, dann rief er: »Einen Moment.«

Er umfaßte Schylers Nacken mit einer Hand und zog sie zu sich. Er küßte sie heftig, bis ihre Lippen rot und naß glänzten. Er rieb seinen Stoppelbart sehr unsanft an ihrem Hals. Dann öffnete er die obersten zwei Knöpfe ihrer Bluse, langte hinein und zog den Träger ihres BHs herunter.

»Versuch, so auszusehen, als hätten wir es gerade getrieben.«

37. KAPITEL

»Zum Teufel, was ist los? Ich hoffe nur, es ist was Wichtiges.«

Deputy Walker fuhr zusammen, als Cash Boudreaux wutentbrannt die Tür aufriß. Er verfluchte sein verdammtes Pech. Sheriff Patout hätte ihm die Hölle heißgemacht, wenn er dem Anruf nicht nachgegangen wäre, aber er war auch nicht gerade scharf darauf, sich mit Boudreaux anzulegen. Und so, wie der Cajun aussah, war er nicht gerade in Festtagslaune. Er war ohnehin alles andere als ein angenehmer Zeitgenosse. Man durfte sich nicht wundern, wenn einem dieser schräge Vogel glatt ein Messer in die Rippen jagte. Aber es war nunmal seine Pflicht als Deputy, hier nach dem Rechten zu sehen.

Cash versperrte den schmalen Spalt zum Zimmer mit seinem Arm am Türpfosten. Der Deputy spähte an ihm vorbei und gab sich alle Mühe, wie eine Respektsperson aufzutreten. Was nicht leicht war für einen jungen Mann, der sich noch nicht regelmäßig rasieren mußte.

»Hallo, Cash. Miss Schyler.« Er tippte sich zum Gruß an den Hut und schaute zu der Frau, die im Hintergrund stand: ihr Mund war leicht wundgescheuert wie nach einem Kuß, und in ihrem Blick lag ein benommener Ausdruck. Verdammt, hatte dieser Boudreaux ein Schwein! Sein legendärer Schwanz verschaffte ihm selbst zwischen die vornehmsten Schenkel Einlaß.

Walker riß sich zusammen: schließlich war er dienstlich hier.

»Wir haben einen Anruf bekommen. Mister Howell meinte, hier im Haus gäbe es Ärger. Ist da was dran?«

»Ärger im Haus...« Cash rollte mit den Augen und fluchte. »Dieser Blödmann. Redet der von Gayla? Gayla hatte nur einen kleinen Unfall. Hat sich ein bißchen wehgetan, ein paar Schrammen, mehr nicht. Da richte ich ja sogar noch mehr an, als sie sich zugezogen hat.«

»Was meinst du damit, Cash? Was ist hier los?«

»Na ja...« meinte Cash betont lässig und schaute über die Schulter zu Schyler. »Ich muß dir ja wohl nicht *alles* erzählen, oder?«

Der Deputy räusperte sich wichtigtuerisch. »Doch, mußt du. Alles.«

Cash starrte ihn böse an und fluchte dann offensichtlich verärgert. »In Ordnung. Weißt du, Schyler und ich hatten ein kleines Picknick draußen im Wald.« Er nickte nach hinten; Deputy Walker schaute in die Richtung und sah die Champagnerflasche auf dem Nachttisch. »Und ich war gerade dabei... nun, ich habe nicht unbedingt an einem gebratenen Hühnchen geknabbert, verstehst du, was ich sagen will? Okay, ich war also gerade mächtig auf Touren, als plötzlich eine von Jiggers Nutten den Hügel runtergestolpert kam.«

Walker lachte schallend. »Du und ich, wir haben beide schon Nutten mit den Füßen in der Luft gesehen, was?«

Cashs Miene verfinsterte sich. Sein Blick wurde eiskalt. Walker fing an zu schwitzen und verfluchte seine Blödheit. Er war eindeutig zu weit gegangen.

Aber Cash fuhr fort: »Okay. Ich hab mir nichts dabei gedacht. Ich wollte einfach nur weitermachen, womit ich angefangen hatte.« Er runzelte die Stirn. »Ich hatte ganz vergessen, daß sich

Schyler und Gayla von früher her kennen. Sie machte sich Sorgen, weil Gayla verletzt war, und bat mich, sie zu verarzten. Tja, wir haben also unser... äh, *Picknick* abgebrochen und Gayla hierher gebracht. Sie schläft jetzt, aber wenn du reinkommen und es dir selber ansehen willst...« Er machte den Weg frei.

Der Deputy schaute zum Bett, wo Jiggers Hure tatsächlich friedlich schlummerte. Er sah zu Schyler und errötete bis in die Haarspitzen. Kein Zweifel, sie sah aus, als wäre sie das Hauptgericht bei einem Picknick mit Cash Boudreaux gewesen. Die Kleidung zerknittert, das Haar zerzaust; es schien ihr mehr als peinlich zu sein, mit Boudreaux erwischt worden zu sein. Sie trat von einem Fuß auf den anderen und nestelte nervös an den offenen Knöpfen ihrer Bluse, die einen tiefen Einblick bot. Er hätte sich das gern von nahem besehen, aber das hätte dem Cajun sicher nicht geschmeckt. Cash war sehr eigen und leicht reizbar in solchen Dingen.

»Nein, ist schon in Ordnung, Cash. Nicht nötig, daß ich extra reinkomme.« Walker wollte wieder gehen, hielt dann aber inne. »Es ist nur... Na ja, Mr. Howell meinte, Jigger Flynn hätte eventuell was damit zu tun.«

»Jigger? Hast du Jigger hier irgendwo gesehen, Schyler?« fragte Cash sie über die Schulter.

»Äh... nein.« Sie fuhr sich mit der Hand über ihr zerzaustes Haar. »Den habe ich nirgends gesehen.«

Cash zuckte die Achseln. »Wir haben nur Gayla gesehen, wie sie kopfüber den Hügel runterkam.«

»Aber was hat die denn ganz allein draußen im Wald gemacht?«

»Woher, zum Teufel, soll ich denn... Nein, warte. Auf dem Weg hierher hat sie was gemurmelt von einer Vereinigung mit Gott.«

»Gott?«

»Hör zu, ich hab doch auch keine Ahnung, was sie damit gemeint hat, okay?«

»Äh, ja, okay.«

»Wär's das dann?«

»Tja —«

308

»Wenn ja, dann verzieh dich, Walker. Wir haben Besseres zu tun.« Er beugte sich vor und flüsterte: »Gib mir 'ne Chance, Walker. Ich hab einen Ständer so hart wie 'n Besenstiel. Und so allmählich muß ich annehmen, daß ich heute nicht mehr zum Vögeln komme.«

Walker lachte und knuffte Cash in die Rippen. »Das kenne ich, Mann.«

»Dann hab ein bißchen Mitleid und mach, daß du verschwindest.«

Lauter als nötig sagte Walker: »Tja, dann werd ich jetzt wohl mal wieder. Tut mir leid, daß ich Sie *aufgehalten* habe.« Er zwinkerte Cash zu. »Miss Schyler, Ma'am.« Er tippte sich an den Hut und wandte sich zum Gehen. Er hatte fast die Treppe erreicht, als Schyler ihn überraschend einholte.

»Ich werde Sie zur Tür begleiten, Mr. Walker.«

Sie ging neben ihm her. Walker fand, das bewies echte Klasse. Selbst eine Lady ohne Höschen blieb immer noch eine Lady. Als sie nebeneinander die Treppe hinuntergingen, schaute er sich um. Er hatte sich gar nicht so schlecht geschlagen. Es hatte keinen Streit mit Boudreaux gegeben, und er hatte Belle Terre mal von innen gesehen.

Da hatte er nach Schichtende seiner Frau eine Menge zu erzählen. Sie würde ihn mit Fragen löchern und wissen wollen, wie dieses und jenes ausgesehen hatte. Verdammt! Er hatte gar nicht darauf geachtet, welche Farbe Miss Schyler Crandalls Schlafzimmerwände hatten. Ach, zum Teufel, dann würde er sich eben etwas ausdenken. Seine Frau würde ja doch nie wissen, wie es wirklich war.

Es herrschte angespanntes Schweigen, als sie den Salon durchquerten. Ken und Tricia beobachteten sie von der Zwischentür aus. »Nun?« fragte Ken und betrat das Foyer.

»Cash und ich haben Deputy Walker alles erklärt. Er ist auch der Meinung, daß Gayla hierbleiben sollte«, sagte Schyler mit sanfter Stimme. Sie begleitete den Deputy zur Tür. »Nochmals vielen Dank, daß Sie vorbeigeschaut haben.«

Die Tür schloß sich hinter Walker, noch ehe ihm so richtig klar war, wie ihm geschah. Schyler wandte sich zu den Howells um. Sie sahen beide so aus, als wollten sie über sie herfallen. Ehe sie groß darüber nachdenken konnte, lenkte etwas oben auf der Treppe ihre Aufmerksamkeit ab. Cash kam die Stufen herunter, lässig mit der Hand über das Geländer fahrend.

Tricia und Ken starrten ihn mit offener Feindseligkeit an. Sein Auftauchen schürte ihre Wut nur noch. »Ich werde nicht zulassen, daß diese schwarze Hure unter meinem Dach schläft«, tönte Tricia.

»Dir wird aber gar nichts anderes übrigbleiben«, entgegnete Schyler. »Gayla wird solange hierbleiben, wie sie will. Wenn ich die Gelegenheit habe, Cotton die Situation zu erklären, wird er meiner Entscheidung todsicher zustimmen.« Müde, wie sie war, forderte sie die beiden damit heraus.

Ken nahm die Herausforderung an. »Und was ist mit dem da? Hast du ihn auch eingeladen, hier zu übernachten?«

»Danke, aber ich habe schon anderweitige Pläne«, erwiderte Cash höflich, wenn auch mit einem höhnischen Grinsen.

Tricia schaute Cash herablassend an, als sie an ihm vorbei die Treppe hochging. »Entschuldigen Sie«, sagte sie übertrieben höflich.

Ken war weniger subtil, als er an Cash vorbeiging. »Das wird dir noch leidtun, Boudreaux.«

»Das bezweifle ich.«

Sekunden später fiel die Tür zum Schlafzimmer der beiden krachend ins Schloß. Schyler atmete schnaufend aus. »Ich werde hier wohl sobald keinen Beliebtheitspreis mehr gewinnen.«

»Macht dir das was aus?«

»Nein, eigentlich nicht.« Sie stand ihm verlegen gegenüber und wußte nicht wohin mit ihren Händen. Kens und Tricias Wutanfällen konnte sie ohne Probleme Paroli bieten, aber Cashs fester Blick ließ sie unsicher werden, besonders im Licht der Lüge, die er dem Deputy auf die Nase gebunden hatte. Sie spürte die wunden Stellen an ihren Lippen. Sie hatte noch nicht in den Spiegel geschaut, aber sie wußte auch so, wie sie aussah. Auf jeden Fall nach einem mehr als leidenschaftlichen Kuß. Was ihr bei Ken und Tricia sicher keine Pluspunkte eingebracht hatte.

»Ich mag es nicht, in deiner Schuld zu stehen«, sagte sie.

»Und was willst du mir anbieten?«

»Was möchtest du denn haben?«

»Das weißt du doch verdammt gut. Aber im Moment würde schon ein Drink all deine Schulden bei mir tilgen.«

»Hier lang.«

Sie wandte sich um und führte ihn in den Salon: doch er blieb in der Tür zum Eßzimmer mit den Wänden aus gelber Seide stehen. Schyler drehte sich zu ihm um und musterte ihn mehrere Sekunden neugierig. »Cash? Kommst du?«

»*Oui*«, sagte er abwesend und flüsterte: »Für dich. *Maman.*«

Schyler ging zu der Anrichte, auf der die Getränke standen, und griff zu einer Karaffe mit Bourbon. Sie schenkte sehr großzügig ein. »Eis? Wasser?«

Als Cash nicht antwortete, drehte sie sich um und ertappte ihn dabei, wie er sich langsam um sich selbst drehte und alles in diesem Raum in sich aufsog. »Cash?« Sofort reagierte er. »Wie möchtest du deinen Drink?«

»Pur.« Er kam zu ihr, nahm ihr das Glas ab und leerte es in einem Zug. Er hielt ihr das Glas hin; Schyler schenkte nach. Er leerte es auf dieselbe Weise.

»Das waren aber zwei Drinks«, sagte sie.

»Schätze, dann stehe ich jetzt in deiner Schuld.«

»Kein schlechter Tausch.« Da er sein Glas abgestellt hatte, verschloß sie die Kristallkaraffe wieder.

»Nimmst du keinen?«

»Eiswasser.« Die zwei Eiswürfel, die sie aus dem silbernen Behälter nahm, klimperten laut in ihrem Glas. Sie gab Wasser darüber und nahm einen Schluck. »Champagner macht mich immer durstig.«

»Und betrunken.«

»Ich hätte dich warnen sollen.«

»Mir hat's nichts ausgemacht.«

Er war der erste, der nach einem langen Blick wegschaute. Er nahm die luxuriöse Umgebung auf, die von Wohlstand und Vornehmheit kündete, die Generationen alt war. »Du bist noch nie hier im Haus gewesen, stimmt's?«

»Stimmt«, antwortete er lapidar. »Echt hübsch hier.«

»Die meisten Möbel in diesem Raum sind Nachbildungen. Die Union Army hat damals das Haus völlig ausgeplündert. Den Rest haben sie verbrannt. Nur der Teppich und die Uhr auf dem Kaminsims sind Originale aus der alten Zeit. Ein wagemutiger Laurent hat beides gerade noch retten können.«

»Wie ist die Familie denn überhaupt zu diesem Reichtum gekommen?«

»Durch Holz natürlich. Aber sie haben das Geld, das sie aus Frankreich mitbrachten, auch in mehrere Plantagen investiert. Zuckerrohr. Reis. Aber diese Plantagen hat kaum je einer aus der Familie zu Gesicht bekommen; sie lagen weit entfernt. Hier in der Gegend wurde nur das Nötigste für den Haushalt angebaut.«

»Wer ist das?«

Sie schaute auf das Ölporträt über dem Kaminsims. »Macys Urgroßmutter.«

Cash schaute auf die dünne, bleiche Frau auf dem Gemälde. »Nicht übel. Nicht gerade umwerfend, aber nicht übel.«

»Wie voreingenommen!«

Er schaute zu Schyler und ließ seinen Blick über ihr Haar, ihr Gesicht und ihren Körper wandern. Anders als Walker vorhin schaute er ihr dreist auf den Busen. Er berührte sogar die weiche Haut und ließ die Fingerspitze über die sanften Kurven gleiten, während er fragte: »Wird dein Porträt eines Tages auch dort hängen? Meinst du, dann wird ein Paar aus der Nachkommenschaft genau an dieser Stelle stehen und über deine Eigenschaften diskutieren?«

»Ich glaube kaum, daß ich je ein Porträt von mir anfertigen lasse. Und wenn, dann wäre es nicht recht, es hier aufzuhängen.«

»Wieso das nicht?«

»Weil ich keine Laurent bin. Nicht mal zur Hälfte. Es war reiner Zufall, daß ich hier auf Belle Terre aufgewachsen bin.«

Er musterte sie einen langen Augenblick, dann zog er abrupt seine liebkosende Hand weg. »Ich muß jetzt los. Gayla müßte in ein paar Tagen wieder auf den Beinen sein. Ich habe etwas von der Salbe auf den Tisch neben dem Bett gestellt. Reib damit zweimal am Tag die Wunden an Armen und Beinen ein.«

»Meinst du, Jigger wird herkommen und nach ihr suchen?«

»Würde mich nicht überraschen. Sei vorsichtig.«

Er war bereits an der Tür, ehe Schyler ihn eingeholt hatte. Sie war verwirrt ob seiner plötzlichen Eile. Und sie war auch seltsam enttäuscht. »Sehe ich dich morgen früh im Werk?«

Er schüttelte den Kopf. »Ich werde gleich rausfahren, wo wir schlagen, und die Bäume markieren. Immerhin haben wir eine Bestellung, die wir erfüllen müssen – schon vergessen?«

»Ehrlich gesagt, ja. Seit dem Treffen mit Joe Jr. ist soviel passiert.« Sie begleitete Cash hinaus auf die Veranda; auf ihr unerklärliche Weise wollte sie nicht, daß er jetzt ging. »Cash?« Er drehte sich zu ihr um. »Was du dem Deputy erzählt hast... ich meine, diese Lüge...«

»Das war es ja wohl kaum, oder?«

»Doch, das war es. Und es hat mir gar nicht gefallen.«

»Pech. Ich hatte keine Zeit, dich vorher zu fragen.«

»Morgen wird das überall rum sein, und die Leute werden sich erzählen, wir hätten es im Wald getrieben.«

»Das ist der Preis dafür, Gayla hier zu haben. Bereust du es?«

»Nein, natürlich nicht. Nur...«

»Nur...?«

»Ich wünschte nur, du hättest Walker etwas anderes erzählt.«

»Ich mußte seine Neugierde auf uns lenken.«

»Was du mit deiner Lüge ja auch geschafft hast.«

»*Oui*, da hast du recht.«

Sie benetzte die Lippen. Sie schmeckten noch immer nach ihm. Die wunden Stellen brannten noch ein wenig. »Fällt dir das Lügen immer so leicht?«

Er trat hinaus in die Dunkelheit, die ihn verschluckte. »Immer.«

38. KAPITEL

»Vermutlich erwartest du auch noch, daß ich mich um sie kümmere.«

»Ganz im Gegenteil, Tricia. Ich erwarte von dir, daß du so tust, als wäre sie gar nicht hier.«

»Gut. Genau das habe ich nämlich auch vor.«

Die beiden Schwestern standen unten in der Eingangshalle. Schyler war auf dem Weg zur Arbeit. Sie hatte gerade mit Cotton telefoniert und versprochen, ihn am Nachmittag zu besuchen und alles über ihr Gespräch mit Endicott zu berichten.

»Gayla hat nur etwas Tee zum Frühstück getrunken und ist dann wieder eingeschlafen«, sagte Schyler zu Tricia. »Ich habe ihr etwas Obst neben das Bett gestellt und einige von den Muffins, die Mrs. Graves gestern gebacken hat. Wenn Gayla Hunger kriegt, kann sie davon essen, ohne dich zu belästigen. Ich habe ihr auch eine Nachricht hinterlassen, daß sie mich, wenn nötig, im Büro erreichen kann.«

»Mrs. Graves ist heute morgen gegangen.«

»Gut. Eine Sache weniger, um die ich mich kümmern muß.«

»Erwarte bloß nicht, daß ich den Haushalt führe. Von mir aus kann hier alles verrotten und vergammeln.«

»Sobald ich im Büro bin, werde ich mich um eine neue Haushälterin kümmern.«

»Und was soll ich in der Zwischenzeit tun?«

Ungehalten entgegnete Schyler: »In der Zwischenzeit kannst du für dich selber sorgen oder hungern.«

Tricias Augen verengten sich zu schmalen Schlitzen. »Mich kannst du nicht so rumkommandieren wie alle anderen. Damit ist ab sofort Schluß, Schyler, hast du mich verstanden?«

»Ich bin sicher, daß dich in der Nachbarschaft alle verstanden haben, Tricia. Hör bitte auf, mich so anzuschreien.«

»Ich kann dich anschreien, wie es mir paßt. Du bist schuld daran, daß sich dieser Bastard und eine Hure in meinem Haus herumtreiben.«

Schyler war drauf und dran, ihrer Schwester eine Ohrfeige zu verpassen. Und sie hätte es auch sicher getan, wenn nicht in diesem Moment das Telefon geklingelt hätte. Anstatt die Hand gegen Tricia zu erheben, griff sie zum Hörer. »Für Ken.« Sie legte den Hörer auf den Tisch, nahm ihre Handtasche und machte sich wortlos auf den Weg.

Ken nahm den Anruf oben entgegen. »Hallo?«

»Grüß dich, Kenny.«

Schweiß trat ihm auf die Stirn. »Ich bin dran, Tricia.« Er wartete, um sicherzugehen, daß sie unten aufgelegt hatte, ehe er weiterredete. »Scheiße, was soll das? Wieso rufst du hier an? Ich hab dir doch gesagt, du sollst mich hier nie anrufen.«

»Was du gesagt hast, kümmert mich einen Scheißdreck. Ich weiß nur, daß ich mein Geld immer noch nicht habe. Und das macht mich stinksauer, wenn einer sein Wort nicht hält.«

»Ich habe dich gebeten, mir Zeit zu geben.« Ken ließ sich auf das ungemachte Bett fallen und rieb sich die Stirn.

»Und ich Trottel hab sie dir auch gegeben. Aber hab ich mein Geld gekriegt? Nein.«

»Du kriegst es schon.«

»Morgen.«

»Aber –«

»Morgen.«

Die Leitung war tot. Ken starrte lange ins Leere, ehe er auflegte. Er hatte nicht die Kraft, sich zu bewegen, also blieb er zusammengesunken auf der Bettkante hocken. Als er schließlich den Kopf hob, bemerkte er Tricia, die in der Tür stand und ihn neugierig ansah.

»Wer war das?«

»Niemand.« Er stand auf und ging zum Kleiderschrank, wo er wahllos nach einer Krawatte griff. Als er sie sich umband, erinnerte es ihn auf unangenehme Weise an eine Schlinge.

»Natürlich war das *jemand*«, sagte sie bockig. »Und sein Ton hat mir gar nicht gefallen.«

»Und mir gefällt dein Ton nicht.« Ken warf ihr einen haßerfüllten Blick zu. »Schon gar nicht so früh am Morgen.«

»Wir müssen reden.«

»Wir haben doch die ganze letzte Nacht geredet.«

»Und keins der Probleme ist gelöst. Was sollen wir mit der da machen?« Sie deutete in Richtung von Schylers Schlafzimmer, wo Gayla Frances schlief.

»Ich kann da nicht viel machen. Wir haben den Sheriff gerufen. Du hast ja selber gesehen, was es gebracht hat. Persönlich will ich nichts mit Jigger Flynn zu schaffen haben. Und wenn du klug bist, denkst du genauso.«

Tricia zündete sich eine Zigarette an und schnaubte. »Worauf du dich verlassen kannst. Noch so einer von diesem armseligen Gesindel… Dieses Volk scheint sich ja richtig breitzumachen auf Belle Terre. Wenn Schyler so weitermacht, werden wir noch zu einer Filiale der Heilsarmee.«

Ken lachte. Zum ersten Mal war Tricia nicht geschmeichelt, daß ihr Scherz angekommen war.

»Ich bin froh, daß du das alles zum Lachen findest«, schnappte sie und folgte ihm, als er die Treppe hinunterging. »Ich finde es gar nicht lustig, daß die Tochter einer ehemaligen Sklavin unter unserem Dach residiert wie die Königin von Saba. Oder daß meine Schwester« – sie sprach das Wort verächtlich aus – »hier ihre runtergekommenen Liebhaber ein und aus gehen läßt, als würde alles ihr gehören.«

»Boudreaux ist nicht ihr Liebhaber.«

Tricia lachte. »Wann wirst du eigentlich erwachsen? Natürlich ist er ihr Liebhaber. Ist dir etwa entgangen, wie sie ihn angesehen hat, als sie mit ihm die Treppe runterkam? Hast du denn keine Augen im Kopf? Oder willst du es nicht sehen?«

Nach dem Telefonat konnte Ken Tricias Lamentieren erst recht nicht ertragen. »Schau, mir gefällt's auch nicht, daß Schyler zurückgekommen ist und alles an sich gerissen hat, aber ich wüßte nicht, wie ich sie aufhalten sollte.«

Tricia warf das Haar in den Nacken und sah Ken herausfordernd an. »Tja, dann sollte dir aber ganz schnell was einfallen, Liebling.«

»Oder was?«

»Oder ich nehme die Sache selber in die Hand.« Sie lächelte verschlagen. »Und ich bin nicht so nett wie du.«

»Klopf, klopf?«

Den Telefonhörer zwischen Schulter und Ohr geklemmt, bedeutete Schyler Ken, hereinzukommen. Er schloß die Tür zum Werksbüro hinter sich.

»Das wäre wunderbar, Mrs. Dunne«, sagte Schyler und lächelte zu Ken. »Ja, da könnte man wirklich von Vorsehung sprechen... Und wir freuen uns schon, Sie auf Belle Terre zu begrüßen... Also, heute nachmittag?... Sehr schön. Bis dann.«

Sie legte auf und jubelte. »Ich kann's kaum glauben. Mrs. Dunne hat als Köchin in der örtlichen Schule gearbeitet und hat ausgezeichnete Referenzen. Vor einigen Jahren hat sie dort aufgehört, um ihren kranken Mann zu pflegen. Jetzt will sie wieder arbeiten, und es macht ihr auch nichts aus, sich um Daddy zu kümmern.« Sie hielt inne, um Luft zu schöpfen, und lächelte. »Na, was sagst du?«

»Wird sie uns etwa Kantinenfraß vorsetzen?«

»Schlimmer als das, was uns Mrs. Graves vorgesetzt hat, kann es wohl kaum sein.« Sie schüttelte sich. »Wo hat Tricia nur diese scheußliche Frau aufgetrieben?«

»Frag mich nicht. Das ist Tricias Angelegenheit.«

Sie ließ ihn Platz nehmen, ehe sie fragte: »Ken, warum hast du nichts unternommen, als sie Veda rausgeschmissen hat?«

»Weil das nicht meine Sache war«, verteidigte er sich. »Ich bin nicht so wie du auf Vedas Knien groß geworden. Für mich war sie immer nur die Haushälterin.«

»Und für mich ein Mitglied der Familie«, sagte Schyler traurig. »Es überrascht mich schon, daß es Tricia nicht ähnlich gegangen ist.« Doch dann riß sie sich zusammen und fragte: »Was führt dich hierher? Aber wo du schon mal hier bist, kann ich dir das hier gleich geben. Es ist eine Kopie des Vertrags mit Endicott.«

»Davon hast du gestern abend gar nichts gesagt.«

»Dazu hatte ich ja auch wohl kaum die Gelegenheit, Ken.«

»Boudreaux hat dich begleitet, stimmt's?«

»Ja«, gab sie zu. »Er war mir eine unschätzbare Hilfe.«

»Hmmmm. Du warst den ganzen Tag mit ihm zusammen.«

»Es war eine lange Fahrt.«

Er hatte noch weitere Fragen auf dem Herzen, aber ihm fehlte der Mut, sie auszusprechen. »Wie ist es denn gelaufen?«

»Du wirst zufrieden sein.«

Sie reichte ihm die Kopie des Vertrages und machte sich darauf gefaßt, daß er sie wegen der Zahlungsvereinbarung kritisieren würde. Aber Ken warf nur einen kurzen Blick auf die Papiere, ehe er sie zusammenfaltete und in der Innentasche seines Sommerblazers verstaute.

»Willst du es dir gar nicht durchlesen?«

»Ich werd's mir nachher in Ruhe ansehen«, sagte er. »Ich bin sicher, daß alles in Ordnung ist.« Er vermied es, ihr in die Augen zu schauen, und rutschte so nervös auf seinem Stuhl herum wie ein kleiner Junge vor einer Schulaufführung. »Eigentlich bin ich so früh hergekommen, weil ich was Persönliches mit dir besprechen muß.«

Schyler seufzte und erhob sich von ihrem Stuhl. »Wenn es wegen Gayla ist – dazu habe ich alles gesagt.«

»Darum geht es nicht.«

Schyler setzte sich auf die Kante des Schreibtisches, die Beine schräggestellt. »Worum dann?«

»Um Geld.« Jetzt sah er sie endlich an. »Ich brauche Geld.«

»Tun wir das nicht alle?« scherzte sie.

Sein Lächeln ging daneben. »Nein, ich meine, ich brauch es jetzt. Sofort.«

»Wieviel, Ken?«

Er räusperte sich. »Zehn Riesen.«

»Zehntausend Dollar?« Sie versuchte erst gar nicht, ihre Bestürzung zu verbergen.

»Alles in allem, ja.« Wieder gab er sich vergeblich Mühe, zu lächeln. »Es ist für einen guten Zweck.«

»Deine Gesundheit?«

Er schien das lustig zu finden und lachte schallend. »In gewisser Weise ja.«

»Ken…« Sie erhob sich und legte ihm die Hand auf die Schulter. »Du bist doch nicht krank, oder? Ist etwas –«

»Nein, nein, nichts dergleichen.« Er stand ebenfalls auf. »Aber es ist wirklich wichtig, Schyler, sonst würde ich doch nicht angekrochen kommen wie ein verdammter Bettler. Vertrau mir. Besser, du weißt nicht, worum es geht und wofür das Geld ist. Und ich werd's dir zurückzahlen. Ich versprech's dir.«

»Ich will keine Garantien oder Erklärungen von dir. Wenn du das Geld brauchst, dann brauchst du es. Wenn die Gründe dafür persönlicher Natur sind, dann werde ich das respektieren.«

»Dann leihst du's mir?«

»Ich wünschte, ich könnte es, aber ich kann nicht.«

»Du kannst nicht?«

»Ich hab's nicht.«

»Du hast es nicht?«

Er klang wie ein bockiges Kind, aber sie versuchte, sich ihre Verärgerung nicht anmerken zu lassen. »Ich warte selber schon händeringend auf meinen nächsten Scheck.«

Ken fuhr sich nervös durchs Haar. »Was denn für ein Scheck?«

»Ich habe das Geld, das mir Mama hinterlassen hat, in einem Fond angelegt. Mein Verwalter in London schickt mir jeweils zum Ersten des Monats einen Scheck. Das ist die Summe der Zinsen. Ich habe die Erbschaft selber nie angerührt und habe es auch nicht vor, es sei denn, es wäre mal wirklich vonnöten.«

»Willst du damit sagen, du kannst nicht an dein eigenes Geld ran?«

»Ich könnte schon, aber ich würde viel verlieren. Außerdem, wenn wir das Holzwerk nicht aus den Miesen kriegen und diesen Kredit nicht tilgen können, dann werde ich einen Teil meines Erbes als Sicherheit für einen neuen Kredit verwenden müssen. Ich kann meine Konten nicht plündern.«

»Und dieser Mark? Bezahlt der dich nicht dafür, daß du für ihn arbeitest?«

»Schon, aber ich habe darauf bestanden, ausschließlich auf Beteiligung zu arbeiten. Und wie du weißt, bin ich gerade mal einen Monat bei ihm gewesen.«

Ken begann, auf und ab zu laufen. Er sah aus wie ein Mann, der alle Möglichkeiten ausgeschöpft hatte. Schyler hatte Mitleid mit ihm. »Du könntest doch sicher einen Kredit bei der Bank aufnehmen.«

»Mein alter Herr hat mir nicht vertraut, was meine Erbschaft betrifft. Ich komme da erst an meinem vierzigsten Geburtstag ran. Ich habe nichts, *nichts*, was ich als Sicherheit für einen Kredit anbieten könnte.«

»Und was ist mit Tricia?«

Er faßte sich wieder. »Sie hat den letzten Rest von ihrer Erbschaft schon vor Jahren ausgegeben. Seitdem hat sie Cotton auf der Tasche gelegen und hat mit von den paar lumpigen Kröten gelebt, die er mir zahlt.«

»Wenn unser Laden wieder schwarze Zahlen schreibt, dann werde ich dafür sorgen, daß du eine ordentliche Gehaltserhöhung bekommst.«

»Aber damit ist mir jetzt nicht geholfen, Schyler«, schrie er. Als er ihren erstaunten Gesichtsausdruck sah, ging er auf sie zu und nahm sie bei den Schultern. »Tut mir leid. Ich wollte dich nicht anschreien.«

»Ken, du machst mir angst. Wie dringend brauchst du das Geld?«

Ihre Besorgnis ließ bei ihm die Warnglocken klingen. Er konnte es sich nicht leisten, zuviel zu offenbaren. Seine Miene entspannte sich; er zwang sich zu einem Lächeln. »Nicht so dringend, daß du dir deswegen Sorgen machen müßtest.« Er strich ihr mit dem Zeigefinger die Sorgenfalte von der Stirn. »Mir wird schon was einfallen.«

Sein Finger machte nicht auf ihrer Stirn halt, sondern fuhr weiter über ihre Wange hinab bis zu ihrer Unterlippe. »Du bist so schön. Und so stark.« Er seufzte sehnsüchtig. »Mein Gott, Schyler, weißt du eigentlich, wie sexy du bist? Die Luft knistert, wenn du den Raum betrittst.«

Schyler versuchte, sich zu befreien. »Hör auf, Ken. Ich habe dich mehr als einmal gebeten, mich nicht mehr anzufassen.«

»Du weißt, daß ich dich noch immer begehre. Ich weiß, daß du mich noch immer begehrst.«

Sie verneinte das mit heftigem Kopfschütteln. »Deine Versuche sind nicht zur zwecklos, sie sind auch lästig. Wir haben uns alles gesagt … mehrmals. Und jetzt zum allerletzten Mal: Laß es endlich sein!«

Wieder weigerte er sich, ihr Nein als Antwort zu akzeptieren. Im Gegenteil – er wirkte entschlossener denn je. Er umarmte sie. Sie stieß ihn weg. Er packte sie nur noch fester.

»Schyler, stoß mich nicht fort.« Sein Atem ging schneller. »Verdammt! Wär' das nicht aufregend, wenn wir uns hier lieben würden? Hier. Und jetzt.« Er drückte sie gegen die Schreibtischkante.

»Hast du denn den Verstand verloren?« keuchte sie.

»Ja. Ich bin verrückt nach dir.«

»Siehst du denn nicht, welchen Fehler du machst?«

»Es ist kein Fehler. Das ist nicht möglich. Nicht, wo ich dich doch so sehr liebe. Was zwischen uns war, existiert noch immer. Du wirst sehen.«

Schyler war viel zu stolz, um sich auf eine alberne körperliche Auseinandersetzung einzulassen. In bitterernstem Ton sagte sie: »Nein, Ken.«

»Warum nicht? Wir sind doch ganz allein hier.«

»Nicht ganz.«

Erschrocken lösten sie sich blitzschnell voneinander, als sie die Stimme von der Tür her vernahmen.

39. KAPITEL

Cash Boudreaux lehnte gegen den Türrahmen.

»Ich störe nur sehr ungern bei einer so zärtlichen Szene, aber ich muß Sie etwas fragen, Miss Schyler.«

Sie gab sich alle Mühe, gefaßt zu wirken, bezweifelte aber, daß ihr das gelang. »Ist schon in Ordnung, Cash. Ken wollte sowieso gerade gehen.«

Ken stand mit offenem Mund da. »Du schickst mich weg, damit du mit *dem* da reden kannst?«

»Cash und ich haben Geschäftliches zu besprechen. Worüber wir beide geredet haben, das kann warten.«

Er starrte sie wütend an. »Okay, schon klar«, gab er klein bei. Er drückte sich an Cash vorbei und verließ das Büro.

Cash wartete, bis Kens Wagen auf der anderen Seite der

Brücke verschwunden war und sich der aufgewirbelte Staub gelegt hatte, ehe er sich wieder an Schyler wandte. »Ist das die Art und Weise, wie er seinen Lebensunterhalt neuerdings verdient, indem er die Hormone der Chefin auf Trab hält?«

»Weshalb Ken hier war, geht nur ihn und mich etwas an.«

»Was nicht zu übersehen war.«

»Und Sie nichts angeht, Mr. Boudreaux.«

Die Atmosphäre im Raum war zum Zerreißen gespannt. Noch ein Wort und es würde zum großen Krach kommen. Cash starrte sie an. Sie hielt seinem Blick stand. Auf keinen Fall würde sie sich verteidigen oder ihm irgendwelche Erklärungen bieten. Sollte er doch denken, was er wollte.

»Ich kapier's einfach nicht, Lady.«

»Nicht, daß es mich interessieren würde, aber was kapierst du nicht?«

»Du hast ein Haus wie Belle Terre, aber du rennst weg und lebst auf der anderen Hälfte der Erdkugel.«

»Ich hatte meine Gründe.«

»Wegzugehen, *oui*. Aber warum bist du so lange fortgeblieben?« Er steckte die Hände in die Gesäßtaschen seiner Jeans, die Innenflächen nach außen, und hob arrogant den Kopf. »Aber ich schätze mal, daß der Bursche, mit dem du da drüben zusammenlebst, was damit zu tun hat.«

»Mark hat sehr viel damit zu tun, ja.«

Sein Mund verzog sich zu einem zynischen Lächeln. »Wie heißt dein Spielchen, hä? Was soll das? Spielst Howell und diesen Engländer gegeneinander aus und schnappst dir nebenbei jeden, der dich anmacht...«

»Ich spiele niemanden gegeneinander aus. Ken ist der Mann meiner Schwester. Und was Mark betrifft – er ist kein Engländer. Und außerdem würde ein Mann wie du unsere Beziehung nicht mal ansatzweise verstehen. Da ist weit mehr als nur Lust und Schweiß.«

»Lust und Schweiß sollte reichen.«

»Für dich vielleicht, aber nicht für mich. Und dasselbe gilt für Mark.«

Er nickte langsam und sah sie noch immer mit diesem vernichtenden Blick an. »Da ist noch was anderes, was mich wundert. Du nimmst eine Frau wie Gayla auf, trotz ihrer Vergangenheit, wo doch die meisten angesehenen Frauen sie nicht mal anspukken würden, wenn sie am lebendigen Leib brennen würde, aber dir schlägt nicht das Gewissen, wenn du mit dem Mann deiner Schwester rummachst.«

Schyler wollte sich auf ihn stürzen, ihn kratzen und treten, aber sie wußte, daß er es nur darauf anlegte. Wenn sie nicht auf ihn angewiesen wäre, hätte sie ihn auf der Stelle gefeuert. Nur leider war sie es.

»Sie übernehmen sich ganz gewaltig, Mr. Boudreaux«, sagte sie hochmütig. »Wenn Sie gekommen sind, um etwas Geschäftliches mit mir zu besprechen, dann machen Sie das bitte. Andernfalls, denke ich, haben wir beide Besseres zu tun.«

Er lächelte höhnisch, die Augenlider halb geschlossen, aber er zog die Hände aus den Hosentaschen. »Wie geht's Gayla?«

»Sie hat die ganze Nacht durchgeschlafen. Hat heute morgen ein wenig Tee getrunken. Ist ins Bad gegangen. Und ist wieder eingeschlafen.«

»Noch Blutungen?«

»Nein.«

»Gut. Sag Bescheid, wenn irgendeine Veränderung eintritt.«

»Das werde ich.«

Inzwischen stand er dicht bei ihr. Er roch wie der Wald bei Tagesanbruch. Sie spürte die Kante des Schreibtisches an ihren Pobacken. Sie wünschte, er würde sie wieder dagegen drücken, und das machte sie ärgerlich auf sich selbst. »Sonst noch was?«

»Nein.«

»Nun?« Ihr Herz klopfte bei dem Gedanken, daß er sie jetzt gleich küssen würde.

»Das hier hing heute morgen an der Tür zum Büro. Du warst spät dran, also hab's ich an mich genommen. Dachte mir, es würde dich interessieren.«

Er langte in die Brusttasche seines Hemdes und zog ein Foto heraus. Er reichte es ihr. Enttäuscht nahm sie das Foto und warf einen Blick darauf, schaute aber kurz darauf wieder zu ihm auf. »Ich verstehe nicht ganz, was...«

»Ein Doggenweibchen mit Welpen, vier Neugeborene, wenn ich richtig gezählt habe.«

Jetzt verstand Schyler, und es traf sie mit voller Wucht. »Jigger«, murmelte sie.

»*Oui*. Schätze, er will dich wissen lassen, daß er noch nicht ganz aus dem Hundekampf- und Wettgeschäft raus ist, auch wenn er einen Rückschlag hat hinnehmen müssen.«

»Und was soll ich jetzt tun?«

»Du willst einen Rat von mir? Dann sieh zu, daß du hier abhaust und zurück nach England gehst.«

»Was!?«

»Seit du wieder da bist, ist hier die Hölle los.«

»Das ist doch nicht meine Schuld.«

»Nein?«

»Nein.«

Er ging zur Tür. Schyler stellte sich ihm in den Weg. »Cash, wende du dich nicht auch noch gegen mich. Hilf mir. Sag, wie gemein kann Jigger werden?«

»Du hast doch Gayla gesehen.«

»Gemein und gewissenlos genug, um die Lieferung an Endicott zu sabotieren, falls er Wind davon bekommt?«

»Gut möglich.«

Sie legte ihm die Hand auf den Arm und schaute zu ihm auf. Wut und Stolz wurde von der Sorge verdrängt. »Was soll ich denn nur tun?«

Seine Augen verrieten keine Regung. Ihre Probleme schienen ihn völlig kalt zu lassen, als hätten sie keine direkten Auswirkungen auf ihn. »Du bist eine gerissene Lady.« Mitleidslos stieß er ihre Hand weg. »Du wirst schon auf die Füße fallen.«

Rhoda spielte mit einem Büschel Haare auf Cashs Bauch. Sie leckte an seiner Brustwarze, als sei dies die Spitze eines Sahnehäubchens und gab dabei wohlige Laute von sich.

»Mittags haben wir's ja schon lange nicht mehr gemacht.« Sie seufzte und biß ihm verspielt in seinen harten, von Adern durchzogenen Bizeps. »Ich bin froh, daß du angerufen hast.«

Cash hatte einen Arm hinter den Kopf geschoben; er schaute

hinauf zu den Wasserflecken an der Zimmerdecke. Er fragte sich, ob Rhoda wußte, daß er trotz all ihres Talents und ihrer Bemühungen noch immer nicht hart war. Die Knöpfe seiner Jeans waren offen, aber bisher hatte sie noch keinen Griff hinein getan. Sie würde sicher ausflippen, wenn sie herausfand, daß er alles andere als geil war.

Sein Schwanz sehnte sich nach einer anderen. Rhoda würde ihn nicht befriedigen können. Das hatte er schon gewußt, als er sie anrief, und trotzdem hatte er sich mit ihr verabredet, auf die vage Hoffnung hin, sie könne ihn wenigstens für den Moment ein wenig ablenken.

Aber bis jetzt hatte nichts von alldem, was sie versucht hatte, funktioniert. Was seine Laune nur weiter verschlechtert hatte; er war jetzt wirklich übel drauf. Er schob Rhoda von sich und stieg aus dem Bett.

»Wo willst du hin?«

»Ich halt's hier drin nicht aus. Ist mir zu heiß.«

»Ist doch gar nicht heiß. Wenn, dann zu kalt. Die Klimaanlage läuft auf vollen Touren.«

»Meinetwegen, dann ist es eben zu kalt.« Er entdeckte einen Aschenbecher auf der Kommode und drückte seine Zigarette darin aus; er wünschte nur, er hätte das Feuer in seinem Bauch ebenso leicht löschen können.

»Du hast schon wieder miese Laune.«

»Hab beschissene 24 Stunden hinter mir.«

Das war eigentlich nicht wahr, denn gestern um diese Zeit hatte er erlebt, wie Schyler mit jedem Schlückchen Champagner ausgelassener geworden war, weicher und begehrenswerter. Er hatte sie gesehen, wie sie im Wagen gesessen hatte, die Beine gespreizt, das Haar im Wind wehend, die Lippen leicht geöffnet.

»Cash?«

»Was ist denn, verdammt noch mal? Siehst du denn nicht, daß ich nachdenke?«

»Ich dachte, du bist hergekommen, um an mich zu denken.«

Er war drauf und dran, ihr einen passenden und sehr derben Spruch um die Ohren zu hauen, aber er riß sich zusammen. Was, zum Teufel, war nur los mit ihm? Er hatte hier eine heiße und willige Braut im Bett; sie war nackt und zu allem bereit, und er benahm sich wie ein dummer kleiner Junge.

»Hast ja recht, Rhoda. Gib mir was, woran ich denken kann.«

»Hier, ich will dir was zeigen.« Sie ignorierte sein ungeduldiges Fluchen und lächelte verführerisch. »Schau dir das mal an.« Sie langte nach ihrer Handtasche auf dem Nachttischchen, wobei eine ihrer Brustwarzen über das Laken strich. Als sie sich wieder zurücklegte, waren beide Nippel hart.

Cash setzte sich auf, wütend auf sich selbst, auf sie, auf alles. Schlimmes befürchtend starrte er auf das, was sie ihm gegeben hatte. »Fotos?«

Seine Haltung wandelte sich, als er sich den ersten Schnappschuß angesehen hatte. Er ging den Stapel Fotos durch, studierte jedes einzelne sorgfältig, ehe er zum nächsten weiterging. Ohne den Kopf zu bewegen, schaute er Rhoda von der Seite an. Sein Lächeln verriet Lüsternheit. Er widmete sich wieder den Fotos und sah sie sich ein zweites Mal an.

»Das ist aber wirklich ein breites… Lächeln, das du da hast, Rhoda.« Er hielt absichtlich kurz inne, um der Bemerkung eine beleidigende Doppeldeutigkeit zu verleihen.

Rhoda war jedoch zu begeistert von den Fotos, um seine Absicht zu erkennen. »Rate mal, wer die gemacht hat.«

»Ich hasse Ratespielchen.«

»Dale.« Sie kicherte.

»Er fährt drauf ab, Frauen nackt zu fotografieren?« Cashs Lust war nicht nur abgekühlt, sie war kalt wie Stein geworden. Er mußte daran denken, wie Gayla unter Tränen von einem Freier erzählt hatte, der sich seine Kicks mit einer Kamera holte. Er kochte im stillen vor Wut, aber das konnte Rhoda nicht wissen.

Sie räkelte sich auf den Kissen in einer der anstößigen, auf Film festgehaltenen Posen. »Welches gefällt dir am besten?«

»Hab noch keine Zeit zum Aussuchen gehabt.«

»Was ist los? Etwa eifersüchtig?«

»Ganz grün.«

Sie runzelte die Stirn. »Die Fotos scheinen dich ja nicht gerade zu begeistern.«

»O doch, doch.« Er beugte sich über sie und nahm ihre Hände. »Leg eine hier hin«, sagte er und plazierte eine Hand auf ihrer Brust. »Und die andere hier, genau wie auf dem Foto.« Er legte ihre andere Hand zwischen ihre gespreizten Schenkel. »Und im Handumdrehen wirst du feststellen, daß du bestens ohne mich auskommst.«

Er hatte sich schon die Jeans zugeknöpft und zog sich das Hemd über, noch ehe Rhoda begriff, was los war. »Das kannst du mir nicht ein zweites Mal antun, du Bastard.«

Cash schlug die Tür des Motelzimmers hinter sich zu. Rhoda schwang sich vom Bett und riß splitternackt die Tür auf. So laut, daß die Gäste in den benachbarten Zimmern aus ihrem Mittagsschlaf hochschreckten, schrie sie: »Du Scheißkerl, Boudreaux! Das zahle ich dir heim!«

»Schyler hat einen Vertrag mit der Endicott Papierfabrik.«

Dale Gilbreath fluchte still vor sich hin. »Um wieviel geht's dabei?«

»Erst muß ich wissen, ob unsere Abmachung noch gilt.«

»Aber klar«, sagte der Banker. »Ich kriege das Haus. Mit dem Rest von Belle Terre kannst du tun und lassen, was du willst.«

»Die *Bank* wird Belle Terre kriegen.«

Dale tat diese Bemerkung ab. »Das macht keinen Unterschied.«

»Wieso nicht?«

»Weil es eine geheime Auktion geben wird. Gebote von privat.«

»Und du wirst der Auktionator sein.«

»Haargenau.« Sein Grinsen war teuflisch.

»Du wirst dafür sorgen, daß dein Gebot das höchste ist.« Dale nickte. »Aber was, wenn die Gebote überprüft werden?«

»Dann werde ich sie für ungültig erklären.«

»Trotzdem. Du wirst ein hübsches Sümmchen auf den Tisch legen müssen. Hast du das denn?«

»Die Sache mit Belle Terre ist nur eines meiner... äh... Hobbies. Ich habe immer mehr als nur eine Sache laufen.«

»Sie sind ziemlich clever, Mr. Gilbreath, was?«

»Ja, sehr sogar.«

Dale musterte die Person, die ihm gegenübersaß. Seine eigenen Beweggründe bei dieser Geschichte lagen klar auf der Hand. Er wollte Belle Terre wegen der Macht und des Respekts, den diese Adresse mit sich brachte. Doch welche Gründe hatte die andere Person? Waren sie ebenso klar und eindeutig wie seine; oder waren es Gründe, die rein gefühlsmäßiger Natur waren? Eigentlich war es ihm egal. Er war nur neugierig. Mußte man immer eindeutige Gründe für sein Tun haben? Wohl kaum. Wenn die andere Person einen alten Groll hegte, dann scherte es ihn nicht im mindesten, wo die Wurzeln dafür lagen, solange es dem Sturz der Crandalls diente und er Belle Terre bekam.

»Welchen Umfang hat der Vertrag mit Endicott?« fragte Dale.

»Genug, um den Kredit zu tilgen und Rücklagen zu haben.«

»Verflucht!«

»Aber es ist ein Haken bei der Sache. Crandall muß die gesamte Bestellung liefern, ehe Endicott auch nur einen roten Heller zahlt.«

»Woher weißt du das alles?«

»Ich weiß es eben.«

Dale taxierte das Gesicht der anderen Person und kam zu der Überzeugung, daß es nicht reine Spekulation, sondern Fakt war. Er schnaufte. »Also kommt es drauf an, die letzte Lieferung zu sabotieren.«

»Richtig. Die verschicken jeden Tag eine Ladung per Bahn. Aber wie du gesagt hast: Wichtig ist nur die letzte Lieferung.«

»Wann wird das sein?« fragte Dale.

»Die Bestellung ist so groß, daß alle bis zuletzt beschäftigt sein werden. Und das heißt, wenn alle Überstunden machen und das Wetter mitspielt. Sie werden kaum in der Lage sein, die Bestellung vor Ablauf der Kreditfrist zu erfüllen.«

»Du wirst mir dabei helfen, daß sie es nicht schafft.«

»Sie hat mich lange genug mies behandelt. Ich tue alles, was notwendig ist.«

Gilbreath grinste; sein Triumph war zum Greifen nahe. »Ich werd' noch mal mit Jigger reden. Er war sehr verständig, als ich ihm von unserem kleinen Projekt erzählte.«

»Da ist noch was, was ihr beiden wissen solltet. Gayla Frances hält sich auf Belle Terre auf; liegt sogar in Schylers Bett.«

»Heilige... Flynn würde was drum geben, das zu wissen.«

»Ja, was?«

»Was ist mit dem Mädchen?«

»Wieso?«

»Reine Neugier.«

»Bist du sicher? Du siehst blaß aus. Bist doch nicht etwa Stammkunde, oder?«

»Was ist mit dem Mädchen?« fragte Dale erneut, und diesmal schwang ein drohender Ton mit.

»Jigger hat sie vertrimmt. Sie ist ihm weggelaufen. Schyler hat sie gefunden und bei sich aufgenommen. Das ist jetzt schon ihr zweites Ding gegen Jigger. Er wird geradezu versessen darauf sein, uns zu helfen.«

»Aber wenn irgendwas schieflaufen sollte und er geschnappt wird —«

»Wird er derjenige sein, der hochgeht.«

»Da wär ich mir gar nicht so sicher. Er könnte uns verpfeifen.«

»Dann streiten wir alles ab und stellen ihn als Lügner hin. Sein Wort gegen unseres. Wer glaubt schon Jigger Flynn?«

Gilbreath grinste. »Halt mich auf dem laufenden.«

»Aber sicher doch. Schyler Crandall wird schon sehr bald die verdiente Strafe kriegen.«

Jimmy Don Davison starrte lange auf den Umschlag, ehe er ihn öffnete. In die Lasche des festen cremefarbenen Umschlags war die Adresse des Absenders geprägt: *Belle Terre, Heaven, Louisiana.* Wer, zum Teufel, auf Belle Terre sollte ihm einen Brief hier in den Knast schicken? Wer auf Belle Terre wußte oder scherte sich darum, daß er hier war?

Schließlich haute er sich auf seine Koje, lehnte sich mit dem Rücken an die Wand, die Hacken gegen die Kante der dünnen, durchgelegenen Matratze gestemmt, und nahm das Blatt Papier aus dem Umschlag. Ehe er die mit akkurater Handschrift geschriebenen Zeilen las, schaute er auf die Unterschrift.

»Schyler Crandall?«

»Haste was gesagt, Jimmy Don?« fragte sein Zellengenosse aus der Koje über ihm.

»Nichts für dich, Old Stu.«

»Lieber Mr. Davison«, begann der Brief. Als nächstes stellte sich die Absenderin in aller Förmlichkeit vor, als müßte jemand, der aus Laurent stammte, daran erinnert werden, wer Schyler Crandall war, dann erkundigte sie sich nach seinem Befinden und kam schließlich zum eigentlichen Grund ihres Briefes. Sie wollte ihn davon in Kenntnis setzen, daß Gayla Frances für unbestimmte Zeit auf Belle Terre wohnte, und falls er Kontakt mit ihr aufnehmen wolle, solle er sich direkt an diese Adresse wenden.

Er las den verwirrenden Brief mehrere Male, um sicherzugehen, daß er den Inhalt auch richtig verstand. Auf den ersten Blick war es nicht mehr als die Benachrichtigung über eine Adressenänderung, aber was Miss Schyler ihm auf indirektem Weg mitteilte war, daß er sich mit seiner ehemaligen Freundin in Verbindung setzen sollte. Schöne Freundin – eine Hure war sie. Anscheinend war sie so tief gesunken, daß nicht mal Jigger Flynn sie mehr unter seinem Dach haben wollte.

Jimmy Don bedachte Gayla und diese reiche, weiße Schlampe, die sich in die Angelegenheiten anderer Leute mischte, mit wüsten Schimpfworten. Er zerknüllte den Brief und warf ihn gegen die Zellenwand.

»Hey, Mann, was steht in dem Brief?«

»Halt's Maul!« fuhr Jimmy Don Old Stu an.

Schyler Crandall schien anzunehmen, daß er noch immer ein Interesse daran hatte, wie es Gayla ging. Dabei interessierte ihn nur, wo sie steckte, damit er sie auf die Schnelle finden konnte, wenn er hier rauskam. Er mußte sich beeilen. Sie durfte nichts ahnen. Seine Rache mußte so schnell und unerbittlich sein wie das Schwert Gottes.

Dabei hatten sie doch darüber gesprochen, gemeinsam den Abschluß am College zu machen, zu heiraten, Kinder zu haben. Verdammt, sie hatten doch sogar schon Namen für die ersten drei oder vier gehabt. Sie war beim ersten Mal noch Jungfrau gewesen, aber er war alles andere als unerfahren gewesen.

Die Vorstellung, daß sie ihre sexuellen Fähigkeiten für Geld verkaufte, verursachte ihm körperliche Übelkeit. Daß sie Jigger Flynn ebenso hingebungsvoll liebte, wie sie einst ihn geliebt hatte, weckte in ihm den Wunsch, beide zu töten – und dabei noch zu lachen.

Er war so sehr in Gedanken vertieft, daß er die Gruppe von Häftlingen gar nicht bemerkte, die sich vor seiner Zelle versammelte. Es war Freizeit, und die Zellentüren waren geöffnet. Die Insassen durften einander besuchen und umherlaufen. Jimmy Don bemerkte die ruchlose Gang erst, als sie seine Zelle betraten und sich eng zusammendrängten, damit alle Platz fanden. Razz fläzte sich mit dem Ellenbogen auf seine Koje und grinste.

»Was is' angesagt, Junge?«

»Dich hat keiner eingeladen, Razz.«

Jimmy Don gefiel die ganze Sache nicht. Razz und drei seiner Gefolgsleute gegen Old Stu und ihn. Old Stu war in diesem Mikrokosmos des Knastes der Dorfdepp. Sein Credo lautete: Nichts hören, nichts sehen, nichts sagen und auf diese Weise überleben.

Razz grinste Jimmy Don an. »Das klingt aber nicht freundlich. Wir dachten, wir schauen mal bei dir vorbei, um eine kleine Abschiedsparty zu feiern, stimmt's?« Die anderen drei nickten zustimmend.

»Ich verabschiede mich aber gar nicht.«

»Du kommst hier raus, Junge. Schon bald. Auf Bewährung. Hast du noch keine Nachricht?«

Jimmy Don hatte einen Termin vor dem Bewährungsausschuß, würde Razz aber auf keinen Fall das Datum preisgeben. »Ich hab' noch nix Offizielles gehört.«

»Nein?« fragte Razz gespielt überrascht. »Tja, dann wär's doch wirklich jammerschade, wenn du so kurz vor dem Treffen mit dem Bewährungsausschuß noch Ärger machen würdest, was?« Er strich Jimmy Don zärtlich über die Wange. Jimmy Don stieß seine Hand weg. Als er das tat, sah er, wie einer der Schlägertypen in seiner Bibel blätterte.

»Nimm deine verdammten Pfoten da weg!«

»Hey, Mann, mach kein' Scheiß mit Jimmy Dons Bibel«,

herrschte Razz den Mann an. »Die hat er bestimmt von seiner Mama, hab ich recht, Jimmy Don?«

Jimmy Don rutschte auf seiner Koje vor. »Ich hab gesagt: Leg die Bibel wieder hin!«

Der andere Häftling ignorierte die Warnung und las die Widmung innen auf dem Umschlag vor. »Na, Leute, ist das nicht süß? Stehste etwa auf Religion, Jimmy Don?« Er riß die Seite raus und knüllte sie zusammen, wie Jimmy Don es kurz zuvor mit dem Brief getan hatte.

»Du Arschloch!« Jimmy Don sprang von der Koje, die Hände fuhren an die Kehle des anderen Häftlings.

Razz packte ihn beim Kragen seines T-Shirts und hielt ihn zurück. Neckend schalt er Jimmy Dons Peiniger. »Laß die Bibel unseres Kleinen in Ruhe, Mann. Weißt du denn nicht, daß er auf das Zeugs abfährt? In Jimmy Dons Kirche ist ständig was los. Taufe, in Zungen sprechen, mit Schlangen rumspielen, dieser ganze beknackte Scheiß.«

Mehrere Seiten der Bibel wurden erbarmungslos rausgerissen und unter den Typen in der Zelle verteilt. Sie schüttelten sich vor Lachen, zerrissen die Seiten zu kleinen Schnipseln und ließen sie zu Boden fallen.

»Ihr verdammten Hurensöhne«, keuchte Jimmy Don.

»Ist das eine Art, so mit seinen Freunden zu reden? Hmmm?«, reizte Razz ihn. »Wir sind doch hergekommen, weil wir dir ein kleines Abschiedsgeschenk machen wollen.«

»Oder besser ein *großes* Abschiedsgeschenk.« Dieser Spruch brachte ihm lautes, zustimmendes Gelächter ein.

Jimmy Don wehrte sich nach Kräften, aber vergeblich, und er wußte es. Er war so kräftig wie ein junger Ochse, aber gegen vier von denen konnte er nichts ausrichten. Es wäre sinnlos und noch gefährlicher gewesen, einen Aufseher herbeizurufen, weil der, aus Angst vor Vergeltung, nichts gegen Razz unternommen hätte. Und außerdem wollte er auf keinen Fall seine Bewährung gefährden, denn ohne Bewährung würde er nie tun können, wozu Gott ihn ausersehen hatte – Rache an Jigger und Gayla zu nehmen.

Und so biß er nur die Zähne zusammen, als die Gang ihn vergewaltigte, während Old Stu über ihm zusammengekauert in seiner Koje lag und dem Himmel dankte, daß er zu alt und zu häßlich war, als daß einer aus Razz' Gang ihn hätte bumsen wollen.

40. KAPITEL

»Verdammt!«

Schylers kurzes Fluchen bezog sich auf die Kontoauszüge. Entweder sie konnte nicht mehr rechnen oder ihr Taschenrechner funktionierte nicht, oder es fehlten tatsächlich mehrere tausend Dollar auf dem Geschäftskonto des Crandall Holzwerkes.

Ken würde ihr helfen müssen. Sie langte zum Telefon auf ihrem Schreibtisch, doch ehe sie den Hörer berührte, klingelte der Apparat.

»Hallo?«

»Schyler? Jeff Collins hier.«

Sie und der Arzt hatten sich seit Cottons Operation darauf geeinigt, einander beim Vornamen anzureden. »Ich hoffe doch, es ist nichts Schlimmes.«

»Warum nehmen die Leute eigentlich immer das Schlimmste an, wenn der Arzt anruft?«

Sie lachte. »Tut mir leid. Haben Sie denn gute Neuigkeiten?«

»Das will ich meinen. Ihr Vater wird morgen entlassen.«

»Das ist ja wunderbar.«

»Vielleicht sollten Sie zuerst mit den Krankenschwestern reden, ehe Sie so etwas sagen«, neckte der Arzt. »Vielleicht wollen Sie ihn schon nach einer Woche wieder zurückschicken. Was nicht heißen soll, daß wir ihn wieder hierhaben wollen. Es ist wirklich nicht leicht mit ihm.«

»Ein harter Brocken, was?«

»Sie sagen es.«

»Ich kann es kaum erwarten, ihn zu Hause zu haben.«

»Wenn Sie heute nachmittag vorbeischauen möchten, könnte ich schon die Entlassungspapiere zur Unterschrift vorbereiten lassen.«

»Danke, Jeff, damit täten Sie mir einen großen Gefallen. Ich komme nachher vorbei.«

Ehe sie auflegte, fügte er noch hinzu: »Wir haben ihm noch nichts gesagt. Ich dachte, Sie wollen ihm die gute Neuigkeit vielleicht persönlich überbringen.«

»Danke, ich weiß das sehr zu schätzen. Wir sehen uns nachher.«

Unwirsch verstaute sie die Kontoauszüge wieder im Ordner. Diese leidige Angelegenheit mußte für den Moment warten.

Eigentlich mußte alles warten. Cotton Crandall kam nach Hause.

»Hast du Miss Crandall gesehen?« fragte Cash einen der Arbeiter, der gerade dabei war, die Ladung seines Schleppers zu wiegen.

»Ist vor fünf Minuten wieder weg«, lautete die Antwort des Kautabak kauenden Mannes. »Was machst'n überhaupt hier?«

»Hab' Kermit hergebracht«, sagte Cash abwesend. Es sah Schyler gar nicht ähnlich, daß sie schon so früh am Nachmittag gefahren war. »Hat Miss Crandall vielleicht zufällig gesagt, wo sie hin will?«

»Ins Krankenhaus.«

Cash, der sich mit seinem Halstuch den Schweiß von der Stirn wischte, erstarrte mitten in der Bewegung. Der Arbeiter hatte ihm den Rücken zugekehrt und wies lautstark den Fahrer eines anderen Schleppers ein. Cash packte ihn bei der Schulter und drehte ihn herum. »Ins Krankenhaus?«

»Das hat sie jedenfalls gesagt, Cash.«

»Hat sie auch gesagt, warum? Ist irgendwas mit Cotton?«

»Die Lady sagt mir doch nicht, wohin sie geht, woher sie kommt. Ich weiß nur, daß sie es mächtig eilig hatte. Hat nur zu mir rübergebrüllt, daß sie im Krankenhaus ist, falls jemand nach ihr fragt. Dann ist sie wie der Teufel mit ihrem Wagen davon.«

Cash runzelte die Stirn und starrte hinüber zur Brücke in die Richtung, in die Schyler gefahren war.

»Stimmt was nicht, Cash?« fragte der Arbeiter besorgt.

»Nein, nein. Wird schon nichts sein.« Er riß sich zusammen

und versuchte, ganz locker zu wirken. »Du siehst zu, daß hier alles klargeht, okay? Sorg dafür, daß dieses Holz noch vor Feierabend verladen wird. Wenn ich heute nicht mehr zurückkomme, dann schließ das Büro ab, bevor du gehst. Und sag Kermit, er soll sich den Rest des Nachmittags da ja nicht rausrühren; ich hab ihn ans Telefon gesetzt, weil er von der Hitze draußen schon einen ganz roten Kopf hatte, aber er wollte unbedingt Überstunden machen.«

»Alles klar, Cash. Aber wo willst'n hin?«

Cash hörte ihn nicht mehr. Er lief bereits zu seinem Lieferwagen.

»Wir werden aus dem Arbeitszimmer unten ein Schlafzimmer für dich machen. Sobald es fertig ist, kannst du im Bett liegen und hinaus auf den Rasen von Belle Terre schauen.«

»Mir gefällt aber mein altes Schlafzimmer besser.«

Cotton klang knurrig, aber Schyler wußte, wie froh er war, endlich nach Hause zu können. Sie versuchte, ihr nachgiebiges Lächeln zu verbergen. »Dr. Collins meinte, du solltest besser keine Treppen steigen.«

Bockig deutete er mit dem Zeigefinger auf sie. »Ich bin kein Baby, also behandle mich auch nicht so. Niemand darf mich so behandeln. Aber alle hier drin haben das getan. Ich hab genug. Ich bin doch kein Invalide.«

Doch genau das war er. Er wußte es selber, aber Schyler kannte ihn gut genug, um es ihn nicht spüren zu lassen. »Da hast du völlig recht, das bist du auch nicht. Erwarte bloß nicht, daß ich dich groß verhätschele. Sobald du dich ein bißchen ausgeruht hast, werde ich dir einiges an Arbeit aufhalsen.«

»Was ich so gehört habe, hast du mehr Hilfe im Haus, als du gebrauchen kannst.« Er musterte sie mißtrauisch unter seinen buschigen weißen Augenbrauen hervor.

»Tricia hat dir von Mrs. Dunne erzählt?«

»Hat sie. Hat gemeint, die sei so herrisch wie nur was.«

»Vielleicht mag ich sie deshalb so. Sie erinnert mich an Veda.«

»Nur, daß sie weiß ist.«

»Na ja, das ist ein Unterschied«, lachte Schyler.

»Kann sie auch so gut kochen wie Veda?«

»Ja.« Sie wedelte mit einem Blatt Papier vor seiner Nase. »Sie kann alles auf dieser Liste mit Diätrezepten kochen, die Jeff mir gegeben hat.«

»Scheiße.«

»Ach komm, so schlimm ist es doch gar nicht«, neckte sie ihn. »Aber ab sofort gibt's keine Grütze mehr für dich, keine Wurst und keine schweren Soßen. Und du wirst mir auch nicht versuchen, Mrs. Dunne zu bestechen. Sie ist mir gegenüber absolut loyal. Sie wird sich nicht erweichen lassen; es ist völlig zwecklos, sie überreden oder einschüchtern zu wollen.«

Cottons Miene blieb wenig begeistert. »Eigentlich habe ich gar nicht die Haushälterin gemeint, als ich von der Hilfe im Haus sprach.«

Schyler hielt ihr Lächeln aufrecht. Meinte er etwa Cash? Hatte Tricia, trotz ihrer Warnung, getratscht?

»Vedas Mädchen«, knurrte Cash. »Ich hab gehört, sie hat sich auf Belle Terre einquartiert.«

Die Spannung in Schylers Brust löste sich. »Ja, ich habe Gayla eingeladen, bei uns zu wohnen. Ich fand, daß wir Crandalls nicht ganz unschuldig sind an ihrem Schicksal.«

»Ich hab nur Schlechtes über sie gehört.«

»Das kann ich mir vorstellen.« Sie mußte an Tricias böse Zunge denken. »Aber es ist nicht ihre Schuld. Jigger Flynn hat sie jahrelang mißbraucht. Diesmal hat er sie fast umgebracht. Glücklicherweise konnte sie weglaufen. Solange sie sich erholt, möchte ich, daß sie bei uns bleibt.«

»Das ist aber mächtig großzügig von dir.«

Sie zog es vor, seinen Sarkasmus zu ignorieren. »Danke.«

Schylers Motive waren auch nicht ganz selbstlos.

Sie fand Trost in den ruhigen Gesprächen mit Gayla. Sie erzählte ihr oft von Mark und ihrem Leben in London. Gayla hingegen offenbarte ihr, unter Tränen und mehrere Tage lang, welchen Alptraum sie mit Jigger Flynn durchlitten hatte. Schyler drängte sie, ihn anzuzeigen, aber Gayla wollte nichts davon hören.

»Er würde mich umbringen, Schyler, noch bevor es überhaupt

zu einem Prozeß kommt. Selbst wenn sie ihn hinter Gitter stecken, würde er noch einen Weg finden. Außerdem – wer würde mir denn schon glauben?«

Ja, wer? Was Gayla erzählte, klang schier unglaublich.

»Da war mal ein Mädchen, die hat in der Pelican Lounge gearbeitet«, erzählte sie. »Jigger hat sie erwürgt, weil sie ihm seinen Anteil nicht gegeben hatte. Eines Morgens wurde ihre Leiche in einem Müllcontainer draußen vor dem Laden gefunden. Der Mord wurde nie aufgeklärt, wurde als ungelöster Fall zu den Akten gelegt. Ich hab' sogar dem Sheriff einen anonymen Hinweis gegeben, aber es ist nie was geschehen.«

»Wie kann jemand, der das Gesetz vertritt, nur so mir nichts dir nichts einen Mord links liegenlassen?«

»Entweder weil er Angst vor Jigger hat, oder – was wahrscheinlich ist – weil er findet, daß das Mädchen selber schuld ist.«

Mit jedem Tag – und der Hilfe von Cashs Salbe und Mrs. Dunnes reichhaltigen Mahlzeiten – machte Gaylas körperliche Genesung Fortschritte. Die Wunden auf ihrem Gesicht heilten ab und verschwanden schließlich vollständig. Die Schwellungen gingen zurück, bis ihr hübsches Gesicht wieder so hübsch war wie früher. Aber sie fuhr immer noch bei jedem lauten Geräusch zusammen. Schyler begriff, daß es noch Monate, vielleicht Jahre dauern würde, bis Gayla über ihre Angst hinwegkommen und sich emotional von ihrer Vergangenheit erholen würde, die die wahre Hölle gewesen sein mußte.

Aber sie war auch stolz und dickköpfig. »Ich kann nicht ewig hierbleiben, Schyler«, hatte sie bei mehr als nur einer Gelegenheit betont.

Schyler hatte darauf ebenso stur reagiert. »Ich möchte aber, daß du bleibst, Gayla. Ich brauche eine Freundin.«

»Aber ich werde es dir nie im Leben zurückzahlen können.«

»Das will ich doch auch gar nicht.«

»Und ich will keine Almosen.«

Schyler hatte einen Moment darüber nachgedacht. »Im Moment kann ich es mir nicht leisten, dir einen Lohn zu zahlen. Wärst du einverstanden, für Kost und Logis zu arbeiten?«

»Arbeiten? Aber du hast doch gerade erst Mrs. Dunne eingestellt.«

»Es gibt eine Menge für dich zu tun.«

»Zum Beispiel?« hatte Gayla skeptisch gefragt. »Du hast
Leute, die sich um das Anwesen kümmern, die Pferde versorgen.
Was soll denn da für mich zu tun bleiben?«

»Du könntest die Bücher im kleinen Salon katalogisieren. Das
liegt mir schon seit einer ganzen Weile am Herzen. Damit könntest du anfangen. Und übertreib's nicht, laß dir Zeit dabei. Über-
anstreng dich nicht. Sieh zu, daß du dich weiterhin schonst. Arbeite nur, wenn dir wirklich danach ist.«

Gayla war aus Schylers Schlafzimmer ausgezogen und schlief
in einem kleinen Zimmer neben der Küche. Sie weigerte sich,
zusammen mit der Familie im Eßzimmer zu speisen, wie Schyler
es wünschte. Statt dessen nahm sie ihre Mahlzeiten zusammen
mit Mrs. Dunne in der Küche ein. Die beiden hatten sich rasch
angefreundet, weil Mrs. Dunne eine wirklich warmherzige Person war.

»Gayla hat sich wirklich großartig eingefügt«, sagte Schyler
jetzt zu ihrem Vater. »Wenn ich ehrlich bin, weiß ich gar nicht,
was ich ohne sie getan hätte. Ich denke, daß du alles auf Belle
Terre zu deiner Zufriedenheit vorfinden wirst.«

Er runzelte zweifelnd die Stirn. »Wirst schon merken, wenn's
nicht so ist.«

»Da bin ich sicher.« Sie erhob sich von der Bettkante. »Wir sehen uns morgen früh. Nicht zu früh. Du sollst noch hier früh-
stücken. Laß dir Zeit, gönn dir eine Dusche und rasier dich ruhig
vorher noch. Ich werde so gegen zehn Uhr hier sein, okay?« Sie
beugte sich über ihn und gab ihm einen Kuß zum Abschied.

Cotton ergriff ihre Hand. »Ich bin stolz auf den Vertrag mit
Endicott. Das hast du sehr gut gemacht, Schyler.«

Warum Endicott damals die Geschäftsbeziehungen zu ihnen
eingestellt hatte, hatte sie ihm bislang nicht erzählt. Solange sie
selbst keine plausible Erklärung dafür hatte, wollte sie nicht,
daß sich Cotton deswegen den Kopf zerbrach. »Danke, Daddy.
Ich bin froh, daß du einverstanden bist.«

So heiter wie schon seit Tagen nicht mehr machte sich Schyler auf den Weg. Sie durchquerte den Eingangsbereich des Krankenhauses und hatte fast die Glasschiebetüren erreicht, als sich diese öffneten und ein Mann hereinkam.

Als sie ihn erkannte, blieb sie wie angewurzelt stehen. »Mark!«

Cash hatte von seinem Lieferwagen aus beobachtet, wie der blonde Mann mit selbstsicheren Schritten die Stufen zum Krankenhauseingang erklommen hatte. Als er jetzt Schyler mit dem gleichen Mann Arm in Arm herauskommen sah, schloß er aus ihrem strahlenden Lächeln, daß der Mann ihr Geliebter war. Außerdem sah sie nicht so aus, als wäre sie in Trauer.

Als er den Motor anließ, hätte er beinahe den Schlüssel abgebrochen. Mit quietschenden Reifen brauste er davon.

41. KAPITEL

»Mein Gott, das sieht ja aus wie Tara.«

Schyler strahlte ob Marks Lob. »Nein, es ist noch viel schöner als Tara.«

Mark Houghton betrachtete sie von seinem Platz auf dem Beifahrersitz ihres Wagens. »Und du bist viel schöner als Scarlett.«

»Ach, Mark, du bist ein Schatz, so etwas zu sagen. Aber ich bin völlig erledigt und weiß, daß man mir das auch ansieht.«

Er schüttelte den Kopf. »Du bist wunderschön. Ich hatte fast vergessen, wie schön.«

Und Schyler hatte fast vergessen, wie gut es tat, Komplimente zu erhalten. Ihr Gesicht glühte, und sie mußte lächeln. »Wenn ich tatsächlich strahlen sollte, dann nur, weil ich mich so freue, dich zu sehen.«

Er drückte ihre rechte Hand. »Komm, ich kann's kaum erwarten, das Haus zu sehen.«

Als sie auf der Hälfte der Auffahrt waren, fing Schyler an zu hupen, und als sie den Wagen anhielt, standen Mrs. Dunne und Gayla bereits erwartungsvoll auf der Veranda, um zu sehen, was der Lärm zu bedeuten hatte.

»Ich hab' Neuigkeiten!« rief Schyler, als sie ausstieg und um den Wagen herum zur Beifahrertür lief. »Mark ist hier, und Daddy kommt morgen nach Hause!«

Als sie die Treppe hinaufstiegen, legte Mark Schyler den Arm um die Taille, nicht nur aus Zuneigung, sondern auch, um sie daran zu hindern, wegzufliegen. Sie wirkte so aufgedreht wie ein Kind bei seinem ersten Zirkusbesuch.

»Sie müssen Mrs. Dunne sein«, begrüßte Mark die Haushälterin. »Wir haben vorhin miteinander telefoniert. Ich habe Schyler tatsächlich im Krankenhaus getroffen, wie Sie gesagt haben. Nochmals danke.«

»Mrs. Dunne, schieben Sie lieber noch ein Hähnchen in den Herd. Wir haben einen Gast zum Essen.«

»Wie der Zufall es will, habe ich tatsächlich noch eines übrig.« Sie lächelte dem attraktiven blonden Paar zu.

»Gut. Ist das Gästezimmer fertig?«

»Ich habe heute morgen das Bett frisch bezogen.«

»Großartig, dann kümmern Sie sich um das Huhn, und wir bringen Marks Tasche nach oben. Er hat nicht viel Gepäck dabei.« Mrs. Dunne ging ins Haus zurück. »Mark«, sagte Schyler, »das ist meine Freundin Gayla Frances. Gayla, Mark Houghton.«

»Ich freue mich, Sie kennenzulernen, Miss Frances.« Mark gab ihr einen Handkuß.

»Ganz meinerseits, Mr. Houghton«, erwiderte Gayla verlegen. »Schyler hat mir schon viel von Ihnen erzählt.«

»Nur Gutes, wie ich hoffe«, sagte Mark mit einem entwaffnenden Lächeln.

Gayla warf Schyler nervös einen hilfesuchenden Blick zu. Smalltalk, vor allem mit Männern, fiel ihr noch immer schwer. Mehr blieb ihr erspart, denn Tricia kam auf die Veranda.

»Was, zum Teufel, ist denn hier —« Sie brach ab, starrte Mark zunächst verblüfft an, ehe sich ihr Blick dann mit weiblichem Wohlwollen verengte. »Hey, alle miteinander.« Ihr breiter, süßer Akzent paßte zu ihrem Lächeln.

»Hallo«, antwortete Mark simpel. Er war es gewohnt, wegen seines Aussehens angestarrt zu werden. Nicht, daß er eingebildet war, aber er war sich bewußt, wie gut er aussah.

Schyler machte sie miteinander bekannt. Tricia legte unsicher eine Hand in den Nacken. »Du hättest mir wenigstens etwas sagen können, Schyler.«

»Ich wußte es selbst nicht. Marks Besuch kommt völlig überraschend.«

»Und ich hoffe, nicht ungelegen«, ergänzte er höflich in Tricias Richtung.

»Aber nein, nein. Ich wollte damit nur sagen, wenn ich gewußt hätte, daß wir einen Gast haben, hätte ich mir doch etwas Passendes angezogen.«

»Ich finde, Sie sehen sehr hübsch aus, Mrs. Howell.«

»Ach, nennen Sie mich doch bitte Tricia.« Sie sah mit Verdruß an sich und ihrem Designerkleid herunter. »Wissen Sie, ich hatte mich gerade für eine Verabredung in der Stadt zurecht gemacht. Ich werde kurz anrufen und Bescheid sagen, daß ich nicht komme.«

»Bitte, sagen Sie nicht extra meinetwegen ab.«

»Oh, ich werde mir doch auf keinen Fall ein Essen mit Ihnen entgehen lassen, wo Schyler mir schon so viel von Ihnen vorgeschwärmt hat«, hauchte Tricia. »Entschuldigen Sie mich bitte einen Moment, ich zieh' mir nur schnell etwas anderes an. Liebes, würdest du mir eben das Kleid bringen, das ich Mrs. Dunne zum bügeln gegeben habe?« wies sie Gayla an, bevor sie durch die Fliegengittertür verschwand.

»Tricia!« rief Schyler ihr entsetzt nach.

Gayla legte ihr die Hand auf den Arm und sagte: »Schon gut. Ich wollte sowieso nach oben gehen und nach dem Gästezimmer sehen. Bleib du nur bei Mr. Houghton.«

»Aber du bist doch nicht Tricias Dienstmädchen. Wenn sie dir das nächste Mal etwas befiehlt, sag ihr, sie soll sich zum Teufel scheren.«

»Werd ich mir merken«, sagte Gayla mit einem gutmütigen Lachen, als sie hineinging.

»Eine hübsche Frau«, bemerkte Mark, als Gayla außer Hörweite war. »Ist sie diejenige, die –«

»Ja.« Schyler hatte ihm bei einem ihrer langen Übersee-Telefonate von Gayla erzählt.

»Kaum zu glauben«, sagte er kopfschüttelnd. »Du hast ihr wohl sehr geholfen...«

»Sie hätte dasselbe für mich getan.«

Mark sah sie an und strich ihr übers Haar. Sein Blick war voller Liebe und Bewunderung für sie. »Ist das eine Angewohnheit von dir?«

»Was?«

»Anderen zu helfen? Ich erinnere mich da an einen ziellos durch die Gegend irrenden, heimatlosen Amerikaner in London, der sich schrecklich einsam gefühlt hat. Den hast du auch aufgepäppelt.«

»Dann mußt du mal dein Gedächtnis überprüfen, denn das ist genau das, was *er* für *mich* getan hat.« Sie stellte sich auf die Zehenspitzen und gab ihm einen Kuß auf den Mund. »Ich werde dir nie genug dafür danken können, was du für mich getan hast, Mark. Schön, daß du gekommen bist. Ich hatte nicht geahnt, wie sehr du mir gefehlt hast, bis du vor mir standest.«

Wie immer, wenn er kein Publikum hatte, war sein hübsches Lächeln von Traurigkeit und Selbstironie gefärbt. »Komm, zeig mir lieber Belle Terre, bevor das hier zu schwülstig wird.«

»Was möchtest du zuerst sehen?«

»Hattest du nicht etwas von Pferden gesagt?«

Ken war der letzte, den Mark kennenlernte.

Sie trafen sich beim Aperitif im großen Salon. Mark hatte einen Rundgang über das gesamte Anwesen, einschließlich der Außengebäude, hinter sich. Danach hatte Schyler sich entschuldigt, um sich vor dem Essen noch schnell frischzumachen. Mark, wie immer tadellos, ging ebenfalls auf sein Zimmer, um es ihr angeblich gleich zu tun.

Als Schyler den Salon betrat, hörte sie Tricia zu Mark sagen: »Ich könnte nicht mal sagen, wann genau Kennedy Präsident war, aber ich sehe mir oft alte Aufnahmen von ihm an, und Sie klingen *genau* wie er. Aber wahrscheinlich finden Sie, daß ich diejenige von uns beiden mit dem Akzent bin.«

Marks Blick hellte sich auf, als er Schyler hereinkommen sah. Er ging ihr entgegen, ergriff ihre Hände und gab ihr einen Kuß auf die Wange. »Du siehst phantastisch aus. Dieses heiße feuchte Klima läßt dich offensichtlich aufblühen wie eine Orchidee in einem Treibhaus. Kleiner Drink gefällig?«

»Ja, bitte.« Leicht errötet ob seines Kompliments nahm sie auf einem der Zweisitzersofas Platz, während Mark ihr einen großen Gin Tonic mixte. Seine Aufmerksamkeit entging Tricia nicht, deren übersprudelndes Temperament seit Schylers Erscheinen deutlich abgekühlt war. »Hat Mark dir nicht gesagt, daß er mit den Kennedys bekannt ist?« fragte Schyler sie.

Tricias Augen weiteten sich. »Nein! *Die* Kennedys? Mein Gott, das ist ja faszinierend!« Mark reichte Schyler den Drink. Er wollte sich gerade zu ihr setzen, als Tricia auf das Kissen neben sich klopfte. Höflich nahm er bei ihr Platz. »Erzählen Sie, woher kennen Sie sie? Haben Sie auch schon Jackie gesehen?«

»Nun ja, eigentlich waren die Kennedys Nachbarn von uns. Meinen Eltern gehört ein Haus in Hyannis Port.«

»Wirklich? Oh, da wollte ich schon immer mal hin!« Sie legte eine Hand auf seinen Oberschenkel. »Ist es dort wirklich so schön?«

»Nun —« In diesem Moment kam Ken herein. Er quittierte die Szene, die sich ihm im Salon bot, mit einem leicht säuerlichen Blick. »Hallo Ken«, begrüßte Schyler ihn.

»Ich habe im Werk angerufen. Der Idiot am anderen Ende hat mir gesagt, es hätte einen Notfall im Krankenhaus gegeben. Daraufhin habe ich dort angerufen, aber keiner wußte etwas.«

»Kein Notfall. Daddy kommt morgen nach Hause.« Doch diese Neuigkeit hellte Kens düsteren Blick keinesfalls auf. »Mark ist überraschend zu Besuch gekommen«, beeilte sich Schyler zu sagen. »Es ist alles so schnell gegangen, daß ich gar nicht dazu kam, dir Bescheid zu sagen.«

Sie stellte ihm Mark vor. Mark erhob sich und zwang damit Tricia, die Hand von seinem Schenkel zu nehmen. Ken wirkte beleidigt. Schyler hatte geahnt, daß er Mark auf den ersten Blick hassen würde, und sie hatte recht behalten. Er entschuldigte sich sofort, um nach oben zu gehen.

Als er wieder herunterkam, trug er einen leichten Sommeranzug und eine pastellfarbene Krawatte. Außerdem hatte er geduscht; sein Haar war noch feucht, und er duftete wie die ganze Herrenparfümabteilung im Maison Blanche, unten in New Orleans.

»Darf ich noch jemandem nachschenken?« fragte er, als er zur Anrichte ging.

Schyler war fuchsteufelswild. Sie beobachtete jetzt schon seit fast einer Stunde Tricias Hand auf Marks Schenkel auf und ab wandern. Ihr wurde übel bei dem Anblick, wie ihre Schwester sich an Mark ranschmiß.

Ob Tricia es tat, um sie oder Ken eifersüchtig zu machen, oder aus purem Vergnügen – es ärgerte sie maßlos. Tricia nahm Mark in Beschlag, und der war zu höflich, um sich zu wehren.

»Das Essen wäre bereit, Mrs. Crandall«, verkündete Mrs. Dunne unter dem Rundbogen.

»Danke.« Schyler war so wütend, daß sie kaum sprechen konnte. »Wir kommen.«

Tricia warf der Haushälterin einen bösen Blick zu, weil sie Schyler und nicht ihr Bescheid gegeben hatte. Besitzergreifend umklammerte sie Marks Arm. »Heute wird mich Mark ins Eßzimmer begleiten. Ken, du gehst mit Schyler«, befahl sie.

Ken, der bereits zwei doppelte Bourbon intus hatte, nahm die Karaffe gleich mit. Mit der freien Hand faßte er Schyler beim Ellbogen. Sie durchquerten zusammen die große Eingangshalle und betraten das Eßzimmer. Mark zog für Tricia den Stuhl vor. Sie lächelte ihm über die Schulter zu.

»Mark, Sie sitzen hier, neben mir. Ken und Schyler sitzen uns gegenüber. Daddy sitzt immer am Kopfende. Wenn er bei uns sein könnte, wäre der Abend wirklich perfekt, nicht wahr?«

Doch die Situation war alles andere als perfekt. Tatsächlich fing die Katastrophe bei der Vorspeise an, als Tricia ihren Mann ziemlich schroff darauf hinwies, er solle nicht soviel trinken. Danach ignorierte sie ihn völlig und beschränkte sich in ihrer Unterhaltung ausschließlich auf Mark.

Die Spannung bei Tisch wuchs mit jedem der köstlich zubereiteten Gänge. Schyler wurde immer wütender; Ken, so schien es, ertränkte seinen Kummer, und Mark war besorgt. Tricia war die einzige, die sich amüsierte.

Doch das nahm beim Dessert ebenfalls ein abruptes Ende. Sie machte eine Bemerkung, die sie für unglaublich witzig hielt. Kichernd beugte sie sich zu Mark vor und rieb ihre Brüste gegen seinen Arm. Mark fiel in ihr Lachen ein, aber es klang verkrampft. Dann tupfte er sich den Mund mit der Leinenserviette ab und sagte: »Sparen Sie sich die Mühe, Tricia.«

Ihr Lachen brach augenblicklich ab, und sie starrte ihn verblüfft an. »Mühe? Was meinen Sie damit?«

»Daß Sie aufhören können, unter dem Tisch meinen Schenkel zu drücken. Gönnen Sie Ihren Flatterlidern eine Pause und pakken Sie Ihre Brüste wieder ein. Ich bin nicht interessiert.«

Tricia ließ die Gabel auf den Teller fallen. Sie starrte ihn an, aschfahl im Gesicht.

Er bedachte sie mit einem freundlichen Lächeln. »Wissen Sie, ich bin nämlich schwul.«

42. KAPITEL

»Das war nicht sehr nett.«

Schyler lehnte an einem der Eckpfeiler auf der Veranda. Sie hielt die Hände auf dem Rücken verschränkt. Die sanfte Brise strich über ihren Körper und spielte mit dem Stoff ihres Kleides. Einige helle Strähnen fielen ihr auf die Wangen.

Die Nacht war fast so schön wie diese Frau, der Himmel über ihnen ein funkelndes Sternenmeer. Der Mond tauchte die Zweige der Lebenseichen in silbernes Licht, und das Orchester der Insekten musizierte in voller Lautstärke. Ein schwerer, blumiger Duft hing in der schwülen Luft.

»Na ja, was sie versucht hat, war auch nicht gerade sehr nett.« Mark hatte es sich in einem der Korbstühle mit den fächerförmigen Rückenlehnen bequem gemacht. »Du weißt, es ist eigentlich nicht meine Art, so barsch zu werden. Aber ich konnte nicht anders. Ich habe es so lange wie nur möglich über mich ergehen lassen. Tricia hat einen Denkzettel für ihren Versuch verdient.«

»Versuch?«

»Den Versuch, mich dir auszuspannen.«

Er hatte recht. Es war nur schmerzlich für Schyler, sich dies einzugestehen. Sie starrte in die Dunkelheit. »Also, damit hast du ihr mehr als nur einen Denkzettel verpaßt.«

Mark hob die Arme über den Kopf und reckte sich, während er gleichzeitig die Beine ausstreckte. »Deshalb ist sie ja auch gleich nach oben gerauscht. Der Blick, den sie mir zuwarf, war so vernichtend, daß ich eigentlich schon tot sein müßte. Deine Schwester ist eine Schlange.«

»Mir solltest du so etwas nicht sagen.«

»Erwarte nicht, daß ich mich dafür entschuldige.«

»Ich finde, Ken als ihr Ehemann hätte sie verteidigen müssen; aber er hat nur gelacht.«

»Tja«, bemerkte Mark trocken, »dein Schwager war hocherfreut über mein Geständnis. Jetzt weiß er wenigstens, daß ich keine Bedrohung darstelle.«

»Eine Bedrohung?« Schyler wandte ihm wieder das Gesicht zu. »Für wen?«

»Für ihn. Hast du nicht bemerkt, daß der Mann sich vor Eifersucht verzehrt hat?«

»Wegen dir und Tricia.«

Marks blondes Haar reflektierte das Mondlicht, als er den Kopf schüttelte. »Nein, wegen dir und mir. Er liebt dich noch immer, Schyler.«

»Das glaube ich nicht.« Sie zog die Hände hinter dem Rücken hervor und machte eine abwehrende Geste. »Vielleicht denkt er, daß er mich noch immer liebt, aber ich glaube, was er fühlt, ist etwas anderes. Ich bin ein Anker für ihn, etwas, an das er sich klammern kann.«

»Warum? Droht er zu ertrinken?«

Mark hatte es als Witz gemeint, aber Schyler antwortete ihm ganz ernst darauf. »Ja, ich glaube schon. Jedenfalls hab ich das Gefühl. Etwas ist nicht in Ordnung mit ihm... nein, der Ausdruck ist zu stark. Etwas ist nicht im Lot. Aber ich weiß nicht, was.«

»Ich schon.« Sie warf ihm einen fragenden Blick zu. »Er weiß, daß er einen entscheidenden Fehler begangen hat. Er hat die falsche Frau geheiratet. Er hat zugelassen, daß Tricia und dein Vater ihm sämtliche Entscheidungen aus der Hand genommen haben. Für einen Mann ist das ein ziemlich hartes Schicksal.«

Eine der Eigenschaften, für die sie Mark immer bewundert hatte, war die, daß er kein Blatt vor den Mund nahm. Er sagte seine Meinung geradeheraus, auch wenn es weh tat. »Wahrscheinlich hast du recht«, sagte sie leise. »Er hat mehrere Annäherungsversuche bei mir gestartet.«

»Du meinst...?«

»Ja.«

»Oh, wie tragisch. Und wie hast du reagiert?«

»Natürlich habe ich ihn abgewehrt.«

»Aus moralischen Gründen?«

»Nicht nur.«

»Dann liebst du ihn also nicht mehr?«

»Nein«, sagte sie traurig. »Das tue ich nicht. Allerdings glaube ich, daß ich erst zurückkommen mußte, um es wirklich zu begreifen.«

»Soll ich dir mal etwas sagen?« fragte er und fuhr, ohne ihre Antwort abzuwarten, fort: »Ich glaube, du hast schon vor sehr langer Zeit aufgehört, ihn zu lieben, falls es überhaupt jemals Liebe war.«

»Und warum hast du mir das nicht eher gesagt?«

»Ich wollte, aber du hättest es mir ohnehin nicht abgenommen. Du mußtest es selbst herausfinden.«

»Ich habe so viel Zeit vergeudet«, sagte sie bedauernd.

»Ich denke nicht, daß sie vergeudet ist, wenn es dir hilft, darüber hinwegzukommen. Und du hattest viel, über das du hinwegkommen mußtest.«

Schyler sah zu, wie er sich noch einen Drink eingoß. Er nahm einen Schluck, lehnte sich im Korbstuhl zurück und genoß mit geschlossenen Augen den edlen Tropfen. »Mark?« Er schlug die Augen wieder auf. »Ich glaube, was du über Ken gesagt hast, stimmt. Aber ich hoffe, daß du dich nicht indirekt auf jemand anderen bezogen hast, als du meintest, sein Leben sei völlig unbedeutend.«

Er lächelte sie reumütig an. »Leb mit einer Frau sechs Jahre zusammen, und sie bildet sich ein, dich zu kennen.«

»Ich kenne dich auch.«

Er hob den Schwenker und betrachtete den bernsteinfarbenen Inhalt. »Vielleicht tust du das.«

»Die Art Melancholie erkenne ich.«

»So schlimm, wie es aussieht, ist es nicht. Du weißt, ich mache Phasen wie diese durch, aber in ein, zwei Tagen bin ich darüber hinweg. Und bis dahin schwelge ich ein bißchen in Selbstmitleid. Ich werde mich fragen, warum ich es nicht zugelassen habe, daß meine Eltern sich weiterhin etwas vormachten, und warum ich nicht die Frau geheiratet habe, die sie für mich ausgesucht hatten. Wir wären alle sehr viel glücklicher geworden.«

»Nein, niemand wäre glücklicher geworden, Mark. Und zuallerletzt die Frau. Du hättest sie auf Dauer nicht zum Narren halten können, und dich selbst schon gar nicht. So ehrlich, wie du mit allen umgehst, einschließlich dir selber, wäre es dir bestimmt nicht gelungen, diese Lüge zu leben.«

»Aber mein Vater und meine Mutter wären glücklich gewesen. Sie hätten ihren einzigen Sohn und Erben nicht mit Entsetzen und Abscheu betrachten müssen.«

Schyler zerriß es fast das Herz. Seine Eltern hatten ihn verstoßen. Daß ihr Sohn ein Schwuler war, war einfach abscheulich. Sie hatten ihn wie ein Geschwür aus ihrem Leben geschnitten.

»Hast du mal wieder etwas von ihnen gehört?«

»Nein, was denkst du«, sagte er und leerte sein Glas zum zweiten Mal. »Aber das ist nicht der Grund für meine Melancholie.«

»Ah?«

»Nein. Ich bin deprimiert, weil ich meine Mitbewohnerin verliere.«

»Woher willst du das wissen?«

Mark erhob sich aus seinem Stuhl und kam zu ihr herüber. Er legte die Hände auf ihre Wangen. »Mein Vergleich mit einer Treibhausorchidee war hoffnungslos poetisch, aber zutreffend, wie ich glaube. Du bist hier wirklich aufgeblüht, Schyler.« Er blickte sich um. »Dies ist der Ort, wo du hingehörst.«

Sie seufzte tief. »Ich weiß. Trotz all der Nachteile bin ich furchtbar gern hier.« Ihre Augen füllten sich mit Tränen. »Die schmuddelige kleine Stadt, die verbohrten Menschen, die Wälder, die Bayous, der Duft der Erde, die Feuchtigkeit und die Hitze. Belle Terre. Ich liebe es.«

Er nahm sie fest in den Arm, drückte ihren Kopf in die Beuge seines Nackens. »Gott, du mußt dich doch nicht dafür entschuldigen. Bleib hier, Schyler, und werde glücklich.«

»Aber du wirst mir fehlen.«

»Nicht lange.«

»Auf ewig.«

Er beugte ihren Kopf zurück und wischte ihr die Tränen mit den Daumen ab. »Die meisten verheirateten Paare sind nicht so gute Freunde, wie wir es sind.« Er lächelte wehmütig. »Aber wir können nicht auf ewig zusammenbleiben. Du brauchst mehr als das. Du brauchst mehr, als ich dir geben kann.« Er beugte sich vor und flüsterte: »Du brauchst Belle Terre.«

»Und Belle Terre braucht mich auch.«

Sie hatte ihm von ihrem Kummer erzählt, weil sie wußte, daß es ihn aufrichtig interessierte. Während ihres Rundgangs durch das Haus hatte er ihr geduldig zugehört, als sie ihn auf den neuesten Stand der Dinge brachte.

»Morgen kommt Daddy nach Hause. Ich freue mich wahnsinnig, aber das bedeutet auch, daß ich meine Zeit zwischen ihm und meiner Arbeit im Werk teilen muß. Ich kann nicht das eine für das andere opfern. Ich will ihn in die Entscheidungen mit einbeziehen, damit er sich nicht überflüssig vorkommt, aber ich darf ihm auch nicht zuviel zumuten, sonst laufe ich Gefahr, ihn dem Risiko eines neuen Infarkts auszusetzen. Ich werde ganz schön jonglieren müssen.«

»Du schaffst das.«

»Glaubst du wirklich?«

»Ja, das glaube ich wirklich.« Er fuhr ihr mit den Fingern durchs Haar. »Wann wolltest du mir eigentlich beichten, daß du hierbleibst, Schyler?«

»Ich weiß nicht. Ich weiß nicht einmal, ob ich mir dessen überhaupt bewußt war, bis du mir sagtest, du würdest deine Mitbewohnerin verlieren. Ich schätze, mein Entschluß war irgendwo in meinem Unterbewußtsein verbuddelt und wartete darauf, daß ihn jemand hervorzog.«

»Hmm.« Er nickte nachdenklich. »Hat dein unterbewußter Entschluß irgend etwas mit der Zigarette zu tun?«

»Der Zigarette?«

Er deutete mit dem Kinn in Richtung des Waldstücks, das am Hof anschloß. »Seit wir hier draußen auf der Veranda sind, glimmt da drüben eine Zigarette.«

Schylers Kopf wirbelte in die Richtung, die er angedeutet hatte. »Cash«, flüsterte sie.

»Aha, Mr. Boudreaux«, sagte Mark trocken. »Du hast seinen Namen schon öfter erwähnt. Ich frage mich, ob dir eigentlich bewußt ist, wie oft du ›Cash meint dies‹ oder ›Cash tut das‹ sagst.«

Sie ertrug seinen amüsierten Blick nicht. Also konzentrierte sie sich auf den sorgsam gebundenen Knoten der Krawatte um seinen Hals. »Es ist nicht so, wie du denkst. Es ist ziemlich kompliziert.«

»Das ist es doch immer, Liebes.«

»Nein, Mark. Es ist anders als die üblichen Geschichten. Er ist...«

»Nicht gut für dich.«

»Stark untertrieben ausgedrückt.«

»Sein Ruf in Bezug auf Frauen ist zweifelhaft.«

»Nein, im Gegenteil, ziemlich eindeutig. Völlig eindeutig. Er nagelt alles, was ihm über den Weg läuft.«

»Ein Zitat?«

»So könnte man sagen.«

»Dachte ich mir. Hört sich nämlich gar nicht nach dir an.«

»Aber es ist nicht nur, weil Cash ein Frauenheld ist. Er —«

»Ist auf der falschen Seite der Stadt geboren. In diesem Fall auf der falschen Seite des Bayou.«

»Ich bin aber kein Snob«, sagte sie verteidigend.

»Sind wir das nicht alle?« erinnerte er sie sanft. »Immerhin bist du eine Crandall von Belle Terre. Was würden die Leute denken?«

»So einfach ist es nicht. Ich habe mich nie besonders darum geschert, was die Leute denken könnten. Mama war so. Cotton überhaupt nicht. Er hat sich nie einen verdammten – das Zitat behalte ich lieber für mich.« Mark lachte, und es tat gut, sein Lachen zu hören. Sie zuckte die Achseln und sagte lächelnd: »Ich schätze, ich liege irgendwo dazwischen. Es ist mir egal, was die Leute denken, aber ich fühle mich für Belle Terre verantwortlich.«

»Du kommst vom Thema ab. Was ist mit Cash Boudreaux?«

»Ich weiß nicht. Er ist... Es ist...« Sie schloß die Augen und knirschte mit den Zähnen. »So verdammt verwirrend. Ich traue ihm nicht und trotzdem...«

»Willst du ihn.«

Sie schlug die Augen auf und sah ihn an. Sie hatte Mark gegenüber noch nie lügen können. Seine absolute Ehrlichkeit mit sich selbst verlangte auch allen anderen Ehrlichkeit ab. »Ja«, gestand sie leise. »Ich will ihn.«

Mark umarmte sie. »Gott, bin ich froh. Ein wenig Lust kann nur gesund für dich sein.« Glucksend fügte er hinzu: »Das dürfte interessant werden zu beobachten, selbst aus der Ferne.« Er küßte sie auf die Schläfen, dann auf den Mund. »Werde glücklich, Schyler.«

Dann löste er sich von ihr und ging über die Veranda zur Fliegentür. »Du brauchst mich nicht nach oben zu bringen. Ich kenne den Weg. Verzeih, wenn ich dich für heute verlasse, aber ich bin erschöpft. Der lange Flug und alles...« Er warf ihr eine Kußhand zu und betrat das Haus.

Schyler verharrte, wo sie war, und starrte auf den leeren Eingang. Nach mehreren Augenblicken wandte sie sich um, noch immer an den Pfeiler gelehnt, und sah hinaus über den Rasen.

Die rote Glut der Zigarette zwinkerte ihr zu.

Es kam ihr vor, als würde sie eine Ewigkeit brauchen, um das Waldstück zu erreichen, doch dann, bevor sie darauf eingestellt war, schob sie einen Büschel Kreppmyrtenblüten beiseite und stand Cash Boudreaux gegenüber. Er warf die Zigarette zu Boden und zerrieb sie mit der Stiefelspitze zu Staub.

»Was soll das, warum lungerst du hier im Dunkel herum?« fragte Schyler wütend. »Wenn du mir nachspionieren willst —«

»Sei still.«

43. KAPITEL

Seine rauhen Finger schlossen sich um ihr Kinn; er drückte sie mit dem Rücken gegen den Stamm einer Kiefer und zwang ihre Lippen, sich unter seinem Kuß zu öffnen. Seine Zunge drängte sich ungestüm tief in ihren Mund. Schyler schlang die Arme um seinen Nacken. Sie fuhr ihm durchs Haar und hielt seinen Kopf fest. Er ließ ihr Kinn los und strich ihr mit beiden Händen über den Körper, als wolle er so viel wie möglich von ihr berühren.

Er löste seine Lippen von den ihren. Ihre Blicke trafen sich. Ihr keuchender Atem klang ungewöhnlich laut in der Stille der Dunkelheit.

»Verdammt, sag, daß du mich willst.«

Schyler benetzte ihre geschwollenen Lippen. »Ich will dich. Deshalb bin ich doch hier.«

Er umklammerte ihr Handgelenk und zog sie tiefer in den Wald hinein. Sie stolperte hinter ihm her, halb lachend, halb weinend. Sie hatte keine Angst. Ihr Herz klopfte vor Aufregung, nicht vor Furcht. Sie hatte nicht das Gefühl, fortgezogen zu werden von allem, was ihr lieb und vertraut war, sondern hin zu etwas, das neu und erregend war. Und auch wenn sein Griff um ihr Handgelenk unerbittlich hart war, fühlte sie sich nicht gefangen, sondern frei.

Er brachte sie zu der Stelle am Bayou, wo er einige Wochen zuvor ihre Hundebisse verarztet hatte. Dieselbe Laterne war dort, dasselbe Boot.

»Steig ein.«

Sie stieg in das schmale Boot und ließ sich etwas unsicher auf der Sitzbank nieder. Cash stieß das Boot vom Ufer ab und stieg ebenfalls ein. Er nahm das lange Ruder und lenkte das Boot durch das flache, trübe Wasser.

Er stand im Bug und ließ Schyler nicht einen Moment aus den Augen. Seine Silhouette zeichnete sich groß, gefährlich und dunkel vor dem Himmel ab. Das silberne Mondlicht spielte in den Bäumen, die das Ufer säumten, und ließ den umliegenden Wald zu ständig wechselnden Mustern aus Licht und Schatten werden. Das Wasser des Bayou plätscherte sanft gegen das Boot. Frösche quakten, und die Vögel der Nacht stimmten ihr Lied an.

»Warum hast du ihn verlassen und bist zu mir gekommen?«

»Meinst du Mark?«

»Hast du Schluß mit ihm gemacht?«

»Ich brauchte nicht Schluß zu machen.«

»Es könnte dir leid tun, mich zum Narren halten zu wollen, Schyler.«

Daran zweifelte sie nicht einen Moment. »Mark ist schwul. Unsere Beziehung ist rein platonisch.«

Er lachte nicht. Er bezichtigte sie nicht der Lüge. Er sagte nicht, daß er ihr nicht glaubte.

Sie wartete, aber er sagte nichts und unterstützte lediglich weiterhin die träge Strömung, indem er das Ruder am Grund des Bayou abstieß.

Schließlich stieß das Boot wieder ans Ufer. Cash sprang an Land und zog es aus dem Wasser. Er legte das Ruder beiseite, reichte Schyler die Hand und half ihr beim Aussteigen. Mit der Laterne in der freien Hand führte er sie den Pfad entlang zu seinem Haus.

Sie betraten es über die überdachte Veranda. Cash stellte die Laterne auf dem Tisch neben dem Bett ab und wandte sich zu Schyler um. Endlos lange standen sie nur da und sahen einander schweigend an, gespannt, was als nächstes geschehen mochte.

Und dann fielen sie im selben Augenblick hungrig übereinander her. Er zog ihren Kopf in den Nacken und küßte sie, erst auf den Mund, dann auf den Hals und wieder auf den Mund. Zwischen diesen eindeutigen Küssen murmelte er noch eindeutigere Worte. Einige davon in der Sprache der Vorfahren seiner Mutter, und auch wenn die Sprache für Schyler unverständlich war, so war die Bedeutung der Worte es nicht. Schyler antwortete auf ihre Weise und zeigte ihre Bereitschaft, indem sie ihren Körper gegen den seinen preßte.

Der Stoff ihres Kleides war so weich, so zart, daß er fast wie Zuckerwatte wirkte gegen seinen harten und fordernden Körper. Schyler wollte von seiner Männlichkeit umschlungen werden.

Seine Küsse wurden zärtlicher. Absichtlich langsam ließ er seine Zunge in ihren Mund gleiten und wieder heraus, jede Nuance genießend.

»Das letzte Mal wußtest du nicht, wie dir geschah«, sagte er außer Atem. »Dieses Mal, Lady, will ich, daß du abhebst.«

»Das tue ich doch schon.« Sie stöhnte auf, als seine Hände vorn über ihr Kleid strichen. Seine Handflächen waren heiß. Sie schienen den Stoff ihres Kleides zum Schmelzen zu bringen.

Er lächelte. »Gut. Das ist gut.« Er beugte sich vor und küßte sie erneut. Er machte sich an ihren Knöpfen zu schaffen. Als der letzte Knopf aufsprang, kam ihr pastellfarbener BH zum Vorschein. Er schien sich fast aufzulösen unter seinen geschickten Fingern.

Nun berührte er ihre Brüste und strich mit den Daumen über ihre Knospen. »Cash.« Leise seufzte sie seinen Namen, legte ihre Hände auf seine Hüften und bog sich zurück.

Er stöhnte vor Erregung und Zufriedenheit auf, als ihre Brustwarzen unter seinen reibenden Fingerspitzen so hart und rosig wurden wie pinkfarbene Perlen. Er nahm eine in den Mund und saugte fest daran.

»Ich kriege nicht genug«, keuchte er und hob den Kopf. Er nahm ihr Gesicht in beide Hände und sah sie an; sein brennendes Verlangen grenzte an Raserei. »Ich kann einfach nicht genug kriegen«, wiederholte er, ehe er sich wieder auf ihren Mund stürzte.

Eng umschlungen fielen sie aufs Bett. Cash zog ihr das Kleid über die Hüften und warf es über das Bett. Er gönnte sich nur einen kurzen Blick der Bewunderung auf ihre knappe Unterwäsche, ehe er ihr dabei half, sie auszuziehen.

Dann legte er ihr eine Hand auf den Bauch und rieb seine schwielige Handfläche dagegen. Er strich über ihre blonden Löckchen, die sich um seine Fingerspitzen ringelten, dann über ihre Brust.

Schyler schaute ihm in die Augen, während sie sein Hemd aus seiner Hose zog. Seine Augen verengten sich vor wachsender Leidenschaft. Sein Atem brach sich pfeifend Bahn durch seine zusammengepreßten Lippen.

Hastig und ungestüm öffnete er sein Hemd und zog es sich vom Leib. Seinen Gürtel zu öffnen bedurfte schon etwas mehr Fingerfertigkeit. Er fluchte, als es ihm nicht gleich gelang; dann rollte er sich auf den Rücken, hob die Hüften an und streifte seine Jeans und Stiefel ab.

Nackt, warm und hart legte er sich auf Schyler und hielt ihre Hände neben ihrem Kopf fest. Sein Kuß wäre die reinste Schändung gewesen, wenn sie ihn nicht mit gleicher Leidenschaft erwidert hätte.

»Ich bringe dich um, wenn du mich angelogen hast.«

»Es ist die Wahrheit. Ich schwör's dir.«

»Willst du mich?«

»Ja«, rief sie.

Er küßte ihren Nacken, ihre Brust. Immer tiefer wanderte er und neckte sie mit kleinen Bissen. Seine Zunge tanzte um ihren Bauchnabel, bis sie vor Lust und Verlangen stöhnte.

Sie hob sich ihm entgegen.

Cash glitt mit beiden Händen unter ihren Körper, preßte die Finger in ihr weiches Fleisch und zog sie an seinen Mund. Er naschte an ihr mit zärtlicher Gier und ließ sie wissen, daß es ihm ebenso viel Lust bereitete wie ihr. Schyler war wie von Sinnen; juchzende Laute drangen aus ihrem Mund.

Sie krallte sich in sein Haar. »Hör auf. Cash, nein.« Ihr Bauch verkrampfte sich. Ihr Hals und ihre Brüste vibrierten. Sie hatte das Gefühl, als würde sie auf den Rand einer Klippe zugestoßen, so dicht, daß sie schon in die Tiefe hinunterschauen konnte.

»Komm«, forderte er sie mit heiserer Stimme auf. »Ich will, daß du kommst. Komm, meine Süße.«

Sie hätte es gar nicht mehr aufhalten können, selbst wenn sie gewollt hätte.

Als die letzte Welle abebbte und sie die Augen aufschlug, sah sie sein Gesicht dicht über ihrem. Sie sah, wie sie sich im Grau und Grün und Gold seiner Augen widerspiegelte. Sie lächelte zögernd.

»Was ist?« Er strich verspielt mit der samtweichen Spitze seines harten Penis über ihren Bauch.

»Ich sehe ja durch und durch verderbt aus.«

Er grinste. »Und ob.« Doch dann wurde er wieder ernst, als sein Blick über ihr Gesicht wanderte, das rosig und verschwitzt war. Ihre vollen Lippen glänzten, leicht geschwollen von seinen Küssen und ihren eigenen Bissen. »Du siehst wunderschön aus.«

Er war nicht der Typ, der mit Komplimenten um sich warf, im Gegenteil. Schyler hatte das Gefühl, daß er noch nie einer Frau gesagt hatte, daß sie wunderschön sei, zumindest nicht, nachdem es ihm gelungen war, sie ins Bett zu kriegen.

Ihre Augen verklärten sich bei diesem Gedanken, dann sagte sie: »Ich finde dich auch wunderschön.« Sie zog seinen Kopf zu sich herunter und küßte ihn; sie schmeckte sich selbst auf seinen Lippen.

Cash ergriff ihre Hand; er hielt es kaum noch aus, so erregt war er. Er führte ihre Hand hinunter zu seinem Glied. »Halt mich. Halt mich ganz fest.« Bei den letzten Worten biß er die Zähne zusammen, weil ihre Hand bereits seinen samtenen, dikken Schaft liebkoste. Sie spürte die Feuchtigkeit auf seiner Spitze und verteilte sie in und um die Spalte.

In einem Singsang aus Liebesbekundungen und Flüchen langte Cash zwischen ihren Körpern herunter und spreizte die feuchten Lippen ihres Geschlechts. Dann drang er in sie ein, so fest und tief, als wären sie eins.

Er flüsterte: »Du bist noch enger als eine Faust. Feuchter als ein Mund.«

»Verdammt«, keuchte er, als er anfing, immer härter zuzustoßen. »Verdammt.«

Wieder und wieder tauchte er in ihren Körper und glitt fast aus ihr heraus. Schyler bog den Rücken durch, um jeden Stoß zu empfangen, öffnete sich und streckte sich. Ihr Keuchen vereinte sich in einem sich steigernden Rhythmus. Als der Höhepunkt sich Bahn brach, klammerten sie sich aneinander, weil sie dem Verlangen nach dem anderen hilflos ausgeliefert waren.

44. KAPITEL

Sie lagen einander gegenüber, und Schyler betrachtete liebevoll seinen Körper. »Woher hast du das?« Sie berührte eine Narbe auf seiner Brust.

»Andenken aus Vietnam. 'ne Messerstecherei.«

»So dicht seid ihr auf den Feind gestoßen?«

»Es war nicht mit dem Feind. Mit einem anderen GI.«

»Aus welchem Grund?«

»Teufel, was weiß ich. Warum, war doch unwichtig. Wenn es keinen Grund gab, haben wir uns einen ausgedacht.«

»Wieso?«

»Um Dampf abzulassen.«

»Reichten euch die Kämpfe an der Front nicht?«

»Doch. Aber es waren keine fairen Kämpfe.«

»Warst du ein gewöhnlicher Soldat?«

»Natürlich war ich genausowenig gewöhnlich wie alle andern. Mußten wir sein, wenn wir überleben wollten.«

»Nein, ich meine, warst du auf irgend etwas spezialisiert?«

»Munition, Sprengstoff.« Sein Kinn war angespannt. »Schätze, ich hatte meinen Anteil am Leichenberg.«

Sie versuchte, die Härchen seiner Brauen glattzustreichen, aber sie waren zu widerspenstig. »Wenn du so über den Krieg denkst, warum hast du dich dann freiwillig gemeldet? Ich hab gehört, du hast immer wieder verlängert.«

Er zuckte die Achseln. »Damals war das eben das Ding. Und ich hatte nichts anderes vor.«

»Was war mit dem College?«

»Ich hatte mich eingeschrieben, aber ich wußte in meinem Hauptfach besser Bescheid als die Profis.«

»Und was war dein Hauptfach?«

»Forstwirtschaft.«

»Aber du hättest doch nicht nach Vietnam gehen müssen. Du hättest hierbleiben und arbeiten können.«

Er schüttelte bereits den Kopf, noch ehe sie den Satz beendet hatte. »Ich hatte mich mit Cotton zerstritten.«

»Cotton war also zum Teil daran schuld, daß du in den Krieg gegangen bist? Wie das? Worüber habt ihr euch zerstritten?«

Er sah sie einen langen Moment an und sagte dann: »Es ging um den Tod deiner Mutter.«

»*Meiner* Mutter? Was hatte sie mit dir zu tun?«

Er rollte sich auf den Rücken und starrte an die Decke. Schyler stützte sich auf den Ellbogen und sah neugierig auf Cash hinab. Er wich ihrem Blick aus. »Nach Macys Tod erwartete ich von Cotton, daß er meine Mutter heiratet. Was er nicht tat. Er wollte nicht.«

Sie legte ihre Hand auf seine Brust, spreizte die Finger wie Streben eines Fächers, schloß sie und klemmte dabei sein Brusthaar zwischen ihnen ein. »Ich kann dazu nicht viel sagen, Cash. Dazu weiß ich nicht genug darüber.«

»Nun, ich wußte sehr genau, was ich dazu zu sagen hatte, und ich sagte es Cotton direkt ins Gesicht. Es artete in einen furchtbaren Streit aus. Wenn meine Mutter nicht dazwischengegangen wäre, hätten wir uns geprügelt.«

Schyler überlegte, wie Monique, nach dem, was sie über sie wußte, sich gefühlt haben mußte, als die beiden Männer, die sie liebte, sich an die Gurgel gingen. »Wie hat sie reagiert?«

»Wie wohl?! Sie hat Cotton in Schutz genommen, wie immer. Sie hat für alles, was er getan hat, eine Entschuldigung gefunden. Sie wollte nicht sehen, was für ein Mistkerl er war.«

Ihr Liebhaber hatte soeben ihren Vater einen Mistkerl genannt, doch Schyler verteidigte Cotton nicht. Es war nicht weiter verwunderlich, daß Cash Cotton dafür haßte, daß er seine Mutter nicht geheiratet hatte. Unter ähnlichen Umständen hätte sie wohl ebenso empfunden.

Cotton war ihr und Tricia ein guter Vater gewesen. Sie vergötterte ihn, trotz seiner Fehler. Aber sie konnte nicht darüber urteilen, wie er sein Leben außerhalb Belle Terres geführt hatte. Bis vor ein paar Wochen hatte sie nicht einmal etwas von seiner Beziehung zu Monique Boudreaux und ihrem temperamentvollen Sohn gewußt. Beide Männer hatten einen starken Willen, und Schyler konnte sich gut vorstellen, wie sie aneinandergerieten.

»An dem Abend, als wir Gayla nach Belle Terre brachten, hast du erwähnt, daß deine Mutter eine Fehlgeburt hatte.«

»*Oui.*«

»Und war es das Baby meines Vaters?«

Seine Augen blitzten auf. »*Oui.* Meine Mutter mag ja unverheiratet gewesen sein, aber eine Hure war sie nicht. Sie hat mit keinem anderen als mit ihm geschlafen.«

»Das wollte ich damit nicht —«

»Ich habe Hunger. Du auch?« Er schwang sich vom Bett und schlüpfte in seine Jeans.

Verwirrt nahm Schyler das Hemd, das er ihr entgegenwarf, und zog es über. »Schon, ich bin auch hungrig. Hast du was da?«

»Reis mit roten Bohnen.«

»Klingt köstlich.«

»Reste. Aber ich kann's aufwärmen.«

Gemeinsam tappsten sie durchs Haus und schalteten im Gehen die Lichter an. Schyler setzte sich an den Tisch und sah zu, wie Cash in der kleinen Küche das herzhaft duftende Gericht in der Pfanne aufwärmte. Als er ihr einen Teller reichte, sah sie, daß er den Reis mit Bohnen durch einige große Scheiben würziger Würstchen ergänzt hatte.

»Genau wie ich es mag«, sagte sie. »Hmmm, wunderbar. Wer war der Koch?«

»Ich.« Sie hörte auf zu kauen. Er lachte über ihre ungläubige Miene. »Hast du etwa gedacht, meine Mutter hat mir nur Rezepte gegen Warzen und Verstopfung hinterlassen?«

Schyler schlang wenig damenhaft auch den letzten Rest hinunter. Als Cash das Geschirr zur Spüle trug, betrachtete sie seinen anmutig geschwungenen Rücken, den natürlichen Schwung seiner schmalen Hüften und seine langen, schlanken Beine.

Er drehte sich um und sah den verträumten, verhangenen Blick in ihren Augen. »Und, was gesehen, was dir gefällt?«

»Du bist so eingebildet – aber, ja, tatsächlich gefällt mir, was ich sehe. Alles.«

»Du klingst nicht gerade glücklich darüber. Was ist los?«

»Was wird morgen sein?«

»Morgen?«

Plötzlich nervös, senkte Schyler den Blick auf ihre Hände, die sie unruhig im Schoß schloß und wieder öffnete. Der Saum des Hemdes reichte ihr kaum bis auf die Schenkel. Sie widerstand dem Bedürfnis, es keusch herunterzuziehen.

»Ich meine, was wird aus uns beiden? Daddy kommt morgen nach Hause.«

»Ich weiß.« Sie sah ihn erstaunt an. »Ich habe im Krankenhaus angerufen«, fügte er erklärend hinzu. »Als du so eilig das Werk verlassen hast, dachte ich, es sei etwas passiert.«

»Nein, im Gegenteil, es geht im wesentlich besser. Aber er hat es noch nicht ganz überstanden. Er darf sich auf keinen Fall aufregen.« Sie fuhr sich mit der Zunge über die Lippen. »Ich weiß nicht, wie er es aufnehmen würde, unsere… unsere Affäre.«

»Er wird ausrasten.«

Cashs Prognose war nicht gerade ermutigend. Trotzdem fuhr sie fort. »Du weißt, was wir alles in den nächsten Wochen zu tun haben. Wir müssen den Auftrag für Endicott termingerecht ausführen. Ich darf nicht zulassen, daß etwas dazwischenkommt, besonders nicht mein Privatleben. Uns wird nicht viel Zeit bleiben für… für…«

Cash lehnte sich gegen die alte Spüle, schlug die bloßen Knöchel übereinander und verschränkte die Arme vor der behaarten Brust. Sein Schweigen zwang sie weiterzusprechen. »Ich weiß nicht, ob ich schon bereit bin für eine emotionale Bindung. Meine Beziehung zu Mark war etwas Besonderes, auch wenn es nichts mit Sex zu tun hatte. Ich werde ihn vermissen. Und ich weiß, daß du dich mit anderen Frauen triffst.«

Sie hoffte, er würde sie aufklären, um wen und um wieviele es sich handelte. Aber eigentlich hoffte sie, er würde ihr sagen, daß er jetzt, wo er mit ihr schlief, kein Interesse mehr an den anderen hatte. Aber er blieb stumm und still. Es wurmte sie, daß er alles für sich behielt, während sie nichts vor ihm zurückhielt.

»Verdammt, sag doch was.«

»Okay.« Er stieß sich von der Spüle ab. Als seine bloßen Zehen nur noch wenige Zentimeter von ihren entfernt waren, langte er nach unten, griff nach ihrem Hemd und zog sie daran hoch. »Zurück ins Bett mit dir.«

Minuten später lagen sie zwischen den Laken, die einen moschusartigen Duft verströmten, nach ihm, nach ihr, nach Sex. Sie lag ihm zugewandt auf der Seite. Er hatte den Kopf zwischen ihren Brüsten vergraben und liebkoste ihre Brustwarzen zärtlich mit der Zunge.

»Das wollte ich schon immer tun«, murmelte er.

Schyler hatte ihre Sorgen für den Moment beiseite geschoben. Cash hatte den richtigen Einfall gehabt. Denk nicht an morgen. Zum Teufel damit. Lebe für den Augenblick. Möglich, daß sie dem Rattenfänger später ihren königlichen Tribut entrichten mußte, aber hier und jetzt, als sie seine warmen weichen Lippen auf ihrer Brust spürte, scherte sie sich nicht drum.

»Du wirst doch nicht gleich etwas Schwülstiges sagen, wie zum Beispiel, ›seit ich dich das erste Mal getroffen habe‹, oder?«

»Nein, ich wollte es schon vorher.«

»Schon vorher?« Sie sah ihn mit einem Ausdruck der Verwirrung an. Er schob sie sanft auf den Rücken und stützte sich auf einen Ellbogen, die andere Hand frei zum Nesteln.

»Es war im Magnolia Drug, als mir zum ersten Mal auffiel, daß du kein kleines Mädchen mehr warst. Ich muß so achtzehn, neunzehn gewesen sein. Du bist mit deinen Freundinnen reingekommen. Ihr wart furchtbar albern, habt die ganze Zeit gekichert. Ich schätze, du warst damals noch auf der Highschool. Du hast ein Schokoladensoda bestellt.«

»Ich kann mich nicht daran erinnern.«

»Dafür gibt es auch keinen Grund. Für dich war es ein ganz gewöhnlicher Tag.«

»Hast du was zu mir gesagt?«

Er lachte bitter. »Teufel, nein. Du wärst entsetzt davongerannt, wenn die Plage von Heaven es gewagt hätte, dich anzusprechen.«

»Hattest du damals das Motorrad?« Er nickte, und sie mußte lachen. »Du hast recht. Ein ›hallo‹ von dir hätte ausgereicht, um meinen guten Ruf zu ruinieren.«

»Wenn Cotton Wind davon bekommen hätte, hätte er mich kastriert. Ich habe jeden Rock gebumst, der willig war. Tatsächlich war ich nur in der Drogerie, um mir Gummis zu kaufen. Ich wollte gerade bezahlen, als du reinkamst. Ich beschloß, noch ein bißchen herumzuhängen, und bestellte einen Drink am Tresen.«

»So daß du einen guten Ausblick auf mich hattest?«

Er nickte. »Du trugst einen pinkfarbenen Pullover. Flauschig. Einen flauschigen, pinkfarbenen Pullover. Und deine Brüste, oder Titten, wie ich damals sagte, trieben mich zum Wahnsinn. Sie waren klein, spitz. Doch sie zeichneten sich unverkennbar unter deinem Pullover ab.« Er spielte mit ihr, und seine Bewegungen waren genauso verträumt wie seine Worte. »Ich habe über eine ganze Stunde an meinem Dr. Pepper Vanille festgehalten und dich beobachtet, während du die Musikbox mit Quarters gefüttert und mit deinen Freundinnen gealbert hast. Und dabei habe ich mir die ganze Zeit vorgestellt, wie es wäre, unter deinen Pullover zu langen, wo die Haut warm und weich ist, und deine kleinen Brüste anzufassen.«

Schyler hörte ihm gebannt zu. Cash sah ihr lange in die großen, glasigen Augen, bevor er sich über sie beugte und ihre Brustwarzen mit seiner Zunge umspielte.

»Ich hütete mich, mehr zu tun, als von dir zu träumen«, murmelte er. »Ich hatte für mein Alter bereits mehr Mädchen als jeder andere, aber sie waren alle willige Partnerinnen gewesen. Ich habe nie eine übervorteilt. Aber du warst zu jung für einen Mann mit meiner reichhaltigen Erfahrung.« Er rieb sein Gesicht in der Spalte zwischen ihren Brüsten. »Findest du mich verdorben?«

»Ja, absolut.«

Er hob den Kopf und sah sie grinsend an. »Aber es gefällt dir?«

»Schon«, gestand sie mit einem unsicheren Lachen. »Ich schätze, jede Frau wäre gern mindestens einmal Objekt einer Phantasie.«

»Das warst du, Miss Schyler. Das warst du. Ich gehörte zum weißen Abschaum, war ein Bastard. Und du warst die amtierende Prinzessin von Belle Terre. Ich war erwachsen. Du noch ein Kid. Du warst derart unerreichbar für mich, daß es nicht einmal besonders spaßig war. Aber ich hatte mich nicht mehr unter Kontrolle. Ich wollte dich berühren.«

»Vielleicht gerade, weil du nicht durftest.«

»Vielleicht.«

»Wollen wir nicht immer das, was wir nicht haben können?«

»Ich weiß nicht. Ich weiß nur, daß meiner so hart wurde, daß es wehtat«, raunte er und streifte grob ihre Lippen mit seinen. »Nachdem du mit deinen Freundinnen wieder gegangen warst, stieg ich auf mein Motorrad und fuhr raus aus der Stadt. Ich hielt irgendwo an und holte mir einen runter.« Er küßte sie hart. »Ein Anruf, und ich hätte innerhalb von fünf Minuten ein Mädchen unter mir haben können. Aber ich wollte nicht. Ich wollte kommen, während ich an Schyler Crandall dachte.« Er küßte sie noch einmal, noch heftiger.

»Ich habe Belle Terre noch nie von dieser Seite in der Dämmerung gesehen«, bemerkte Schyler in Cashs Lieferwagen. »Ich habe oben am Fenster den Sonnenaufgang beobachtet, aber nie von draußen, mit Blick auf das Haus.«

»Bei mir ist es genau umgekehrt.«

Sie schwang mit dem Kopf herum, doch sein Ausdruck verriet keinerlei Feindseligkeit. Er verriet gar nichts. Sie bemühte sich, die Stimmung etwas aufzulockern. »Ich komme mir ganz dumm vor, mich so hereinzuschleichen.«

»Und ich frage mich, was dein Gast denken mag, wenn du die ganze Nacht wegbleibst.«

»Mark! Den habe ich ja ganz vergessen. Ich sollte da sein, wenn er aufsteht.« Sie legte die Hand auf den Türgriff, zögerte dennoch, die Nacht ganz offiziell enden zu lassen. »Was machst du jetzt? Steigst du noch mal ins Bett?«

»Nein.«

»Aber so früh wirst du doch noch nicht zur Arbeit gehen.« Der Himmel war noch grau am Horizont.

»Ich habe was zu erledigen.«

»Um diese Uhrzeit?« Sein Blick veränderte sich. Er wirkte abweisender. »Oh, entschuldige«, sagte Schyler gereizt. »Es geht mich natürlich nichts an.« Sie drückte gegen die Tür, in der noch immer Jigger Flynns Einschuß zu sehen war, und stieg aus.

»Schyler?«

»Was?« Sie schwang herum, wütend auf Cash, weil er nicht

363

freundlicher war, und wütend auf sich selbst, weil sie es insgeheim erwartete.

»Wir sehen uns später.«

Sein anzüglicher Blick ließ ihre Knie weich werden und ihre Wut schmelzen. Seine Miene und sein Ton deuteten an, daß er später eine ganze Menge von ihr zu sehen bekäme. Mit einem breiten, selbstsicheren Grinsen warf er den Gang ein und fuhr los.

45. KAPITEL

Jigger erwachte mit einer schlimmen Erektion. Ehe ihm einfiel, daß Gayla gar nicht mehr da war, rollte er sich zur Seite und streckte die Hand nach ihr aus. Doch anstatt die warme, wundervolle Frau zu berühren, krallten sich seine Finger nur in das schmuddelige Laken.

Fluchend, daß sie nicht da war, jetzt wo er sie haben wollte, stolperte er ins Bad und entleerte seine Blase. Als er in den Spiegel über dem angeschlagenen, fleckigen Waschbecken schaute, mußte er schallend lachen. »Siehst aus wie ausgekotzt.« Er war häßlicher als die Sünde. Weiße Bartstoppeln stachen aus seinem wabbeligen Kinn hervor.

Zuviel Whisky gestern abend, dachte er bei sich. Er rülpste säuerlich. Seine Augen waren blutunterlaufen. Sein schlabbriges T-Shirt wies ein großes Loch auf. Ein Wunder nur, daß seine übergroßen Boxershorts überhaupt Halt fanden auf seinem flachen Hinterteil.

Er humpelte zurück zum Bett, als er plötzlich wie angewurzelt stehenblieb. Mit einem Mal wurde ihm bewußt, was ihn geweckt hatte.

»Was, zum Teufel…?« Dieses Geräusch war ihm völlig fremd. Er schob die zerschlissenen Vorhänge beiseite und spähte durch die schmierige Fensterscheibe. Das Sonnenlicht stach ihm in die Augen, als wollte es ihm den Schädel durchbohren. Er stieß einen wüsten Fluch aus.

Als sich seine Augen an das grelle Licht gewöhnt hatten, flog sein Blick über den Hof. Nichts Ungewöhnliches zu sehen. Die Welpen jaulten und kläfften, während sie sich beim Muttertier ihr Frühstück holten. Alles war normal.

Alles, bis auf dieses Geräusch.

Jigger verkrampfte sich innerlich; eine dunkle Vorahnung stieg in ihm auf. Er konnte Ärger auf eine Meile Entfernung riechen. Und dieses Geräusch versprach nichts Gutes. Aber wo, zum Teufel, kam es her?

Entschlossen, es herauszufinden, machte er sich nicht die Mühe sich anzuziehen, sondern stakste, wie er war, auf seinen O-Beinen durch das schäbige Haus. Seit Gayla abgehauen war, hatte es sich in eine Müllhalde verwandelt. Mäuse flitzten wie verschüttete Murmeln über den Fußboden, als er die Küche betrat. Jigger verfluchte die Biester. Er öffnete die Hintertür und stieß das Fliegengitter auf. Die Hunde in den Zwingern im hinteren Teil des Hofes schlugen an.

»Schnauze, ihr Mistköter.« Ihm platzte fast der Schädel bei dem Krach. Er faßte sich an die Schläfen, hinter denen ihn ein dröhnender Kopfschmerz peinigte. »Heilige Scheiße.« Der Fluch war ihm kaum über die Lippen geschlüpft, als er das Ölfaß entdeckte.

Es war eine mittelgroße Tonne, an einigen Stellen blankgewetzt und rostig, aber ansonsten in tadellosem Zustand. Nichts Ungewöhnliches.

Bis auf das Geräusch, das aus dieser Tonne kam.

Jigger erkannte es sofort. Es war eine Klapperschlange. Ein mörderisches Biest, wenn der Krach, den es verursachte, auf die Größe schließen ließ.

Die Tonne war mitten auf seinem Hof, zwischen Schuppen und Hintertür, abgestellt worden. Aber von wem? fragte sich Jigger, während er dastand, die Hände in seine flachen Hüften gestemmt, und perplex auf die Tonne starrte. Wer immer es gewesen war, mußte es wirklich gerissen angestellt haben, denn seine Hunde hatten keinen Muckser gemacht. Entweder war es jemand gewesen, der sich gut mit Hunden auskannte, oder so was wie ein *Geist*. Wie auch immer, die ganze Sache war höchst eigenartig. Jigger hatte Gänsehaut auf den Armen.

»Scheiße!«

Es war nur eine Schlange. Vor Schlangen hatte er keine Angst. Als er noch jünger war, war er öfter den ganzen Weg bis nach West Texas gefahren, um auf Klapperschlangenjagd zu gehen. Das hatte jedesmal einen Heidenspaß gemacht; jede Menge zu saufen, steile Bräute und die verrückten Sachen, die sie mit den Klapperschlangen angestellt hatten. Er hatte nie mitgezählt, wievielen Biestern er schon das Gift abgezapft hatte.

Nein, es war nicht die Schlange, die ihm Kopfzerbrechen bereitete. Was Jigger einen Schauer über den Rücken laufen ließ, war die Art und Weise, wie sie abgeliefert worden war. Wenn ihm jemand ein Geschenk hatte machen wollen, warum war er dann nicht reingekommen und hatte es ihm in die Hand gedrückt? Warum hatte er es als Überraschung mitten auf den Hof gestellt, wo er doch einen teuflischen Kater hatte und noch nicht einen verdammten Schluck Kaffee intus?

Kaffee. Genau das brauchte er jetzt, pechschwarzen, höllisch starken Kaffee. Und er brauchte eine Frau, die ihm morgens Kaffee kochte. Aber *genau*. Gleich heute würde er sich drum kümmern. Er mußte sich eine neue Frau besorgen. Er hatte sich viel zu lange mit dieser schwarzen Nutte abgeplagt. Er konnte kein Weib gebrauchen, das Scherereien machte, sondern eine, die das Maul hielt und die Beine breit machte. Nicht mehr lange, und er würde zu einem hübschen Batzen Geld kommen, nicht zu verachten. Und damit würde er sich die beste Pussy in der ganzen Gegend kaufen können.

Während dieses stillen Selbstgesprächs war Jigger um die Tonne herum gestakst und hatte sie von allen Seiten beäugt. Nachdenklich kratzte er sich an der Nase. Der Deckel des Fasses war mit einem großen Stein beschwert. Da würde ihm nichts anderes übrigbleiben, als den Deckel anzuheben, um nachzuschauen, wie groß dieses Biest da drin war.

Aber verdammt! Dieses Geräusch zerrte gewaltig an seinen Nerven. Dieses Monstrum von Klapperschlange hatte die Schnauze voll davon, in der Tonne eingesperrt zu sein. Er versuchte, sich daran zu erinnern, wie groß Klapperschlangen werden konnten.

Er hatte gehört, daß sie so lang werden konnten, wie er groß war. Aber der Kerl, der ihm das erzählt hatte, war ein geborener Lügner gewesen und obendrein Texaner. Außerdem hatte er den Kanal mächtig voll gehabt, und seine Lügengeschichten waren so aufgedonnert gewesen wie die Blondine, die ihm an den Eiern rumgefummelt und am Ohr geknabbert hatte.

Aber in diesem Moment, wo es wirklich drauf ankam, fragte sich Jigger, ob der Kerl nicht vielleicht doch gewußt hatte, wovon er redete.

»Teufel, genau *das* ist es. Das Mistvieh hört sich nur so groß an.«

Er näherte sich der Tonne, nahm aber zur Vorsicht einen langen Stock in die Hand. Seine Nerven waren zum Zerreißen angespannt, als er mit dem Stock den Stein vom Deckel stieß.

Er wechselte den Stock von einer Hand in die andere, während er sich abwechselnd beide schweißnassen Hände an seinen Boxershorts abwischte. Dann streckte er den Arm so weit aus wie möglich und hob mit der Spitze des Stocks den Deckel ganz vorsichtig an. Ein Vogel flatterte direkt über seinem Kopf aus dem Baum. Jigger sprang fast aus seinen Boxershorts. Er ließ den Stock fallen, leider auf seine nackten Zehen.

»Gott verdammte Scheiße!« Sein Fluchen schreckte das Doggenweibchen auf. Knurrend und geifernd warf sie sich wieder und wieder gegen das Gitter des Zwingers. Jigger brauchte mehrere Minuten, ehe er sie und die Welpen wieder beruhigt hatte.

Er nahm all seinen Mut zusammen, hob den Stock auf und schob ihn erneut unter den Rand des Deckels. Obwohl er ihn kaum mehr als drei Zentimeter anhob, war der Krach aus der Tonne gleich zehnmal lauter. Auf Zehenspitzen trat Jigger näher und versuchte, einen Blick in die Tonne zu werfen, aber er konnte nur die gegenüberliegende Innenseite sehen.

Er holte tief Luft, schaute sich nach hinten um und stieß dann den Deckel von der Tonne. Im selben Moment machte er einen Satz nach hinten wie ein verunglückter Akrobat. Sein rasendes Herz dröhnte ihm in den Ohren, konnte aber dennoch nicht den ohrenbetäubenden, nervenzerrenden Krach aus der Tonne übertönen, der ihm das Blut in den Adern gefrieren ließ.

Die Schlange blieb, wo sie war. Jigger ging noch dichter auf die Tonne zu, beugte sich langsam so weit vor, wie er sich traute und spähte hinein.

»*Jesus Christus.*«

Er konnte nicht alles sehen, nur einen Teil der Schlange, deren Leib so dick war wie der Oberarm eines Bodybuilders. Blitzschnell schaute er auf dem Hof nach einem Gegenstand, um sich draufzustellen. In einem Haufen Unrat entdeckte er einen rostigen Eimer; den stellte er verkehrt herum vor die Tonne und stieg drauf. Noch immer ein gutes Stück entfernt, aber jetzt hoch genug, konnte er die Schlange endlich ganz sehen.

Es war wirklich ein Monstrum. Er schätzte sie auf eine Länge von zweieinhalb Metern. Zwei mindestens. Sie füllte die Tonne gut zu einem Drittel aus. Aus der Mitte dieser tödlichen Spirale ragte der rasselnde Schwanz, der aussah, als würde er niemals stillstehen. So rasend schnell waren die Bewegungen, daß sie als einzelne gar nicht auszumachen waren. Aber es war ein Urgroßvater von Klapperschlange; verrückt wie nur was, und sie gehörte *ihm*.

Jigger klatschte begeistert in die Hände. Wie ein Kind vor dem Weihnachtsbaum verschränkte er die Finger und hielt sie sich vor das Kinn. Verwundert und voller Ehrfurcht starrte er auf dieses wundervolle Geschenk. Selbst Evas Schlange hätte keinen unheilvolleren Reiz ausüben können. Er geriet schier in Verzückung, etwas derart durch und durch Böses zu beobachten.

Alles an dem Tier war auf perverse Weise wunderschön – die geometrische Musterung der Haut, die dunklen, glasigen Augen, die gespaltene Zunge, die vor und zurück zuckte, und dieses unablässige Rasseln, das bedrohlich und tödlich war.

Rasch, aber vorsichtig legte Jigger den Deckel wieder auf die Tonne und beschwerte ihn wie gehabt mit dem Stein. Daß die Schlange dennoch entweichen konnte, glaubte er nicht. Wenn, dann hätte sie es längst getan. Dieses Tier war auf diabolische Weise böse. Jigger fühlte sich sofort zu ihm hingezogen.

Er liebte seine Schlange.

Er lief zum Haus, voller Pläne, wie er aus diesem Geschenk Kapital schlagen könnte. Denn ein Geschenk *war* es. Daran gab es keinen Zweifel mehr. Wer immer es hier abgestellt hatte, wollte ihm nichts Böses. Er vermutete, daß es jemand gewesen sein mußte, der ihm Geld schuldete. Was so ziemlich auf jeden im Südwesten Louisianas zutraf. Aber darüber wollte er in diesem Augenblick nicht weiter nachdenken. Sein Kopf war voller möglicher Geschäfte.

Als erstes würde er ein Flugblatt drucken lassen müssen, um gehörig Werbung zu machen. Bei Einbruch der Dunkelheit würde es auf seinem Hof nur so wimmeln vor Leuten, die unbedingt seine Schlange sehen wollten. Wieviel sollte er dafür verlangen? Ein Schein für einmal Anschauen. Das wär doch ein nettes, rundes Sümmchen, wie er fand.

Er betrat das Haus von der Rückseite. Die quietschende Tür fiel hinter ihm zu, aber er hörte nichts außer dem Klackern und Rasseln, das diese großartige Klapperschlange verursachte. In seinen Ohren war das die reinste Musik.

46. KAPITEL

Cotton war ein anstrengender Patient, selbst an einem guten Tag. Innerhalb einer Woche hatte er bei so ziemlich allen Bewohnern des Hauses den Wunsch geweckt, ihn im Schlaf zu meucheln.

Tricias aufgesetzte Fürsorglichkeit, die ohnehin nicht sehr weit reichte, war bereits am ersten Abend erschöpft. Sie traf Schyler auf dem Flur. »Ein streitsüchtiger alter Hammel war er ja schon immer«, zischte sie leise, »aber so schlimm war es noch nie.«

»Versuch, Rücksicht auf seine Launen zu nehmen. Erwähne nichts, was ihn wütend machen könnte.«

Schyler fürchtete, Ken und ihre Schwester könnten es nicht eilig genug mit dem Verkauf von Belle Terre haben, und das Thema ihm gegenüber zur Sprache bringen. Dr. Collins hatte noch einmal gemahnt, bevor sie Cotton nach Hause brachte, daß er noch immer ein Herzpatient war und schonend behandelt werden mußte, ungeachtet dessen, wie grantig er wurde.

Tricia faßte Schylers Mahnung nicht unbedingt freundlich auf. »Das beschäftigt dich, wie? Kannst du deshalb nachts nicht schlafen?«

»Wovon sprichst du?«

»Ach komm, spiel nicht die Unschuldige. So clever du auch bist«, sagte Tricia mit einem verschlagenen Grinsen, »dein nächtliches Kommen und Gehen kannst du vor uns kaum geheimhalten.« Sie schüttelte den Kopf und lachte hell. »Ich muß schon sagen, Schyler, bei Männern beweist du wirklich Geschmack. Erst ein schwuler Antiquitätenhändler und jetzt ein räudiger Prolet.«

»Vergiß deinen eigenen Mann nicht«, schoß Schyler zurück. »Wenn du mich beleidigen willst, was meinen Geschmack bei Männern betrifft, schneidest du dir ins eigene Fleisch. Vergiß nicht, daß ich Ken vor dir hatte.«

»Das habe ich nie vergessen«, Tricia lächelte sie selbstgefällig an. »Aber du offensichtlich auch nicht.«

Schyler brach den Streit an dieser Stelle sofort ab. Wenn es um Beleidigungen und Gemeinheiten ging, war ihre Schwester unschlagbar. Solange Tricia Cotton in Ruhe ließ, sollte es ihr egal sein, was sie über sie oder ihren Umgang dachte.

Ken mied Cottons Gesellschaft nach dem ersten obligatorischen Besuch im Krankenzimmer kurz nach seiner Ankunft. Tatsächlich blieb Ken die meiste Zeit allein. Er war in miserabler Verfassung. Er trank exzessiv und führte fortwährend obskure Telefongespräche.

Besonders Schyler gegenüber gab er sich kurz angebunden. Sie vermutete, er nahm es ihr noch immer übel, daß sie ihm das Geld, um das er sie gebeten hatte, nicht geliehen hatte. Wahrscheinlich kamen die Anrufe von seinen Gläubigern. Er tat ihr leid wegen seiner finanziellen Schwierigkeiten, aber er war ein erwachsener Mann; es war an der Zeit, daß er lernte, seine Probleme selbst zu lösen.

Gayla hatte zunächst so große Scheu vor Cotton, daß sie sich kaum dazu überreden ließ, sein Zimmer zu betreten. Doch schon bald entwickelte sich ein gutes Verhältnis zwischen den beiden. Cotton schien ihre Jahre bei Jigger völlig zu ignorieren und zog sie oft mit ihrer Kindheit auf, erinnerte sie an die Zeit, in der Veda es wirklich nicht leicht mit ihr gehabt hatte.

Mit Mrs. Dunne geriet er schon am ersten Tag seiner Rückkehr aneinander. Sie hatte die Neigung, ihn zu bemuttern, wie sie ihren kranken Ehemann bemuttert hatte, was Cotton überhaupt nicht vertrug und ihr unmißverständlich klarmachte. Daraufhin versiegten die mütterlichen Instinkte, und zum Vorschein trat ihr militärisches Gehabe, das den aufbrausenden Cotton noch wütender werden ließ. Aber als die Luft erst einmal geklärt war, begegneten sie sich mit gegenseitigem, wenn auch zähneknirschendem Respekt.

Doch von allen im Haushalt konnte Schyler am besten mit dem aufsässigen Patienten umgehen. Sie schien zu wissen, wie sie ihn besänftigen konnte, wenn etwas seinen Zorn geweckt hatte, und auch, wie sie ihm Mut machen konnte, wenn er in Depressionen verfiel. Ihr war es zu verdanken, daß er ruhig und zuversichtlich blieb.

Er hatte die Erlaubnis, sich die Nachrichten im Fernsehen anzusehen. Und zu Gaylas Pflichten gehörte, ihm die Zeitung zu bringen, sobald sie zugestellt wurde. Aber Schyler antwortete nur vage, wenn er sie nach dem Gang der Geschäfte fragte.

»Es läuft alles bestens«, beschwichtigte sie ihn allabendlich, wenn sie ihn auf seinem Zimmer besuchte.

»Irgendwelche Probleme mit dem Auftrag von Endicott?«

»Keine. Wie fühlst du dich?«

»Die Züge laufen nach Plan?«

»Ja. Mrs. Dunne sagt, du hast heute alles aufgegessen.«

»Wie ist das Holz, gute Qualität?«

»Beste Crandall-Ware. Hast du dich heute nachmittag schön ausruhen können?«

»Kriegen wir das Geld für die Rückzahlung des Kredits rechtzeitig zusammen?«

»Ja, bestimmt. Und jetzt hör auf damit.«

»Gott, Schyler, ich hasse es, daß du für meine Fehler geradestehen mußt.«

»Mach dir keine Sorgen, Daddy. Die harte Arbeit tut mir gut. Um ehrlich zu sein, genieße ich es.«

»Eine Frau kann einfach nicht damit fertig werden.«

»Chauvinist! Wieso sollte ich die Firma nicht leiten können?«

»Schätze, ich bin wohl etwas altmodisch in meinem Denken. Etwas hinterher.« Er starrte sie unter seinen buschigen Brauen an. »Als ich in deinem Alter war, ist man ja auch Schwulen aus dem Weg gegangen. Und normale Frauen sind ganz sicher nicht mit ihnen zusammengezogen. Habe ich deshalb diesen Mark Houghton nie kennengelernt? Hast du ihn vor mir versteckt?«

»Nein, das war absolut nicht der Grund.« Sie bemühte sich, gleichmütig zu klingen, aber in ihrem Inneren brodelte es. Ken oder Tricia mußten gepetzt haben. Wahrscheinlich Tricia, als Vergeltung für die Abfuhr, die sie von Mark erhalten hatte.

»Mark mußte schon vor deiner Entlassung abreisen, das ist schon alles.«

Am Morgen, als sie von Cash nach Hause gekommen war, hatte sie eine Nachricht auf ihrem unbenutzten Kopfkissen vorgefunden. Darin schrieb Mark, er hoffe, sie hätte ihren Abend genossen, und daß er mitten in der Nacht von einem plötzlichen Anfall von Heimweh überkommen worden sei. Er hätte gepackt und sich Heavens einziges Taxi bestellt, das ihn für ein horrendes Trinkgeld nach Lafayette bringen würde, von wo er am folgenden Tag einen Flug bekommen könnte.

Schyler konnte zwischen den Zeilen der verschlüsselten Nachricht lesen. Mark hatte dem Abschied aus dem Weg gehen wollen. Sie gehörte hierher, nach Belle Terre; er nicht.

Ein trauriger, langer, tränenreicher Abschied wäre für sie beide zur unnötigen Qual geworden. So betrübt sie war, als sie seine Nachricht las, sie war auch ein wenig froh, daß er den leichten Weg gewählt hatte.

»Wie konntest du mit so einem Typen zusammenleben?«

»›So einem Typen‹? Du weißt doch gar nicht, was für ein Typ Mark ist, Daddy. Du hast ihn doch nie kennengelernt.«

»Ein Schwuler ist er!«

»Er ist homosexuell, stimmt. Aber er ist auch ein intelligenter, sensibler, lustiger und sehr lieber Freund für mich.«

»Wenn so einer wie der uns zu meiner Zeit in die Quere kam, haben wir ihm die Flausen aus dem Leib geprügelt.«

372

»Ich hoffe, du bist nicht auch noch stolz darauf.«

»Nicht besonders, nein. Aber ich schäme mich auch nicht dafür. So verhielt man sich eben als echter Kerl. Das war, bevor dieser ganze Minderheitenmist losging.«

»Wurde ja auch höchste Zeit, daß man aufhörte, Schwule auf der Straße abzukochen.«

Cotton fand die Bemerkung nicht sonderlich amüsant. »Sie haben ein ganz schön freches Mundwerk, Miss Crandall.«

»Muß ich wohl geerbt haben.«

Er musterte sie einen Moment. »Weißt du, zuerst war ich wirklich enttäuscht, daß aus Ken und dir kein Paar wurde. Aber jetzt bin ich froh, verdammt froh sogar. Er ist ein Waschlappen. Trinkt zuviel, spielt zuviel. Soll Tricia ihn weiter unterm Pantoffel haben. Ihr kommt das ganz gelegen. Aber du hättest es gehaßt, und es hätte nicht lange gedauert, und du hättest auch ihn gehaßt. Du bist zu stark für einen wie Ken Howell.« Er seufzte verdrießlich. »Aber was tust du, gerade wo du ihn los bist? Du suchst dir ausgerechnet einen, der noch schwächer ist.«

»Da irrst du dich. Mark hat eine sehr starke Persönlichkeit. Mir ist selten ein Mann begegnet, der stärker gewesen wäre als er. Es hat ihn sehr viel Mut gekostet, das Leben aufzugeben, das er in Boston geführt hat. Ich bin mit ihm zusammengezogen, weil ich ihn mochte. Wir haben uns hervorragend verstanden, und wir waren beide sehr einsam. Ob du's glaubst oder nicht – an dich habe ich dabei überhaupt nicht gedacht. Ich bin nicht mit ihm zusammengezogen, um dir etwas heimzuzahlen.«

Cotton runzelte die Stirn und warf ihr einen skeptischen Blick zu. »Sah aber ganz danach aus, oder nicht? Wann suchst du dir endlich einen Mann, der dir meine Enkelkinder schenken kann?«

»Mark hätte es gekonnt, wenn er gewollt hätte. Er wollte aber nicht.«

»Ich schätze, das war einer der Gründe, weshalb du dich zu ihm hingezogen gefühlt hast. Er stellte keine Bedrohung dar.«

»Ich mochte ihn für das, was er ist, nicht für das, was er nicht ist.«

»Spar dir deine Wortspielchen bei mir, junge Dame«, wies er

sie scharf zurecht. »Dein Problem war doch schon immer, daß du die Gesellschaft der Außenseiter gesucht hast.«

»Tatsächlich?«

»Seit du klein warst. Du hast immer Partei für die Benachteiligten ergriffen. Wie Gayla. Wie Glee Williams.«

Froh, das Thema wechseln zu können, sagte Schyler: »Ach, da wir gerade von Glee sprechen. Ich habe heute angerufen. Die Ärzte sagen, er kann bald aus dem Krankenhaus entlassen werden. Er muß allerdings alle paar Tage zur Physiotherapie kommen. Ich hoffe, wir finden einen Schreibtischjob für ihn.«

»Wer ist wir?«

»Wir?«

»Du hast gesagt, du hoffst, ›wir‹ werden für Glee einen Job finden.«

»Oh, na ja, du und ich.« Cotton musterte sie scharf. Schyler wand sich. »Glee wird bestimmt kein Geld nehmen, ohne etwas dafür zu leisten.«

Er grummelte. Ein Zeichen, daß er mit ihrer aalglatten Antwort nicht ganz zufrieden war. »Von mir hast du diese großzügige Ader jedenfalls nicht geerbt. Und von Macy schon gar nicht. Die hatte ein Herz so weich wie ein Kaminbock aus Messing. Woher hast du nur dieses große Herz?«

»Von meinen Blutsverwandten, schätze ich. Wer weiß das schon?« Die Unterhaltung hatte eine Wendung genommen, die Schyler Unbehagen verursachte. Sie sah auf ihre Armbanduhr. »Längst Schlafenszeit für dich. Du plauderst doch nur mit mir, um es herauszuzögern. Also ehrlich, Daddy. Du bist schlimmer als ein Kleinkind geworden, wenn es darum geht, zu Bett zu gehen.«

Sie beugte sich über ihn und schüttelte sein Kissen auf. Dann küßte sie ihn auf die Stirn und knipste die Nachttischlampe aus. Bevor sie jedoch gehen konnte, hielt Cotton sie am Handgelenk fest.

»Paß auf, daß deine Gutmütigkeit nicht ausgenutzt wird, Schyler«, warnte er sie.

»Wie meinst du das?«

»Ich habe am eigenen Leib erleben müssen, daß die Leute nur

allzugern die Hand beißen, die sie füttert. Es gibt ihnen auf perverse Weise ein Gefühl der Genugtuung; das liegt nun mal in der Natur des Menschen. Daran kannst du nichts ändern.« Er drohte ihr mit dem Finger. »Gib acht, daß niemand dein gutes Herz und deine Großzügigkeit als Schwäche auslegt. Die Leute tun zwar immer so, als würden sie Heilige bewundern, aber in Wahrheit hassen sie sie. Sie ergötzen sich daran, wenn sie ins Stolpern geraten und auf dem Hintern landen.«

»Ich werd's mir merken.«

Cotton mit seiner sonderbaren Philosophie. Am liebsten hätte Schyler ihn milde belächelt, den Ratschlag als Geschwätz eines alten Mannes abgetan. Doch es wollte ihr nicht aus dem Kopf gehen, als sie durch die Hintertür auf die Veranda trat. Sie hatte das ungute Gefühl, daß Cotton auf jemanden Bestimmtes anspielte – auf Cash Boudreaux nämlich. Er zögerte nur, sie direkt darauf anzusprechen.

Sie hatte ihm gegenüber noch immer nichts über das Ausmaß von Cashs Beteiligung am Geschäft oder darüber, wie sehr sie sich auf ihn verließ, verraten. Aber Informationen zusammenzupuzzeln war schon immer eine seiner Stärken gewesen. Er mußte wissen, daß Cash die Leitung des Holzwerks übernommen hatte. Zweifelsohne gefiel ihm das nicht, aber er wußte auch, daß Cashs Erfahrung und Kenntnisse maßgeblich für Schylers Erfolg sein würden.

Was er vermutete, offensichtlich aber nicht bestätigt finden wollte, war Schylers persönliche Beziehung zu Cash. Aufgrund seiner langjährigen Beziehung zu Monique würde Cotton ganz sicher einige Bedenken gegen eine Verbindung zwischen ihnen beiden haben.

Schyler selbst hatte mehr als nur Bedenken. Sie war buchstäblich entsetzt über ihre Gefühle für Cash.

Sie hatte ein unersättliches Verlangen nach ihm. Sie sehnte sich nach seinen Küssen und seinem Körper. Nie hatte sie sich lebendiger gefühlt als in den Momenten, die sie mit ihm verbrachte, und nie verwirrter, als dann, wenn sie nicht mit ihm zusammen war. Er war der faszinierendste Mann, dem sie je begegnet war, und gleichzeitig trieb es sie zum Wahnsinn, daß er seine

Geheimnisse nicht offenbarte. Er war leidenschaftlich und verblüffend. Sie verließ sich auf ihn, und doch konnte sie ihm nicht ganz trauen. Die Intensität seiner körperlichen Liebe war beängstigend, und trotzdem war er hinterher oft völlig unnahbar.

Was machte sie für ihn so attraktiv? Wenn er in sie eindrang, liebte er dann sie, oder nahm er Belle Terre in Besitz?

Der Gedanke war so beunruhigend, daß ihr ganz heiß geworden war. Sie brauchte Luft, trat nach draußen und ging geräuschlos über die Veranda. Als sie um die Ecke bog, stieß sie mit Gayla zusammen. Die junge Frau kreischte auf und drückte sich erschreckt an die Wand.

»Gayla, mein Gott, was machst du hier?« Schyler schnappte nach Luft. »Du hast mich vielleicht erschreckt.«

»Tut mir leid. Du mich aber auch.«

Schyler musterte ihre Freundin eindringlich. In Gaylas großen Augen spiegelte sich Angst. »Was ist denn los?«

»Nichts. Ich wollte nur ein bißchen frische Luft schnappen. Ich geh wohl besser wieder rein.«

Gayla löste sich von der Wand und wandte sich um. Schyler packte sie am Arm. »Nicht so schnell, Gayla. Was ist los?«

»Nichts.«

»Ach komm, du siehst aus, als wär dir ein Geist begegnet.«

Gaylas Unterlippe fing an zu zittern. Tränen traten ihr in die großen dunklen Augen. »Ich wünschte, es wäre ein Geist.«

Schyler rückte näher; sie war ernsthaft besorgt um ihre Freundin. »Was ist denn passiert?«

Gayla langte in ihre Rocktasche und zog etwas heraus. Durch das Fenster fiel genügend Licht, daß Schyler erkennen konnte, was es war. Es war eine häßliche kleine Stoffpuppe, die unzweifelhaft Ähnlichkeit mit Gayla aufwies. Und in dem mit grellroter Farbe aufgemalten großen Herzen steckte eine gefährlich aussehende Nadel.

»Voodoo?« flüsterte Schyler und warf Gayla einen verständnislosen Blick zu. »Das ist es?« Sie glaubte nicht an derlei Unsinn. »Woher hast du die?«

»Hat mir jemand aufs Kopfkissen gelegt.«

»In deinem Zimmer? Du hast die Puppe in deinem Zimmer

gefunden? Willst du sagen, jemand aus dem Haus hat das getan?« Eine derartige Grausamkeit war unvorstellbar, selbst von Tricia. Die beiden waren nicht gerade ein Herz und eine Seele, aber… Schwarze Magie?

»Nein, ich glaube nicht, daß es jemand von hier war«, meinte Gayla.

»Wann hast du sie gefunden?«

»Gestern abend.«

»Erzähl's mir.«

»Ich hörte Geräusche von hier, auf der Veranda.«

»Um welche Uhrzeit?«

»Ich weiß nicht. Nachdem du fort warst.« Die beiden Frauen tauschten einen schuldbewußten Blick, sahen dann weg. »Es war spät.«

»Weiter.«

»Na ja, ich dachte, ich hätte etwas hier draußen gehört.« Gayla sah sich vorsichtig um. »Ich war nicht sicher. Dachte, vielleicht hab' ich's mir nur eingebildet. In letzter Zeit sehe ich manchmal Gespenster. Ich sehe schon hinter jedem Busch Jigger stehen.«

»Das ist eindeutig kein Produkt deiner Phantasie«, sagte Schyler grimmig und deutete mit dem Kinn auf die Puppe.

»Ich habe meinen ganzen Mut zusammengenommen und bin rausgegangen, um nachzusehen.«

»Du hättest nicht allein gehen sollen.«

»Ich wollte mich nicht lächerlich machen und alle aufwecken.«

»Und was geschah, als du hier draußen warst?«

»Nichts. Ich habe weder etwas gesehen noch gehört. Aber als ich wieder reinging, lag das hier auf meinem Bett.« Sie steckte die Puppe wieder in die Rocktasche und klemmte die Hände unter die Arme.

»Glaubst du, daß es Jigger war?«

»Nein. Das wäre viel zu raffiniert für ihn.« Sie überlegte einen Moment. »Aber vielleicht hat er jemanden beauftragt, es zu tun. Um mir zu sagen, daß er es nicht vergessen hat.«

»Wer macht denn heutzutage so etwas noch?«

»Viele Schwarze.«

»Christen?«

Gayla nickte ernst. »Die frühen Sklaven haben schon an Schwarze Magie geglaubt, bevor sie jemals von Jesus gehört hatten. Es wird weitergereicht.«

»Glaubt Jigger daran?«

»Das bezweifle ich. Aber er weiß, daß andere daran glauben, also benutzt er es, um einen zu erschrecken.«

»Dann hat er es also schon mal angewandt?« Schyler fielen die beiden toten Katzen auf der Veranda ein.

»Ich denke, ja…«

»Weißt du, wer für ihn die Schwarze Magie macht?« Gayla versuchte mit allen Mitteln, Schylers Blick auszuweichen. Schyler faßte sie am Arm und schüttelte sie. »Wer, Gayla?«

»Ich weiß nicht. Ich bin nicht sicher.«

»Aber du hast eine Ahnung – wer?«

»Jigger hat immer wieder jemanden erwähnt, um mich einzuschüchtern, als ich bei ihm gewohnt habe.«

»Und?«

»Wahrscheinlich hat er gelogen. Es ist nämlich kein Schwarzer.«

»Wer? Sag mir seinen Namen!«

Gayla befeuchtete ihre Lippen. Als sie sprach, war ihre Stimme so leise und sanft wie eine Brise vom Golf. »Jigger hat gesagt, daß Cash Boudreaux es für ihn tut.«

Cash hörte, wie die alten Bretter seiner Veranda unter einem Gewicht knarrten. Er legte die Zeitschrift aus der Hand, zog das Messer aus dem Rückenhalfter, drückte sich an die Wand und pirschte sich langsam vor. Die Tür wurde geöffnet. Insekten flatterten gegen die Fliegentür und machten leise, surrende Geräusche, wenn sie anstießen. Mehr war nicht zu hören. Doch das bedeutete nichts. Er spürte mit dem Instinkt eines Guerillakämpfers, daß dort draußen jemand war.

Mit einer Bewegung, die so schnell war, daß sein Körper nicht mehr war als ein fleischfarbener Blitz, stieß er das Fliegengitter auf und hechtete nach draußen. Der andere Mann kauerte an der

Wand. Cashs Schulter traf seinen Torso. Als er sich vornüber krümmte, plazierte Cash die Spitze des Messers in Höhe seines Nabels.

»Verdammt, Cash, ich bin es!« rief er erschreckt.

Der Adrenalinstoß verebbte schlagartig. Sein Gehirn meldete an seine Hand, daß sie das Messer nicht hineinstoßen und hochreißen sollte. Er richtete sich zu voller Größe auf und steckte das Messer wieder in die Scheide. »Verdammt, ich hätte dich beinahe aufgeschlitzt. Wieso, zum Teufel, schnüffelst du hier draußen rum?«

»Dafür hast du mich doch angeheuert. Um rumzuschnüffeln.«

Cash grinste und schlug dem anderen Mann auf die Schulter. »Stimmt. Aber nicht bei mir. Wie wär's mit 'nem Drink, *mon ami*?«

»Könnte ich jetzt gut gebrauchen, danke.«

Sie gingen hinein. Cash schenkte ihnen zwei Bourbon pur ein. »Wie ist es gelaufen?«

»Na, so wie du's wolltest.« Der andere Mann kippte den Drink in einem Zug hinunter und fügte mit einem Grinsen hinzu: »Keiner wird je dahinterkommen, daß ich dort gewesen bin.«

47. KAPITEL

»Was ist denn so lustig?« fragte Rhoda Gilbreath ihren Mann vom anderen Ende des Eßtisches. Sie legte die Gabel auf den Teller und griff nach dem Weinglas. »Menschen, die vor sich hinkichern, sperrt man in Gummizellen, wußtest du das nicht, Dale?«

Er tupfte sich ungerührt mit der Serviette den Mund und schob den Teller beiseite. Nur weil Rhoda beschlossen hatte, dürr wie eine Bohnenstange zu bleiben, erwartete sie, daß er dieselben Spatzenportionen aß wie sie. Nicht daß er sich nach größeren Mengen ihres Gesundheitsfraßes, den es bei ihnen daheim gab, sehnte. Er gönnte sich morgens seine Doughnuts mit Zuckerguß und mittags ein kalorienreiches Essen, damit er abends nicht verhungerte.

»Entschuldige, Liebling, natürlich sollst du erfahren, was so lustig ist.« Er spülte das fade Essen mit einem großen Schluck Wein hinunter. Auch der war kalorienarm und schmeckte fad. »Hast du schon von der neuesten Attraktion in der Stadt gehört?«

»Sie haben das Drive-In-Kino wiedereröffnet. Und?«

»Nein, das meine ich nicht.«

»Ich halte gespannt den Atem an«, sagte sie scherzhaft.

»Jigger Flynn hält sich eine Schlange als Haustier.«

»Wie schön für ihn.«

Dale lehnte sich in seinem Stuhl zurück. »Ja, aber es ist keine gewöhnliche Schlange. Es ist eine Klapperschlange.«

»Du bist zu Jigger Flynn gefahren, um dir seine Schlange anzusehen?«

»Ich wollte schließlich nicht der einzige in der Stadt sein, der sie noch nicht gesehen hat«, kicherte er. »Es ist *das* Stadtgespräch.«

»Was nur deutlich zeigt, auf welchem Intelligenzniveau wir uns hier bewegen.«

»Sei nicht so überheblich. Es ist wirklich ein bemerkenswertes Tier.«

»Du stirbst, wenn du es mir nicht erzählen kannst, was? Also, nur zu.« Als er seinen Bericht beendete, war Rhoda wirklich gefesselt. »Und er hat keine Ahnung, wer sie ihm auf den Hof gelegt hat?«

»Behauptet er jedenfalls. Allerdings kann man bei Jigger nie wissen, ob er einem die Wahrheit sagt, so verlogen, wie der ist. Trotzdem«, sagte Dale und mußte an Jiggers Leichtfertigkeit denken, mit der er seine Errungenschaft stolz vorgeführt hatte, »ich glaube, diesmal steckt mehr dahinter als nur eine seiner Geldbeschaffungsmaßnahmen.«

»Wie kommst du darauf?«

»Ich weiß nicht, irgendwie hat die Schlange bei Jigger etwas ausgelöst.«

»Ausgelöst? Du meinst, mental?«

»Ja, psychisch.« Dale beugte sich vor und sagte mit gedämpfter Stimme: »Und ich glaube, genau das war auch beabsichtigt.«

»Oh, kommt an dieser Stelle nicht immer die unheimliche Musik? Duu-duu-duu-duu. Duu-duu-duu-duu.«

Dale ignorierte den Sarkasmus seiner Frau. Seine Miene war nachdenklich, als würde er über einem schwierigen Rätsel brüten. »Wer auch immer ihm das Biest hingelegt hat, er wollte Jigger damit high machen. Jesus, bei mir würde dieses Monstrum jedenfalls nicht lange brauchen, bis ich anfangen würde zu spinnen. Man hört sie schon aus 200 Meter Entfernung. Ein widerlicheres Geräusch hab ich in meinem ganzen Leben noch nicht gehört.«

Rhodas schlanke beringte Finger glitten pausenlos am Stiel ihres Weinglases auf und ab, während sie ihren Mann mißtrauisch musterte. »Du weißt nicht zufällig etwas darüber, oder?«

Dale mimte den Überraschten. »Wer, ich? Ach was, *ich* doch nicht.« Auf ihren kritischen Blick hin fügte er lachend hinzu: »Nein, ehrlich, ich weiß nichts über Jiggers Schlange.«

Rhoda nippte an ihrem Wein. »Wenn doch, würdest du es mir sowieso nicht sagen.«

»Wie kommst du darauf?«

»Weil du ein hinterfotziger kleiner Bastard bist, deshalb.«

Dale sah seine Frau stirnrunzelnd an. Sie war keine Frohnatur beim Trinken. Tatsächlich wurde sie mit jedem Glas verdrießlicher. »Ich würde gerne wissen, welcher Furz dir seit über einer Woche quersitzt. Mit dir ist unmöglich auszukommen.«

»Mir geht so einiges durch den Kopf.«

»Zum Beispiel, wen du dir demnächst als neuen Liebhaber angeln sollst.«

Er hatte sich vom Tisch erhoben und den Raum verlassen, noch ehe Rhoda richtig zu sich kommen konnte. Sie stand schwankend auf und lief ihm nach. Im Arbeitszimmer erwischte sie ihn, wo er sich in aller Seelenruhe eine Pfeife anzündete. Noch bevor das Streichholz den gestopften Kopf berührte, hielt sie ihn am Handgelenk fest.

»Was meinst du damit, wen ich mir als nächsten Liebhaber aussuchen soll?«

Dale wandte sich aus ihrem Griff, zündete die Pfeife an, blies das Streichholz aus und ließ es sorgfältig bemessen in den

Aschenbecher fallen, bevor er seiner Frau erneut seine Aufmerksamkeit schenkte. »Jeder in der Stadt weiß, daß dein letzter Bock die Crandall-Tochter rammt. Tja, Pech, Rhoda.«

»Was heißt das?«

»Rammen? Das heißt...«

Sie boxte ihm auf die Brust. »Hör auf! Du weißt, was ich meine. Was heißt das für uns? Für deine Pläne, Belle Terre zu übernehmen?«

Er kochte innerlich wegen des Schlages, paffte aber sanftmütig an seiner Pfeife. »Die kleine Liaison kommt mir gerade recht. Okay, er bumst sie, aber nicht einfach grundlos. Zwischen ihm und den Crandalls fließt böses Blut; hat irgendwie mit seiner Mutter und dem alten Cotton zu tun.«

Das hob Rhodas Laune nur unwesentlich. Sie wollte, daß der Himmel über Cash und Schyler zusammenstürzte. Wie Dale gesagt hatte, die ganze Stadt wußte schon, daß die beiden es trieben. Rhoda hatte auf dem Treffen des Freundeskreises der Bibliothek davon gehört. Und ein entscheidender Multiplikator bei der Verbreitung der heißen Neuigkeit war Schylers Schwester Tricia. Tricia Howell hielt Hof vor einem gierigen Publikum und zog Schylers Namen durch den Dreck.

Oh, sie hatte eine große Show daraus gemacht, sich die Information Stückchen für Stückchen aus der Nase ziehen zu lassen. Aber als sie erst einmal das Gerücht bestätigt hatte, sagte sie: »Für uns auf Belle Terre ist das natürlich eine Zumutung. Cash ist so minderwertig. Ich meine, wenn man bedenkt, wer seine Mutter war...«

Aber Rhoda ließ sich nicht täuschen. Tricia war eifersüchtig auf ihre ältere Schwester, und wahrscheinlich neidete sie ihr sogar die Affäre mit Cash. Dann hatte das kleine gerissene Biest die Story von ihrer Schwester in London erzählt, wie sie dort mit einem Homosexuellen zusammengelebt hatte, während Rhoda in ihrem eigenen Saft schmorte. Schyler Crandall war also die Ursache für Cashs sonderbares Verhalten. Das würde sie ihnen heimzahlen, und zwar nicht zu knapp.

»Du kannst sie gegeneinander ausspielen«, schlug sie Dale jetzt vor.

Er strich seiner Frau zärtlich über die Wange. »Du bist eine bösartige Hexe, meine Liebe. Gemein und schrecklich clever.«

»Kann ich irgend etwas tun, um dabei zu helfen?«

»Danke, aber ich habe alles unter Kontrolle. Ich habe die Situation genauestens im Blick. Ich werde über alles hervorragend informiert.«

»Von jemandem, dem du trauen kannst, hoffe ich.«

»Von jemandem, dem genausoviel an der Sache liegt wie uns.«

Rhoda legte die Hände auf sein Revers, kam näher und rieb sich an seinem Schritt. »Wenn ich dir irgendwie behilflich sein kann, Darling, zögere nicht, es mir zu sagen.«

Dale legte die Pfeife beiseite und langte nach dem Reißverschluß seiner Hose. »Da gäbe es schon etwas. Es könnte dir vielleicht auch helfen, deine Position zu verbessern.«

Er drückte sie auf die Knie, und sie wehrte sich nicht.

Schyler wurde vom Hupen geweckt. Sie schlug die Bettdecke zurück und lief hinaus auf den Flur. Als sie aus dem Fenster hinunter zur Auffahrt schaute, sah sie Cashs Lieferwagen. Er selbst stand in der offenen Tür.

»Zieh dich an«, rief er zu ihr hoch. »Es gibt ein Problem.«

»Was ist?«

»Erzähl ich dir unterwegs!«

Wenige Minuten später war sie unten am Wagen. Sie warf zuerst ihre Schuhe hinein und stieg dann ein. »Mit dem Spektakel hast du garantiert alle im Haus geweckt. Ich hoffe nur, es ist wirklich was Wichtiges.«

»Bei einem der Sattelschlepper ist eine Kette gerissen. Beide Bolzen haben unter dem Gewicht nachgegeben. Jetzt haben wir einen netten kleinen Schlamassel auf dem Highway 9. Ich habe eine Crew rauskommen lassen. Sie müßte schon da sein und die Straße räumen.«

»Ist jemand verletzt worden?«

»Nein.«

»Gott sei Dank.« Wenn sich der Unfall nicht so früh am Morgen zugetragen hätte, wo es auf dem Highway noch ziemlich ruhig war, hätte es Menschenleben kosten können. Schyler erschauderte allein beim Gedanken daran. »Du hast den Schlepper so früh am Morgen beladen lassen?«

»Ich lasse jeden verfügbaren Mann Überstunden fahren. Sobald es dämmert, fängt eines der Teams an. Wir haben weniger als eine Woche für die letzte Lieferung an Endicott, etwa schon vergessen?«

»Und wenn wir den Highway nicht bald räumen können, fällt ein Team den ganzen Tag zum Fällen aus, richtig?«

»Richtig. Jede Stunde zählt.« Cash fuhr ohne Rücksicht auf Verkehrsregeln oder Geschwindigkeitsbegrenzungen.

»Was meinst du, wie lange werden wir brauchen?«

»Keine Ahnung.« Er sah sie von der Seite an. »Ich hätte dich warnen sollen, dir lieber deine Jeans anzuziehen. Vielleicht wirst du heute noch zum Holzfällen gebraucht.«

»Gern. Ob Rock oder nicht. Wir müssen das Holz schlagen, solange das Wetter noch hält.« Sie kaute innen an ihrer Wange und murmelte zu sich selbst: »Weshalb mußte die verdammte Kette auch ausgerechnet jetzt reißen?«

»Mußte sie nicht.« Schyler sah überrascht zu ihm. »Sie war angesägt«, sagte Cash. »Ganz glatt, wie mit einer Feile. Der Laster war gerade auf den Highway eingeschert, da rollten die Stämme bereits.«

»Cash, bist du ganz sicher?«

»Absolut.«

»Und wer war es?«

»Woher, zum Teufel, soll ich das wissen?«

»Wer ist gefahren?«

Er nannte den Namen des Fahrers, schüttelte aber dabei entschieden den Kopf. »Er ist schon seit Jahren bei uns. Hält Cotton Crandall für den lieben Gott.«

»Aber was ist mit Cotton Crandalls Tochter? Was hält er von ihr?«

Er wandte sich ihr mit einem tückischen Grinsen zu. »Bist du sicher, daß du es wörtlich zitiert haben willst?«

Die Art, wie er fragte, ließ sie wissen, daß sie es nicht wollte. »Du meinst, er ist loyal?«

»So loyal, wie man nur sein kann.«

»Was ist mit den anderen aus der Crew?«

Sie ließ ihm Zeit, die Liste der Namen im Kopf durchzugehen. »Ich würde jedem von ihnen mein Leben anvertrauen. Was hätte ein Fäller davon, so eine Schweinerei anzustellen? Er wäre für immer seinen Job los, wenn das Holzwerk Pleite macht.«

»Und wenn man ihn mit einer großen Summe bestochen hat?«

»Plötzlicher Reichtum wäre ein todsicheres Indiz. Der Typ würde doch nie wieder glücklich werden, dafür würden die anderen schon sorgen. Keiner von denen wäre so dumm, es zu versuchen. Abgesehen davon sind sie untereinander mindestens so loyal wie gegenüber deinem Daddy.«

»Und ein Selbständiger?«

»Dasselbe: aus welchem Motiv? Du hast für sie einen guten Markt vor Ort geschaffen. Und das beschert ihnen höhere Profite, weil die Transportkosten erheblich reduziert sind.«

»Aber du bist trotzdem überzeugt, daß es Sabotage war?«

»Du nicht?«

»Jigger?« Sie starrten einander an, im Wissen um die Antwort.

Das sollte ihr letzter ruhiger Augenblick für die kommenden Stunden sein. Als sie eintrafen, war bereits ein Polizist auf der Bildfläche erschienen, der in einen hitzigen Streit mit der Crew verwickelt war.

Cash bahnte sich einen Weg nach vorne. »Was ist hier los?«

Der Polizist wandte sich ihm zu. »Sind Sie hier der Verantwortliche?«

»Ja.«

»Das wird 'ne Anzeige geben, Mister. Der Schlepper war überladen.«

»Zeigen Sie mir einen, der's nicht ist.«

»Schon möglich, aber Sie haben sich erwischen lassen«, sagte der Polizist zuckersüß.

»Eine Kette ist gerissen.«

»Weil Sie überladen waren. Und nur weil alle anderen es auch tun, ist es noch lange nicht erlaubt. Ich werde an Ihnen ein Exempel statuieren.« Er zog seinen Strafzettelblock aus der Brusttasche. »Und während ich das tue, schaffen Sie den Schlepper von der Straße.«

Wie es aussah, blockierten der Laster und die Stämme beide Fahrbahnen des zweispurigen Highways. »Hören Sie«, sagte Cash mit zunehmender Ungeduld, »wir können das Holz nicht einfach von der Straße rollen. Es muß auf einen zweiten Schlepper geladen werden.«

»Muß es das?«

»Ja. Wir müssen einen Kran finden, der nicht im Einsatz ist, und einen zweiten Schlepper herkommen lassen. Das wird ein Weilchen dauern. Die sind nämlich nicht zum Rasen gebaut.«

»Wir können den Highway nicht sperren. Dann müssen Sie es eben nachts machen.«

»Das kommt nicht in Frage. Das Leben der Männer wäre gefährdet, wenn sie in der Dunkelheit arbeiten müßten.«

Der Polizist schwang beim Klang der weiblichen Stimme herum. Er musterte Schyler mit einem bewußt geringschätzigen Blick. »Wer sind Sie denn?«

»Schyler Crandall.«

Der Name wirkte wie ein nasser Guß auf ein anwachsendes Feuer. »Oh, Mrs. Crandall, Ma'am«, stammelte er, tippte sich an die Mütze. »Tja, ich habe Ihren Männern hier gerade versucht zu erklären —«

»Ich habe es gehört. Kommt nicht in Frage.« Der verblüffte Polizist klappte den Mund zum Protest auf, doch bevor er etwas sagen konnte, fuhr sie fort: »Ich schlage einen Kompromiß vor. Könnten Sie nicht die Spur Richtung Osten offenlassen und nur die nach Westen schließen? Sicher, der Verkehr wäre dadurch behindert, aber das wäre er ohnehin wegen der Schaulustigen. Wenn Sie nur eine Fahrbahn schließen, könnte der Verkehr weiterfließen, und uns wäre damit auch sehr geholfen. Ich denke, wir könnten alles auf eine Seite schaffen und den Highway dann wesentlich zügiger räumen. Und das käme doch uns allen zugute, meinen Sie nicht?«

»Meinen Sie nicht?« äffte Cash sie wenige Minuten später nach und klimperte mit den Wimpern.

»*Du* hättest überhaupt nichts bei ihm erreicht«, sagte sie. »Der Typ ist ein Macho, ein mexikanisches Heißblut. Was hätte ich denn deiner Meinung nach tun sollen?«

»Weiß nicht, vielleicht hättest du ihm einen blasen sollen. Na ja, deine Taktik hat ja funktioniert, wie's scheint.«

Sie bedachte ihn mit einem vernichtenden Blick, den er allerdings nicht mitbekam, weil er sich bereits von ihr abgewandt hatte, um Anweisungen zu erteilen. Obwohl es so aussah, als würde es endlos dauern, und Chaos herrschte, wurden nach und nach die riesigen Kiefernstämme mit dem Kran hochgehoben und über den Highway hinweg auf den Schlepper geladen. Cash war höchstpersönlich in die Steuerkabine geklettert und steuerte den Kran.

Der Unfall brachte den Verkehr zum Erliegen, doch das war hauptsächlich die Schuld der gaffenden Fahrer. Noch im Verlauf des frühen Morgens hatte Schyler den Polizisten soweit, daß er ihr buchstäblich aus der Hand fraß: sie brachte ihm einen Doughnut, als sie einen Imbiß für Cashs Crew servierte.

»Danke«, sagte Cash knapp, als er die Sodadose öffnete, die Schyler ihm gereicht hatte. Während die anderen eine zehnminütige Pause einlegten und sich am Rand des Highways im Schatten ausruhten, überprüfte Cash die Bolzen und Ketten am Schlepper, der als Ersatz für den verunglückten eingetroffen war. Er leerte das Getränk in einem langen Zug. »Ein Bier wär' mir lieber gewesen«, sagte er, als er Schyler die leere Dose zurückgab.

»Ich spendier dir 'nen ganzen Kasten, wenn du's schaffst, das hier bis zum Einbruch der Dunkelheit über die Bühne zu bringen.«

Er starrte sie an, zog grimmig die zerschlissenen Lederhandschuhe über und stülpte sich den Helm auf den Kopf. »Okay, Leute, hoch mit euren Ärschen. Wir sind schließlich nicht zum Picknicken hier. Auf geht's, zurück an die Arbeit.« Die Arbeiter grummelten, folgten aber seinem Befehl. Schyler hatte bisher nur einen Mann kennengelernt, dem sowohl Gehorsam als auch Respekt von seinen Leuten entgegengebracht wurde – Cotton.

Je weiter der Vormittag voranschritt, desto unerträglicher wurde die Hitze. In Wellen stieg sie vom Asphalt auf. Die Luftfeuchtigkeit war hoch, kein Windhauch regte sich. Die Männer zogen die durchgeschwitzten Hemden aus, die ihnen am Leib klebten. Taschentücher wurden als Kopftücher unter die Helme gebunden. Der Polizist behielt seine Uniform an, aber unter seinen Achseln bildeten sich große Schweißflecken. Von Zeit zu Zeit nahm er seine Mütze ab und wischte sich die Stirn und das Gesicht ab. Schyler hatte alle Hände voll damit zu tun, von der Ladefläche von Cashs Lieferwagen herab Eiswasser an die Männer zu verteilen.

Cash selber schuftete ohne Pause, also brachte sie ihm einen Becher Wasser. Er nahm einen Eiswürfel in den Mund und goß sich das kalte Wasser über den Kopf; es rann ihm über Schultern und Brust. Auch er hatte sein Hemd ausgezogen, hatte es einfach im Hosenbund stecken lassen, so daß es ihm jetzt wie ein Tuch um die Hüften hing.

»Du solltest nicht hier draußen sein«, sagte er und sah sie mit kritischem Blick an. »Du holst dir einen bösen Sonnenbrand. Deine Nase ist schon ganz rot.«

»Ich bleibe«, antwortete sie stur. Sie würde ihre Männer nicht im Stich lassen.

Aber als sie zum Lieferwagen zurückging, zog sie die Bluse aus dem klammen Bündchen ihres Rocks. Der Schweiß lief ihr zwischen den Brüsten und in den Kniekehlen herunter. Ihr Haar fühlte sich heiß und schwer im Nacken an. Zum Glück fand sie ein Gummiband in ihrer Handtasche und konnte sich einen Zopf flechten. Sie hatte sich noch nie so staubig und unwohl gefühlt. Selbst als sie das Haar im Nacken zusammengebunden hatte, kribbelte es noch unangenehm, fast so, als hätte sie jemand am Schopf gepackt. Langsam und vorsichtig wandte sie den Kopf und blickte suchend in den Wald hinter sich.

Hinter dem Stamm eines Hickorybaumes stand Jigger Flynn, aber nur teilweise verdeckt. Er starrte zu Schyler herüber und lachte in sich hinein.

Schyler sog erschrocken die Luft ein, obwohl sie sich gut genug unter Kontrolle hatte, daß er ihre Reaktion nicht erkennen konnte. Seine Boshaftigkeit ihr gegenüber war beinahe greifbar, doch Schyler hielt seinem Blick stand. Seine Augen waren so klein und lagen so tief, daß sie sie kaum erkennen konnte. Sein ganzer Ausdruck übermittelte ihr die stille Botschaft der Rache.

Er machte sich über sie lustig, freute sich diebisch über den Schlamassel, den er ihr – davon war sie fest überzeugt – eingebrockt hatte. Er forderte sie heraus, ihn zu stellen, und warnte sie gleichzeitig davor. Und dies hier war nur ein kleiner Vorgeschmack dessen, wozu er fähig war.

Sie überlegte kurz, zum Polizisten hinüberzulaufen und ihm zu sagen, daß Jigger dort hinten für den Unfall verantwortlich war. Doch sie verwarf die Idee gleich wieder. Jigger war ein geübter Lügner; er würde alles abstreiten und ein Alibi aus dem Ärmel schütteln. Sie brauchte Beweise.

Was Cash betraf, der wußte bereits, daß Jigger der Hauptverdächtige war, und unternahm keinerlei Anstalten, ihn zur Rede zu stellen. Sie bezweifelte, daß er es jetzt tun würde.

Jigger schien ihr Dilemma zu ahnen, denn er grinste nur teuflisch.

Panisch drehte sie sich um. Sie öffnete den Mund, um Cash zu rufen; dann sah sie, daß die Männer dabei waren, den letzten Stamm auf den Schlepper zu laden. Der Polizist sprach etwas in das Mikro in seinem Streifenwagen. Sie war allein. Sie mußte mit ihrer Furcht vor Jigger allein fertig werden.

Sie holte tief Luft, drehte sich wieder um, aber er war weg. Schyler konnte nur Schatten und gespiegeltes Sonnenlicht erkennen. Völlig lautlos war Jigger Flynn im hohen trockenen Gras verschwunden. Es war, als hätte sich die Hölle aufgetan und ihn heimgeholt.

Plötzlich brach lauter Jubel unter den Arbeitern aus, als der letzte Stamm geladen und gesichert war, und Schyler wurde aus ihren Gedanken gerissen.

»Fahr den Schlepper zum Abladen und bring ihn danach zum Gelände zurück«, rief Cash dem Fahrer zu, während er selbst zu seinem Wagen lief. Den anderen rief er zu: »Laßt euch vom Kranwagen mitnehmen. Wir treffen uns auf dem Gelände, sobald ich Schyler abgesetzt habe. Wenn ich komme, will ich die Bäume wie die Höschen der Huren fallen sehen!«

Er sprang in die Fahrerkabine des Lieferwagens. »Los, steig ein«, blaffte er Schyler an, die ihm vor Angst zitternd folgte. Cash legte den ersten Gang ein und scherte auf den Highway ein.

Als sie an dem Polizisten vorbeikamen, winkte Schyler ihm ein Dankeschön zu.

»Und, hast du dich mit ihm verabredet?« Die spitze Bemerkung war zuviel für ihre Nerven, so kurz nach dem Schrecken mit Jigger.

»Geht dich das was an?«

»Das tut es.« Sein Arm kam über den Sitz geschossen, und er versenkte seine Hand zwischen ihren Schenkeln. Dann drückte er besitzergreifend zu. »Das da gehört mir, solange bis ich damit fertig bin, verstanden?«

Wütend packte Schyler seine Hand und stieß sie fort. »Rühr mich nicht an. Und wo wir schon dabei sind: Fahr zur Hölle!«

»Ach? Und was würdest du ohne mich anfangen, wenn ich es tun würde?«

Sie wandte den Kopf ab und sah Cash nicht mehr an. Kaum war der Lieferwagen auf der anderen Seite der Laurent Brücke zum Halten gekommen, riß sie die Beifahrertür auf. Cash folgte ihr dicht auf den Fersen und holte sie an der Tür zum Büro ein. Er drehte Schyler zu sich herum, packte sie an den Schultern und drückte sie gegen seine breite, schweißnasse Brust. Dann küßte er sie so, daß es ihr den Atem raubte.

Seine Zunge drängte sich zwischen ihre widerspenstigen Lippen. Ihr Widerstand brach zusammen. Er schmeckte nach einem salzigen, verschwitzten, ungehobelten, furchtlosen Mann. Sie spürte eine verzweifelte Sehnsucht nach dem Schutz eines starken Kämpfers in sich und erwiderte gierig seinen Kuß.

So plötzlich, wie er sie gepackt hatte, stieß er sie wieder von sich. »Ich habe dich gewarnt. Ich bin niemals nett zu Frauen. Erwarte bloß nicht, daß es bei dir anders ist.«

Dann fuhr er davon und ließ sie in einer Wolke weißen, pudrigen Staubes zurück.

48. KAPITEL

Der Abend brach herein. Schyler schaute den Lichtern des Mannschaftswagens nach, bis er zwischen den Bäumen verschwunden war. Müde schob sie eine Strähne aus dem Gesicht, die sich aus dem flüchtig geflochtenen Zopf gelöst hatte, und drehte sich um. Ihr stockte der Atem.

Cash lehnte an der Außenwand des Werksbüros. Sie hatte ihn gar nicht bemerkt, obwohl sie eigentlich seine Zigarette hätte riechen müssen, die er lässig im Mundwinkel hatte. Sein Hemd war offen. Er hatte die Daumen in den Hosenbund gehakt.

»Tja, wir haben's geschafft«, sagte Schyler. »Wir haben tatsächlich die Zeit wieder aufgeholt, die wir durch den Unfall verloren hatten.«

»*Oui.*«

»Ich habe heute mehr als einmal befürchtet, daß wir's nicht schaffen würden.«

Er nahm einen letzten langen Zug von der Zigarette, bevor er die Kippe auf den Schotter zwischen den Gleisen schnippte. »Ich nicht.«

»Richte den Männern meinen Dank aus.«

»Einer der Fahrer hat behauptet, du hättest ihnen einen Bonus versprochen.«

»Habe ich auch.«

»Sie werden dich darauf festnageln.«

»Können sie. Sobald der Scheck von Endicott auf der Bank gutgeschrieben ist, werde ich ihnen den Bonus auszahlen.«

»Du schuldest mir einen Kasten Bier.«

»Reicht das auch noch morgen?«

»Sicher.«

Sie betrat das Büro durch die Hintertür, wollte sich aber nicht an ihren Schreibtisch setzen aus Angst, sie könnte auf der Stelle einschlafen. Statt dessen nahm sie ihre Handtasche, knipste das Licht aus und begab sich in Richtung Vordertür.

»Bist du immer noch wütend auf mich?« Cash folgte ihr und versicherte sich, daß die Tür richtig verschlossen war.

»Wieso sollte ich wütend sein?«

»Weil ich dich nicht hofiere, dir keine Blumen und Geschenke kaufe.«

Sie wandte sich zu ihm um. »Glaubst du wirklich, daß ich so oberflächlich bin? So albern? Wenn ich von dir Blumen bekommen würde, könnte ich davon ausgehen, daß du dich über mich lustig machst. Ganz abgesehen davon, lege ich keinen Wert darauf, daß du mir den Hof machst. Das gilt für jeden Mann.«

»Warum bist du dann so wütend?«

»Bin ich doch gar nicht.«

Schyler wollte zu ihrem Wagen gehen, als ihr einfiel, daß sie ihn auf Belle Terre stehengelassen hatte. Sie drehte sich um.

»Wo willst du hin?« fragte Cash.

»Ken anrufen, daß er mich abholt.«

»Steig bei mir ein. Ich fahr dich nach Hause.«

»Ich —«

»Steig ein, verdammt.«

Schyler wußte, daß es dumm war, hier draußen zu stehen und sich mit ihm zu streiten, so erschöpft und schmutzig, wie sie sich fühlte. Sie war viel zu erschöpft, um nachzudenken, geschweige denn, sich mit ihm zu streiten. Sie stieg in seinen Wagen.

»Hast du Lust, zu Jigger zu fahren und dir die Klapperschlange anzusehen?«

Über Jigger wollte sie im Moment überhaupt nicht sprechen. Sie erschauderte noch immer, wenn sie an sein gehässiges Grinsen dachte. Doch was Cash vorschlug, war so absurd, daß sie automatisch fragte: »Bitte?«

»Seine Klapperschlange. Jigger hält sich eine Schlange als Haustier. Hab gehört, es soll ein echter Brocken sein. Er verlangt sogar Eintritt. Wollen wir kurz anhalten?«

»Ich hoffe, du machst Witze. Und wenn dem so ist, dann war es kein besonders guter Witz. Ich will absolut nichts mit Jigger zu tun haben, außer ihn eventuell wegen Körperverletzung an Gayla anzeigen ... um nur eines seiner Vergehen zu nennen. Ich kann nicht fassen, daß du zu ihm willst, wo er doch wahrscheinlich für den Unfall heute morgen verantwortlich war.«

»Das weiß ich.«

»Und du gehst ihm trotzdem noch um den Bart?« Sie breitete die Arme aus. »Oh, ich vergaß, natürlich, er ist schließlich Kunde bei dir, habe ich recht?«

»Du meinst die Medizin?«

»Ja, ich meine die Medizin.«

»Damit habe ich Gayla einen Gefallen tun wollen, nicht Jigger.«

»Aber das Geld hast du von Jigger genommen.«

»Sein Geld ist genauso gut oder schlecht wie das der anderen.«

»Geld ist Geld, meinst du das?«

»*Oui.* Für jemanden, der nie genug davon hatte, ist es nun mal so, Miss Schyler. Du weißt doch gar nicht, was es heißt, arm zu sein.«

»Du nimmst also, was du kriegen kannst, egal woher es kommt?«

»Nein, nicht egal. Ich habe zum Beispiel nicht die Hunde für dich abgemurkst, schon vergessen?«

»Also gibt es doch ein paar Dinge, die du nicht für Geld tust.«

»Wenige, aber es gibt sie.«

Und was ist mit scheußlichen, kleinen selbstgebastelten Puppen, die man anderen Leuten aufs Kopfkissen legt, dachte Schyler bei sich. Gayla hatte immerhin gehört, wie sein Name in diesem Zusammenhang gefallen war, aber sicher hatte er nichts mit der Puppe zu tun. Er hätte Gayla wohl kaum so fürsorglich versorgt, als sie sie im Wald fanden, nur um dann später einen Fluch auf sie zu legen. Andererseits – wer konnte schon ahnen, wem Cashs Loyalität galt? Das schien nur er selbst zu wissen.

Schyler wandte sich ab und ließ sich vom Fahrtwind durch das offene Fenster abkühlen. Cash lud sie praktisch ein, ihm von der Puppe zu erzählen. Doch sie tat es nicht. Sie vertraute ihm nicht genug. Diese Erkenntnis traf sie bis ins Innerste. Für ihre körperliche Intimität schien es keine Schranken zu geben, aber ihre Geheimnisse konnte sie ihm nicht anvertrauen. Nicht einmal von Jiggers Auftauchen an der Unfallstelle wollte sie ihm erzählen.

Cash brachte den Wagen ein gutes Stück vom Haus entfernt zum Stehen. »Ich will nicht riskieren, daß Cotton noch einen

Herzinfarkt kriegt, wenn er sieht, daß ich dich hergebracht habe«, sagte er verbittert.

»Heute morgen bist du aber direkt bis vors Haus gefahren?!«

»Das war ein Notfall. Selbst Cotton wird das einsehen und mir dafür vergeben.«

»So wie damals, als du seine betrunkene Tochter nach Hause gebracht hast?«

Er lachte auf. »Ich könnte tausendmal meine Unschuld beteuern, er glaubt doch bis heute noch, daß ich derjenige war, der dich betrunken gemacht hat. Wahrscheinlich nimmt er sogar an, daß ich dich sexuell mißbraucht habe.«

»Aber das war nicht der Grund für euren Streit, oder?«

Sein Grinsen verschwand. Sein Blick traf ihr Gesicht, als wäre sie das Ziel und seine Augen Laserwaffen. »Wie bitte?«

Offensichtlich war dieser Abend ein wunder Punkt in seiner Erinnerung. Sie erwog, das Thema fallenzulassen, andererseits lag ihr viel daran, dieses Rätsel endlich zu lösen. »Ich habe gesagt, das war nicht der Grund, weshalb du dich an diesem Abend mit meinem Daddy gestritten hast, oder?«

»Woher weißt du von dem Streit?«

»Ich habe gehört, wie ihr euch angeschrien habt.«

Er starrte sie einen langen Augenblick an. »Ach ja? Dann kannst du mir doch sicher sagen, worüber wir uns gestritten haben, oder etwa nicht?«

»Ich weiß es nicht mehr.« Eine Falte erschien zwischen ihren Brauen, als sie angestrengt versuchte sich zu erinnern. »Ich war so beschwipst. Aber ich weiß noch, daß ihr geschrien habt. Es muß sich um etwas Wichtiges gehandelt haben. Ging es um Monique?«

»Das ist über zehn Jahre her.« Er sank im Sitz hinter dem Steuer zurück, bedeckte den Mund mit der Hand und starrte ins Dunkel hinaus. »Ich habe vergessen, worum es ging.«

»Du lügst«, sagte Schyler leise. Sein Kopf fuhr zu ihr herum. »Du weißt es noch sehr gut. Dein Streit mit meinem Daddy ist noch immer nicht beigelegt, stimmt's?« Cash antwortete nicht. Er hatte den Blick wieder abgewandt.

»Ach, zur Hölle damit«, fluchte Schyler. Es war etwas zwischen den beiden. Sollten sie damit fertig werden. Sie war heute abend zu müde, um eine Lanze in die alte Wunde zu bohren. »Danke für alles, was du heute getan hast. Bye.«

Schyler drückte mit der Schulter gegen die Tür, weil sie bezweifelte, noch die Kraft aufzubringen, sie so zu öffnen. Kaum berührten ihre Füße den Boden, beugte sie sich hinunter und zog die Schuhe aus. Das Gras fühlte sich wunderbar kühl und sauber unter ihren Fußsohlen an.

Sie hielt sich im Schatten der Bäume, während sie aufs Haus zuging. Das purpurne Zwielicht tauchte die Ziegel von Belle Terre in ein rosafarbenes, ätherisches Licht, wie das Schloß von Camelot. Die Fenster schimmerten golden. Die Ranken der Bougainvillea, die die Säulen der Veranda schmückten, trugen schwer an ihren leuchtenden Blüten.

Ein Gefühl von Heimweh und Liebe durchzuckte Schyler, bis sie kaum noch Luft bekam. Sie stützte sich auf einen brusthohen Ast einer Lebenseiche und sah durch die feuchte Dämmerung auf das Zuhause, das sie liebte, das sie aber anscheinend nie ganz greifen konnte.

Hier hatte sie den Großteil ihres Lebens verbracht. Die Wände hatten ihr Lachen und Weinen gehört. Die Dielen hatten ihr Gewicht getragen, als sie lernte zu krabbeln, und als sie lernte, Walzer zu tanzen. Im Stall hatte sie zum ersten Mal eine Geburt gesehen und ihren ersten Kuß bekommen. Ihr Leben rankte sich um dieses Haus, genauso fest wie die Bougainvillea sich um die Säulen rankten.

Doch die Seele, das Herz des Hauses, versperrte sich ihr. Sie schaffte es nie, sie zu berühren. Es war unerklärlich, das Gefühl, sich im eigenen Heim als Eindringling vorzukommen, und doch war es unleugbar da. Und ein Teil von ihr gab keine Ruhe. Es war, als würde ihr seit ihrer Geburt etwas fehlen. Dieses Gefühl des Verlustes verließ sie nie ganz und verlieh ihr eine immerwährende Traurigkeit.

Sie spürte Cashs Gegenwart, noch bevor er sie berührte. Er tauchte hinter ihr auf und faltete die Hände in ihrem Nacken. »Was haben Sie denn heute auf dem Herzen, Miss Schyler?«

»Du bist ein Bastard.«

»Habe ich nie bestritten.«

»Nein, ich beziehe mich nicht auf die Umstände deiner Geburt. Ich beziehe mich auf *dich*. Wie du dich benimmst. Wie du andere behandelst.«

»Zum Beispiel dich?«

»Was du heute morgen zu mir gesagt hast, war gemein, unnötig und unverschämt.«

»Ich dachte, das hätten wir vorhin schon geklärt.«

Sie machte eine ungeduldige Geste mit den Schultern. »Ich erwarte keine Blumen von dir, Cash, aber ich erwarte ein wenig Freundlichkeit.«

»Tu's nicht.«

Sie senkte resigniert den Blick. »Du gibst nie nach, nicht wahr? Niemals.«

»Nein, niemals.«

Sie hätte ihn stehenlassen sollen, aber ihre Füße wollten sich nicht bewegen, nicht solange sie einen festen Halt hatte, an den sie sich lehnen konnte. Sie brauchte eine Schulter, an der sie sich ausweinen konnte. Und Cash war da, und er würde sie besser als alle, ihr Vater ausgenommen, verstehen können.

»Ich habe Angst, Cash.«

»Wovor?«

»Davor, Belle Terre zu verlieren.«

Seine Daumen trafen sich in ihrem Nacken, und er begann Schyler sanft zu massieren. »Du hast alles unternommen, damit das nicht passiert.«

»Aber es könnte trotzdem passieren.« Sie neigte den Kopf zur Seite. Cash massierte ihre Schultern. »Ich mache einen Schritt nach vorn und werde zwei zurückgeworfen.«

»Du bist gerade dabei, den Auftrag auszuführen, der dich wieder in die schwarzen Zahlen bringen und Belle Terre freikaufen wird. Wovor also hast du Angst?«

»Davor zu versagen. Wenn wir nicht die gesamte Lieferung schaffen, wird die Ware, die schon unten ist, storniert. Auf diese letzte Woche kommt es an. Und unser Saboteur ist sich dessen genauso bewußt wie ich.« Sie holte tief Luft und ballte die Faust. »Wer ist es? Und was hat er gegen mich?«

»Wahrscheinlich gar nichts. Wahrscheinlich geht es ihm um Cotton.«

»Das kommt aufs selbe raus.«

»Wer Cotton trifft, trifft auch dich?«

»Ja, weil ich ihn liebe. Ich könnte ihn nicht *mehr* lieben, wenn er mein leiblicher Vater wäre. Vielleicht, weil ich weiß, was ihm dieser Ort hier bedeutet. Auch er ist als Außenseiter hierhergekommen. Und er hat bewiesen, daß er Belle Terre verdient.«

Cash sagte nichts, massierte ihr nur weiter mit seinen kräftigen Fingern die Furcht und den Ärger aus den Schultern. Das löste auch ihre Zunge.

»Macy war mir nie eine Mutter. Sie war immer nur eine schöne, aber schrecklich unglückliche Frau, die im selben Haus wohnte und die Regeln, wie es geführt wurde, festlegte. Cotton war für mich alles. Er war mein Anker.« Sie seufzte tief. »Aber jetzt haben wir die Plätze getauscht, ist es nicht so? Ich fühle mich wie eine Bärenmutter, die ihr Junges beschützt. Aber ich bin absolut unfähig, ihn zu schützen.«

»Cotton braucht deinen Schutz nicht. Er wird für seine Fehler bezahlen müssen. Und es wird nicht das Geringste geben, womit du ihm helfen kannst, wenn die Zeit der Abrechnung gekommen ist.«

»Sag so etwas nicht«, flüsterte sie erschrocken. »Das macht mir angst. Ich kann ihn doch nicht im Stich lassen.« Cash hatte sich dicht hinter sie gestellt. Seine Lippen fanden eine weiche Stelle an ihrem Nacken, unter dem Zopf. Er hob ihre Hände an den Ast und legte sie darauf. »Cash, was hast du vor?«

»Ich werde dich von deinen Sorgen ablenken.« Jetzt, da ihre Arme aus dem Weg waren und das Revier offen vor ihm lag, konnte er die Hände an ihren schmalen Rippen auf und ab wandern lassen und streifte dabei ihre Brüste.

»Ich will aber nicht abgelenkt werden. Außerdem bin ich noch immer wütend auf dich.«

»Wut hat mir schon manch phantastischen Sex beschert.«

»Aber für mich ist es kein Aphrodisiakum.« Sie hielt den Atem an, als er ihre Brüste umfaßte. »Nicht.« Er hörte auf das Beben in ihrer Stimme und nicht auf ihre Worte. Er knöpfte ihr die Bluse auf, hakte den BH auf und nahm ihre bloßen Brüste in die Hände. »Das ist… Nein… Nicht hier, Cash.«

Ihr Protest stieß auf taube Ohren. Seine Lippen wanderten ihren Nacken auf und ab, während er ihre Brustwarzen zwischen den Fingern rieb. Dann stieß er die Hüften vor. Sie spürte sein hartes Glied.

»Du willst mich doch«, raunte er. »Ich weiß es, und du weißt es auch.«

Er ließ eine Hand unter ihren Rock gleiten, zog ihr Höschen herunter und legte die Hand auf das weiche Delta zwischen ihren Schenkeln. Sie seufzte seinen Namen, aus Protest, aus Verlangen. »Nein«, stöhnte sie beschämt.

Er zischte ein Ja in die Dunkelheit, während seine Finger die feuchte Grotte suchten und fanden, die sie als Lügnerin entlarvte. Er hob ihren Rock hoch und preßte sie an sich. Der grobe Stoff seiner Jeans fühlte sich rauh, weich, wundervoll auf ihrem nackten Po an.

Dann teilte er mit den Fingern die geschwollenen Lippen. Sie drückte sich mit der Stirn gegen das harte Holz des Astes und umklammerte ihn mit den Händen. »Cash.« Sein Name war ein einziger tiefer Seufzer des Verlangens.

Er knöpfte sich die Jeans auf. Langsam, bedacht drang er in sie ein. Zunächst hielt er sich, unbarmherzig mit sich selbst, zurück, bis er von seiner Leidenschaft übermannt wurde und ihn tiefer in die feuchte, seidene Scheide gleiten ließ. Sein Bauchhaar kitzelte auf ihrer weichen Haut.

Schyler warf den Kopf in den Nacken, suchte seine Lippen. Ihre Münder fanden sich; ihre Zungen suchten gierig. Eine Hand liebkoste ihre harte, erigierte Brustwarze, mit der anderen streichelte er ihren Venushügel. Als sie zum Höhepunkt kam, stöhnte und zitterte sie am ganzen Leib.

Sein Orgasmus kam langsam, grimmig, heiß. Als es vorbei war, ließ er sich gegen sie sinken. Wenn nicht der Ast gewesen wäre, der sie stützte, wären sie ins Gras gefallen.

Schließlich half er ihr, ihre Kleider in Ordnung zu bringen, dann zog er sich selbst wieder an. Schyler ließ es geschehen. Sie war viel zu erschöpft, um sich zu bewegen oder zu sprechen.

Mein Gott, was sie gerade getan hatte, war unvorstellbar. Und dennoch war es passiert. Sie bereute es nicht, aber sie war entsetzt, denn sie hatte sich vollkommen gehen lassen. Sie hatte ihre Probleme vergessen, alles einschließlich Belle Terre.

Als sie den Motor seines Lieferwagens anspringen hörte, schwang sie herum. Sie hatte gar nicht bemerkt, daß Cash gegangen war. Auch gut, dachte sie, während sie zusah, wie der Wagen die Straße hinunter verschwand. Sie hätte ohnehin nicht gewußt, was sie hätte sagen sollen.

Cash parkte den Wagen abseits und wartete, bis die Zuschauer gegangen waren, bevor er vor das heruntergekommene Haus fuhr. Er konnte das Rasseln der Schlange in der Tonne sogar über das Geräusch des Motors hinweg hören.

Er stellte den Motor ab und stieg aus. Durch die Hintertür konnte er sehen, wie Jigger am Küchentisch saß und die Einnahmen des Tages zählte. Geräuschvoll klopfte Cash an. Der alte Mann wirbelte herum und zielte mit einer Pistole direkt auf seinen Besucher.

»Schon gut, Jigger, ich bin's.«

»Mann, ich hätte dir fast deine verdammte Birne weggeblasen!« Er ließ das Geld auf den Tisch fallen und kam zur Tür geschlurft.

»Was machst du mit dem ganzen Geld, Jigger? Stopfst du es in Mayonnaisegläser und vergräbst es hinten im Hof? Oder vielleicht unter dem Hundezwinger?«

Die Augen des alten Mannes funkelten. »Wenn du das so genau wissen willst, Boudreaux«, höhnte er und wedelte Cash dabei mit der Pistole unter der Nase herum, »warum findest du's dann nicht selbst raus?«

Cash lachte. »Sehe ich so dumm aus?« Dann erlosch sein Lächeln urplötzlich. »Glaub das besser nicht.«

Jigger senkte den Kopf und blitzte Cash aus seinen tiefliegenden Augenhöhlen an. »Ich hätte allen Grund, dich abzuknallen. Du hast dieser schwarzen Nutte geholfen, wegzulaufen. Du hast sie nach Belle Terre gebracht.«

»Und du hättest sie beinahe umgebracht.«

»Was geht dich das an?!«

»Oh, eine Menge. Du hast sie nach der Fehlgeburt nicht in Ruhe gelassen, wie ich dir gesagt hatte. Das nehme ich dir persönlich übel, Jigger.«

»Ich war's nicht. Es war ein Kunde.«

»Trotzdem bist du schuld.«

Jigger zuckte mit den Achseln. »Was soll's. War nur 'n Weib. Besorg ich mir eben 'ne Neue.«

»Von mir aus«, sagte Cash betont gleichgültig. »Aber wenn du jemals wieder einer Frau antust, was du Gayla Frances angetan hast, komme ich her, schneide dir den Schwanz ab und stopfe ihn dir so tief in den Hals, bis du dran erstickst. Kapiert, *mon ami*?« Cash lehnte im Türrahmen, dessen Anstrich abblätterte. Er zuckte nicht mit der Wimper, aber auf seinen Lippen lag die Spur eines Lächelns.

»Willst du mir etwa drohen?«

»*Oui*. Und du weißt, daß ich das nicht oft tue.«

Jiggers Gesicht verzog sich zu einer Grimasse. »Bist wohl heiß auf die Schlampe, häh, Boudreaux?« Dann schüttelte er den Kopf. »Aber nein, du fickst ja die kleine Crandall.«

»Stimmt. Ich bumse Schyler Crandall. Aber das heißt nicht, daß ich nicht auf Gayla aufpasse.«

Die beiden Männer starrten einander feindselig an. Schließlich warf Jigger den Kopf in den Nacken und gackerte. Cash Boudreaux war wahrscheinlich der einzige Mann in der Gegend, der es mit ihm aufnehmen konnte. Jigger war clever genug um zu wissen, wann es Zeit für den Rückzug war. Er wollte nicht das berüchtigte Temperament des Anderen herausfordern und in den Genuß seines Messers kommen, das dieser Kerl am Rücken bei sich trug. Gemessen an Gemeinheit waren sie sich ebenbürtig, doch Cash war zwanzig Jahre jünger, dreißig Pfund leichter und schneller. Körperlich konnte Jigger es mit ihm nicht aufnehmen.

Cash entspannte sich und löste sich vom Türrahmen. »Werde ich jetzt deine Schlange zu sehen kriegen, oder bin ich etwa umsonst hergekommen?« Er deutete mit dem Kopf in Richtung der Tonne.

Jigger steckte die Pistole in den Hosenbund und stakste über den Hof. Er hatte vom Haus ein Kabel gezogen; jetzt baumelte eine nackte Glühbirne über der Tonne. Jigger knipste sie an. Mit einer stolzen Handbewegung fegte er den Stein vom Deckel und schob den Deckel mit einem Brecheisen auf.

»Sieh dir das verdammte Miststück an, Boudreaux. Schon mal so was gesehen?«

Anders als die meisten Besucher näherte Cash sich der Tonne mit festem Schritt. Er ging dicht heran und lugte dann über den Rand. Der Schwanz der Schlange zuckte und erfüllte die Nacht mit seinem heimtückischen Rasseln. Selbst die Nachtvögel und Insekten waren aus Angst und Respekt verstummt. Das Doggenweibchen kläffte zunächst, jaulte dann aber verstört auf.

Jigger erwartete begierig Cashs Reaktion. Er war ernsthaft enttäuscht, als Cash achselzuckend sagte: »Nichts Besonderes. Von den Burschen habe ich in den Bayous schon etliche zu sehen bekommen.«

»Ach, zum Teufel.«

»Nein, ungelogen. Einmal hat die Flut 'ne ganze Kolonie davon angeschwemmt. *Maman* ließ mich tagelang nicht draußen spielen. Der ganze Hof wimmelte nur so von den Biestern. Alle Größen. Waren welche dabei, die hätten 'nen Hund glatt in einem Stück verschlingen können.«

Er beugte sich noch einmal für einen ausführlichen Blick auf das Tier über den Rand. Jigger lugte ihm über die Schulter. Als Cash plötzlich herumschwang, ließ Jigger das kurze Brecheisen zu Boden fallen und machte einen Satz zurück.

Cash zeigte ein teuflisches Grinsen. »Na na, Jigger, scheint mir, du hast Angst vor dem Vieh.«

»Scheiße, nein.« Ärgerlich hob Jigger den Deckel auf, warf ihn auf die Tonne und schob ihn mit dem Brecheisen, das er ebenfalls vom Boden angelte, in die richtige Position. Als er fertig war, hielt er die Hand auf. »Macht einen Dollar.«

»Klar doch.« Ohne seinen Blick abzuwenden, grub Cash in seiner Jeanstasche und zog einen zerknüllten Schein heraus. »Das war mir 'nen Dollar wert, dich noch mal so hüpfen zu sehen.« Dann ging er in Richtung des geparkten Lieferwagens davon.

»Boudreaux!« Cash drehte sich um und sah noch einmal zu dem Mann neben der Tonne. »Du weißt nicht zufällig, wer mir die Schlange geschickt hat?«

Cash grinste nur, ehe er in der Dunkelheit verschwand.

49. KAPITEL

Schyler verschlief. Als der Wecker morgens zur gewohnten Zeit klingelte, hatte sie sich noch einmal umgedreht und war sofort wieder eingeschlafen. Erst Stunden später wachte sie auf. Als sie dann auf die Uhr sah, war es Zeit für das Mittagessen. Sie duschte rasch, zog sich etwas über und ging dann hinunter in die Küche, um sich ein Stück Honigmelone zu gönnen.

»Ich könnte Ihnen was zu essen machen, wenn Sie noch etwas Zeit haben«, bot Mrs. Dunne ihr an.

»Vielen Dank, aber ich muß ins Büro.« Irgendwann in der Nacht war ihr im Halbschlaf etwas wegen des Endicott-Auftrags eingefallen. Zum Glück erinnerte sie sich noch daran, was es war, und wollte es gleich mit Cash besprechen.

»Also, wenn Sie mich fragen, Sie arbeiten viel zuviel.«

»Ich frage Sie aber nicht«, erwiderte sie, zwinkerte der Haushälterin allerdings auf dem Weg hinaus freundlich zu. Als sie an der offenen Salontür vorbeikam, sah sie, wie Gayla die Bücher in den Regalen abstaubte. »Gayla, ich hatte dich gebeten, die Bücher zu katalogisieren, nicht abzustauben. Dafür wird Mrs. Dunne bezahlt.«

»Es macht mir aber nichts aus. Ich hatte gerade nichts zu tun, und ich habe ein schlechtes Gewissen, wenn ich den ganzen Tag nur so herumgammele.«

»Du gammelst nicht herum.« Schyler schenkte Gayla, die oben auf der Leiter lehnte, ein Lächeln. Sie bekam allerdings nur ein sehr schwaches Lächeln zurück. »Stimmt was nicht? Doch nicht etwa noch irgendwelches Voodoo-Zeugs?«

»Nein.« Gayla blickte besorgt aus dem großen Fenster. Der weite in Sonnenlicht getauchte Rasen, auf dem sich nichts regte, wirkte kaum bedrohlich. »Es ist nur ... ich ... ich ...« Sie seufzte und schüttelte verärgert über sich selbst den Kopf. »Ach, gar nichts.«

»Was?«

Gayla machte eine hilflose Geste mit dem Staubtuch. »Der Garten wirkt jetzt so friedlich und harmlos. Aber wenn es dunkel wird, habe ich ständig das Gefühl, daß da jemand ist, der uns beobachtet.«

»Aber Gayla«, schalt Schyler sie nachsichtig.

»Ich weiß, es ist albern. Aber ich erschrecke schon vor meinem eigenen Schatten.«

»Das ist ja nur verständlich nach dem, was du durchgemacht hast. Die Puppe war immerhin eine ganz direkte Drohung. Bisher habe ich noch gezögert, den Sheriff anzurufen und es zu melden, aber wenn du willst, kann ich es noch heute tun.«

»Nein!« rief Gayla. »Bloß nicht. Es würde auch nichts nützen. Jigger und der Sheriff sind befreundet.«

»Dann bist du also sicher, daß Jigger dahintersteckt?«

»Er hat wahrscheinlich jemanden dafür bezahlt, die Puppe auf mein Bett zu legen.«

»Bestimmt wollte er dir nur Angst einjagen. Ich bezweifle, daß er noch mehr unternimmt. Jigger Flynn würde es nicht wagen, einen Fuß auf Belle Terre zu setzen.«

»Ich hoffe, du hast recht.« Gayla klang nicht sonderlich überzeugt.

Schyler setzte sich auf die Lehne eines Polstersessels. »Da ist noch was, stimmt's?«

»Ja.«

»Los, raus damit.«

Gayla stieg von der Leiter und legte das Staubtuch in einen Korb mit Putzutensilien. Ihre schmalen Schultern hoben und senkten sich unter einem tiefen Seufzer. »Ich weiß nicht, ob ich überhaupt sagen kann, was mit mir los ist, Schyler.«

»Versuch es.«

»Ach, du hast viel zuviel zu tun, um dir mein Gejammere anzuhören.«

»Ich habe Zeit. Sag, was beschäftigt dich?«

Gayla brauchte einen Moment, um sich zu sammeln. Dann

sagte sie: »Na ja, ich überlege eben, was ich mit dem Rest meines Lebens anfangen soll. Für einen guten Job war ich nicht lange genug auf dem College. Und um wieder zur Schule zu gehen bin ich schon zu alt. Selbst, wenn ich es nicht wäre, ich könnt's mir gar nicht leisten.« Sie sah Schyler aus sorgenvollen Augen an. »Was soll ich nur machen? Wo soll ich hin? Wovon soll ich leben?«

Schyler stand auf und schloß sie fest in die Arme. »Du darfst dich nicht quälen. Die Dinge werden sich mit der Zeit ergeben. Irgendwas wird schon werden. Und in der Zwischenzeit hast du hier dein Zuhause.«

»Ich kann dir doch nicht auf der Tasche liegen, Schyler.«

»Ich werde ganz böse, wenn du sowas noch einmal sagst.«

Sie hob Gaylas Kinn und sah ihr in die großen schwarzen Augen. Sie hätten lachen sollen, aber statt dessen waren sie voller Verzweiflung.

Schyler war enttäuscht, daß Jimmy Don Davison nicht auf den Brief geantwortet hatte, den sie ihm ins Gefängnis geschickt hatte. Sie hatte gehofft, er würde sich melden, wenn er erfuhr, daß Gayla aus Angst um ihr Leben vor Jigger davongelaufen war. Sie hatte darauf gesetzt, daß er wenigstens neugierig war, wie es seiner verlorenen Liebe ging. Offensichtlich war das nicht der Fall.

Ein verzeihender Brief wäre Balsam für Gaylas Seele gewesen. Es hätte ihr Hoffnung auf die Zukunft gegeben. Schyler wußte nicht, was Jimmy Don für seine frühere Liebste empfand, aber wenn er erst einmal mit den Umständen vertraut war, würde er ihr ihre Vergangenheit sicher nicht vorhalten.

»Schau, der Tag ist viel zu schön, um sich Sorgen zu machen«, sagte Schyler leise. »Ich will nicht, daß du darüber nachdenkst, von Belle Terre wegzugehen. Es macht mich traurig. Ich wüßte nicht, was ich in den letzten Wochen ohne dich getan hätte.«

Die Betrübtheit in Gaylas Blick wich und machte funkelndem Zorn Platz. »Tricia ist so gemein zu dir. Wie hältst du das nur aus?«

»Ich versuche, die Sticheleien einfach zu ignorieren.«

»Ich wüßte nicht, wie das gehen sollte. Und ihr Mann steht dabei und läßt sie einfach damit durchkommen.« Gayla schüttelte den Kopf. Mit einem Gespür, das über ihr Alter hinausging und das sie wahrscheinlich von Veda geerbt hatte, sagte sie: »Irgendwas stimmt da nicht.«

»Stimmt wo nicht?«

»Mit den beiden.«

»Zum Beispiel?«

»Ich weiß nicht. Sie tun so heimlich. Alle beide. Andauernd flüstern sie am Telefon. Ist dir das noch nicht aufgefallen? Wenn ich zufällig dazukomme, legen sie schnell auf oder fangen an, absichtlich laut zu sprechen, als ob ich so blöd wäre, nicht zu merken, daß sie nur so tun.« Sie warf Schyler einen besorgten Blick zu. »Wenn ich du wäre, würde ich ihnen jedenfalls nicht trauen.«

Diese Flüstertelefonate waren wahrscheinlich Gespräche mit Maklern. Gayla wußte nichts von den Plänen der Howells, Belle Terre zu verkaufen. Schyler tat die Warnung mit einem Lachen ab. »Ach, du glaubst doch selber nicht, daß sie vorhaben, mich im Schlaf zu ermorden oder sowas.«

»Er hätte nicht den Mumm dazu. Aber sie. Sie haßt dich, Schyler. Ich weiß nicht, wie zwei Mädchen, die als Schwestern aufgewachsen sind, so verschieden sein können.«

»Weil wir schließlich nicht dieselben Erbanlagen haben.«

»Also, ich denke, Tricia hat böse Anlagen. Hör auf mich.«

»Sie ist einfach nur unsicher.« Gaylas Intuition machte sie nervöser, als sie zugeben wollte. Und dennoch nahm sie, zu Gaylas Verärgerung, Tricia in Schutz. »Mutter hat uns beide ignoriert, aber Daddy machte nie einen Hehl daraus, daß ich sein Liebling bin. Das hat Tricia über all die Jahre bitter werden lassen.«

»Es ist dir hoch anzurechnen, daß du sie verteidigst, aber ich an deiner Stelle würde ihr nicht den Rücken zudrehen.«

Mit dieser Warnung in den Ohren ließ Schyler Gayla im Salon zurück und ging wieder in den hinteren Teil des Hauses. Sie schaute kurz bei Cotton vorbei, aber er war nicht in seinem Zimmer. Sie fand ihn draußen, in einem Gartenstuhl.

»Ich wünsche dir einen guten Morgen.« Schyler beugte sich zu ihm hinunter und drückte ihm einen Kuß auf die Stirn, bevor sie sich in den Stuhl neben ihm fallen ließ. »Wie geht es dir heute morgen? Ich fühle mich prächtig.« Sie streckte die Zehen aus, hob die Arme weit über den Kopf und räkelte sich wohlig.

»Kein Wunder. Du hast ja auch den halben Tag geschlafen.«

»Hab ich mir nach gestern ja wohl auch verdient.«

»Na ja, schätze schon. War eine hübsche Bescherung, was?«

»Woher weißt du?« Er hatte bereits geschlafen, als sie nach Hause gekommen war.

Sie folgte seinem Blick auf die Morgenzeitung. Obwohl die Zeitung auf dem Kopf lag, konnte Schyler erkennen, daß die Schlagzeile dem Unfall auf dem Highway galt. Das nebenstehende Foto zeigte Cash, breitbeinig auf den Stämmen stehend und die Aufräumarbeiten überwachend.

»Wie ich sehe, war Cash mal wieder mittendrin.«

Schyler kannte ihren Vater zu gut, um das als Kompliment aufzufassen, trotzdem tat sie so. »Ja, er ist wirklich der geborene Organisator. Die Männer würden glatt für ihn durchs Feuer gehen.«

»Warum hast du mir nichts von dem Unfall erzählt?«

»Weil ich dich seitdem gar nicht gesehen habe.«

»Warum bist du nicht zu mir um Rat gekommen, als Boudreaux gestern morgen hier vorgedonnert ist?«

»Tut mir leid. Hat er dich im Schlaf gestört?«

»Er stört mich immer.«

Sie ignorierte die Bemerkung und beantwortete seine ursprüngliche Frage bemüht gelassen. »Ich habe dich nicht um Rat gebeten, weil es mir, ehrlich gesagt, nicht eingefallen ist.«

»Junge Dame, vergiß nicht, daß *ich* noch immer der Chef dieser verdammten Firma bin!« bellte er.

»Aber du bist momentan nicht in der Verfassung, sie zu leiten.«

»Und deshalb überläßt du alles diesem Cajun-Bastard?«

»Einen Augenblick, Daddy. Ich verlasse mich auf Cash, ja. Aber die Entscheidungen treffe ich. Und bei den meisten größeren habe ich dich um Rat gebeten. Gestern war eine Ausnahme. Ich mußte sofort reagieren. Ich konnte nicht lange überlegen, da es nichts zu überlegen gab.«

»Du hättest mich anrufen können. Du hättest mir wenigstens Bescheid geben können.«

»Ja, ich schätze, das hätte ich wohl. Aber seit deinem Anfall habe ich versucht, dich vor dem täglichen geschäftlichen Streß abzuschotten.«

»Dann laß dir gesagt sein, daß das nicht mehr notwendig ist. Ich will nicht abgeschottet werden. Dazu werde ich noch genug Gelegenheit haben, wenn sie mich in die verdammte Kiste stekken. Aber ganz soweit hast du mich noch nicht.«

Schyler mußte all ihre Beherrschung aufbieten, um bei der letzten Bemerkung nicht auszurasten. In vorsichtig bemessenem Ton sagte sie deshalb: »Gut, wo es dir offensichtlich schon so viel besser geht, werde ich dich in Zukunft natürlich in geschäftlichen Dingen wieder um Rat fragen. Ich habe nur auf deine Gesundheit Rücksicht genommen, wenn ich es bisher nicht tat.«

»Ach, das ist doch Unsinn.« Er drohte ihr mit dem Finger. »Du hast mich nicht gefragt, weil du lieber zu deinem Cash gegangen bist.« Eine Ader an seiner Schläfe fing an zu pochen, doch keiner von beiden achtete darauf. »Diskutiert ihr zwei darüber im Bett?«

Schyler zuckte schuldbewußt zusammen. Für einen Moment verschlug es ihr den Atem. Als ihre erste verräterische Reaktion abgeklungen war, hob sie herausfordernd das Kinn und setzte sich dem forschenden Blick ihres Vaters aus.

»Ich bin eine erwachsene Frau. Ich schulde dir über mein Privatleben keinerlei Auskunft.«

Er schlug mit der Hand auf die Lehne. »Ich rede nicht von deinem Privatleben. Ist mir doch egal, mit wem du ins Bett gehst!«

»Warum schreist du mich dann an?«

Er kam mit dem Gesicht nahe an ihres. »Weil dein Bettgenosse diesmal Boudreaux heißt.«

»Und das macht den Unterschied?«

»O ja, das tut es. Er rückt mir zu nahe auf den Pelz. Dein Techtelmechtel mit ihm bringt alles, wofür ich mir den Arsch abgearbeitet habe, in Gefahr.«

»Wieso?«

»Weil dieser Cajun-Bastard —«

Schyler sprang auf und beugte sich über ihn. »Nenn ihn nicht so! Er kann nichts dafür, daß er unehelich geboren wurde!«

Cotton sank in seinen Stuhl zurück und sah seine Tochter ungläubig an. »Großer Gott. Du bist verliebt in ihn.«

Schyler wurde blaß. Sie starrte ihn noch einige pochende Herzschläge lang an, um sich dann abzuwenden. Sie stützte sich auf die Rückenlehne ihres Stuhls.

Aber Cotton war noch nicht fertig mit ihr. Er setzte sich auf und rückte auf die Stuhlkante vor. »Du wagst es, diesen Mann mir gegenüber in Schutz zu nehmen? *Mir gegenüber?*« Er schlug sich auf die Brust. In seinem Innern hinterließ der stechende Schmerz Risse in den Wänden seines Herzmuskels. Doch er war zu erregt, um etwas zu merken. »Du bist tatsächlich auf diesen Schürzenjäger reingefallen, diesen Cash Boudreaux?«

Sie stieß sich von der Lehne ab und baute sich zornig vor Cotton auf. »Warum auch nicht? Schließlich hast du seine Mutter geliebt.«

Ihre Blicke waren so hart, daß sie beide die offene Feindseligkeit nicht lange ertrugen und im selben Augenblick den Blick senkten. »Dann weißt du es also.«

»Ja.«

»Seit wann?«

»Seit kurzem.«

»Hat er es dir gesagt?«

»Nein, Tricia.«

Er seufzte. »Ach, zum Teufel. Eigentlich müßte es mich wundern, daß du es nicht schon längst erfahren hast, wo doch ansonsten scheinbar jeder Bescheid weiß. Ich habe deine Mutter viele Jahre mit Monique betrogen. Sie war meine Geliebte.«

»Ja.«

»Und ich würde es wieder tun.« Vater und Tochter sahen einander an. »Selbst wenn ich dafür in der Hölle schmoren müßte, ich würde Monique Boudreaux immer wieder lieben.« Er lehnte sich im Stuhl zurück und ließ den Kopf gegen das Korbgeflecht sinken. »Macy war keine… keine warmherzige Frau, Schyler. Für sie war Leidenschaft der Verlust der Selbstkontrolle. Sie war unfähig, sie zu spüren.«

408

»Und Monique Boudreaux war das nicht?«

Der Hauch eines Lächelns umspielte seine farblosen Lippen. »O nein. Sie tat alles mit Leidenschaft, lachen, schimpfen, lieben.« Schyler beobachtete, wie seine Augen einen starren Ausdruck annahmen, als würde er in einen Spiegel der Erinnerung blicken und glücklichere Zeiten sehen. »Sie war eine schöne Frau.«

Schyler war überrascht über den Ausdruck auf seinem Gesicht. Sie hatte noch nie so weiche Züge an Cotton gesehen. Seine Verletzlichkeit rührte sie tief. »Ich finde, Cash ist ein sehr schöner Mann.«

Sofort veränderte sich seine Miene. Sie wurde wieder hart und häßlich. Die Winkel seines eben noch lächelnden Mundes krümmten sich voller Abscheu nach unten. »Er muß dich ja ziemlich beeindruckt haben, stimmt's? Du scheinst ihm sogar zu vertrauen.«

»Ich verlasse mich auf ihn. Er hat sich unentbehrlich gemacht. Er ist der intelligenteste, beste Holzfachmann in der Gegend. Alle sagen das.«

»Verdammt, als ob ich das nicht wüßte«, schnaubte Cotton. »Ich verlasse mich schließlich auch auf sein professionelles Urteil, aber deshalb steige ich nicht gleich mit ihm ins Bett. Ich drehe ihm nicht einmal den Rücken zu, weil ich nicht weiß, ob er mir nicht sein Messer reinjagt.«

»Cash ist nicht so«, sagte Schyler und wünschte, sie würde selber daran glauben.

»Nein, ist er nicht? Als er dir von Monique und mir erzählt hat, hat er da auch seine ständigen Drohungen erwähnt?«

»Drohungen?«

»Aha, hat er also nicht.«

»Ich weiß, daß ihr beiden euch öfter ernsthaft gestritten habt. Zum Beispiel in der Nacht, als er mich vom Thibodaux See nach Hause gefahren hat. Weißt du noch? Das war kurz nach Mamas Tod.«

»Ja, ja, weiß ich noch«, antwortete er vorsichtig.

»Cash hat mir geholfen. Er war nicht derjenige, der mir das Bier eingeflößt hat. Du hast ihn zu Unrecht beschuldigt.«

»Cash hat noch nie etwas aus reiner Herzensgüte getan. Mag sein, daß er nicht derjenige gewesen ist, der dich betrunken gemacht hat, aber glaub deshalb nicht, daß er auf dein Wohlergehen bedacht war…«

»Worüber habt ihr beiden euch in dieser Nacht gestritten?«

»Kann mich nicht erinnern.«

Er log, genau wie Cash es getan hatte. »Wegen Monique?«

»Ich weiß es nicht mehr. Vielleicht. Als Macy starb, hat Cash verlangt, ich solle seine Mutter heiraten.«

Schyler studierte sein Gesicht, suchte nach dem verletzlichen Ausdruck, der eben noch dagewesen war. »Und warum hast du es nicht getan, Daddy? Wenn du sie so sehr geliebt hast, warum hast du sie dann nach Mamas Tod nicht geheiratet?« Schuldbewußt fügte sie hinzu. »Wegen Tricia und mir?«

»Nein, weil ich Macy etwas geschworen hatte.«

»Aber sie war tot.«

»Darum ging es nicht. Ich hatte ihr mein Wort gegeben. Ich konnte Monique nicht heiraten. Sie verstand es und fand sich damit ab. Cash nicht.«

»Kannst du ihm das zum Vorwurf machen? Du hast seiner Mutter das Leben zur Hölle gemacht. Wußtest du, daß sie eine Fehlgeburt von dir hatte?«

Cottons Augen füllten sich mit Tränen. »Er soll verdammt sein, daß er dir das erzählt hat.«

»Stimmt es?«

»Ja. Aber ich schwöre bei Gott, ich wußte nichts von dem Baby; erst als alles schon vorbei war.«

Sie glaubte ihm. Er verdrehte vielleicht manchmal die Wahrheit ein wenig, aber er hatte sie noch nie direkt angelogen. »Monique lebte wie eine Ausgestoßene, am Rande der Gesellschaft. Wegen eurer Affäre konnte sie nicht einmal ihre Religion ausüben.«

»Es war ebenso ihr Entschluß wie meiner, so zu leben.«

»Aber als Mama starb, hättest du es ändern können. Das hast du nicht getan!«

»Ich konnte nicht«, rief er fast. »Ich habe Cash das gesagt, und jetzt sage ich es dir. *Ich konnte nicht!*« Cotton hielt inne, um

Luft zu schöpfen. »Daraufhin hat Cash auf den Rosenkranz seiner Mutter Rache geschworen. Er hat mich beschuldigt, eine Hure aus ihr gemacht zu haben. Er hat geschworen, nicht eher aufzuhören, bis er meinen und Belle Terres Untergang gesehen hat.« Er schnappte nach Luft. »Was glaubst du, warum ein Mann mit seinem Wissen all die Jahre wie weißer Abschaum hier in diesem Verschlag am Bayou gehaust hat?«

»Das habe ich ihn auch gefragt.«

»Und was hat er darauf geantwortet?«

»Er hat gesagt, er habe seiner Mutter auf dem Totenbett versprechen müssen, Belle Terre nicht zu verlassen, solange du am Leben bist. Sie hat ihm das Versprechen abgenommen, auf dich aufzupassen.«

Das ließ Cotton für einen Moment verstummen. Sein Blick wanderte über ihre Schultern in die Ferne. Schließlich schüttelte er stur den Kopf. »Nein, das glaube ich keine Sekunde. Er wartet auf seine Stunde, wie ein Panther, gespannt zum Sprung. Du kommst aus England zurück, ausgehungert nach Liebe und *Peng*! schon sieht er seine Chance zur Rache. Und weil ich außer Gefecht war, konnte er so nahe an dich ran wie nie zuvor. Und das hat er weidlich ausgenutzt, richtig?«

»Falsch.«

»Hat er nicht?«

»*Nein!*«

Cottons Augen verengten sich zu Schlitzen. »Meinst du im Ernst, daß es für ihn nicht *die* Möglichkeit ist, mir heimzuzahlen, daß ich seine Mutter gebumst habe? Jeder hier weiß, wieviel du mir bedeutest, Schyler. Der Junge ist nicht dumm. Die beste Art, mich zu treffen, ist die, meine Lieblingstochter zu ficken.«

Schyler preßte die Faust an den Mund und schüttelte den Kopf, während ihr Tränen des Zweifels in die Augen stiegen.

»Er ist ein gerissener Hund, Schyler«, mahnte Cotton. »Monique war stolz. Sie hätte nie auch nur einen Penny von mir genommen. Sie kamen so eben über die Runden. So aufzuwachsen, das hat bei Cash Spuren hinterlassen. Er ist vergiftet, Schyler. Er haßt uns. Er hat vielleicht Moniques Charme geerbt, aber niemals ihre Gutmütigkeit und ihr Mitgefühl.«

Cotton fuchtelte warnend mit dem Finger. »Du kannst ihm nicht vertrauen. Wenn du es tust, sind wir verloren. Er wird alles, und ich meine *alles*, versuchen, um uns zu Fall zu bringen. Daran darfst du keinen Moment zweifeln.«

Unfähig, auch nur ein einziges weiteres Wort zu ertragen, drehte sich Schyler um und flüchtete.

50. KAPITEL

Es ist nicht wahr, sagte sie sich immer wieder.

Doch als sie schließlich das Werksbüro erreichte, hatte sich der Zweifel, den Cotton in ihr gesät hatte, bereits auf ihr Gemüt gelegt, wie eine Gewitterwolke, die sich vor die Sonne schiebt.

Cashs Wagen stand auf dem Hof. Er war also hier, und nicht draußen im Wald. Sie war froh, daß sie ihn nicht erst noch suchen mußte. Diese Konfrontation konnte nicht warten. Sie wollte sofort wissen, ob Cotton recht hatte oder nicht.

Schyler platzte ins Büro und ließ die Tür mit einem lauten Knall hinter sich zufallen. Cash saß am Schreibtisch und gab Daten in die Rechenmaschine ein. Er sah zu ihr auf. Seine Stirn lag in Falten, und sein Mund war nur mehr ein schmaler Strich. »Du wirst es nicht glauben, aber dein eigener Schwager hat dich gefickt und reingelegt.«

»Das hast du auch.«

Ihr Ton war leise, aber scharf wie ein Rasiermesser. Offensichtlich war das nicht die Antwort, die er erwartet hatte. Die Falten auf der Stirn glätteten sich kurzfristig, und er taxierte Schyler erstaunt von oben bis unten. Sie lehnte steif am Türrahmen und blinzelte erregt. Sein Blick wanderte gelassen an ihrem angespannten Körper runter und wieder hinauf. Dann warf er lässig den Stift, den er zum Eintippen der Zahlen benutzt hatte, auf den Schreibtisch und verschränkte die Hände im Nacken.

»Ganz recht, das erstere habe ich. Und bisher habe ich in dieser Hinsicht keine Beschwerden von dir gehört.«

Ihr Busen wogte unter ihrem heftigen Atem. »Warum hast du es getan? Warum wolltest du mit mir schlafen?«

»Warum?« wiederholte er mit einem ungläubigen Lachen. Als er merkte, daß es ihr ernst war, antwortete er ausweichend: »Weil es ein gutes Gefühl war, deshalb.«

»Das ist der Grund? Weil es ein gutes Gefühl war?« Ihre Stimme klang rauh. »Das kannst du von jeder Frau haben, richtig? Warum also ich?«

Er nahm die Hände runter, erhob sich, kam um den Tisch, setzte sich auf die Kante und schenkte Schyler einen langen Blick. »Was soll denn der Unsinn plötzlich? Hast du deine Tage oder was?«

»Ich will lediglich eine Antwort, Cash«, sagte sie in schrillem, ungeduldigem Ton. »Jede Frau kann dir eine Erektion und ein gutes Gefühl verschaffen. Warum also ich?«

Er nagte an seiner Unterlippe. »Du willst es also wirklich wissen, was?«

»Ja, absolut.«

»Okay«, sagte er frech. »Ich schätze, weil es bei dir so gut wie lange nicht mehr war. Ich wollte dich von dem Tag an, an dem ich dich unter dem Baum schlafen sah. Und jedesmal danach, wenn wir uns trafen, wollte ich dich ein wenig mehr. Bis ich dich hatte.«

»Meine Kapitulation muß ja sehr erregend für dich gewesen sein.«

»Das war sie«, sagte er mit schonungsloser Aufrichtigkeit. »Und für dich war sie es auch.«

Sie biß sich fest auf die Lippe, um nicht zu weinen. »Und warum hast du nichts gesagt?«

»Wann?«

»Nach dem ersten Mal.«

»Weil du mich angesehen hast, als würdest du eine Entschuldigung von mir erwarten. Und ich entschuldige mich nie bei einer Frau. Für nichts. Schon gar nicht dafür, sie gebumst zu haben.«

»Dann hattest du doch, was du wolltest. Ich habe mich dir hingegeben. Ich bin sogar zu dir gekommen. Warum hast du es nicht dabei belassen?«

Er bedachte sie mit einem eigenartigen Blick. »Weil ich noch nicht genug hatte. Habe ich jetzt auch noch nicht. Ich mag deine Titten, deine Beine, deinen Arsch, deinen Mund, die kleinen Juchzer, die du von dir gibst, wenn du kommst; die Art, wie du dich hingibst. Und? Soll ich aufhören, oder willst du noch mehr?«

Schyler kämpfte innerlich mit sich. Die Lady, zu der Macy sie erzogen hatte, wollte ihn am liebsten ohrfeigen und hinausstürmen. Die Frau in ihr wollte ihm um den Hals fallen und ihn küssen, lieben. Cottons Tochter wollte ihn kratzen und ihre Krallen in ihn bohren. Sie wollte ihm den Schmerz zufügen, den sie verspürte, wenn sie die Gleichgültigkeit in seinem Ton hörte.

»Warum... Warum hast du mich gestern abend auf Belle Terre genommen?«

»Weil ich scharf auf dich war.«

»Und warum auf diese Art?«

»Tu nicht so, als hätte es dir nicht gefallen. Du hast förmlich getropft.«

»Ich habe nicht gesagt, daß ich es nicht mochte«, schrie sie. »Ich habe dich lediglich gefragt, warum dann und dort!«

»Weil es sich –«

»Gut angefühlt hat?«

»*Oui!*« schrie er zurück. »Und richtig. Es fühlte sich richtig an. Ich habe mich treiben lassen, okay? Ich hatte keine Lust, darüber nachzudenken. Mein Schwanz hatte das Denken übernommen.«

»Das ist doch bei dir nichts Neues.«

Er sog zischend die Luft ein. »Hör zu – du hast es gewollt, ich habe es gewollt. Ich war geil. Du warst naß. Wir haben es getan, und es hat uns beiden gut getan.« Er stand auf und ging auf sie zu. Die Locke, die ihm in die Stirn hing, zitterte vor Zorn. »Was soll der ganze Mist also, häh? Wozu das Kreuzverhör? Können wir das Thema vielleicht beenden und über die wirklich wichtigen Dinge reden? Zum Beispiel darüber, wie dein Schwager all die Jahre clever die Bücher getürkt hat?« Seine Augen wurden dunkel. »Oder besser noch, warum du nicht auf meinen Schoß kommst und etwas gegen diesen monströsen Steifen unternimmst, den ich von unserer Unterhaltung gekriegt habe?«

»Das ist nicht lustig.«

»Da hast du verdammt recht.«

Noch immer brodelnd sagte Schyler: »Erzähl mir das von Ken.«

»Da gibt's nicht viel. Er ist ein Betrüger. Er ist der Grund dafür, daß das Unternehmen rote Zahlen geschrieben hat, obwohl die Geschäfte immer besser liefen. Ich weiß nicht, ob Cotton es wußte und darüber hinweggesehen hat, weil Ken zur Familie gehört, oder ob er langsam alt wird und es nicht merkte. Howell war es, der Endicott betrogen hat. Wie es aussieht, hat er Cottons Unterschrift auf dem Scheck gefälscht und die Vorauszahlung in die eigene Tasche gesteckt.« Er deutete auf die Unterlagen auf dem Tisch. »Diese Bücher stecken voller Löcher, die er gerissen hat.«

»Woher weißt du das alles?«

»Glee hat entdeckt, daß Howell die Zahlen schminkte, um auf die notwendigen Beträge zu kommen.«

»Glee?«

»Du hast gesagt, wir sollten ihm etwas zu tun geben. Ich habe ihm Kopien von den Büchern geschickt. Er ist sie durchgegangen. Er sagt —«

»Wer hat dir die Vollmacht dazu gegeben?« Schyler war außer sich.

»Bitte?«

»Du hast mich schon verstanden.«

Er warf das Haar mit einem Kopfschwung zurück. »Nur um kein Mißverständnis aufkommen zu lassen.« Er beugte das linke Knie ein wenig, was ihm eine leicht asymmetrische, arrogante Pose verlieh. »Du bist sauer, weil Glee die Fakten rausgefunden hat, die deinen ehemaligen Lover in den Knast bringen werden?«

»Nein«, stieß sie hervor. »Ich bin sauer, weil du ohne mein Einverständnis gehandelt hast.«

»Oh, ich verstehe. Ich habe meine Kompetenzen überschritten.«

»Ganz recht.«

»Hat das vielleicht auch irgend etwas mit unserer tollen Unterhaltung von eben zu tun? Du bist sauer, weil ich meine Kompetenzen überschreite, jedesmal, wenn ich es wage, Miss Schyler Crandall flachzulegen?«

»Ist es nicht genau das, was dir den Kick gibt? Kompetenzen zu überschreiten? Autorität brechen? Besitz ergreifen? Ist *das* nicht der Grund, warum du mich bumst?«

Er zuckte beiläufig mit den Schultern. »Wenn du's so nennen willst.« Er sah den bleichen, blanken Ausdruck, der ihr Gesicht überzog. Es ließ ihn leise fluchen. »Ich nenne das Kind nun mal beim Namen. Ich glaube nicht an das Wort Liebe, also sage ich es nicht. Es bedeutet mir nichts. Ich habe immer nur erlebt, wie sich Menschen im Namen der Liebe Schmerz zugefügt haben. Dein Vater behauptet auch, meine Mutter geliebt zu haben.«

»Das *hat* er. Er hat es mir heute morgen gesagt.«

»Warum ist er dann bei der Frau geblieben, die er nicht liebte, nicht einmal mochte? Weil diese große Liebe, die er angeblich gegenüber meiner Mutter empfand, nicht einmal so stark wie seine verdammte Gier und sein Ehrgeiz war. Und meine Mutter hat behauptet, mich zu lieben.« Er hob abwehrend die Hand, um den Protest, der sich auf Schylers Lippen anbahnte, gleich im Keim zu ersticken.

»Weißt du, wessen Namen sie gerufen hat, als sie im Sterben lag? Cottons. Cottons! Der sie wie ein Stück Dreck behandelt hat. Sie weinte, weil sie es nicht ertrug, Cotton zu verlassen.« Er schüttelte den Kopf vor Unglauben und Abscheu und lachte bitter. »Hinter diesem ganzen Liebesmist steckt gar nichts. Derjenige, der damit angefangen hat, wurde ans Kreuz genagelt. Also sag du mir, was so toll daran ist. Klar, man kann mit dem Wort um sich schmeißen und die Dinge schöner färben, als sie sind. Wenn es die Rechtfertigung für das ist, was die Leute sich antun, bitte, nur zu. Benutz das Wort ruhig. Aber es hat absolut nichts zu bedeuten.«

Schroff sagte Schyler: »Du tust mir leid.«

»Ich schätze, Cotton hat dir in bezug auf mich die Augen geöffnet«, sagte er ruhig.

»Er hat gesagt, du hättest geschworen, ihn zu ruinieren. Ist das wahr?« Cash sagte nichts. »Du hättest auf den Rosenkranz

416

deiner Mutter geschworen, Belle Terre und ihn zu vernichten. Beinhaltet das auch, mir Angst einzujagen, mich zu boykottieren? Um sicherzugehen, daß der Auftrag, der das Unternehmen wieder in die schwarzen Zahlen führen könnte, nicht erfüllt wird?«

Seine Augen funkelten. »Du bist doch ein cleveres Mädchen. Warum findest du es nicht selber raus?«

»Und der absolute Witz wäre doch, wenn du mich zur selben Zeit auch noch bumst, nicht wahr?«

»Schon der Gedanke bringt mich zum Lächeln.«

Doch er lächelte keinesfalls. Sein Ausdruck war kalt und undurchdringlich. Schyler zwang sich, standhaft zu bleiben. »Ich will, daß du gehst. Sofort. Komm nicht zurück. Und geh nicht erst zu den Fällern.«

»Du glaubst, du kannst mich aufhalten?«

»Das wird gar nicht nötig sein. Natürlich hast du einen großen Einfluß auf sie. Wahrscheinlich würden sie heute nachmittag noch die Arbeit niederlegen, wenn du zu ihnen gingst.« Sie neigte den Kopf. »Aber ich frage mich, ob sie tatsächlich in Streik treten, wenn sie dabei ihren Bonus verlieren. Ich frage mich, was sie tun, wenn sie hören, daß du wahrscheinlich für die Sabotage verantwortlich bist.«

»Ich sehe, du hast an alles gedacht.«

»Ich will, daß du innerhalb einer Woche von Belle Terre verschwindest. Du ziehst aus dem Haus aus. Von mir aus kannst du es abbrennen. Nur, komm nicht zurück. Wenn ich dich jemals wieder auf meinem Grund erwische, schieße ich dich über den Haufen.«

Er versuchte, sie niederzustarren, doch sie wich nicht. Er zuckte mit den Achseln, ging zur Tür und öffnete sie. »Ohne mich wirst du den Auftrag niemals rechtzeitig erfüllen. Das ist dir hoffentlich klar.«

»Und wenn ich dabei krepiere – ich werde es schaffen.«

Er musterte sie lange, abschätzend. »Ja, vermutlich wirst du das.«

Schon das Krachen, mit dem die Tür hinter ihm ins Schloß fiel, dröhnte wie ein Schuß.

51. KAPITEL

Schyler betrat das Eßzimmer von Belle Terre. Wortlos warf sie den Ordner vor Ken auf den Tisch. »Was ist das?« fragte er.

»Genügend Beweismaterial, um dich hinter Gitter zu bringen.«

Tricia, die Ken gegenübersaß, erstarrte, die Gabel auf halbem Weg zum Mund. Ken spielte das Unschuldslamm und grinste dümmlich. »Wovon, zum Teufel, redest du, Schyler?«

»Gayla oder Mrs. Dunne könnten uns hören. Ich will hier nicht mehr sagen. Gehen wir rüber in den Salon.«

Ein paar Minuten später hatte Schyler in einem der Ohrensessel Platz genommen. Äußerlich gab sie sich knallhart, doch innerlich fühlte sie sich, als würde sie jeden Moment auseinanderfallen.

Als Ken und Tricia eintraten, sagte sie: »Bitte schließt die Türen hinter euch.«

»Gott, was sind wir heute abend dramatisch.« Tricia machte es sich im Sessel ihr gegenüber bequem und warf beide Beine über die Lehne. Sie zupfte einige weiße Trauben von der Rebe, die sie sich mitgebracht hatte, und ließ sie sich in den Mund fallen. »Du weißt, ich liebe Intrigen, aber was soll das ganze Tamtam?«

»Das kann dir Ken wohl am besten selbst erklären.« Schyler ignorierte Tricias Unverfrorenheit und sah Ken an. Vergleiche hinken immer, aber sie konnte nicht umhin, Kens Versagen an Cashs Erfolg zu messen. Ken hatte alle guten Voraussetzungen gehabt. Er kam aus einer angesehenen Familie, hatte Privatschulen besucht, immer genügend Geld gehabt. Und er hatte diese Vorteile sämtlich verspielt. Cash hatte bei Null begonnen, sogar ohne Vater, und hatte sich ein erfolgreiches Leben erkämpft. Sicher, er hatte nicht viele materielle Besitztümer, deshalb konnte sein Erfolg nicht an Dollar und Cents gemessen werden. Aber ihm wurde Respekt entgegengebracht, nicht Verachtung.

Sie hatte beide Männer geliebt. Und beide waren sie Lügner und Betrüger. Was ein schlechteres Licht auf Schyler warf als auf die beiden Männer. Offensichtlich hatte sie den Hang, sich immer die Falschen auszusuchen.

Ken klopfte sich mit der Ordnerkante in die Handfläche. »Hör zu, Schyler, ich weiß nicht, was diese Unterlagen deiner Ansicht nach beweisen sollen, aber –«

»Sie beweisen, daß du Geld unterschlagen hast. Fast genau von dem Tag an, an dem mein Vater dich auf die Gehaltsliste gesetzt hat.«

Tricia schwang die Beine herum und setzte sich aufrecht hin. »*Wie bitte?*«

»Ich weiß nicht, wovon du sprichst«, stammelte Ken.

»Die Zahlen belegen es schwarz auf weiß, Ken«, sagte Schyler gleichmütig. »Ich habe Vaters gefälschte Unterschrift auf mehreren geplatzten Schecks gesehen.«

Ken befeuchtete nervös die Lippen. »Ich weiß nicht, wer dir diesen... diesen absonderlichen Floh ins Ohr gesetzt hat, aber... Es war Boudreaux, richtig? Dieser Hurensohn!« spie er aus. »Der macht doch vor nichts halt, um uns fertigzumachen. Siehst du denn nicht, was er vorhat? Er versucht, dich gegen mich aufzubringen!«

Schyler neigte den Kopf und massierte sich die pochenden Schläfen. »Ken, gib auf. Bitte. Ich weiß schon seit Wochen, seit ich bei Endicott war, daß Unregelmäßigkeiten in den Büchern aufgetaucht sind. Ich habe nur nicht begriffen, warum Daddy es solange für sich behalten hat, bis wir kurz vor dem Bankrott standen.«

»Das kann ich dir sagen.«

Alle Köpfe schwangen beim Klang von Cottons Stimme herum. Er hatte nicht die breiten Schiebetüren geöffnet, die die Salons voneinander trennten, sondern stand in der Tür zur Halle. Er war schlanker als vor seiner Krankheit, doch wenn er aufrecht stand, so wie jetzt, wirkte er noch immer beeindruckend und scheinbar unbesiegbar.

Er kam ins Zimmer. »Ich habe darüber hinweggesehen, weil ich nicht zugeben wollte, daß ich unter meinem Dach einen Dieb beherberge.«

»Jetzt mach aber mal –«

»Sei still«, fuhr Cotton seinen Schwiegersohn an. »Du bist ein gottverdammter Dieb. Und ein Lügner dazu. Du bist ein Spieler, was ich dir nachsehen würde, wenn du gut wärst. Aber du spielst genauso schlecht, wie du alles andere tust. Ich weiß alles über die Ganoven, bei denen du in der Kreide stehst.«

Ken hatte angefangen zu schwitzen. Die Fäuste zu seinen Seiten öffneten und schlossen sich reflexartig.

»Wovon spricht er, Ken?« fragte Tricia.

Doch es war Cotton, der ihr antwortete. »Er ist über beide Ohren bei einem Kredithai verschuldet.«

»Wolltest du dir deshalb das Geld von mir leihen?« fragte Schyler.

Ken suchte verzweifelt nach einer Antwort. Cotton musterte ihn geringschätzig. »Ich hatte gehofft, sie würden grob werden und dich zu Verstand bringen. Aber du bist sogar zu dumm, ihre Warnungen ernst zu nehmen. Dann habe ich gehofft, daß sie dich umbringen. Die Familie wäre dich losgewesen, und wir hätten es als Raubmord hinstellen können.«

»Jetzt ist aber Schluß, alter Mann«, warnte Ken.

Cotton schenkte ihm keine Beachtung. »Ich konnte dich nie richtig leiden, Howell. Meine beiden Töchter mögen auf dich reingefallen sein, aber ich hatte dich auf dem Kieker, seit du diese kleine Schlampe«, er deutete auf Tricia, »einfach so mit der Lüge hast davonkommen lassen, sie würde ein Kind von dir erwarten. Du bist ein Schwächling, ein armseliges Abziehbild von einem Mann, und ich ertrage weder deinen Anblick noch deinen Geruch. Du stinkst nach Versagen.«

Schyler erhob sich aus ihrem Sessel. »Daddy, setz dich.« Cotton war ganz rot im Gesicht und atmete schwer. Sie nahm ihn am Arm, führte ihn zu dem Sessel, der am nächsten stand, und drückte ihn sanft hinein.

Ihre Hilfe ärgerte ihn. »Ihr scheint hier alle zu glauben, daß mein Verstand zusammen mit meinem Herz ausgesetzt hat. Ihr schleicht auf Zehenspitzen durchs Haus und hofft, der alte Mann kriegt nicht mit, was läuft. Aber ich kriege alles mit. Ich weiß alles. Und ich kann nicht behaupten, daß es mir gefällt.«

»Der ganze Ärger fing doch erst an, als Schyler zurückkam«,

420

sagte Tricia gereizt. »Es lief doch alles ganz gut, bis sie auftauchte. Sie kommt her und reißt sich alles unter den Nagel.«

»Was hat sie sich denn unter den Nagel gerissen?« wollte Cotton wissen.

»Zum Beispiel meinen Mann«, antwortete Tricia giftig.

»Das ist eine Lüge!« rief Schyler.

Cotton bedachte Schyler mit einem bösen Blick. »Willst du ihn zurückhaben?«

»Nein!«

Er wandte sich wieder Tricia zu. »Sie will ihn nicht. Und ich denke, sie wäre auch verrückt, wenn sie ihn wollte. Was liegt dir noch auf dem Magen?«

»Sie will über alles bestimmen. Sie hat sogar die Haushälterin entlassen.«

»Ja, Jesus und Maria sei Dank«, sagte Cotton. »Dieses Weibsstück war eine vertrocknete alte Schachtel, die nicht für einen Cent kochen konnte. Bin ich froh, daß wir die los sind.«

»Und was ist mit dieser Schwarzen, die sie ins Haus geholt hat?«

»Vedas Mädchen? Was ist mit ihr?«

»Dank Schyler strolcht sie hier im ganzen Haus rum. Gott weiß, was für Krankheiten die uns hier anschleppt.«

»Es ist gemein, so etwas zu sagen!« rief Schyler wütend.

Tricia sah zu ihr auf. »Du würdest dieses Haus doch in ein Obdachlosenasyl für Bastarde verwandeln, wenn wir dich ließen. Mama würde sich im Grab umdrehen.«

»Eure Mama hat nie einen guten Gedanken für ihre Mitmenschen gehabt«, sagte Cotton. »Genausowenig wie du. Wenigstens hat Schyler nicht deine Vorurteile.«

Tricias Busen wogte. »Natürlich. Sicher. Klar. Du nimmst mal wieder Schyler in Schutz. Egal, was sie tut, bei dir hat sie immer recht, stimmt's?« Ihre blauen Augen blitzten. »Wußtest du auch, daß sie mit diesem Boudreaux ins Bett geht? *Cash Boudreaux!* Ich meine, Gott, das schlägt doch dem Faß den Boden aus! Was denkst du jetzt über deine süße Schyler, Daddy?«

»Ich bin nicht hier, um über Schylers Liebesleben zu diskutieren.«

»Nein!« rief Tricia. »Natürlich nicht! Deine Schyler ist ja auch perfekt, selbst wenn sie mit diesem Abschaum schläft!«

»Das reicht!«

»Daddy, beruhige dich!«

»Tricia, du hältst jetzt den Mund!« rief Ken.

»Das werde ich nicht!« schrie Tricia ihren Mann an. »Daddy hat recht. Du bist ein Schwächling! Du schaffst es ja noch nicht einmal, dich selbst zu verteidigen! Warum unterstützt du mich nicht?« Sie pochte sich mit dem Zeigefinger auf die Brust. Sie schäumte vor Wut. In ihren Mundwinkeln hatte sich Speichel gesammelt. »Ich mußte all die Jahre hier in diesem alten, vergammelten Haus wohnen, während sich Schyler in London ein schönes Leben gemacht hat. Ich bin hiergeblieben und habe für dich gesorgt«, sagte sie zu Cotton gewandt, »als Schyler dich im Stich gelassen hat. Und das ist der Dank dafür. Du hältst sie mir noch immer als Vorbild vor die Nase.«

Cottons Blick durchbohrte Tricia bis in ihr Innerstes. »Du bist doch nur hiergeblieben, damit Schyler nicht nach Hause konnte. Das ist der wahre Grund. Nicht aus Zuneigung zu mir.«

Tricia versuchte sich zu sammeln, holte mehrmals Luft und sagte dann mit leiser Stimme: »Das stimmt einfach nicht, Daddy.«

Cotton nickte. »O doch. Du wolltest Ken überhaupt nicht. Du wußtest nur, daß Schyler ihn wollte. Und du wolltest auch nicht auf Belle Terre leben. Aber du wußtest, daß es Schyler das Herz bricht, von hier wegzugehen.« Er sah sie an und schüttelte traurig sein schlohweißes Haupt. »Du hast immer nur an dich selbst gedacht, Tricia. Falls du je so etwas wie Mitgefühl empfunden haben solltest, dann hat Macy es dir ausgetrieben. Du bist eine selbstverliebte, gehässige, verlogene Person, Tricia. So sehr es mich auch schmerzt, das zu sagen.«

Tricia zitterte unter seiner verbalen Attacke. »Was immer aus mir geworden ist, ist *deine* Schuld. Du wußtest, daß Mama uns nicht liebt. Und bei Schyler hast du das wieder gutgemacht. Aber nicht bei mir. Mich hast du ignoriert. Du hast mich hinter der goldenen Aura deiner kleinen Schyler gar nicht wahrgenommen.«

»Ich habe versucht, dich zu lieben. Aber du läßt niemanden an dich heran. Du warst viel zu sehr damit beschäftigt, dich zu grämen, daß du nicht Macys Leib entsprungen bist. Mir war es immer egal, daß ich dich nicht gezeugt habe, aber dir nie.«

Tricia erhob sich langsam aus ihrem Sessel. In ihren Augen glimmte eine teuflische Glut. »Ich bin froh, daß ich nicht deine leibliche Tochter bin«, zischte sie. »Du bist grob und gemein, genau wie Mama immer gesagt hat. Kein Wunder, daß sie dir die Tür zu ihrem Schlafzimmer versperrt hat. Du plusterst dich auf wie der liebe Gott persönlich, dabei bist du nicht besser als der weiße Abschaum. Und genau das wärst du auch geblieben, wenn du keine Laurent geheiratet hättest.«

Sie wandte sich an Schyler. »Und ich bin froh, daß du nicht meine wirkliche Schwester bist. Es hat dir nicht gereicht, hierher zu kommen und den Haushalt, den ich mühsam zusammengehalten habe, obwohl ich diesen Ort hasse, durcheinander zu wirbeln. Du mußtest aus meinem Mann auch noch einen Narren machen, der keine Ahnung vom Geschäft hat. Und zu guter Letzt stellst du ihn auch noch als Dieb hin!«

»Er ist ein Dieb!« bellte Cotton. Er wandte seine Aufmerksamkeit wieder Ken zu. »Du hast mich jahrelang ausbluten lassen. Ich hätte dich aufhalten sollen, als ich es zum erstenmal bemerkte. Ich hatte immer gehofft, du würdest den Mumm haben und aufhören, bevor dir jemand draufkommt.«

»Ich hätte nicht in die Kasse greifen müssen, wenn du mich anständig bezahlt hättest.«

»Anständig bezahlt?« wiederholte Cotton mit erhobener Stimme. »Verdammt! Ich habe dir das Dreifache von dem bezahlt, was ein Fäller kriegt. Und der muß sich für jeden seiner beschissenen Dollar abstrampeln und schwitzen und sein Leben riskieren.« Cotton beugte sich vor. »Was hast du jemals getan, um dir dein Geld wirklich zu verdienen? Ich werd's dir sagen – drei Tage in der Woche Golf gespielt und dir den Arsch auf den gepolsterten Barhockern im Country Club plattgesessen.«

»Ich habe sechs Jahre für das Holzwerk geopfert.«

»Und nichts ist dabei rausgekommen!« polterte Cotton. »Nichts, außer daß du dich strafbar gemacht hast!«

»Wenn du mich wie einen Mann behandelt hättest —«

»Du hast dich nie wie einer benommen!«

»Wenn du mir mehr Verantwortung gegeben hättest, wie diesem Boudreaux, dann hätte ich —«

»Alles noch viel schlimmer gemacht«, ergänzte Cotton.

Das war wie der letzte Pfiff einer Fabriksirene. Danach folgte tiefes Schweigen. Schyler war die erste, die das Wort ergriff. »Wir sind heute abend alle erschöpft und mit den Nerven am Ende. Vielleicht hat es einmal gut getan, unseren Gedanken Luft zu machen.« Sie sah zu ihrem Vater hinunter. Cotton hatte es sicher nicht gutgetan. Er saß zurückgelehnt in seinem Sessel und wirkte völlig ausgelaugt. »Laßt uns für heute Schluß machen. Ich denke, wenn der Endicott-Auftrag über die Bühne ist, werden wir uns alle sehr viel besser fühlen.«

»Kannst du an nichts anderes denken?« fragte Tricia.

»Momentan nicht, nein«, antwortete Schyler knapp. »Wenn wir die letzte Lieferung nicht rechtzeitig auf den Weg bringen, werden wir nicht bezahlt. Und wenn wir nicht bezahlt werden —«

»Kann Belle Terre dichtmachen. Tja, das käme mir äußerst gelegen.« Tricias Bemerkung holte Cotton aus seiner kurzen Erholungspause. Er richtete sich auf und sah sie an, als hätte er sich verhört. »Um ganz ehrlich zu sein, hoffe ich sogar, daß es so kommt.«

»Tricia, halt den Mund.«

»Daddy soll ruhig wissen, wie Ken und ich denken, Schyler.«

»Nein, nicht jetzt.«

»Warum nicht? Wo doch die liebe Familie schon mal versammelt ist?« Sie sah Cotton an. »Ken und ich wollen Belle Terre verkaufen. Wir wollen unseren Anteil, und dann sind wir verschwunden und lassen uns nie wieder hier blicken.«

Schyler kniete sich zu Füßen ihres Vaters. Sie nahm seine Hände in ihre. »Mach dir keine Sorgen, Daddy. Das wird nie passieren. Ich schwör's dir.«

»Vorsichtig, Schyler«, mahnte Tricia. »Bei allem, was schiefgehen kann, wäre ich nicht so sicher, daß die letzte Lieferung rechtzeitig ankommt.«

Schyler erhob sich und baute sich vor Tricia auf. »Ich kann

und werde es schaffen. Wir haben noch ein paar Tage, bevor die Rückzahlung bei der Bank fällig wird.«

»Nicht mehr viele.«

»Genug.«

»Nicht, wenn es zu Verzögerungen kommen sollte.«

»Ich werde dafür sorgen, daß das nicht passiert. Außerdem werde ich nicht bis zur letzten Minute warten. Ich habe heute kurz überschlagen, wieviel Holz wir auf Lager haben, und ich denke, wir könnten die Lieferung bis Mittwoch zusammenkriegen. Kein Grund also, bis nächste Woche zu warten.«

Das war der Plan, den sie mit Cash hatte diskutieren wollen. Jetzt, wo er nicht mehr da war, hatte sie beschlossen, es allein zu entscheiden. Sie würde es allen beweisen, die sie liebend gern am Boden sehen würden.

»Morgen früh werde ich alles Notwendige veranlassen. Wir werden eine Stunde früher mit der Arbeit beginnen und eine Stunde später aufhören. Bei dem Bonus, den ich in Aussicht stelle, werden die Arbeiter froh sein, Überstunden fahren zu dürfen.«

»Überlaß das Organisieren der Mannschaften Cash«, sagte Cotton. Er rieb sich abwesend die Brust, was Schyler nicht entging.

Sie warf im Geist eine Münze, ob sie ihm sagen sollte, daß sie Cash gefeuert hatte. Sie beschloß, daß Cotton es als Erleichterung betrachten würde. »Cash ist nicht mehr bei uns. Ich habe ihn heute entlassen.«

Alle im Raum waren verblüfft. Cotton am meisten. »Du hast Cash entlassen?«

»Richtig. Ich habe ihm eine Woche Zeit gegeben, Belle Terre zu verlassen.«

»Cash verläßt Belle Terre?« wiederholte Cotton ungläubig.

»Ja, das wolltest du doch, oder?«

»Ja, sicher. Sicher«, sagte er. »Ich bin nur erstaunt, daß er einfach so geht.«

Ihre Ankündigung hatte nicht die Reaktion gebracht, mit der sie gerechnet hatte. Sie wollte bei Cotton nachhaken, aber Tricia kam ihr dazwischen.

»Du meinst, du willst ab jetzt ganz allein damit fertig werden?«

»Genau.«

Tricia schnaubte. »Dann werden wir wenigstens das Vergnügen haben, den Aufstieg und Fall der Schyler Crandall mitzuerleben. Und, was den Verkauf von Belle Terre betrifft, Daddy, ich glaube nicht, daß die Entscheidung letztendlich bei uns liegen wird. Nicht einmal bei dir. Kommst du, Ken?« Sie rauschte aus dem Zimmer.

Schyler lief zur Tür und rief nach Mrs. Dunne. »Helfen Sie meinem Dad in sein Zimmer und ins Bett«, sagte sie, als die Haushälterin erschien. »Er hat sich sehr aufgeregt; geben Sie ihm also ruhig jetzt schon seine Medizin, auch wenn es noch eine Stunde zu früh dafür ist. Er braucht dringend Schlaf.«

»Mach nicht so einen Aufstand, Schyler«, brummelte er und erhob sich aus dem Sessel. »Ich stehe noch. Um mich umzubringen, dazu braucht es etwas mehr als Kens und Tricias Mauscheleien um Belle Terre.«

»Du wußtest, daß sie den Verkauf wollen?«

Er lächelte, tippte sich an die Schläfe und zwinkerte Schyler zu. »Ich bin ein gerissener Hurensohn. Ich habe in den Docks von New Orleans gelernt, auf mich aufzupassen. Mir entgeht nichts so schnell.«

»Du bist der Besitzer von Belle Terre. Niemand kann es dir wegnehmen.«

Er schüttelte den Kopf, mit nachdenklichem Blick. »Niemand kann Belle Terre besitzen, Schyler. Wir sind es, die hierhergehören.«

Dann ließ er sich von Mrs. Dunne hinausführen. Schyler sah ihm nach. Er wirkte so zerbrechlich, wie er den Korridor hinunter schlurfte. Sie konnte sich noch nicht damit abfinden, ihn alt und krank zu sehen. Ihr Daddy war stark. Nichts konnte ihn unterkriegen.

Mehr als je zuvor bedauerte sie den Verlust der Jahre, in denen sie durch das Mißverständnis um Tricias Lüge getrennt worden waren. Sie mußte an Tricias Äußerung von vorhin denken. Auch sie war froh, daß nicht dasselbe Blut in ihren Adern floß.

Ihre Schultern schmerzten vor Erschöpfung, als sie wieder in den Salon zurückkehrte. Sie hatte fast vergessen, daß Ken noch dort war. »Ich dachte, du bist oben bei deiner Frau.«

Er zog die Unterlippe zwischen die Zähne. »Oh, nein. Da ist noch einiges ungeklärt.«

»Was denn?«

»Das da.« Er nickte zu dem Ordner. Schyler hatte ihn völlig vergessen.

»Ich werde dich decken, so wie Cotton es getan hat.«

»Oh, du bist mir nichts schuldig«, sagte er sarkastisch.

»Du meinst, du willst lieber ins Gefängnis?« Schylers Nerven waren zum Zerreißen gespannt. Ken hätte wissen müssen, daß er sie nicht reizen durfte, wenn sie ihm bereits einen Vorteil ließ.

Ihr Ton hatte ihn offensichtlich zur Einsicht gebracht. »Nein, natürlich nicht. Aber ich möchte, daß du weißt, Schyler, daß ich kein Dieb bin.«

»Du hast etwas gestohlen, was nicht dir gehörte. Das nennt man gemeinhin nun mal Diebstahl.«

»Ich habe nur das genommen, was mir meiner Meinung nach auch zustand.«

»Du hast genau das genommen, was deine Kredithaie davon abhielt, dir die Knochen zu brechen.«

»Und genug, um mir Tricia vom Leib zu halten. Diese Frau glaubt, sie sei eine Vanderbilt, und lebt auch so. Und Cotton ist ein alter Geizhals.«

Schyler wandte den Blick ab, um sich ihre Gedanken nicht ansehen zu lassen, doch Ken ließ sich nicht täuschen. »Ich schätze, du denkst, ich war nicht einmal das wert, was ich bekommen habe, richtig?«

»Ich sage gar nichts mehr, außer gute Nacht. Ich bin müde.«

Er versperrte ihr die Tür. »Ich weiß, was du denkst.«

»Was?«

»Daß ich dich nur wegen des Geldes angemacht habe.«

»Und, hast du nicht?«

»Nein.«

»Du hast recht. Genau das habe ich gedacht. Nicht sehr schmeichelhaft für uns beide, stimmt's?« Sie sah ihm in die Augen. »Nicht daß es jetzt noch wichtig wäre. Ich hätte dich so oder so abgewiesen.«

Sie versuchte an ihm vorbeizugehen, doch er verstellte ihr erneut den Weg. »Wirst du mich rausschmeißen? Ist das deine nächste Amtshandlung als Geschäftsführerin des Crandall Holzwerkes?«

»Ich bin noch zu keinem Entschluß gekommen, Ken. Ich kann darüber jetzt nicht nachdenken, nicht solange ich den Scheck von Endicott nicht habe, um Gilbreath auszuzahlen.«

»Aber es würde genau deinem Stil entsprechen, mich zu feuern, nicht wahr? Du liebst es doch, deine Macht zu demonstrieren. Wahrscheinlich hast du das, was die Seelenklempner ›Penisneid‹ nennen. Du willst der Sohn sein, den dein Daddy niemals hatte, richtig? Wahrscheinlich ist es deshalb mit Boudreaux und dir nicht gelaufen. Zwei Hengste im Bett vertragen sich nicht.«

»Gute Nacht, Ken.« Als sie versuchte, ihn aus dem Weg zu drängen, faßte er sie grob am Arm.

»Tricia hatte ganz recht. Alles hat sich zum Schlechten gewendet, seit du wieder da bist. Warum bist du nicht bei deiner Schwuchtel geblieben? Diese Beziehung hat viel besser zu dir gepaßt. Da konntest du wenigstens den Mann markieren. Warum mußtest du zurückkommen und alles versauen?«

Sie wand sich aus seinem Griff. »Als ich hierher zurückkam, da war bereits alles versaut, dank dir und Tricia. Ich werde dafür sorgen, daß es wieder so wird, wie es sein sollte. Und nichts wird mich davon abhalten.«

52. KAPITEL

Gayla stand heimlich draußen auf der Veranda, dicht bei den Fenstern. Sie hörte Schylers letzten Satz, sah sie, wie sie das Foyer betrat und auf das Zimmer ihres Vaters zuging. Sie sah Ken Howell im Salon, der mit einer Hand den Knoten seiner Krawatte löste, während er sich mit der freien Hand einen großen Bourbon einschenkte und Schyler verwünschte.

Gayla hielt Ken für einen gefährlichen Mann. Sie hatte nicht absichtlich gelauscht. Mrs. Dunne und sie hatten zusammen in der Küche Kaffee getrunken, als die Streiterei im hinteren Salon losging. Sie hatten sich einen Blick zugeworfen und dann ihr Gespräch fortgesetzt, auch wenn es nicht leicht war, die lauten Stimmen zu überhören. Nachdem sich Mrs. Dunne aufgemacht hatte, Mr. Crandall zu Bett zu bringen, hatte sich Gayla aus der Hintertür gestohlen.

Es war zu einem allabendlichen Ritual für sie geworden, mehrmals um die gesamte Veranda herumzugehen, ehe sie zu Bett ging. Es war eine masochistische Übung. Außer der Puppe auf dem Kopfkissen war nichts Unheimliches mehr geschehen.

Aber sie wußte, daß dort jemand war; irgend etwas, eine Person, die Böses bereithielt für die Menschen auf Belle Terre und dort draußen in der Dunkelheit lauerte, kauerte, spähte und auf ihre Stunde wartete.

Schyler, das wußte sie, führte ihre Ängstlichkeit bestenfalls auf einen Aberglauben zurück und im schlimmsten Fall auf die Angst vor Jigger. Gayla war sicher, daß Schyler zumindest in Bezug auf letzteren recht hatte. Sie fürchtete tatsächlich, daß er eines Tages Vergeltung üben würde, weil sie davongelaufen war.

Inzwischen hatte sie einmal die Runde gemacht und kam um die Ecke der Veranda, als sie sich urplötzlich duckte und die Hand vor den Mund hielt, um nicht vor Schreck aufzuschreien. Ein großer Schatten hatte sich dort drüben im Rhododendronbusch bewegt, genau in dem Augenblick, als sie um die Ecke gekommen war.

Ihr Instinkt riet ihr, so schnell wie möglich zur nächstgelegenen Tür zu laufen, aber sie zwang sich zu bleiben, wo sie war. Nach mehreren Sekunden spähte sie erneut um die Ecke. Nichts rührte sich mehr im Busch. Es gab keinen Schatten mehr, keinen Beweis, daß irgend jemand auf der Veranda gewesen war.

Gayla schlich unbemerkt am Fenster vorüber. Sie schätzte, daß man von drinnen nicht auf die Veranda hinausschauen konnte, weil die Lichter im Salon so hell waren. Aber jeder konnte von draußen sehr gut hineinschauen, ebenso wie jedes Wort zu verstehen war. Es war, als würde man im Kino sitzen.

Aber es war niemand hier. Vielleicht war es nur ein Vogel gewesen, der im Rhododendronbusch geflattert war. Sie hatte sich den Schatten nur eingebildet. Ihre überreizten Nerven ließen sie Dinge sehen, die gar nicht existierten.

Gayla hatte sich fast selbst davon überzeugt, als sie sich umdrehte und in der reglosen Nachtluft etwas wahrnahm, das zweifellos existierte – den Geruch von Zigarettenrauch.

Am nächsten Morgen, zwei Minuten nach neun, erhielt Dale Gilbreath einen Anruf in seinem Büro in der Bank.

»Was soll das heißen – sie wird vor Ablauf der Frist liefern?« Er saß kerzengerade auf seinem Bürostuhl.

»Sie schickt das letzte Holz am Mittwoch los.«

»Warum?«

»Was meinst du wohl, warum?« fragte die Person am anderen Ende der Leitung ungeduldig. »Sie ist ein verdammt cleveres Weibsstück. Sie versucht, genau das zu vermeiden, was wir für ihre letzte Lieferung geplant haben.«

Dale wog die Information blitzschnell ab. »Ich denke nicht, daß das Probleme bereiten wird. Flynn ist auf unseren Preis eingegangen. Er ist ganz wild drauf, es zu tun. Und mehr denn je, seit er weiß, daß die Schwarze auf Belle Terre ist.«

»Bist du sicher, daß er mit dem Material umgehen kann?«

»Ja. Sorg du dafür, daß er es kriegt. Ich werde ihn wegen der Vorverlegung benachrichtigen. Um welche Uhrzeit am Mittwoch?«

»Wenn der Zug pünktlich ist, trifft er Mittwoch nachmittag um viertel nach fünf ein. Ich habe das heute morgen noch mal überprüft.«

»Du weißt ja«, sagte Dale nachdenklich, »wenn irgend jemand in diesem Güterzug dabei umkommt, dann ist das Mord.«

»Ja. Wirklich jammerschade, daß Schyler nicht mitfährt.«

Der Mittwoch begann heiß und ohne die kleinste Brise. Der dunstige Himmel hatte die Farbe von Safran. Dem Wasser der umliegenden Bayous schien die Kraft zu fehlen, sich überhaupt zu bewegen. Nur dann und wann durchbrach ein Insekt die spiegelglatte Oberfläche. Am Horizont zogen Gewitterwolken auf, aber am Nachmittag, um zehn nach fünf, brannte die Sonne noch immer vom Himmel herunter.

Die Explosion ereignete sich kaum eine viertel Meile vom Gelände des Crandall Holzwerkes entfernt. Sie ließ die Fensterscheiben des Werksbüros zerbersten; Glassplitter fegten über den Schreibtisch und schlitzten die Lederpolsterung von Cottons Stuhl auf.

Eine gewaltige schwarze Rauchsäule stieg aus dem Haufen an zerborstenem Stahl und Metall. Sie war meilenweit zu sehen. Der Knall der Explosion war laut genug, um das Ende der Welt zu verkünden. Selbst die Bierflaschen hinter der Bar von Red Broussards Café klirrten und klimperten.

An einem der Tische saß einer von Reds Stammkunden; er saß ganz allein dort und grinste höchst zufrieden. Er hatte seinen Job verdammt gut gemacht.

53. KAPITEL

»Hör auf, mich so anzustarren, Daddy. Ich bin okay.«

Cottons Wangen waren gerötet. Er saß aufrecht in seinem Bett, mit dem Rücken gegen die Kissen gelehnt. Schyler war nur froh, daß er nicht aufgestanden war und herumlief.

»So siehst du aber gar nicht aus. Was ist denn mit deinen Knien?«

Sie schaute an sich runter und bemerkte erst jetzt, daß ihre Knie aufgescheuert waren und bluteten, ebenso wie ihre Handballen. Kleine Kiessplitter hatten sich ins Fleisch gedrückt. Sie rieb sie heraus und biß die Zähne zusammen ob des stechenden Schmerzes.

»Ich stand auf der Laderampe und hab den heranfahrenden Zug gesehen. Die Wucht der Explosion hat mich umgerissen. Ich bin neben den Gleisen auf allen vieren gelandet.«

»Du hättest dabei umkommen können.«

Sie hielt es für das Beste, ihm nicht zu sagen, daß dies tatsächlich der Fall gewesen wäre, wenn sie in dem Moment hinter ihrem Schreibtisch im Werksbüro gesessen hätte. »Gott sei Dank ist niemand zu Schaden gekommen.«

»Auch nicht auf dem Zug?«

Sie schüttelte den Kopf. »Er hat zwei leere Lokomotiven vor sich hergeschoben. Die sind am schlimmsten beschädigt worden. Die Zugführer in der dritten Lok haben keine einzige Schramme abgekriegt. Einen mächtigen Schrecken, ja. Es war ein schlimmer... äh... Unfall, aber gottlob hat es keine Menschenleben gefordert und kaum Verletzte.«

»Unfall? Scheiße, was, Unfall. Was ist passiert, Schyler?« Er sah sie stirnrunzelnd an. »Und beschönige es vor dem Herzpatienten nicht. Ich will verdammt noch mal wissen, was wirklich passiert ist.«

»Es war kein Zufall, sondern Absicht«, gab sie mit einem großen Seufzer zu. »Sie haben —«

»*Sie?*«

»Wer auch immer... es ist eine Art Plastiksprengstoff benutzt worden. Als sich der Rauch verzogen hatte und wir sicher waren, daß niemand ernstlich verletzt war, hat der Sheriff eine erste Untersuchung vorgenommen.«

»Unter*suchung.*« Cotton schnaubte. »Patout ist doch ein totaler Blindfisch. Der würde nicht mal ein Beweisstück finden, wenn er davon in den Arsch gebissen wird.«

»Ich fürchte, da hast du recht, also bin ich bei ihm geblieben. Deshalb bin ich auch so dreckig.« Sie strich über ihr Kleid. »Es gibt unzählige ungeklärte Fragen. Da der Zug zur Bundesbahn gehört, werden mehrere Beamte der Bundespolizei die Stelle millimeterweise durchkämmen. Das wird Wochen dauern, wenn nicht Monate, um all die Trümmer und den Schutt wegzuschaffen.«

»Und in der Zwischenzeit muß die Strecke stillgelegt werden.«

»Die Schienen sehen aus wie verknotete Stahlbänder.« Niedergeschlagen setzte sie sich auf die Bettkante. »Was ich nicht verstehe ist, weshalb die Explosion ausgelöst wurde, ehe der Zug die Rampe erreichte. Wenn jemand die Lieferung verhin-

432

dern wollte, warum ist die Explosion dann nicht nach dem Aufladen erfolgt?«

»Jemand wollte unseren Betrieb lahmlegen. Was ja auch gelungen ist.«

»Das kannst du laut sagen.« Doch plötzlich wurde Schyler von einer Mischung aus Trotz und Kampfeswillen gepackt. »Ich habe dir und mir geschworen, die Lieferfrist einzuhalten, und das werde ich auch schaffen.«

»Vielleicht solltest du's sein lassen, Schyler.« Cottons Gesicht wirkte grau und alt; er sah geschlagen aus. In seinen blauen Augen war kein Feuer mehr. Seine ganze Haltung verriet eine hoffnungslose Mattigkeit, die nichts mit seiner Gelassenheit zu tun hatte. Er sah nicht entspannt aus – er wirkte resigniert.

»Das kann ich nicht, Daddy«, sagte sie mit belegter Stimme. »Es sein zu lassen hieße Belle Terre aufzugeben. Das kann ich nicht. Das werde ich nicht.«

»Aber allein kannst du es nicht schaffen.«

Damit traf er exakt ihre schwächste Stelle – sie war völlig auf sich alleingestellt. Cotton würde ihr mit Rat und Tat zur Seite stehen können, aber er war ein schwacher Mitstreiter. Sie wünschte sich jemanden, der ihr den Rücken stärkte.

Sie wünschte, sie hätte Cash an ihrer Seite.

Verzweifelt sehnte sie sich nach seinem Rat. Aber es war möglich, daß eben er derjenige war, der die Gleise in die Luft gesprengt hatte. Hatte er ihr nicht erzählt, daß er in Vietnam als Sprengstoffexperte im Einsatz gewesen war? Er war clever genug, um das Werk lahmzulegen, ohne dabei jemanden zu verletzen. Aber war er auch zu solch sinnloser Zerstörung fähig? Und warum sollte er alles zerstören, was er mit aufgebaut hatte?

Sie rief sich sein Gesicht vor Augen, wie sie es zuletzt gesehen hatte, hart und kalt, voller Verachtung. Nicht ein Funke menschlicher Regung war in seinen Augen gewesen, mit denen er sie durchbohrt hatte. Ja, er war zu allem fähig. Nur ihr Stolz allein würde sie nicht abhalten, auf Händen und Knien zu ihm zu gehen und seinen Rat zu erflehen, aber ihn jetzt um Rat zu fragen, das war unmöglich. Er war ein Verdächtiger.

Sie spielte mit dem Gedanken, Gilbreath anzurufen und an

sein Mitgefühl zu appellieren, aber sie bezweifelte ernsthaft, daß er so etwas überhaupt besaß. Wenn er die Frist trotz Cottons Herzinfarkt schon nicht verlängert hatte, warum sollte er es dann im Licht dieser Katastrophe tun? Und außerdem wurde sie den Verdacht nicht los, daß er trotz seines überhöflichen Benehmens jedes Mißgeschick bejubelte, das ihr und dem Holzwerk in die Quere kam.

Was sie am meisten beunruhigte, war der Umstand, daß nur ganz wenige wußten, daß sie den Termin für die letzte Lieferung vorverlegt hatte. Und das waren die Menschen, die ihr am nächsten standen. Menschen, von denen sie eigentlich meinte, ihnen vertrauen zu können.

Ken. Da gab es ohne Zweifel Grund zur Feindseligkeit. Ihre Entdeckung seiner Unterschlagungen hatte seinen Groll nur weiter angeheizt. Aber trotz allem bezweifelte sie, daß Ken ein wirklich schlechter Kerl war. Er redete viel, aber das war es dann auch schon. Das Sprengen der Gleise würde so gar nicht zu ihm passen. Außerdem fehlte ihm der Ehrgeiz und das Wissen dazu.

Tricia. Sie war gewiß verschlagen genug. Sie hatte allen Grund, sich über ein Scheitern der Firma zu freuen, denn es würde den Verkauf von Belle Terre zur Folge haben. Aber auch sie besaß nicht die Fähigkeiten, etwas derartiges auszuführen.

Jigger Flynn. Ein Motiv hatte er. Aber nicht die Möglichkeit dazu. Er konnte nichts von ihren geheimen Terminänderungen gewußt haben.

Cash zählte ebenfalls zu denen, die es nicht gewußt hatten, aber Cash hatte es herausfinden können. Die Holzfäller mußten gewußt haben, daß etwas im Busch war, so wie sie sie in den letzten Tagen angetrieben hatte. Und schließlich trafen sie sich jeden Abend in ihren Kneipen. Gut möglich, daß Cash mitbekommen hatte, was sie einander erzählt hatten, wenn der Alkohol ihre Zungen gelöst hatte.

Wer auch immer der Übeltäter war – er war in ihrer unmittelbaren Nähe.

»Ich mache mir Sorgen um dich.« Cottons rauhe Stimme riß sie aus ihren Grübeleien.

Sie zwang sich zu einem entschlossenen Lächeln und massierte ihm die Füße. »Ich mache mir viel mehr Sorgen um Belle Terre. Wenn wir hier weg müssen, dann heißt das, daß wir ein ganz neues Zuhause finden müssen. Stell dir mal vor, was das bedeuten würde.«

Er reagierte nicht auf ihren bemühten Humor. »Hat Cash uns das angetan?«

»Ich weiß es nicht, Daddy.«

»Haßt er mich so sehr?« Cotton wandte das Gesicht ab und starrte aus dem Fenster. »Wahrscheinlich habe ich den Jungen nicht fair behandelt.«

»Er ist kein Junge mehr. Er ist ein Mann.«

»Er könnte ein besserer sein. Monique war so verdammt stolz, hat nicht zugelassen, daß ich Kleidung für ihn kaufe; hat nicht erlaubt, daß ich für irgend etwas bezahle. Als er in die Schule kam, haben sie ihn ausgelacht. Haben ihre Späßchen mit ihm getrieben.« Er schloß die Augen. »So etwas wirkt sich aus auf einen Jungen, weißt du. Entweder wird er ein Muttersöhnchen oder ein echter Mistkerl. Cash hat angefangen zurückzuschlagen. Das war gut. Ich wußte, er würde stark sein müssen, um in dieser Welt zu überleben. Aber dieser Junge, meine Güte, er ist ein echtes Ärgernis geworden.«

»Was zwischen ihm und dir war, hat nichts mit dem zu tun, was heute geschehen ist«, sagte Schyler. »Sollte sich herausstellen, daß er daran beteiligt war, werde ich dafür sorgen, daß er mit aller Härte des Gesetzes bestraft wird.«

Cottons Brust hob und senkte sich schwer. »Cash gehört in den Wald, sein Zuhause sind die Bayous. Monique hat immer gesagt, daß in seinen Adern kein Blut fließt, sondern dunkles Wasser.« Er knirschte mit den Zähnen. »Meine Güte…«

Schyler strich ihm voller Mitgefühl für sein Leid über das dichte weiße Haar. »Quäl dich nicht wegen Cash. Sag mir lieber, was ich tun soll. Ich brauche deinen Rat.«

»Was kannst du tun?«

Sie überlegte einen Moment lang. »Na ja, das Holz ist unversehrt. Sie waren gerade dabei, das letzt –«

Plötzlich brach sie ab und erinnerte sich an die letzte halbe Stunde, bevor sich die Explosion ereignet hatte; das Werksgelände hatte gebrummt wie ein Bienenstock. »Daddy, als du das Werk übernommen hast, wie habt ihr damals das Holz transportiert?«

»Damals gab es das Gelände und die Bahnstrecke noch nicht.«

»Genau. Und wie habt ihr das Holz zu den verschiedenen Abnehmern gebracht?«

Seine blauen Augen funkelten. »Wie es die meisten der Selbständigen heute noch tun. Mit Schleppern.«

»Das ist es!« Schyler beugte sich vor und gab ihm einen schmatzenden Kuß. »Wir werden Endicott die Lieferung mit Schleppern bringen, direkt bis vor seine Haustür.«

»Was ist schiefgelaufen?« keifte die Stimme am anderen Ende der Leitung.

Gilbreath saß über seinen Schreibtisch gebeugt und stellte sich dieselbe Frage. »Wahrscheinlich war Jigger besoffen. Hat die Anweisungen falsch verstanden. Irgendwie sowas. Ich weiß es doch auch nicht. Aus irgendwelchen Gründen hat er wohl nicht kapiert, daß er die Gleise *nach* Beladen des Zuges sprengen sollte und nicht vorher.«

»Wir hätten uns nicht auf ihn verlassen dürfen.«

»Blieb uns aber nichts anderes übrig.«

»Und ich hätte mich nicht auf dich verlassen dürfen. Ich kann bei der ganzen Sache auch sehr gut auf dich verzichten.«

»Spar dir die Drohungen«, entgegnete Dale kalt. »Noch ist nichts verloren. Es ist nicht so gelaufen wie erwartet, aber sie hat verdammt noch mal keine Möglichkeit, die letzte Lieferung rechtzeitig zu erfüllen.«

»Wollen wir wetten? Morgen nacht.«

»*Was?*«

»Ja. Morgen nacht. Mit Sattelschleppern.«

»Aber Crandall hat gar nicht genug Schlepper.«

»Schyler treibt schon den ganzen Tag welche auf. Ruft jeden in der Gegend an, der einen Schlepper hat. Zahlt Spitzenprämien dafür. Sie schafft es, ich sag's dir, wenn sie nicht aufgehalten wird.«

436

Gilbreaths Hände wurden naß. »Dann muß Jigger noch mal ran.«

»Schätze, ja. Kümmer du dich drum, aber sieh nur ja zu, daß er's diesmal nicht wieder vermasselt.«

»Keine Angst. Da mach dir mal keine Sorgen.«

»Komisch. Tue ich aber.«

Gilbreath reagierte nicht darauf und fragte: »Um welche Uhrzeit morgen?«

»Kann ich noch nicht genau sagen. Ich ruf dich an.«

»Das bedeutet, Jigger wird 'ne Schaltuhr brauchen.«

»Wahrscheinlich.«

»Diesmal ist die Sache riskanter. Immerhin sitzen Fahrer auf den Schleppern.«

»Ich kann mit einem schlechten Gewissen leben. Du auch?«

»Aber ja.« Gilbreath gluckste vor sich hin. »Ich wollte nur sichergehen, daß du es kannst.«

»Darauf kannst du Gift nehmen.«

»Besser, wenn wir uns nach deinem Anruf morgen vorerst nicht mehr sprechen. Und auch eine ganze Weile nicht, wenn es vorbei ist.«

»Einverstanden. Nur schade, daß wir nicht drauf anstoßen können.«

»Wenn Rhoda und ich uns auf Belle Terre eingerichtet haben, werden wir dich zum Cocktail einladen.«

Lachen am anderen Ende. »Tu das.«

54. KAPITEL

»Ich werde morgen im Laufe des Tages zurück sein.« Schyler drückte Cotton liebevoll die Hand. »Ich sehe dir an, daß du dir Sorgen machst, aber das mußt du nicht. Endicott erwartet uns bereits. Ich habe ihm erklärt, warum die Ladung mitten in der Nacht eintrifft. Er hält mich zwar für verrückt, aber ich halte ihn für einen Blödmann. Wir sind also quitt.« Sie lachte.

Cotton lachte nicht. Seine Miene war düster. »Ich fühle mich erst wieder besser, wenn du wohlbehalten zurück bist.«

»Das geht mir doch nicht anders. Ich habe noch ein hartes Stück Arbeit vor mir, ehe es soweit ist.«

»Warum mußt du denn unbedingt selber fahren?«

»Muß ich ja gar nicht. Ich *will* mitfahren. Weil es für mich der krönende Abschluß all dessen ist, wofür ich geschuftet habe. Ich will eigenhändig diesen netten, fetten Scheck in Empfang nehmen. Ich verspreche dir, ich fahre beim besten Fahrer mit. Wen empfiehlst du mir?«

»Cash.«

»Cash?« fragte sie überrascht. »Aber der fährt überhaupt nicht mit.«

»Das weiß ich. Aber er wäre nun mal meine erste Wahl.«

Cash wäre auch ihre erste Wahl gewesen. Er sollte eigentlich dabei sein, wenn Joe Jr. den Scheck aushändigte. Heute nacht würde auch seine Arbeit den krönenden Abschluß erfahren. Oder war sein ganzer Einsatz nur Vorwand gewesen?

Schyler räusperte sich, um den Kloß in ihrem Hals zu vertreiben und setzte ein gezwungenes Lächeln auf. »Und wer wäre deine zweite Wahl?« Cotton nannte den Namen eines Fällers.

»Dann fahre ich mit ihm mit. Und jetzt«, sagte sie, während sie Cotton die Hände auf die Schultern legte und ihn sanft zurück gegen die Kissen drückte, »wirst du hübsch und brav schlafen. Wenn du morgen früh aufwachst, wird es gar nicht lange dauern und ich bin wieder zu Hause.« Sie küßte ihn zum Abschied. »Gute Nacht, Daddy. Ich liebe dich.«

»Welch großartige Idee«, schnurrte Rhoda, als sie sich im Wasser räkelte, das ihr Mann für sie eingelassen hatte. Sie langte nach dem langstieligen Champagnerglas, nippte daran und fuhr sich langsam, absichtlich verführerisch, mit der Zunge über die Lippen. »Ist genug Platz für zwei hier drin…«

»Nein. Ich sehe dir lieber zu.«

»Und machst Fotos?«

»Ja. Später.«

»Haben wir denn was zu feiern?«

Dale kniete sich neben die Badewanne.

»Ja, haben wir.«

»Was feiern wir denn?«

Dale nahm ihr das Glas aus der Hand und tauschte es gegen ein Stück parfümierte Seife. »Seif dich ein.«

Die Augen halb geschlossen nahm Rhoda die Seife und rieb sie in ihren nassen Händen, bis ihr der Schaum durch die Finger quoll. Dann massierte sie ihre Brüste.

Dale schaute ihr gierig dabei zu. Sein Atem ging schneller. »Wir feiern unseren Erfolg.«

»Hmmmm. Hat unser Erfolg irgendwas mit der Explosion zu tun, die sich gestern auf dem Werksgelände von Crandall ereignet hat?«

»Nein, das lief nicht ganz so wie geplant.«

»Oh?«

»Seif dich auch unten ein«, wies er sie keuchend an, während er seine Hose öffnete.

Nachgiebig schmunzelnd öffnete Rhoda die Schenkel und legte die Füße auf die Kante der Badewanne. Sie rieb sich mit der Seife zwischen den Beinen. Dale stöhnte.

»Was ist denn da draußen schiefgelaufen?«

In hastigen, abgehackten Sätzen schilderte er ihr den Schlamassel. »Es hat sie Zeit gekostet, aber nicht aufgehalten. Das werden wir heute nacht nachholen. Diesmal wird nichts schiefgehen.«

»Gut.« Sie pustete den Schaum weg, damit Dale einen ungehinderten Blick auf sie hatte. Sie hätte seinen Gesichtsausdruck noch mehr genossen, wenn sie nicht eigenen Gedanken nachgehangen hätte. »Das klingt gar nicht nach Cash. Daß er so einen Mist gebaut haben soll…«

»Reib schneller mit der Hand, Darling. Ja, so«, keuchte er. »Boudreaux? Was hat der damit zu tun?«

»Alles, dachte ich. Hat er den Zug denn nicht in die Luft gejagt?«

»Teufel, nein. Jigger Flynn war's.«

Wasser schwappte über den Rand der Wanne, als sich Rhoda plötzlich aufsetzte. »Aber es war Cashs Plan, und er hat ihm gezeigt, wie's geht, stimmt's?«

»Nein.«

»Ich dachte, du würdest Cash benutzen. Du hast gesagt, du hättest Pläne mit ihm.«

»Hatte ich anfangs auch. Aber ich hab's mir anders überlegt. Er hat zuviel mit Belle Terre am Hut. Ich könnte nicht sicher sagen, wie loyal er gegenüber Schyler ist.«

»Er geht mit ihr ins Bett.«

»Das tut er doch mit jeder.« Rhodas Ton gefiel ihm nicht. Sie ließ durchklingen, daß sie ihn für dämlich hielt. Mit zuckersüßer Stimme fügte er hinzu: »Bis jetzt hat Cash Boudreaux noch keine von der Bettkante gestoßen.«

»Du Bastard.« Rhoda stieg aus der Wanne, wobei sie Dale naß spritzte, und langte nach einem Handtuch. »Also hast du diesen Flynn angeheuert.«

»Dem kann ich wenigstens vertrauen, weil er Schyler Crandalls Untergang miterleben will.«

»Und was ist mit Cash? Wo treibt der sich heute abend rum?«

»Weit weg vom Schuß. Sie hat ihn gefeuert.«

»Du Idiot!« schrie Rhoda. »Er mag ja stinksauer auf sie sein, aber er wird nicht tatenlos zusehen, wie Belle Terre in unsere Hände fällt. Er will es nämlich selber haben. Das hat er mir gesagt. Wer behält *ihn* denn heute nacht im Auge?«

Dale erkannte, welch einen Fehler er begangen hatte, und stürmte aus dem Bad. Er stieß das Telefon vom Tisch bei seinem überhasteten Versuch, eine bestimmte Nummer zu wählen.

»Was soll das denn werden?«

Ken betrat das Schlafzimmer und fand ein unsägliches Chaos vor. Zwei Koffer lagen geöffnet auf dem Bett. Die Kleider aus Tricias Schrank hingen über Stühlen und wo immer Platz war. Sämtliche Schubladen standen offen. Tricia war eifrig dabei, alles auszusortieren.

»Wonach sieht es denn aus? Ich packe.«

»Wo willst du hin?«

»New Orlenas. Dallas. Atlanta.« Tricia zuckte die Achseln und lächelte. »Hab mich noch nicht entschieden. Ich denke, ich fahre erst mal nach Lafayette, und dann lasse ich den Zufall entscheiden.«

»Wovon, zum Teufel, redest du?« Als sie an ihm vorbeischwebte, packte Ken sie am Arm. Sie riß sich los.

»Freiheit. Ich rede davon, Heaven zu verlassen und nie mehr zurückzukommen.«

»Du kannst nicht einfach abhauen.«

»Wirst schon sehen.« Zur Betonung warf sie ein Paar Schuhe in einen der Koffer.

»Du hast doch überhaupt kein Geld.«

»Ich werde meine Kreditkarten benutzen, bis ich zu Barem komme.«

»Und wo willst du das herkriegen?«

»Das laß mal meine Sorgen sein, Liebling. Ich habe dich nicht um Geld gebeten.« Sie strich ihm über die klamme Wange.

Doch als sie an ihm vorbeiwollte, zog er sie wieder an sich. »Ich bin dein Ehemann. Du kannst doch nicht —«

»Vergiß es. Unsere Ehe ist vorbei.«

»Was soll das heißen... *vorbei*?«

Tricia seufzte verärgert. Sie wollte keine Zeit verlieren mit großen Erklärungen. »Hör zu, Ken, unsere ganze Ehe basiert auf einer Lüge. Laß sie uns wenigstens mit der Wahrheit beenden. Wir lieben uns nicht. Das haben wir nie getan. Ich habe dich mit einem Trick dazu gebracht, mich zu heiraten. Ich wollte dich doch nur haben, weil du mit Schyler zusammen warst. Tja, jetzt will sie dich nicht, und ich will dich auch nicht mehr.«

»Du miese Nutte!«

»Oh, bitte! Erspar mir eine Szene und schau mich nicht so verwundet an. Du hast die letzten sechs Jahre wie Gott in Frankreich gelebt. Ich persönlich kann Belle Terre nicht ausstehen, aber für die meisten Menschen ist das ein sehr hübsches Haus. Du hattest das Privileg, hier zu wohnen ohne einen Cent dafür zu bezahlen, und hast auch noch abkassiert.

Wir hatten uns arrangiert, aber jetzt ist es an der Zeit, Schluß damit zu machen.« Sie stellte sich auf die Zehenspitzen und gab ihm einen flüchtigen Kuß. »Du wirst prima ohne mich klarkommen. Wenn du aufhörst zu trinken, wirst du schon eine wohlhabende Frau finden, die nichts lieber tut, als für dich zu sorgen.«

»Aber ich will keine Frau, die für mich sorgt.«

»Oh, doch, genau das willst du, mein Süßer. Genau das hast du immer gewollt – jemanden, der dir alle schwierigen Entscheidungen abnimmt.«

Das Telefon auf dem Nachttischchen klingelte. Mit ihrem eingeübten Lächeln tätschelte sie Ken die Wange und hob ab. Doch sie hatte sich kaum mit einem ›Hallo‹ gemeldet, als sie verstummte und der Stimme am anderen Ende der Leitung wie gebannt lauschte.

Jigger erwachte mit fürchterlichen Kopfschmerzen und pelziger Zunge. Er wälzte sich zur Seite und preßte das Gesicht ins Kopfkissen, das sauer roch, nach Pomade und Schweiß. Sein Schädel drohte zu zerspringen. Als ihm nach mehreren Minuten klar wurde, daß jeder Versuch wieder einzuschlafen sinnlos war, setzte er sich auf die Bettkante und klammerte sich an der Matratze fest, um nicht umzukippen.

Gegen Einbruch der Dunkelheit war er von seinem ruchlosen Auftrag zurückgekehrt. Jetzt war es mitten in der Nacht, aber er machte mit Rücksicht auf seine rasenden Kopfschmerzen kein Licht. Immer wieder stieß er sich am schäbigen Mobiliar, ehe er die Küchenspüle erreicht hatte und den Wasserhahn aufdrehte. Er mußte diesen fauligen, ekligen Geschmack im Mund loswerden.

Er bereute gar nicht, daß er eine ganze Flasche gesoffen hatte. Er hatte einen ordentlichen Drink gebraucht. Schließlich hatte er riskiert, geschnappt zu werden, als er die Sprengladungen angebracht hatte.

Bösartig grinsend hielt er ein Glas unter den laufenden Wasserhahn; doch in dem Moment, als er einen Schluck trinken wollte, wurde ihm bewußt, was ihn aufgeweckt hatte. Es war nicht sein Schädel. Es war die ungewohnte Stille.

Die Klapperschlange hatte aufgehört Lärm zu machen.

Das Glas zerbarst, als Jigger es fallen ließ. Wasser schwappte ihm auf die lehmverschmierten Schuhe, aber darauf achtete er gar nicht, als er zur Hintertür herausstürmte. In seiner Hast wäre er fast die Betonstufen hinuntergefallen. Er blieb kurz stehen und verschnaufte.

Sie war noch immer da. Die Tonne schimmerte silbern im bleichen Mondlicht. Der Deckel war drauf und befestigt mit dem großen Stein. Er schaute sich auf dem Hof um. Genau wie an jenem Morgen, als er auf geheimnisvolle Weise zu seiner Schlange gekommen war, schien alles völlig normal zu sein. Er sah hinüber zum Hundezwinger. Das Doggenweibchen blickte ihn neugierig an.

Sie hatte den ganzen Abend nicht einmal gebellt. Er hatte zwar tief geschlafen, aber so tief nun auch nicht, daß er nicht aufgewacht wäre, wenn die Hündin angeschlagen hätte. Er hätte schwören können, daß die Schlange in der Tonne war und ihren üblichen Lärm gemacht hatte, als er bei Einbruch der Dämmerung nach Hause gekommen war.

Warum also jetzt nicht? Warum rasselte das Mistvieh dann nicht?

War sie etwa tot? Scheiße! Es kam ihm so vor, als verwandelte sich in letzter Zeit alles, was er anfaßte, zu Scheiße. Er hatte doch vorgehabt, mit dem Biest Geld zu verdienen, aber wenn die Schlange jetzt tot war, konnte er all seine hübschen Pläne vergessen.

Aber vielleicht war sie gar nicht mehr drin. Fluchend rannte er zur Tonne und stieß den Stein vom Deckel. Der landete mit einem dumpfen Geräusch auf dem Boden und wirbelte eine kleine Staubwolke auf. Jigger wollte gerade den Deckel abheben, als er sich im letzten Moment eines Besseren besann. Blitzartig ließ er den Deckel wieder los und zog die Hände zurück, die schweißnaß waren. Er wischte sie sich an den Hosenbeinen ab.

Warum rasselte das Vieh nicht?

Vor sich hin murmelnd ging er zum Holzstoß und suchte sich ein langes Stück Holz. Vor seinem zahlenden Publikum hatte er auf eine derartige Vorsichtsmaßnahme stets mutig verzichtet, aber jetzt fühlte er sich viel besser mit dem Stock in der Hand. Wieder näherte er sich der Tonne. Sie sah aus wie immer, aber *verdammt*! Irgendwie wirkte sie unheimlicher, jetzt, da kein Muckser mehr herausdrang.

Erneut stieß er mit dem Stock gegen den Deckel. Er rührte sich nicht einen Millimeter. Er saß fest. Fluchend versuchte es

Jigger mit mehr Kraft. Der Deckel gab nicht nach. Er stemmte sich mit seinem ganzen Gewicht dagegen.

Plötzlich sprang der Deckel ab und fiel scheppernd zu Boden. Automatisch schnellte Jigger nach vorn. Er fiel mit dem Bauch gegen die Tonne, sein Kopf über den Rand. Panisch schrie er auf.

Um sein Gleichgewicht ringend lachte er nervös über sich selbst. Meine Güte, war er heute abend schlecht drauf! Aber er war erleichtert zu sehen, daß die Schlange noch in der Tonne war; na bitte, zusammengerollt lag sie auf dem Grund der Tonne. Aber warum rasselte sie nicht? War sie etwa tot?

Er lehnte sich gegen die Tonne und spähte über den Rand.

Und im selben Augenblick packte ihn eine Hand mit stahlhartem Griff am Nacken.

Jigger quiekte wie ein abgestochenes Ferkel.

»Dein Liebling ist noch da, du schwanzlutschender Hurensohn.« Die Stimme war mehr ein scharfes Flüstern, haßerfüllt und ohne jedes Erbarmen. »Sie schläft nur ein bißchen, weil sie ein bißchen Benzin geschnuppert hat. Aber wenn sie wieder aufwacht, dann wird sie höllisch böse sein und das an dir auslassen.«

Jigger schrie. In seiner Panik trat er nach hinten und wedelte mit den Armen. Aber das half alles nichts. Sein Kopf und seine Schultern wurden weiterhin gnadenlos über den Rand der Tonne gedrückt.

»Aber bevor dein Liebling aufwacht, hast du noch ein Weilchen, um über all deine Schlechtigkeiten nachzudenken, die du in deinem miesen Leben begangen hast. Heute ist der Jüngste Tag für dich, Jigger, der Tag der Abrechnung. Du wirst zur Hölle fahren, und es wird eine lange und schreckliche Reise werden.«

Eine Kette landete mit voller Wucht in seinem Nacken. Der Schmerz und der Schreck raubten ihm alle Kraft. Seine Versuche, sich zu befreien, waren zwecklos. An einem Ende der Kette war ein ganz normales Paar Handschellen befestigt. Voller Entsetzen mußte Jigger mitansehen, wie ihm die Dinger um die Handgelenke gelegt wurden. Seine Arme wurden um die Tonne gestreckt und so eingehakt, daß er mit dem Gesicht und den Schultern genau über der Tonne hing. Er starrte geradewegs auf

444

seine Schlange. Die Kette war so um die Tonne gewickelt, daß er selbst seine Beine und Füße nicht mehr bewegen konnte.

Jigger versuchte, die Augen geschlossen zu halten, aber das gelang ihm nicht. Er starrte hinab auf das ölig glänzende Knäuel unter sich. Es begann zu zucken. Er schrie und machte sich in die Hose.

»Ganz recht, schrei nur. Schrei so laut du kannst. Schrei, damit dich alle Teufel der Hölle hören können.« Jigger spürte mehrere Stockschläge auf seinem Hinterteil »Eigentlich sollte ich dir dieses Ding in den Arsch schieben, daß du dran verreckst. Aber das wäre zu schade. Ich will, daß du Auge in Auge mit einer Schlange stirbst, einer Klapperschlange, genau wie du eine bist. Was meinst du, wie oft wird sie dich beißen, bis du hinüber bist?«

»Laß mich frei. O Gott, *bitte*. Gütiger Himmel, mach mich los. Heilige Scheiße… heilige Maria, Mutter Gottes, gelobet seist du…«

»Genau, Jigger. *Bete.*«

»Oh, Jesus Christus. Was habe ich dir getan? Wer bist du, du verdammter Hurensohn?«

»Ich bin der Erzengel Gottes. Ich bin ein Dämon aus der Hölle.« Er spreizte die Hand weit über Jiggers Kopf und drückte dann sein Gesicht tiefer hinunter in die Tonne. Mit heimtückischem Vergnügen flüsterte er: »Du wirst sterben. Du wirst unter unsäglichen Qualen sterben.«

»Oh, Jesus, Jesus«, jammerte Jigger. »Ich tue alles. Bitte. Bitte. Ich *bitte* dich. Ich gebe dir alles, was ich habe. Geld. Ich gebe dir mein ganzes Geld. Jeden beschissenen Cent. Oh, Jesus, hilf mir.«

Der unbekannte Racheengel hatte genug von Jiggers Betteln um Gnade. Er löste sein Halstuch und stopfte es Jigger in den Mund. Jigger versuchte es auszuspucken, aber er würgte nur.

»Keine Bange, Jigger, du wirst nicht lange allein sein. Schon sehr bald wirst du Gesellschaft haben. Kannst du dir eigentlich vorstellen, wie angeschwollen dein Kopf morgen früh sein wird? Mach's gut, Jigger, bye-bye. Wir beide sehen uns in der Hölle wieder.«

Der Racheengel blieb noch beim Hundezwinger stehen und

fütterte das Doggenweibchen aus der Hand. Sie hatte schon darauf gewartet. Er sprach mit den Welpen; sie leckten ihm zutraulich die Hände. Dann glitt er ins Dunkel des Waldes und verschmolz mit den großen, dunklen Schatten.

Jigger zappelte über der Tonne. Er schrie, aber es war nur ein Echo in seinem Kopf. Sein Herz zersprang fast. Der ätzende Schweiß von Todesangst lief ihm in die Augen. Er zwinkerte, weil es brannte, riß die Augen weit auf, zwinkerte wieder – und sah hinab in die schwarzen Schlitzaugen seiner wunderschönen Schlange.

Der Schwanz zuckte und begann zu rasseln.

Gayla hoffte, daß diese Nacht bald vorüber war.

Gütiger Himmel, was für eine Nacht. Zuerst war Schyler raus zum Werksgelände gefahren. Gayla hielt sie für vollkommen verrückt, daß sie nach der Explosion dort hinfuhr.

Das allein wäre schon Grund genug zur Sorge gewesen, aber dann hatte auch noch Tricia ihren Auftritt gehabt. Sie war aus dem Haus gestürmt, als sei der Leibhaftige hinter ihr her, nur um wenige Sekunden später wieder hereinzuplatzen. »Wo, zum Teufel, ist mein Wagen?«

Gayla hatte das Pech, die einzige zu sein, die ihr eine Antwort darauf geben konnte. »Mrs. Dunne ist damit in die Stadt gefahren.«

»Was?« schrie Tricia entsetzt.

»Ihr eigenes Auto ist kaputt. Heute ist ihr freier Abend. Da hat Schyler ihr angeboten, mit Ihrem Wagen zu fahren, da Sie ihn ja nicht mehr bräuchten.«

»Ich *brauche* ihn aber.«

»Schätze, dann werden Sie wohl Mr. Howells Auto nehmen müssen.«

»Das geht nicht«, sagte Tricia grimmig. »Das ist ein Wagen mit Gangschaltung. Und ich kann damit nicht –« Aufgebracht fuhr sie sich durchs Haar. »Wieso stehe ich hier eigentlich rum und versuche es ausgerechnet *dir* zu erklären?«

Sie machte auf dem Absatz kehrt, stapfte zur Vordertür hinaus und ließ die Fliegengittertür hinter sich zuknallen. Gayla sah, wie sie auf einem der Pferde davonpreschte, ohne Sattel. Sie schien es höllisch eilig zu haben.

Dann war Ken nach unten gekommen und in den Salon gegangen. Gayla hörte, wie er Schubladen aufzog und wieder zuschlug. Ganz offensichtlich suchte er etwas. Er schien ebenso aufgebracht wie Tricia. Gayla sah, wie er das Haus verließ, mit entschlossener Miene und festem Schritt; kurz darauf jagte er in seinem Sportwagen davon.

Eigentlich hätte sie erleichtert sein müssen, daß die Howells aus dem Haus waren, wenn sie nicht als einzige zurückgeblieben wäre, bis auf Mr. Crandall natürlich, der friedlich schlief. Schyler hatte sie gebeten, hin und wieder bei ihm reinzuschauen und Dr. Collins anzurufen, wenn irgend etwas sein sollte.

Das machte ihr nichts aus. Im Gegenteil – sie war froh, sich nützlich machen zu können.

Als die Dunkelheit hereinbrach, wuchs Gaylas Nervosität. Sie lief durch das Haus, kontrollierte, ob sämtliche Türen und Fenster verriegelt waren. Ihren nächtlichen Gang um die Veranda ließ sie ausfallen. Sie brachte es nicht über sich, das Haus zu verlassen. Sie war froh, als die Uhr im Foyer zur vollen Stunde schlug und es wieder an der Zeit war, nach Mr. Crandall zu sehen.

Sie ging zu seinem Schlafzimmer und öffnete die Tür. Sie steckte den Kopf ins Zimmer und spähte ins Dunkel. Er lag reglos da und schlief; die Medizin hatte vorzüglich gewirkt. Sie lauschte, bis sie sicher war, sein Atmen zu vernehmen, dann zog sie sich zurück und schloß leise die Tür.

Der Überfall erfolgte so plötzlich, daß ihr gar keine Zeit blieb zu schreien; blitzschnell legte sich eine Hand auf ihren Mund, und ein Arm schlang sich so fest wie ein Schraubstock um ihre Taille.

Sie wurde den Korridor hinuntergeschoben. Als sie versuchte sich zu wehren, wurde sie hochgehoben und getragen. Sie krallte sich in die Hand über ihrem Mund und trat nach dem Angreifer, erwischte ihn auch an den Schienbeinen, aber nicht kräftig genug, als daß er sie losgelassen hätte. Im Salon wurde sie mit dem Rücken gegen die Wand gestoßen.

Schwindelig und benommen vor Angst hob sie den Kopf. Ihre Augen weiteten sich ungläubig und voller Besorgnis. Ihr Mund formte den Namen, aber kein Laut kam über ihre Lippen.

Schließlich flüsterte sie: »Jimmy Don!«

55. KAPITEL

Wahrscheinlich war er betrunken. Er sah eine blonde Frau auf einem Pferd. Sie erinnerte ihn an Schyler. Plötzlich spürte er wieder das brennende Verlangen in seinen Lenden, dieses Ziehen, und wünschte, er würde endlich damit aufhören, schon beim Gedanken an sie so zu reagieren.

Er nahm einen tiefen Schluck. Es war das vierte oder fünfte Glas Bourbon, seit er vorhin nach Hause gekommen war. Es war ein heißer, stickiger Abend, und er hatte einen ziemlich langen Weg hinter sich. Stundenlang war er durch den Sumpf gewatet, hatte sich durch dichtes Unterholz geschlagen, und trotzdem wurde er das nagende Gefühl nicht los, den einen Stein übersehen zu haben. Den einen, auf den es ankam. Es wollte ihm nicht aus dem Kopf gehen. Er wurde den Gedanken daran einfach nicht los.

Was hatte er übersehen?

Er war unablässig auf und ab getigert und hatte ebenso unablässig getrunken. Zur Hölle, es ging ihn nicht mal mehr etwas an. Wozu zerbrach er sich überhaupt den Kopf? Aber er konnte sich nicht entspannen. Der viele Alkohol half auch nicht. Er bescherte ihm nur Halluzinationen. Von blonden Frauen, die ohne Sattel ritten. Heiliger Himmel!

Wieder blieb er am Fenster stehen. Doch diesmal setzte er das Glas langsam von den Lippen ab. Verdammt, da war tatsächlich eine Frau auf einem Pferd, und jetzt kam sie auf sein Haus zugelaufen. Er stellte das Glas ab, um auf ihr Klopfen zu antworten.

»Hey, Cash!« Atemlos preßte sie die Hand auf den Busen.

»Haben Sie sich verirrt?« Er hätte blind sein müssen, um nicht zu sehen, daß sie unter dem hautengen T-Shirt keinen BH trug.

Sie breitete die Arme aus und zuckte mit den Achseln, eine Bewegung, die Wunder wirkt bei einem netten Paar Titten. »Um ehrlich zu sein, ja«, antwortete sie kichernd. »Können Sie mir vielleicht sagen, wie ich nach Belle Terre zurückkomme?«

Cash trat nach draußen. »Keine Ahnung«, knurrte er. »Kann ich das?«

Tricia grinste, als Cash sie an einen der Zypressenpfosten zurückdrängte. »Na ja, nach dem, was man sich so erzählt, können Sie uns Frauen eine ganze Menge zeigen, Cash Boudreaux, sogar Dinge, die wir gar nicht sehen wollen.«

»So? Erzählt man sich das?«

Ihr Blick senkte sich auf seinen beeindruckenden Brustkorb unter dem offenen Hemd. »Mmh-hmm, das habe ich jedenfalls gehört.« Sie sah ihn durch halb geschlossene Lider an. »Natürlich weiß ich das nicht genau.«

»Fragen Sie doch Ihre Schwester.«

Tricias Lächeln erlosch. »Schyler? Meinen Sie die etwa? Sie ist nämlich nicht meine wirkliche Schwester…«

Cash lehnte sich mit der Schulter an den Pfeiler und beugte sich über Tricia. Dann fuhr er ihr mit dem Knöchel seines Zeigefingers über die Wange. »Sie können sie doch trotzdem fragen.«

Tricia hob das Kinn seinem Streicheln entgegen und sah ihn provozierend an. »Es gibt Dinge, die finde ich lieber selbst heraus.«

Cash, mit kühlem, klarem Blick und verschlagenem Grinsen, rückte von ihr ab und fragte: »Drink gefällig?«

»Danke. Sehr gern. Ich bin wirklich halb verdurstet.«

Er hielt ihr die Fliegentür auf. »Nach Ihnen, bitte.«

Tricia schob sich an ihm vorbei, rieb ihren Körper an seinem und warf ihm einen vielsagenden Blick zu. »Nein, sieh einer an, ist das nicht charmant, wirklich gemütlich, und dieser nette kleine Stuhl hier. Handarbeit?«

»*Oui.* Bourbon?«

»Mit einem Spritzer Wasser und Eis, bitte.« Sie drehte sich langsam um. »Hier hat mein Daddy also viele Stunden voller Leidenschaft mit Ihrer Mama erlebt.«

»Nun, wie ich das sehe«, sagte Cash, »ist Cotton gar nicht Ihr Daddy, wenn Schyler nicht Ihre Schwester ist.« Er drehte sich gerade noch rechtzeitig um, um den feindseligen Ausdruck zu bemerken.

Tricia nahm das Glas, das er ihr reichte, und berührte dabei absichtlich seine Hand. »Da haben Sie wohl recht.« Sie nahm einen hastigen Schluck aus dem Glas, als hätte sie ihn bitter nötig. Ihr Blick wanderte unruhig umher. Immer wieder schaute sie verstohlen aus dem Fenster. »Tatsache ist, ich habe sowieso nicht mehr das Gefühl, hierherzugehören.«

»Ach?«

»Ich werde Heaven verlassen.«

»Allein?«

»Ja. Mit Ken bin ich fertig.«

»Wie bedauerlich.«

»Finde ich nicht.«

»Und wann werden Sie uns verlassen?«

»Morgen, wahrscheinlich.«

»Wohin?«

»Weiß ich noch nicht.«

»Tja, komisch, daß Sie dann noch Zeit zu einem Ausritt finden.«

»Na ja, ich…« stammelte sie. »Ich brauchte eine Pause vom Packen. Außerdem, schätze ich, wollte ich mich wohl von Belle Terre verabschieden.«

»Hmmm, und dabei haben Sie sich verirrt.«

Sie schenkte sich noch einmal nach und sah ihn über den Rand des Glases an. Ihre Stimme klang rauh, als sie schließlich sagte: »Du weißt, warum ich hier bin, Cash.«

»Um gebumst zu werden.«

»Mein Gott, mußt du so direkt sein. Schäm dich, Cash Boudreaux, du siehst doch, wie nervös ich bin. Du kannst einem ja den Atem rauben.«

Cash öffnete langsam seinen Gürtel, während er auf sie zuging. »Ich kenne dich, seit Cotton und Macy dich adoptiert haben. Du hast mich nie beachtet, Miss Tricia. Wenn wir uns auf der Straße begegnet sind, hast du die Nase in den Himmel gereckt und woanders hingeguckt. Wenn deine Muschi tatsächlich so juckt, warum hast du dann so lange gewartet?«

Tricia folgte seinen langsamen, genau bemessenen Bewegungen, als er die Jeans aufknöpfte. Sie befeuchtete die Lippen. »Ich habe gehört, was die anderen über dich sagen.«

»Und was sagen die?«

»Daß du der Beste bist. Und das wollte ich herausfinden.«

»Das hättest du auch schon eher haben können. Warum ausgerechnet jetzt?«

»Na ja, irgendwie hat mir wohl der Mut gefehlt.«

Cash stand jetzt direkt vor ihr. Er hatte die Augen halb geschlossen, als er auf sie heruntersah. Dann schob er ihr T-Shirt langsam hoch. »Ich kapiere noch immer nicht, weshalb du heute abend hergekommen bist, wo du doch alle Hände voll zu tun hast, mit Packen und so.« Er zog ihr das T-Shirt über den Kopf und ließ es zu Boden fallen.

Tricia schlang ihm die Arme um den Nacken und schmiegte sich an ihn. »Wir vergeuden nur kostbare Zeit mit diesen albernen Fragen.«

Cash grub die Finger in ihr Haar und bog ihren Kopf zurück. Sein Atem war heiß und roch nach Bourbon, als er sich langsam mit seinem Mund dem ihren näherte. »Eines sollten Sie über mich wissen, Miss Tricia. Ich vergeude nie meine Zeit.«

Sie hätte sich denken können, daß es nicht glatt laufen würde. Irgendeine Katastrophe mußte ja eintreten. Schyler hatte sich gefragt, wann und wie sich der Ärger andeuten würde. Eine halbe Stunde vor Abfahrt sollte sie es herausfinden. Und er bahnte sich nicht von außen an, sondern aus den eigenen Reihen.

Die Arbeiter weigerten sich hartnäckig, die Fracht nach East Texas zu fahren, wenn Cash nicht im ersten Schlepper saß.

»Mr. Boudreaux arbeitet nicht mehr für uns«, erklärte sie der mißmutigen Truppe. Doch das interessierte niemanden. Ungefähr ein Dutzend Männer stand ihr gegenüber und hörte sich unbeeindruckt ihre Erklärungen an. »Er will nicht mehr.«

»Boudreaux schmeißt nicht grundlos seinen Job hin«, sagte einer von hinten. Zustimmendes Gemurmel erhob sich von den anderen. Schyler erinnerte sie an die Prämien. »Der Bonus wird flachfallen. Keiner von euch, kein Fäller, kein Packer oder Fahrer sieht auch nur einen Cent, wenn der Endicott-Auftrag platzt. Ihr kennt die Bedingungen.«

»Die gesamte Belegschaft steht hinter uns. Wir rühren keinen Finger, wenn Cash nicht fährt.« Das Ultimatum wurde von einem Schwall Kautabaksaft unterstrichen. Wieder allgemeines zustimmendes Gemurmel.

Sie hatte keine Wahl.

»Okay, ihr wartet hier auf mich. Ich bin gleich zurück. In der Zwischenzeit will ich die Schlepper klar haben. Kapiert? Ihr werdet jede Kette, jeden Bolzen überprüfen. Und achtet darauf, daß hier keine Unbefugten herumlungern.«

Als Schyler zu ihrem Wagen lief, sah sie auf die Armbanduhr. Noch zwölf Minuten bis zehn Uhr. Sie trat das Gaspedal durch und schlidderte über den groben Schotter zu Cashs Haus hinunter.

Ihre Scheinwerfer warfen einen breiten Lichtkegel auf sein Haus, als sie vorfuhr. Innen brannte kein Licht. Lieber Gott, mach, daß er zu Hause ist.

Sie ließ den Motor laufen und die Wagentür offen, als sie auf die Veranda lief und seinen Namen rief. Sie klopfte an die Fliegentür.

»Cash?« Sekunden später erschien er in der Tür. »Gott sei Dank, du bist da. Hör mir zu, bitte. Ich weiß, ich habe kein Recht, dich darum zu bitten, und ich will es eigentlich auch nicht. Aber du mußt mir helfen. Du mußt —«

Sie verstummte schlagartig, als Tricia hinter seiner Schulter auftauchte. Sie zog sich das T-Shirt über den Kopf. Schyler sah, wie sie es über ihren Brüsten glattstrich und das Haar aus dem Nacken nahm. Tricia hier zu sehen kam so unvermutet, daß Schyler sie nur entsetzt anstarren konnte.

Dann wanderte ihr Blick zurück zu Cash. Sie bemerkte sein offenes Hemd, die aufgeknöpfte Jeans, das zerzauste Haar und den unverschämten Ausdruck auf seinem Gesicht. Und Tricias selbstgefällige Miene.

Automatisch wich sie einen Schritt zurück. »Mein Gott.« Sie rang nach Luft. Instinktiv griff sie sich ans Herz. Sie schloß die Augen und betete zu Gott, daß sie sich nicht auch noch der Lächerlichkeit preisgab, jetzt ohnmächtig zu werden. Diese Genugtuung gönnte sie den beiden nicht.

Noch einmal durchlebte sie jenen alptraumhaften Augenblick, als Tricia auf der Party verkündet hatte, sie bekäme ein Kind von Ken, und spürte dieselben Wellen der Verzweiflung. Die Frau, die sie *Schwester* genannt hatte, trug damals wie heute dasselbe zufriedene Grinsen im Gesicht. Und wie beim letzten Mal sagte der Beschuldigte auch diesmal nichts. Er gestand nichts ein und stritt auch nichts ab. Cash würde sich niemals für etwas rechtfertigen.

Schylers erster Impuls war, sich umzudrehen und zu rennen, bis sie tot umfiel. Statt dessen brachte sie ihre gesamte Willenskraft auf, holte tief Luft und sagte: »Oh, entschuldige die Störung. Ich wußte nicht, daß du... daß du Besuch hast.«

»Was ist los?«

Sie verschränkte die Hände, schluckte trocken und sprach die schwersten Worte ihres Lebens aus. »Ich brauche dich.« Als diese drei Worte erst einmal heraus waren, schien der Rest relativ einfach. »Die Fahrer weigern sich, auf die Schlepper zu steigen, wenn du nicht mitfährst. Sie hören nicht auf mich. Ich habe keine Zeit mehr zum Verhandeln. Der Sheriff hat uns eine Eskorte bis zur Staatsgrenze versprochen, aber das heißt, daß wir sofort aufbrechen müssen. Also, ja oder nein. Wir haben keine Zeit, groß darüber zu diskutieren. Ich brauche jetzt eine Antwort von dir. Wirst du mir dieses eine Mal noch helfen?«

Er sagte gar nichts. Mit der flachen Hand stieß er die Fliegengittertür auf, ging an Schyler vorbei über die Veranda und richtete im Gehen seine Kleidung. Schyler folgte ihm.

»Was ist denn jetzt los?« Tricia lief ihnen nach. »Cash, komm zurück. Du kannst mich doch nicht einfach hier stehenlassen!«

»Nimm denselben Weg zurück, den du hergekommen bist«, sagte er zu ihr, während er sich hinters Steuer von Schylers Wagen schwang.

»Cash, warum hörst du auf sie?« jammerte Tricia. »Was geht dich das dämliche Holz überhaupt noch an? Schyler hat dich gefeuert! Hast du denn gar keinen Stolz? Cash, du *kannst* mich nicht einfach so hierlassen!«

»Wenn du nicht hierbleiben willst, dann steig endlich in den verdammten Wagen!« Tricia gehorchte wutschnaubend. Noch ehe sie die Wagentür geschlossen hatte, wendete Cash mit quietschenden Reifen. Schyler preßte sich während der gesamten Fahrt die Faust vor den Mund. Am liebsten hätte sie die beiden beschimpft und geschlagen. Aber sie riß sich zusammen. Heute nacht würde sie noch durchhalten.

Die Arbeiter hockten niedergeschlagen beisammen, rauchten und unterhielten sich, als der Wagen vorfuhr. Erwartungsvoll erhoben sie sich aus ihrer Streikposition und jubelten, als sie Cash aus dem Auto steigen sahen.

»Was, zum Teufel, ist denn hier los?« bellte er. »Seht zu, daß ihr eure fetten Ärsche bewegt und auf die verdammten Schlepper steigt. Wollt ihr, daß das Holz vergammelt, bevor es bei Endicott ist?«

Sein barscher Ton ließ sie hochfahren. Ihre ganze Trägheit war wie weggeblasen. Scherzend und schulterklopfend kletterten sie hinter die Steuer der Laster.

»Welchen soll ich nehmen?« fragte Cash Schyler.

»Den ersten.« Sie blieb an seiner Seite.

»Wo willst du hin?«

»Was glaubst du?«

»Zu Endicott?«

»Ja, und ich werde mit dir fahren. Cotton hat gesagt, daß ich das tun soll.«

Sie standen sich gegenüber und tauschten giftige Blicke. Schyler sah erst weg, als die beiden Wagen des Sheriffs am anderen Ende der Brücke auftauchten. »Wir müssen los.« Ohne auf seine Hilfe zu warten kletterte sie in die Kabine des Führungsschleppers.

Cash ging um den Laster herum und stieg hinters Steuer, ließ den Motor an und legte den ersten Gang ein. Sie waren erst wenige Meter gefahren, als Schyler plötzlich rief: »Warte!« Cash bremste. »Ich glaube, da vorn ist Kens Wagen!«

»Was, zum Teufel, hat der hier zu suchen?«

Durch die breite Windschutzscheibe beobachteten sie, wie Ken an den beiden Streifenwagen vorbeipreschte und auf der

Mitte der Brücke bremste. Cash hupte. Schyler lehnte sich aus dem Seitenfenster und winkte.

»Ken! Was machst du da? Wir müssen los! Du blockierst die Brücke!«

Ken stieg aus. Schyler schirmte die Augen gegen das Scheinwerferlicht ab. Gegen den Staub, den er aufgewirbelt hatte, war er kaum auszumachen.

»Mist, was macht der denn da?« sagte sie, aber mehr zu sich selbst.

»Wie, zum Teufel, soll – oh, *Scheiße*!«

In diesem Moment sah Schyler, was Cash meinte. Sie zog die Luft ein. »O mein Gott, nein!«

Ken hielt sich einen Revolver an die Schläfe. Dann trat er ein paar Schritte vor. »Ihr haltet mich doch alle für einen Versager.« Seine Stimme klang belegt. Er hatte getrunken. Aber sein Schritt war sicher, ebenso wie die Hand, die die Waffe hielt. »Ihr denkt, ich habe keinen Mumm. Und keinen Grips. Ich werd's euch beweisen. Ich werd euch allen beweisen, daß ich welchen habe.«

»Wir müssen was tun.« Schyler öffnete die Tür.

Cash packte sie am Arm und hielt sie zurück. »Nein, noch nicht.«

»Aber er kann jeden Moment abdrücken!«

»Das wird er ganz sicher, wenn du auf ihn zurennst.«

»Cash, bitte…« Sie versuchte, sich aus seinem Griff zu winden.

»Gib mir 'ne Sekunde«, sagte er. »Laß mich nachdenken.«

»*Runter von der Brücke, du Idiot!*«

Automatisch drehten sie sich in die Richtung um, aus der dieser Ruf ertönt war. Tricia. Die hatten sie völlig vergessen. Sie sahen, wie sie geduckt an der Wand des Bürogebäudes stand.

»Was ist mit ihr?« überlegte Schyler laut. »Warum ist sie nicht –«

»Geh runter von der Brücke!« Tricia hatte mit den Händen einen Trichter geformt und schrie ihren Ehemann an. »Ken, hörst du mich? Runter von der Brücke!«

Schylers Kopf schwang herum, sie sah zu Ken. »Was soll das? Ich versteh nicht, was –«

»Jesus!« Cash stieß seine Tür auf, schnappte sich Schyler und riß sie mit sich zu Boden. Gerade noch rechtzeitig.

In der nächsten Sekunde zerriß die Sprengladung, die Jigger angebracht hatte, die Laurent Bayou Brücke in Stücke.

56. KAPITEL

Gayla strich Jimmy Don über die Brust, über sein Gesicht, seine Arme. »Ich kann noch gar nicht glauben, daß du wirklich da bist. Daß ich dich berühre. Und… und daß du mich nicht haßt.« Tränen füllten ihre Augen. Eigentlich hätte sie schon längst keine Tränen mehr haben dürfen, denn sie hatte fortwährend geweint, seit Jimmy Don aus dem Nichts aufgetaucht war. Zuerst aus Angst, dann aus Liebe.

»Ich hasse dich nicht, Gayla. Na ja, am Anfang schon. Eigentlich die ganze Zeit, als ich im Gefängnis war. Aber dann habe ich am selben Tag einen Brief von Cash und einen von Schyler bekommen. Cash hat geschrieben, ich soll zu ihm kommen, wenn ich auf Bewährung raus bin.« Er streichelte ihr zärtlich die Wange. »Er hat mir erzählt, wie das mit dir gekommen ist.«

»Warum hast du mir dann nachspioniert?«

Er grinste in die Dunkelheit und gab der Schaukel einen leichten Schubs. »Cash hat mich dazu angestiftet.«

»Er hat dich angestiftet, auf Belle Terre zu spionieren?«

»Na ja, ich sollte ein Auge drauf haben. Er hat befürchtet, daß Jigger sich rächt.«

Das mußte sie erst einmal verdauen. »Cash hat sich Sorgen um Schyler gemacht?«

»Ja. Um Schyler, um dich, um den alten Mann.«

»Du hast mir Angst eingejagt. Ich hatte das Gefühl, daß da draußen jemand ist, der uns beobachtet und nur darauf wartet, uns etwas Schreckliches anzutun.«

»So war es auch.« Seine Nasenflügel bebten. »Ich war nicht allein da draußen. Jigger war auch da. Eines Abends habe ich ihn ins Haus schleichen sehen.«

»Dann hat er die Puppe auf mein Kissen gelegt!«

»Eine Puppe?«

»Voodoo.«

»Ich wußte nicht, was er drinnen tut. Ich konnte ihn nicht aufhalten, sonst hätte er gewußt, daß er beobachtet wird. Ich konnte nur aufpassen, daß er dir nichts tut. Dann bin ich ihm bis nach Hause gefolgt.«

»Vor ein paar Nächten hat sich jemand hier draußen vor dem Salon herumgeschlichen.«

»Das war auch Jigger. Ich habe gesehen, wie du auf die Veranda gekommen bist und mußte die Luft anhalten, um dich nicht zu warnen, nur ja nicht um die Ecke zu gehen. Aber Cash hatte mir gesagt, ich solle noch nichts unternehmen, erst wenn wir Jigger auf frischer Tat ertappen.«

»Aber das habt ihr noch nicht.«

Jimmy Don zuckte die Achseln. »Jetzt ist es sowieso zu spät für ihn. Die Holzlieferung geht heute abend raus. Cash war in den letzten Tagen unruhig wie ein Tiger. Ich weiß nicht, wie oft er die Gegend um das Lager abgesucht hat.«

»Wonach?«

»Das war's ja – er wußte es selbst nicht. Er war einfach überzeugt, daß jemand es auf Schyler abgesehen hatte. Wer immer die Schienen in die Luft gejagt hat, er war noch nicht fertig. Cash war ganz sicher, daß die irgend etwas unternehmen würden, um den Konvoi aufzuhalten.«

»Die?«

»Cash glaubt, daß Jigger nicht allein dahintersteckt.«

Gayla erschauderte aus purer Gewohnheit bei der Erwähnung seines Namens. »Du mußt dich von Jigger fernhalten, Jimmy Don. Wenn er dich mit mir zusammen sieht, wird er dich auch umbringen wollen.«

Ihre Hand lag wohlbehütet zwischen den seinen. »Jigger wird weder dir noch jemand anderem jemals wieder etwas antun.«

Er sagte es so überzeugt, daß Gayla das Herz stockte. Sie sah ihn eindringlich an. »Jimmy Don, hast du –?«

Er legte ihr den Finger auf die Lippen. »Frag mich niemals danach.«

Sie starrten sich einen Augenblick lang an. Dann seufzte

Gayla leise vor Erleichterung auf und schmiegte den Kopf in die Beuge seines Nackens. Jimmy Don hielt sie fest umarmt.

Schließlich löste sie sich aus der Umarmung. Sie stand auf und lehnte sich an einen der Pfeiler. »Ich habe mit sehr vielen Männern geschlafen, Jimmy Don.«

Er erhob sich ebenfalls und ging zu ihr. »Das macht mir nichts aus.«

»Mir aber.« Durch tränenverhangene Augen schaute sie auf ihre Hände hinunter. »Bevor ich in dieser Kneipe gearbeitet habe, gab es keinen anderen als dich, das schwöre ich bei Gott.«

Er hielt sie bei den Schultern. »Das weiß ich. Dieser miese Kerl hat uns beiden das Leben zur Hölle gemacht, Gayla.« Er hob ihr Kinn an. »Ich habe im Gefängnis Dinge erleben müssen…« Ihm versagte die Stimme. Die Erinnerung war zu schmerzlich.

Sie spürte es instinktiv. »Du mußt es mir nicht erzählen«, flüsterte sie.

»Doch, das muß ich. Ich liebe dich, Gayla. Und ich möchte mit dir zusammensein. Ich möchte, daß wir heiraten, wie wir es immer wollten. Aber ich kann dich nicht bitten, meine Frau zu werden.« Sie neigte den Kopf zur Seite und sah ihn fragend an. Er räusperte sich, doch die Tränen in seinen Augen ließen sich nicht mehr zurückhalten. »Da waren Typen im Knast, die sich an mir vergangen haben.« Er wandte den Kopf zur Seite und kniff die Augen zusammen. »Das hat etwas in mir abgetötet. Ich, uh, ich weiß nicht, ob ich… ob ich noch mit einer Frau zusammen sein kann. Ich glaube, ich könnte vielleicht… vielleicht impotent sein.«

Gayla nahm sein Gesicht in ihre Hände. Er schlug seine tränenverschwommenen, schmerzerfüllten Augen wieder auf. »Das ist nicht wichtig für mich, Jimmy Don«, sagte sie mit leisem Ernst. »Glaub mir, Baby, ich mußte es mit so vielen Kerlen machen, daß ich gar nicht mehr weiß, wie es richtig ist. Sei einfach geduldig und zärtlich mit mir. Liebe mich. Mehr verlange ich nicht von dir.«

Tränen strömten über seine dunklen, glatten Wangen. Er drückte Gayla an sich und hielt sie ganz fest. In diesem Moment hätte nichts auf der Welt sie trennen können – bis auf die Explosion, die die Fenster von Belle Terre klirren und den Himmel wie am 4. Juli leuchten ließ.

»Großer Gott!« rief Jimmy Don. »Cash hat recht gehabt!«

»Schyler!«

»Du bleibst hier.« Jimmy Don löste sich von ihr.

Sie lief ihm nach. »Ich will mit!«

»Du mußt bei dem alten Mann bleiben.« Er schwang sich über das Geländer der Veranda.

»Es ist kein Wagen da!«

»Dann laufe ich.« Er rannte bereits.

»Paß auf dich auf! Ruf an, wenn du etwas weißt!« Er winkte ihr zu, um ihr zu bedeuten, daß er es gehört hatte. Sie sah ihm nach, bis er hinter der Biegung der Straße verschwunden war. Als die Tür hinter ihr quietschte, schwang sie herum. »Mr. Crandall! Sie müssen im Bett bleiben!« Sie eilte ihm entgegen und stützte ihn. Er schien kurz vor einem Kollaps. Das rote Glühen des Feuers spiegelte sich in seinen Augen.

»Das ist auf dem Gelände!«

»Es ist bestimmt alles gut. Jimmy Don ist hingelaufen. Er ruft an.«

Cotton fragte nicht. Er schien nicht zu registrieren, wer sich die letzten Stunden in seinem Haus aufgehalten hat. Er starrte nur auf das Höllenfeuer, das sich über die Baumwipfel erhob.

»Ich muß zum Gelände!« keuchte er.

»Nein, das dürfen Sie nicht. Sie müssen zurück ins Bett!«

»Nein!« Er rang mit ihr, obwohl er so schwach war, daß es keinen Kampf gab.

»Mr. Crandall, selbst wenn ich Sie lassen würde, es ist kein Wagen da. Sie können nicht hinfahren.«

»Gott verdammt!« Er sank gegen den Türrahmen. Sein Atem ging schwer. Er massierte sich mit einer Hand das Herz.

Gayla bekam Angst. »Bitte, gehen Sie jetzt wieder ins Bett.«

»Laß mich in Ruhe«, fauchte er und schüttelte ihre Hand ab. »Ich bin kein Kleinkind. Hör auf, mich wie eins zu behandeln.«

Gayla resignierte. »Na gut, dann bleiben wir hier auf der Veranda sitzen. Wir können das Telefon auch von hier hören.«

Cotton ließ sich in einen der Korbstühle sinken. Als er saß, nahm Gayla auf der obersten Treppenstufe Platz und wickelte sich den Rock um die Beine. So saßen sie schweigend beisammen und beobachteten, wie der Himmel blutrot wurde.

Der Lieferwagen rumpelte die Auffahrt herauf. Gayla saß noch immer auf der Treppe, schlief an den Pfosten gelehnt. Sie erwachte erst, als die Tür des Wagens zugeschlagen wurde. Sie hob die Hand und schirmte die müden Augen gegen das erste Sonnenlicht des Tages ab.

Cash und Schyler kamen die Auffahrt herauf. Beide sahen aus, als wären sie an der Front gewesen. Jimmy Don sprang von der Ladefläche des Lieferwagens herunter. Gayla lächelte ihm schüchtern zu. Er erwiderte ihr Lächeln.

»Daddy!« rief Schyler aus. Sie rannte den Rest des Weges und die Treppe hinauf. »Um Himmels willen, was machst du hier draußen? Warum bist du nicht im Bett?«

»Er hat sich geweigert, ins Haus zu gehen, Schyler«, sagte Gayla. »Selbst nachdem Jimmy Don angerufen hat, wollte er nicht wieder rein.«

»Ihr seid die ganze Nacht hier draußen gewesen?« Gayla nickte. Die Frauen tauschten einen besorgten Blick. Cotton sah nicht gut aus. »Ich will jetzt keine Widerworte hören«, sagte Schyler. »Gayla kannst du vielleicht rumkommandieren, aber nicht mich. Du marschierst sofort ab ins Bett.«

Cotton stieß seine Tochter beiseite. »Erst will ich eines wissen.« Obwohl seine Stimme brüchig wie Pergamentpapier klang, verblüffte sie alle mit ihrer Wucht. Die Armlehnen als Stütze benutzend richtete er sich zu voller Größe auf. »Hast du mir das angetan?«

Er schaute Cash direkt an. Die blauen Augen unter den buschigen Brauen funkelten. Cash starrte zurück. Sein Blick war ebenso hart und stur wie der des anderen.

»Nein.«

»Es war Jigger Flynn, Daddy«, beeilte Schyler sich zu sagen.

Sie versuchte, den aufziehenden Sturm zu verhindern. Die Luft knisterte. Von dem Moment an, als Cash und Cotton zusammentrafen, hatte sich die Atmosphäre wie vor einem Tornado aufgeladen.

Sie berichtete Cotton in kurzen, exakten Sätzen, was sich in der Nacht ereignet hatte. Sie hielt sich nicht mit Details auf. Die würde er später, wie Medizin in kleinen Portionen, verabreicht bekommen, wenn es ihm wieder besser ging. Sie erzählte ihm auch nicht, daß Ken bei der Explosion ums Leben gekommen war, Sekunden bevor er es durch eigene Hand tun konnte. Sie erzählte ihm nicht, daß Tricia schon vor Monaten eine unheilvolle Verbindung mit Dale Gilbreath eingegangen war. Tricia saß in diesem Moment im Büro des Sheriffs und legte in Gegenwart ihres Anwalts ein Geständnis ab. Sie waren bereits dabei, einen Handel vorzuschlagen. Tricia hoffte, mit einer niedrigen Strafe davonzukommen, wenn sie sich bereiterklärte, als Kronzeugin auszusagen. Wenn das nicht klappte, würde sie sich zusammen mit Gilbreath und Flynn unter anderem für den Mord an ihrem Mann verantworten müssen.

Nein, das alles hatte Zeit bis später, wenn Cotton wieder sicherer auf den Beinen war.

»Das Feuer sah schlimmer aus, als es war, Daddy«, schloß Schyler besorgt. »Das meiste Holz konnte gerettet werden. Wir werden es Endicott demnächst liefern können, aber jetzt müssen wir uns auch keine Gedanken mehr wegen des Rückzahlungstermins bei der Bank machen.«

Cotton schien kein einziges Wort mitbekommen zu haben. Er hob die Hand und zeigte auf Cash. »Du bist auf meinem Besitz.«

»Daddy, was ist los mit dir? Cash hat heute nacht die Arbeit von zehn Männern für dich geleistet.«

Cottons Hand begann zu zittern. »Du... du...« Keuchend faßte er sich ans Herz und wankte zurück.

»Daddy!« schrie Schyler.

Cotton sank auf die Knie und fiel dann rückwärts auf die Bretter der Veranda. Schyler fiel neben ihm auf die Knie.

»Ich rufe den Doktor!« sagte Gayla und lief ins Haus. Jimmy Don eilte ihr nach.

»Daddy! Daddy!« Schylers Hände flatterten über seinen Körper. Cottons Gesicht war schweißgebadet. Seine Lippen und

Ohrläppchen nahmen eine ungesunde blaue Farbe an. Sein Atem kam keuchend über seine wächsernen Lippen.

Schyler hob den Blick und sah verzweifelt, um Hilfe suchend, zu Cash. Der Ausdruck auf seinem Gesicht ließ sie erstarren.

Niederkniend griff er Cotton am Aufschlag der Pyjamajacke und zog ihn zu sich hoch. »Gott wird dich ins ewige Fegefeuer schicken, wenn du jetzt stirbst. Du darfst jetzt nicht sterben, alter Mann. Jetzt noch nicht!«

»Cash, was tust du?!«

Cash schüttelte Cotton. Dessen weißer Kopf baumelte hin und her. Sein Blick war auf Cashs gepeinigte Miene geheftet. Dem jüngeren Mann fiel das Haar in die Stirn. Tränen schimmerten in seinen braunen Augen.

»Du wirst nicht sterben, bevor du es gesagt hast. Sieh mich an. Sag es!« Er faßte ihn noch fester und zog ihn näher an sich heran. Er senkte den Kopf und legte die Stirn an Cottons. Seine Stimme brach, als er ihn zwischen zusammengebissenen Zähnen anflehte. »Sag es! Sag es nur ein einziges Mal! *Sag Sohn zu mir!*«

Unter großer Anstrengung hob Cotton die Hand. Er berührte Cashs stoppelige Wange. Streichelte sie mit seinen blutleeren Fingerspitzen, doch es war nicht der Name seines Sohnes, der über seine Lippen kam. Er sagte: »Monique.« Dann starb er.

Mit einem dumpfen Geräusch fiel die Hand von Cashs Gesicht auf die Bohlen. Langsam entspannte Cash die Armmuskeln und ließ den Körper hinuntergleiten. Lange blieb er so sitzen, den Kopf gebeugt, und starrte in die toten blauen Augen, die sich immer geweigert hatten, ihn zu sehen.

Dann stieß er sich ab, kam auf die Füße und stolperte die Stufen der Veranda hinunter. Schyler kniete sprachlos neben Cotton.

57. KAPITEL

Jeder Sonnenuntergang auf Belle Terre war wunderschön. Doch der heutige übertraf in seiner Pracht noch die meisten vorangegangenen. Es hatte geregnet, aber nun war der Himmel wieder aufgeklart. Am westlichen Horizont waren gewaltige Gewitterwolken zu sehen. Die Sonne fiel durch sie hindurch und schuf einen schier himmlischen Sonnenuntergang.

Schyler betrachtete den spektakulären Sonnenuntergang vom Fenster ihres Schlafzimmers aus. Das Haus war ruhig. Das war es für gewöhnlich. Sie und Mrs. Dunne machten keinen großen Lärm.

Gayla war ausgezogen. Sie und Jimmy Don, die beiden frisch Vermählten, hatten eine Wohnung nahe der Stadt bezogen. Gayla plante, sich im Herbst in einer Schwesternschule einzuschreiben. Jimmy Don arbeitete für das Crandall Holzwerk. Er hatte die Stellung übernommen, die Ken Howell einst innegehabt hatte, und kümmerte sich um die Buchhaltung. Sein Bewährungshelfer war mehr als zufrieden. Schyler hegte große Hoffnungen für das Paar. Sie würden es schon schaffen, besonders da sie nicht mehr unter dem Fluch namens Jigger Flynn leiden mußten.

Schyler war schockiert gewesen, als sie von den grausamen und mysteriösen Umständen seines Todes erfahren hatte. Auch wenn es einer der abscheulichsten Morde war, die sich je in Laurent zugetragen hatten, gab es keinerlei Hinweise auf den Täter. Zwar hatten die meisten Menschen in der Gegend ihre eigene Meinung dazu und ihre ganz private Liste von Verdächtigen, aber niemand rührte sich. Jigger hatte sich mehr Feinde geschaffen als jeder andere, und kaum jemand bedauerte seinen Tod. Der Mord an ihm sollte als ungelöstes Verbrechen in die Geschichte eingehen.

Cotton Crandalls Begräbnisfeier war ein Ereignis, wie es die Gemeinde seit Jahrzehnten nicht mehr erlebt hatte. Die Baptistenkirche war bis auf den letzten Platz gefüllt gewesen. In den Gängen hatte man zusätzliche Stühle aufgestellt. Und als auch die nicht ausreichten, versammelten sich die Menschen draußen vor der Kapelle. Der Gottesdienst war beeindruckend gewesen, die Predigt traf die Menschen mitten ins Herz. Und als die letzte Strophe von »Amazing Grace« angestimmt wurde, hatten selbst jene Tränen in den Augen, für die Cotton nichts weiter als ein Opportunist gewesen war, der geschickt eingeheiratet hatte.

Doch es war nicht der Gottesdienst und die Beerdigung, worüber die Menschen noch lange redeten, sondern die mehr als ungewöhnliche Bestattung. Cotton Crandall war nicht, wie gemeinhin erwartet, neben seiner Frau auf dem Familienfriedhof der Laurents bestattet worden. Er war auf Belle Terre zur letzten Ruhe gebettet worden, an einem geheimgehaltenen und ungestörten Ort. Nur Schyler wußte, wo. Nur sie wußte, daß noch ein zweites Grab neben seinem lag.

Und sie wußte auch, daß sie in Cottons Sinn gehandelt hatte.

Am Tag vor seinem Begräbnis war sie nach New Orleans gefahren und hatte an Kens Bestattung teilgenommen, zusammen mit seinen engsten Angehörigen; viele waren es nicht gewesen, die an seinem Grab standen. Tricia vergoß nicht eine Träne. Sie hatte sich geweigert, ihre Schwester überhaupt anzusehen oder auch nur ein Wort mit ihr zu wechseln. Gleich nach Beendigung der kurzen Zeremonie hatten zwei Polizisten sie wieder weggeführt. Schyler kam für die Kosten für Tricias Verteidiger auf. Aber darüber hinaus weigerte sich Tricia, weitere Hilfe von ihr anzunehmen. Sie hatte sie auch nicht sehen wollen, als Schyler sie im Gefängnis besucht hatte.

Während der dunkelsten Tage ihres schmerzlichen Verlustes hatte Schyler mit Mark in London telefoniert. Er war sehr mitfühlend gewesen und hatte sie getröstet, aber ihre Freundschaft war nicht mehr wie früher. Das war ihnen beiden klar, und es machte sie traurig, daß sie nichts daran ändern konnten.

So war Schyler nun ganz allein in diesem großen Haus, und sie hatte sich noch nie so einsam gefühlt wie an diesem Abend. Sie hatte ein ausgiebiges Bad in der alten Wanne genommen. Ihre Kleidung lag sorgfältig gefaltet auf dem Bett. Sie würde sie nur noch im Koffer verstauen müssen, mehr gab es vor dem Zubettgehen nicht zu tun. Aber sie zögerte dies solange hinaus wie nur möglich, weil dies die allerletzte Nacht war, die sie unter dem Dach von Belle Terre verbringen würde.

Er stand in der Tür zu ihrem Schlafzimmer, die Schulter gegen den Türrahmen gelehnt, und schaute schweigend zu ihr herüber. Wie stets trug er Jeans, Cowboystiefel und ein ganz normales Arbeitshemd. Sie war nur mit einem Unterrock bekleidet.

»Wie ich sehe, sind deine Manieren nicht besser geworden, seit wir uns das letzte Mal gesehen haben«, merkte sie an. »Hättest du nicht wenigstens anklopfen können?«

»Ich mußte noch nie anklopfen, um ins Schlafzimmer einer Dame zu kommen.«

Er stieß sich von der Tür ab und trat ins Zimmer. Dann zog er einen Umschlag aus der Brusttasche seines Hemdes und warf ihn auf den Schminktisch. »Ich habe deinen Brief erhalten.«

»Dann ist zwischen uns beiden alles gesagt, oder nicht?«

Er nahm eines ihrer kristallenen Parfümfläschchen und schnupperte daran. »Ich finde, derlei Nachrichten sollte man persönlich überbringen.«

Schyler fühlte sich schutzlos. »Ich hab mir gedacht, es wäre das Beste, wenn wir uns nicht sehen. Mein Anwalt hat mir geraten, dir zu schreiben.«

»Hat er dir auch dazu geraten, mir Belle Terre zu übereignen?«

»Nein.«

»Weil ich Cottons Bastard bin.«

»Nein, das war nicht sein Einwand. Er ... er war der Meinung, ich sollte Daddys letzten Wunsch erfüllen, so, wie er ihn niedergeschrieben hat.«

»Den Besitz zu gleichen Teilen zwischen dir, mir und Tricia aufzuteilen?«

»Ja.«

»Aber du warst nicht dieser Meinung?«

»Nein.«

»Wieso nicht?« Er ließ sich auf ein Sofa fallen, legte einen Fuß über die Lehne und ließ das Knie baumeln.

»Das ist nicht so einfach zu erklären, Cash.«

»Versuch es.«

»Mein Vater ... *unser* Vater ... hat dich sträflich vernachlässigt.«

»Und du willst sein Unrecht wiedergutmachen?«

»Ja, so kann man sagen.«

»Ein Junge, der auf der falschen Seite des Zauns zur Welt kommt, hat keine Rechte, Schyler.«

»Du warst für ihn mehr als das.«

Er lachte bitter. »Ja, sein lebendes schlechtes Gewissen.«

»Vielleicht. Aber er liebte dich. Wirklich. Sein Testament beweist es.«

»Er hatte nie ein freundliches Wort für mich«, schnaubte Cash ärgerlich.

»Das konnte er sich nicht leisten.« Damit hatte sie seine Aufmerksamkeit. Das lässige Knie hörte auf zu schlenkern. Sein Blick hielt ihren; er wollte überzeugt sein. »Er liebte dich, Cash. Er durfte es nur nicht zeigen. Er wußte, daß alle es mitbekommen würden, wenn er sich nur annähernd eine Blöße gegeben hätte.« Sie verzog angestrengt grübelnd die Stirn. »Ich weiß nicht, warum das so schlimm gewesen wäre. Warum hat er dich nicht zu Lebzeiten als Sohn anerkannt?«

»Weil er es Macy geschworen hat. So lautete ihr Handel. Cotton durfte meine Mutter als Geliebte halten, aber er mußte dafür auf seinen Sohn verzichten.«

»Aber nachdem Mama tot war, hätte er es doch gekonnt.«

»Die Abmachung mit Macy galt fürs Leben. Cottons Leben. Jedenfalls hat er das Mutter und mir gesagt, als ich ihn aufforderte, Monique zu heiraten. Macy hatte keine andere Wahl, als ihm Belle Terre zu geben. Aber sie hat dafür gesorgt, daß er hier nicht glücklich werden konnte.«

»Und er hat Belle Terre über sein eigenes Glück gestellt. Über seinen eigenen Sohn«, sagte Schyler betrübt. »Er hat dich geliebt. Und Monique, und mich. Aber Belle Terre liebte er mehr als uns.«

Sie sah auf ihn hinunter und fügte leise hinzu: »Und das gilt auch für dich, Cash. Deshalb bist du die ganze Zeit hiergeblieben. Du hast instinktiv gespürt, daß Belle Terre eigentlich dir zusteht. Und du hast dein ganzes Leben darauf gewartet, es für dich zu bekommen, nicht wahr?« Er sagte nichts, sah sie nur an. »Nun, du mußt nicht länger warten. Ich habe dir meinen Anteil überschrieben. Mein Schreiben ist die Bestätigung dessen.«

»Damit wäre alles geregelt«, fuhr sie nach einer kurzen Pause fort. »Du bist jetzt der Herr hier. Der Scheck von Endicott deckt den Kredit. Du hast ausreichend Kapital für die Firma. Mit einem ehrlichen Buchhalter an deiner Seite kannst du aus dem Crandall Holzwerk wieder das Unternehmen machen, das es einst war. Vielleicht noch mehr. Daddy hat dir viel gezeigt. Und was er dir nicht gezeigt hat, das hast du dir selbst beigebracht. Er hat immer von dir gesagt, daß du der Beste bist. Er war stolz auf dich.«

Sie schenkte ihm ein schwaches Lächeln. »Wahrscheinlich wirst du den Namen der Firma ändern wollen, jetzt, wo Belle Terre dir gehört, oder?«

»Ich hätte lieber eine Frau als ein Haus.«

Schyler stockte einen Moment lang der Atem. »Bitte?«

Er schwang sich vom Sofa, stand auf und kam so nahe, daß sie das Kinn heben mußte, um ihm in die Augen schauen zu können. »Ich habe nicht mit Tricia geschlafen«, sagte er. »Ich habe es nie vorgehabt. Diese Hexe hätte mich nie dazu gekriegt, sie in dieser Nacht zu beschlafen. Ich habe geahnt, daß sie mich nur ablenken sollte. Tatsächlich wollte ich nur die notwendigen Informationen von ihr bekommen.«

Er schlang die Arme um Schyler, faßte sie beim Haar und bog ihren Kopf zurück. »Du liebst diesen Ort, Schyler. Warum willst du ihn für mich aufgeben?«

»Weil ich schon immer das Gefühl hatte, daß er mir nicht zusteht, nur eine Art Leihgabe war. Ich spürte immer schon, *immer*, daß er nicht wirklich mir gehört. Ich wußte nie, warum. Jetzt weiß ich es. Du bist Cottons Fleisch und Blut. Sein Sohn.« Sie schüttelte den Kopf über ihre eigene Dummheit. »Du bist ihm so ähnlich. Warum habe ich das nie gesehen?«

Sie betrachtete sein Gesicht, liebte ihn in diesem Moment so sehr, daß sie wegschauen mußte. »Nachdem er tot war, habe ich mich schließlich daran erinnern können, welche Worte in der Nacht gefallen waren, als du mich vom Thibodaux See nach Hause gebracht hast. Bis dahin hatte es nur nie einen Sinn ergeben. Daddy sagte, du solltest von seinem Grund und Boden verschwinden. Du hast zurückgebrüllt: ›Ich habe mehr Recht hier zu sein als sie.‹ Damit hast du Tricia und mich gemeint, nicht wahr?«

»*Oui.* Ich habe damals die Beherrschung verloren.«

»Ja, aber du hattest recht. Du gehörtest hierher und wir nicht.«

»Ich war wie besessen von Belle Terre, seit meine Mutter den Namen zum ersten Mal erwähnte.« Er hauchte ihr einen Kuß auf die Lippen. »Aber ich werde nicht wie mein Dad sein. Ich werde Belle Terre nicht über alles stellen. Das ist es nicht, was ich am meisten will. Ich wußte, daß du es bist, die ich am meisten will, seit ich dich unter diesem Baum schlafen sah.«

»Cash?«

»Warum hast du mir Belle Terre geschenkt?«

»Du weißt, warum«, stöhnte sie unter seinem Kuß. »Ich liebe dich, Cash Boudreaux.«

Er küßte sie. Seine Lippen schmeckten warm und süß. Er streichelte und liebkoste sie. Dann zog er sie ganz nah zu sich heran. Als er die Matratze des Bettes an seinen Kniekehlen spürte, ließ er sich hinabgleiten und setzte Schyler zwischen seine gespreizten Schenkel.

»Du wirst nirgendwohin gehen«, murmelte er zwischen heißen Küssen. »Du bleibst hier, bei mir. Und wenn wir sterben, werden unsere Kinder uns hier zusammen begraben. Auf Belle Terre.«

Schylers Augen füllten sich mit Tränen. Ein Gefühl der Freude und Liebe durchflutete sie. Sie grub die Finger in sein Haar und preßte seinen Kopf an sich.

»Schyler?« flüsterte Cash.

»Ja?«

Mehrere pochende Herzschläge, dann flüsterte er wieder: »Ich liebe dich.«

GOLDMANN

Bestseller

*Tom Clancy und Sidney Sheldon, Utta Danella
und Danielle Steel, Heinz G. Konsalik und
Marie Louise Fischer, Colleen McCullough und Gillian Bradshaw,
Charlotte Link und Irina Korschunow –
internationale Weltbestseller garantieren Spannung und
Unterhaltung auf höchstem Niveau.*

Barbara Taylor Bradford,
Des Lebens bittere Süße   9264

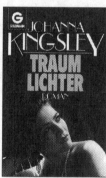

Johanna Kingsley,
Traumlichter   8975

Judith Krantz,
Skrupel   6713

Sandra Paretti,
Die Pächter der Erde   9249

Goldmann · Der Bestseller-Verlag

GOLDMANN

Bestseller

*Tom Clancy und Sidney Sheldon, Utta Danella
und Danielle Steel, Heinz G. Konsalik und
Marie Louise Fischer, Colleen McCullough und Gillian Bradshaw,
Charlotte Link und Irina Korschunow –
internationale Weltbestseller garantieren Spannung und
Unterhaltung auf höchstem Niveau.*

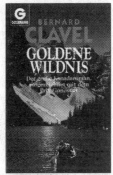

Bernard Clavel,
Goldene Wildnis   41008

Clive Cussler,
Das Alexandria-Komplott   41059

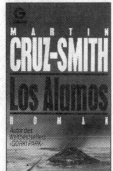

Martin Cruz-Smith,
Los Alamos   9606

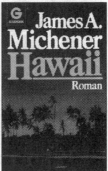

James A. Michener,
Hawaii   6821

Goldmann · Der Bestseller-Verlag

GOLDMANN

Susan Howatch

*Susan Howatch läßt Geschichte lebendig werden, und
weil sie erzählerische Qualitäten und eine tiefe Einsicht
in die menschliche Seele miteinander zu verbinden
versteht, fällt es schwer, ihre Bücher wieder aus der
Hand zu legen.*

Die Sünden der Väter   6606

Der Zauber von Oxmoon   9123

Blendende Bilder   9735

Gefährliche Visionen   41057

Goldmann · Der Taschenbuch-Verlag

GOLDMANN

Konsalik

Wie nur wenige hat es Heinz G. Konsalik geschafft, seine Leser mit packenden Storys zu weitentfernten Brennpunkten des Weltgeschehens zu entführen. Charaktere und Schicksale seiner Romane wurden dabei faszinierende Spiegelbilder exotischer Länder und Kulturen.

Tal ohne Sonne 41056

Das Regenwaldkomplott 41005

Unternehmen Delphin 6616

Ein Kreuz in Sibirien 6863

Goldmann · Der Taschenbuch-Verlag

»Versuche

MAGIC EYE

nichts

zu sehen,

dann

ISBN 3-7607-1105-7
Das Magische Auge II
Dreidimensionale
Illusionsbilder
von Tom Baccei
(N.E.Thing Enterprises)
DM 29,80
öS 233,00 / sFr 29,80

siehst Du

ISBN 3-7607-1128-6
Das Magische Auge III
Dreidimensionale
Illusionsbilder
von Tom Baccei
(N.E.Thing Enterprises)
DM 29,80
öS 233,00 / sFr 29,80

_es_*

***Tom Baccei ist Computerfachmann und Autor
des Megasellers DAS MAGISCHE AUGE**

ars≡dition